The Dryden Press

Modern Language Publications

GENERAL EDITOR
FREDERIC ERNST
NEW YORK UNIVERSITY

First-Year French

A CONVERSATIONAL GRAMMAR AND READER

EDMOND A. MÉRAS

Phillips Exeter Academy

MARIO A. PEI

Columbia University

THE DRYDEN PRESS · NEW YORK

PREFACE

THIS GRAMMAR is intended for the first-year college course in French. It stresses a modern conversational approach and embodies three considerations which the authors believe to be fundamental in language learning: (1) frequency of occurrence, (2) memorization, and (3) realism in conversation.

(1) Frequency of occurrence. More than half of the terms used in ordinary spoken language are ready-made clichés, and a few hundred of these tend to recur most frequently. Once the student has learned these clichés by memorizing them, he will have a real degree of confidence in speaking and understanding the foreign language.

The principle of frequency of occurrence applies not only to words and expressions but to grammatical forms and constructions as well. Consider, for example, the demonstrative adjective and the demonstrative pronoun. From the point of view of abstract logic it may be desirable to assign the demonstrative pronoun immediately after the demonstrative adjective; but the relative frequency of occurrence of these two forms warrants their presentation at widely different points in the text. The learner can always say "ce livre et le livre de mon frère" instead of "ce livre et celui de mon frère" if the need for such a construction arises in everyday speech.

Relative frequency of occurrence in actual conversation has been a primary guiding principle throughout this grammar. Verbs—both regular and irregular—and tense forms are arranged in accordance with this principle. Thus, irregular verbs such as *être, aller, avoir, vouloir,* and *prendre* precede even the regularly conjugated verbs. Tenses such as the present, the past indefinite, and the periphrastic future formed with *aller* are studied much earlier than the tenses which are used less frequently. Forms such as *ce dont, je tinsse,* and *nous eûmes parlé*—dear to the hearts of reference grammarians and compilers of final examinations—receive less attention than forms which recur frequently in everyday language.

(2) Memorization. The authors believe that memory, more than any other faculty, is the basis of language learning. To help the student retain an essential vocabulary, they have presented words and phrases in a practical context which lends itself to dramatization. If the learner repeats orally the *Conversations* often enough, bearing in mind their

v

setting, he will acquire a working vocabulary which should lead to rapid progress in his use of the language.

(3) *Realism in conversation.* Realism in conversation has been the third guiding principle in the preparation of this text. The grammar is developed from lifelike *Conversations* based on lifelike situations. The authors have scrupulously sought to avoid artificiality.

Teachers examining this textbook may be interested in the method by which the various aspects of language learning have been integrated. Each *Conversation* illustrates the grammatical points discussed in the lesson. To explain these grammatical points, numerous examples are given, most of which repeat the vocabulary of the lesson. Moreover, some grammatical points are often presented briefly, and then discussed in more detail later in the book. This method may make a deeper impression on the student than a single but more complicated discussion. The *Exercices* drill the student on the *same* points and the *same* vocabulary. The *Questions* train him in the oral use of the vocabulary and of the constructions discussed. The *Lectures,* especially in the early lessons, repeat once again the vocabulary and grammatical constructions while introducing new words and phrases—which the student will retain because of the context in which they are found. The *Thèmes,* written in a practical, conversational form, require a review of the vocabulary and grammar of the lesson. Finally, the *Compositions* give the student an opportunity to test what he has learned by using it freely—either in oral or in written form. Thus, every portion of the lesson fits in with every other portion. This multiple yet integrated approach, with its variety of drill, should facilitate the learning process with all types of students.

The vocabulary of the reading material is eminently practical. Occasionally new words or difficult expressions have been translated in the expectation that some of them may be subconsciously retained. The *Lectures* also present inductively some points of grammar which are discussed in subsequent lessons. In this way the expression may enter the student's consciousness before actual study—as occurs in any natural language-learning process.

The reading and conversational material leads naturally to the reading of dramatic literature (such as Tristan Bernard's *Franches Lippées,* a short scene from daily life in which the vocabulary is that of everyday speech); it leads likewise to the understanding of ordinary fiction, especially prose with dialogue. After completing the study of this text, the student should be able to read without difficulty any simple play or short story of the late nineteenth-century type.

If the *Conversations* are used orally and repeated until they are memorized, pronunciation can be effectively taught and oral comprehension developed. If the *Exercises* are covered thoroughly and if the *Questions, Lectures, Thèmes,* and *Compositions* are used to test the student's mastery of each lesson, at the end of one year's study he should be able to speak, read, write, and understand the basic vocabulary, idioms, and constructions presented in this book.

The varied elements presented in each lesson offer the teacher a great flexibility of method. He may stress the conversation, the reading, or the writing. He may use the *Questions* immediately after the students have memorized the *Conversation,* or wait until they have studied the sections dealing with verbs and grammar. He may even prefer to use the *Questions* after all the *Exercises* have been covered.

According to the time he has at his disposal, the teacher may give more or less importance to the *Lecture* and *Composition,* at the end of each chapter. He may finally decide to eliminate part of the *Exercices* or cover some of them at sight in the classroom.

This book purposely offers more material than is strictly needed in most first-year courses. While the authors have included all that they consider essential, and have indicated the order of presentation which they personally prefer, each teacher will make his own emphases and will organize his teaching to meet the specific needs of his students.

January 1950   E. A. M.
                                        M. A. P.

Table of Contents

PRONUNCIATION

Written Accents and Marks

ACCENTS IN FRENCH are written over certain vowels to indicate a change in pronunciation. There are three accents in French: the acute (´), used only on é; the grave (`), used principally on è; and the circumflex (^), which appears over many vowels: â, ê, î, ô, û. This accent usually lengthens the sound of the vowel and often indicates the dropping of an *s* at some time in the history of the French language, while the *s* remains in the English equivalent. For example: hâte (haste), fête (feast).

The dieresis is used to indicate separate pronunciation of a vowel from the preceding vowel: Noël (Christmas), naïf (artless).

The cedilla, used under c before a, o, or u, indicates that c is pronounced like s. Garçon is pronounced *garson*. (c before e and i is normally pronounced like s.)

Stress

The only stress on a word in French falls on the last syllable. If the last syllable contains an e that is not fully pronounced (mute e) the accent falls on the preceding syllable. In general, accent in French is very even and there is none of the emphatic stress that is characteristic of English.

Syllabification

As a general rule, syllables in French begin with a consonant. A mute e preceded by a consonant, though the e is silent, constitutes a syllable; tête is a two-syllable word. In dividing words into syllables, ch, th, ph, and gn are considered as single consonants. The following words would be divided thus:

a-mi	(friend)
a-che-ter	(to buy)
phy-si-que	(physics)
si-gne	(sign)
thè-me	(theme)

x (which consists of two separate consonant sounds, $k + s$ or $g + z$) is usually placed with the preceding vowel: ex-em-ple (example).

When three consonants come together in a word, the division

usually separates the first syllable after the first consonant and carries the other two consonants in the second syllable:

es-prit   (spirit, mind)
in-stant   (instant)

When there are two consonants coming together they are usually divided with the first consonant joined to the first syllable, and the second consonant to the second syllable, as:

j'es-pè-re   (I hope)

In the case of double consonants, while usually only one consonant sound is pronounced, if, when the words are broken up into syllables, the syllable that contains the first consonant contains an e, the pronunciation of that e is affected and remains open:

pres-ser   (hasten)
per-ru-que (wig)
bel-le   (beautiful)

When two consonants come together and the second is l or r the two consonants do not divide:

re-trou-ver   (to find again)
ta-bleau   (picture)

They do divide, however, if the first consonant is also an l or an r:

par-ler   (to speak)
per-ro-quet   (parrot)
bel-li-queux   (warlike)

Where the two consonants remain together, the preceding e is mute; when the consonants are divided, the e of the preceding syllable is open.

French vowels differ in pronunciation from English vowels. They are pronounced distinctly and have pure sounds, not diphthonged sounds, as is often the case in English.

Sound [ɑ]

a long [ɑ] is pronounced like the *a* in the English word *father*. Examples:

âme	(soul)
âge	(age)
pas, passer	(step, to pass)
nation	(nation)
base	(basis)

The French spellings which produce this sound are: **â, a** before **s, a** before **ss, a** before **tion,** and **a** before a **z-sound.**

Sound [ɑ]

a short [ɑ] has a sound halfway between the *a* in *pat* and the *a* in *father:*

partir	(to leave)
patte	(paw)
salle	(room)
banane	(banana)
évidemment	(evidently)

The French spellings usually producing this sound of **a** are: **a** before most consonants, especially **r** (see exceptions above [ɑ]), and the **em** of the ending **emment.** There are one or two words pronounced with this sound of **a** that do not fit into any of these categories, such as:

moi (**oi** is pronounced *wa*)	(I, me)
femme	(woman)
solennel	(solemn)

Sound [e]

e closed [e] has a sound similar to the sound of *a* in *able*. It is a very short pure sound:

papier	(paper)
été	(summer)
vous avez	(you have)
aimer	(to love)
j'ai	(I have)
je donnai	(I gave)
pied	(foot)
les amis	(the friends)
et	(and)

The French spellings of this sound are: é, ez, er (the infinitive ending), ed and er after i, final ai in verbs, et as a conjunction, e in a monosyllable when followed by a single s.

Sound [ε]

e open [ε] has the open sound of e in *net* or *bed*. Before r it has the prolonged sound of e in *their*. When the vowel e has a circumflex accent, the sound is also lengthened:

père	(father)
vous êtes	(you are)
j'aime	(I love)
faites	(do)
neige	(snow)
objet	(object)
il est	(he is)
belle	(beautiful)
estime	(esteem)

The French spellings of this sound are: è, ê, ai, ei, final et, est (the verb), e before a final pronounced consonant in a syllable.

Sound [ə]

e, without a written accent over it, at the end of a syllable, is often silent. If pronounced [ə], it is the same as the e in the article *the,* pronounced rapidly: le livre. Within words it likewise has little or no sound when it ends a syllable. For example: a-che-ter (to buy), and in groups of words as nous le disons (we say it); e is also silent in the ending -ent in the third person plural of verbs.

me	(me)
que	(that)
je	(I)
de	(of)
élever	(to raise)
souvenir	(remembrance)

Exceptions:

monsieur	(the -on- being pronounced like the e of le)
dessus	(the -e- is pronounced like the e of le)

faisant   (making)   nous faisons (we make)
               (in which the -ai- is pronounced like the e of le)

However, remember that e without an accent is not mute when followed by a consonant in the same syllable and is usually pronounced
like the open e [ɛ]:

        des-tin   (fate)
        res-tau-rant   (restaurant)

Sound [ɪ]

i [ɪ] usually has the sound of the English *i* in *machine* or the *ee* in
meet:

        pis   (worse)
        ami   (friend)
        livre   (book)
        il   (he)
        dîner   (dinner)
        folie   (madness)
        je copierai   (I shall copy)
        stylo   (fountain pen)

The French spellings of this sound are: i, î, ie, and y, preceded by a
consonant.

The letter y is usually. pronounced like i except where it occurs between vowels. In this case it is the equivalent of two i's.

        payer   (pai-ier)   (to pay)
        voyez   (voi-iez)   (see)

When y, in a syllable, is followed by a vowel it has the sound of *y* in
you (j). For example:

        yeux   (eyes)

Sound [ɔ]

o open [ɔ] is pronounced somewhat like the *o* of *or,* quickly pronounced:

        notre   (our)
        joli   (pretty)

je donne	(I give)
nous sommes	(we are)
je saurai	(I shall know)

The French spellings of this sound are: **o** before all pronounced consonants except **tion** and a **z-sound, au** before **r.** Other words in which an open **o** is sounded are:

| Paul | (Paul) |
| album | (album) |

Sound [o]

o closed [o] is pronounced like the *o* in *noble.* It usually occurs at the end of a word, before **-tion** or a **z-sound,** and when used with circumflex accent:

côte	(coast)
gros	(large)
rose	(rose)
notion	(notion)
mot	(word)
beau	(beautiful)
haut	(high)

The usual French spellings for this sound are: **eau, au, o, ô** in the cases stated above.

Sound [y]

u [y] has no equivalent in English. It corresponds to *ü* in German. It can be formed easily by rounding the lips as if to whistle and, at the same time, pronouncing the sound of *ee* as in *need:*

une	(one)
sur	(on)
étudier	(study)
sûr	(sure)
eu	(had)
il eut	(he had)
nous eûmes	(we had)

The French spellings of this sound are **u** and **û**, as well as **eu** in some forms of the verb *avoir*.

When **u** is followed by a pronounced vowel in the same syllable, the stress is placed on the second vowel, although each sound is pronounced separately:

je suis	(I am)
lui	(to him)
muet	(mute)
nuage	(cloud)

Nasal Vowels

When a vowel or a diphthong is followed by **n** or **m** in the same syllable, the vowel or diphthong is usually pronounced by opening the mouth and closing off the nose. Double **m** or double **n**, however, do not nasalize a preceding vowel. Nasal vowels occur in the following combinations:

Sound [ã]

[ã] **an, am, en, em:**

France	(France)
lampe	(lamp)
je prends	(I take)
temps	(time)
rang	(rank)
lent	(slow)
membre	(member)

There are very few exceptional cases where the vowel is nasalized before **nn** or **mm**:

ennui	(boredom)
emmener	(to take away)

Sound [ɛ̃]

[ɛ̃] **in, im, ain, aim, en** (after **i**), **en** (after **y**), **ein, eim, yn, ym:**

cinq	(five)
grimper	(to climb)
main	(hand)

faim	(hungry)
bien	(well)
moyen	(means)
plein	(full)
Reims	(city of Rheims)
syntaxe	(syntax)
nymphe	(nymph)

en in exam**en** (examination) and **en** in europé**en** (European) has the same sound.

Sound [ɔ̃]

[ɔ̃] **on, om:**

bon	(good)
son	(sound)
ombre	(shadow)
nom	(name)
compte	(account)

Sound [œ̃]

[œ̃] **un, um, eun**—Pronounced like the *u* in the English word *hurt*, nasalized:

un	(one)
parfum	(perfume)
lundi	(Monday)
humble	(humble)

Diphthongs

Diphthongs and triphthongs in French are not compounded sounds. They are merely spelled with more than one vowel. Some of these, such as **ai, ei, ay, au, eau,** have been treated above.

Sound [ø]

[ø] is a sound which is not found in English. **eu** and **œu** are pronounced like *ö* in the German *schön* when final in a word or when followed by a **z**-sound:

peu	(little)
bœufs	(oxen)

je veux	(I wish)
Meuse	(river Meuse)
vieux	(old)
monsieur	(sir)

Sound [œ]

[œ] In other cases **eu** and **œu** are pronounced somewhat like *u* in the English *cur,* prolonged:

heure	(hour)
neuf	(nine)
feuille	(leaf)
cœur	(heart)
sœur	(sister)
bœuf	(ox)

Note, however, that **ue** in cueillir (gather) and orgueil (pride), and **œ** in œil (eye) are also pronounced [œ].

Sound oi [wa]

[wa] **oi** resembles *wa* in the English word *watch:*

soie	(silk)
trois	(three)
mois	(month)
moi	(me)
soif	(thirst)

Sound [u]

[u] **ou, où,** and **oû** are pronounced like the *oo* in *moon:*

vous	(you)
foule	(mob)
rouge	(red)
goût	(taste)
où	(where)

ou before a vowel in the same syllable is pronounced like *w* in *we:*

oui	(yes)
ouest	(west)

Consonants

Most French consonants are sounded approximately as they are in English, except for the clearness and vigor with which they are formed. These are **b, d, f, k, l, m, n, p, t, v,** and **z.**

r is usually formed by vibrating the uvula against the back of the tongue or effecting a guttural vibration in the same sound:

rond	(round)
ronronner	(to purr)
marbre	(marble)
France	(France)
grimper	(to climb)
rentrer	(to return)

c before **e, i,** and **y,** is soft and pronounced like *s* in *so* [s]:

ce	(that)
place	(place)
cent	(one hundred)

c before **a, o, u,** a consonant, or at the end of monosyllabic words, is hard like *c* in *cat* [k]:

carte	(card)
causer	(chat)
corps	(body)
curieux	(curious)
lac	(lake)

qu and **q** have this same *k*-sound:

quitter	(to leave)
quand	(when)
cinq	(five)

ch is sometimes pronounced in the same manner:

chœur	(chorus)
écho	(echo)
chrétien	(christian)

x when followed by a consonant is the equivalent of *ks:*

excellent	(excellent)

c is pronounced like hard *g* in the French word *second*.

ç is pronounced like *s:* garçon (boy).

g is soft before **e, i,** and **y** and is pronounced like *s* in the English word *pleasure* [ʒ]:

Georges	(George)
gilet	(vest)

j is pronounced in the same manner:

je	(I)
j'ouvre	(I open)

g before **a, o,** and **u** or a consonant is hard and is pronounced like *g* in *gone:*

gant	(glove)
gages	(wages)
goûter	(to taste)
grand	(tall)

gu is usually pronounced in the same way:

guerre	(war)

x before a vowel is pronounced like *gz:*

exercice	(exercise)
exemple	(example)

h is silent:

l'habit	(clothing, full-dress suit)
l'honneur	(honor)
l'hôte	(the host)
l'hôtel	(the hotel)

In some words, however, initial **h** is treated as a full consonant and is called an aspirate **h**. Although it is not pronounced, under these circumstances there is no elision and no linking:

le Havre	(city by same name)
la haine	(hatred)
le hameau	(hamlet)
les hameaux	(the hamlets)

s at the beginning of a word and usually when followed by a consonant is pronounced like *s* in *so* [s]:

sœur	(sister)
esprit	(spirit)

ç, **ss**, the **t** in **-tion** or **-tie** after a vowel, **sc** before **e** and **i** are also pronounced like *s* in *so:*

ça	(that)
classe	(class)
nation	(nation)
patience	(patience)
démocratie	(democracy)
science	(science)

s between vowels or when linked in liaison with the vowel of the following word, and **x** when linked in liaison are pronounced like *z* in *zeal* [z]:

maison	(house)
désir	(desire)
cause	(cause)
nous avons	(we have)
dix heures	(ten o'clock)

In some cases **x** within the word and final **s** or **x** are pronounced like the *s* in *so:*

dix	(ten)
soixante	(sixty)
Bruxelles	(Brussels)
fils	(son)
tous	(all, used as a pronoun)
hélas	(alas)

However, when numerals ending in **x** precede a word beginning with a consonant, the final **x** is not pronounced: (dix livres).

t is pronounced like *t* in the English word *to:*

tous	(all)
tête	(head)

trottoir	(sidewalk)
taxe	(tax)

th is also pronounced like *t* in *to:*

théâtre	(theater)
thé	(tea)

also final **d** linked with the following vowel:

quand il	(when he)

w is usually pronounced like *v* in the English word *have:*

wagon-lit	(Pullman)
Wagner	(Wagner)

f is pronounced like *f* in *fun.* Other spellings of the same sound are **ff** and **ph**:

confident	(confident)
effacer	(to wipe out)
photographie	(photograph)
philosophe	(philosopher)

ch is usually pronounced like the *sh* in the English word *shake:*

chat	(cat)
roche	(rock)
chercher	(to look for)
chez Marie	(at Marie's)

gn is pronounced like the *ni* in *onion:*

ligne	(line)
gagner	(to win)
ignorant	(ignorant)
compagnie	(company)

l and **ll** are usually pronounced like the *l* in the word *English:*

quel	(what)
il appelle	(he calls)
habile	(skillful)

il and **ill** after a vowel are pronounced like *y* in *yet* [j] :

travail	(work)
œil	(eye)
fouille	(search)
éveiller	(to awake)

ill when preceded by a consonant is pronounced like the *i* in *machine* followed by the sound of *y* in *yet:*

fille	(girl)
fillette	(little girl)
famille	(family)

However, in the case of three words (ville, mille, tranquille) and their compounds, the usual pronunciation of **l** and **ll** occurs.

Final consonants or final groups of consonants are usually silent:

il di(**t**)	(he says)
je di(**s**)	(I say)
les doi(**gts**)	(the fingers)
quan(**d**)	(when)
ran(**g**)	(rank)
tro(**p**)	(too much)
ba(**s**)	(low)
noi(**x**)	(nut)

c, f, l, q, and **r** are often exceptions to this general rule:

le duc	(the duke)
neuf	(nine)
seul	(alone)
coq	(rooster)
lac	(lake)
chef	(chief)
fatal	(fatal)
docteur	(doctor)

er, ending of the infinitive, is pronounced like **é;** at the end of words of several syllables it is also usually pronounced **é:**

parle(**r**)	(to speak)
bouche(**r**)	(butcher)
pommie(**r**)	(apple tree)

Linking (Liaison)

Although the final consonant in French words is usually silent, it is often sounded if the word following it begins with a vowel or a silent **h,** provided that the two words have a logical connection. In pronouncing this final consonant the sound is carried over to the second word and is pronounced as if the consonant were the first letter of that word:

les ‿ hommes	(the men)
ils ‿ ont	(they have)
cinq ‿ amis	(five friends)
dit ‿ il	(says he)

In a nasal combination the **n** following the nasal vowel is linked to the next word beginning with a vowel or **h** mute. This applies more particularly to one-syllable words such as:

mon (my), son (his, her), un (one), bien (very).

Examples:

mon ‿ ami	(my friend)
son ‿ argent	(his money)
un ‿ homme	(a man)
bien ‿ aimé	(beloved)

In liaison **d** is pronounced as **t, s** as **z,** and **f** as **v:**

un grand ‿ homme	(a great man)
pas ‿ ici	(not here)
neuf ‿ hommes	(nine men)

Although liaison is still quite usual, it is no longer as common as it was in the nineteenth century. Some linkings are still made but some are never made. **et** (and) is an example of one that is never made. Usage is the only way to learn when linking is required.

Elision

Certain words, mainly monosyllables ending in **e** mute, drop the final **e** before a vowel or silent **h,** and an apostrophe replaces the dropped **e:**

l'ami   (masc. friend)

j'ai	(I have)
il m'a donné	(he has given me)
il s'est fâché	(he got angry)
un peu d'argent	(a little money)
je n'aime pas	(I don't like)

Certain compounds of *que,* such as lorsque (when), jusque (until), quelque (some), quoique (although), and puisque (since), also elide the final **e.**

lorsqu'il	(when he)
jusqu'ici	(until now)
quelqu'un	(someone)

a in la also elides:

l'amie	(fem. friend)

The principal monosyllables which elide the final **e** or **a** are: *la, le, je, me, te, se, de, ne, que.*

The **i** in *si* (if) is elided before *il* and *ils.*

s'il parle	(if he speaks)
s'ils partent	(if they leave)

ce, subject of the verb *être,* also elides the **e:** c'est (it is).

When *je, ce, le,* or *la,* in an imperative or interrogative expression, logically belong with the preceding verb, there is no elision:

ai-je été?	(have I been?)
est-ce elle?	(is it she?)
faites-le ici	(do it here)

There is no elision before certain words, although they begin with vowels. These words must be learned through usage. Principal among them are:

oui	(yes)
onze	(eleven)

Exercises

[1]: midi, si, ni, vit, fini, ri

[e]: et, nez, été, parler, parlez, parlé

[ɛ] : cher, dès, bête, fait, peine, payer, Noël
[a] : partir, gare, Paris, ami, salle
[ɑ] : passé, âge, tasse, pas, base
[ɔ] : note, fort, notre, porte, nord, robe
[o] : nos, vos, sot, trop, tôt, aux, beau, oser, notion, la nôtre, le vôtre
[y] : mûre, tu, une, dû, cuve, eu, eût
[ã] : camp, dans, tempe, dent
[ɛ̃] : faim, sainte, sein, simple, vin, bien, syntaxe, examen
[ɔ̃] : bon, onze, oncle, ombre, mon, tondu
[œ̃] : un, humble, parfum, jeun
[ø] : peu, veux, deux, Meuse, creuse, œufs, bœufs
[œ] : feuille, seul, heure, cœur, œuf, bœuf, seuil
[wa] : moi, trois, vois, soif, soie
[u] : vous, rouge, goût, foule, lourd, où

General Review

bal, tard, pas, espace, nation, ample, dans, âme, donnâmes, amis, essai, ai, donnai, faisant, faim, main, travail, maître, aurai, aucun, Paul, payer, beau, bas, abbé, plomb, caisse, contact, second, ce, acide, cygne, lac, sec, blanc, accord, champ, acheter, chrétien, architecte, orchestre, acquérir, scandale, scène, façade, dent, perds, poids, pied, grand homme, elle, effet, embarras, ennui, ennemi, en avant, cette, avec, dessin, dessous, récemment, femme, volontiers, les, temple, bien, moyen, examen, mangea, vie, vent, cueillerai.

si, je, te, le, dis, été, mère, bête, reine, soleil, meurt, creuse, bleu, eut, eûmes, œil, œuf, œufs, orgueil, bœuf, bœufs, gens, gant, gros, digne, homme, le héros, je le hais, philosophe, fini, île, fille, ville, village, travail, avril, gentil, Anjou, culte, tel, petit homme, dalle, mais, temps, automne, imminent, inné, mort, rose, mon ami, monsieur, messieurs, côte, oui, chœur, goût, psaume, coup, que, coq, rue, rhume, cher, arrêter, horrible, mourrais, son, tension, oser, vase, transatlantique, fils, mes amis, théâtre, nation, démocratie, amitié, partie, balbutier, question, huit livres, nuit, langue, aiguë, appuyer, vœu, axiome, exiler, soixante, deuxième, voix, yeux, lyre, nymphe, dizaine, nez.

CAPITALIZATION

Rules for capitalization in French are not so definite as in English. In a title, for example, in most cases only the first noun of the title is capitalized. The names of languages are not capitalized—*Parlez-vous français?* (Do you speak French?) The names of the days of the week are not capitalized—*lundi* (Monday); the names of the months are not capitalized—*avril* (April); and proper adjectives are not capitalized—*chrétien* (Christian). When an adjective of nationality refers to a person, however, it is capitalized—*un livre français* (a French book), but *le Français* (the Frenchman).

Lesson 1

Present indicative of *être*

Negative and two interrogative forms of *être*

Gender of nouns

Definite and indefinite articles

Plural of nouns and adjectives by adding *s*

Plural of *un, une*

Formation of interrogative sentence with *est-ce que*

CONVERSATION

Dans la Rue

(Read this and all subsequent conversations aloud over and over with a fellow-student or alone until you feel that you can carry on a similar conversation yourself.)

LE MÉDECIN: Bonjour, Marie.

MARIE: Bonjour, M. le docteur.

LE MÉDECIN: Comment ça va, aujourd'hui?

MARIE: Très bien, merci, et vous?

LE MÉDECIN: Pas mal. Mais, où est Henri? Comment va-t-il?

MARIE: Il est à la maison. Il ne va pas très bien aujourd'hui.

LE MÉDECIN: Est-il souvent malade?

MARIE: Non, pas trop souvent. De temps en temps, seulement.

LE MÉDECIN: Est-ce que Georges est malade aussi?

1

MARIE: Oui, il ne va pas très bien.

LE MÉDECIN: Est-ce qu'il est à la maison?

MARIE: Oui, M. le docteur.

LE MÉDECIN: A tout à l'heure.

MARIE: Au revoir, M. le docteur.

VOCABULAIRE ET EXPRESSIONS

un docteur a doctor
un médecin a physician
un homme a man
une femme a woman
un or **une enfant** a child
un étudiant a student
une étudiante a girl student, co-ed
un livre a book

une maison a house
une rue a street
une minute a minute
une heure an hour
Marie Mary
Henri Henry
Georges George
malade (*pl.* **malades**) ill, sick

je (**j'** before vowels) I
tu you (familiar)
il he (used also for "it" in referring to a noun which is masculine in French)
elle she (used also for "it" in referring to a noun which is feminine in French)

nous we
vous you (polite, sing. and pl.)
ils they (used when referring to nouns which are masculine in French)
elles they (used when referring to nouns which are feminine in French)

il (**elle**) **va** he (she) goes, he (she) is (referring to health)

je vais I go, I am going, I am (referring to health)
être to be

où where
ou or
dans in, within, into
à to, at
non no

que . . . ? (**qu'** before a vowel) what?
mais but
oui yes
bien well

mal badly, poorly
trop too
qui . . . ? who? whom?
ne . . . pas (n' . . . pas before vowels) not (if the verb is not used, "not" is often translated by pas: pas bien not well; pas seul not alone)

de (d' before a vowel) of
vite quickly, fast

aujourd'hui today

à tout à l'heure I'll see you presently
bonjour good day, good morning, good afternoon
comment ça va? how are you? how are things?
tout à l'heure just now
de temps en temps from time to time
à bientôt I'll see you later, so long

très very
souvent often

seulement only
aussi also

monsieur (abbreviated to M. in writing) sir, Mr.

merci thanks, thank you
un peu a little
au revoir goodbye
eh bien! well!
est-ce que (introduces a question)
s'il vous plaît please, if you please
comment va-t-il? how is he?
il va très bien he is very well
à la maison at home

VERBES

Present Indicative of être (to be)

je suis malade I am ill
tu es malade you are ill
il est malade he is ill
elle est malade she is ill

nous sommes malades we are ill
vous êtes malade(s) you are ill
ils sont malades they are ill
elles sont malades they are ill

→ Use tu for "you" only when addressing a single intimate friend, relative, child or animal. Use vous for "you" when addressing a single person with whom you are not on very familiar terms or when addressing two or more people.

je **ne** suis **pas** malade   I am not ill
tu **n'es pas** malade   you are not ill
il **n'est pas** malade   he is not ill
elle **n'est pas** malade   she is not ill
nous ne sommes pas malades   we are not ill

vous n'êtes pas malade(s)   you are not ill
ils ne sont pas malades   they are not ill
elles ne sont pas malades   they are not ill

→ For the negative, use *ne* between the subject and the verb, and *pas* after the verb. Note that *ne* becomes *n'* before vowels.

est-ce que je suis souvent malade?   am I often ill?
est-ce que tu es souvent malade?   are you often ill?
est-ce qu'il est souvent malade?   is he often ill?
est-ce qu'elle est souvent malade?   is she often ill?

est-ce que nous sommes souvent malades?   are we often ill?
est-ce que vous êtes souvent malade(s)?   are you often ill?
est-ce qu'ils sont souvent malades?   are they often ill?
est-ce qu'elles sont souvent malades?   are they often ill?

→ For the interrogative, prefix *est-ce que* (is it that) to the statement. Note that *que* becomes *qu'* before vowels.

suis-je à la maison?   am I in the house?
es-tu à la maison?   are you in the house?
est-il à la maison?   is he . . . ?
est-elle à la maison?   is she . . . ?

sommes-nous à la maison?   are we in the house?
êtes-vous à la maison?   are you in the house?
sont-ils à la maison?   are they . . . ?
sont-elles à la maison?   are they . . . ?

→ Another way of asking a question is to put the subject pronoun after the verb, with a hyphen between. For the first person singular of most verbs, however, the *est-ce que* form is preferable.

est-ce que Jean est malade?   is John ill?

Jean, est-il malade?   is John ill?

→ If the subject is a noun, use either *est-ce que* with affirmative word order, or the noun subject by itself, followed by a comma and then the interrogative word order with the appropriate pronoun.

GRAMMAIRE

le docteur   the doctor
le médecin   the physician
l'homme (*masc.*)   the man
la femme   the woman
l'enfant (*masc.* or *fem.*)   the child
l'étudiant (*masc.*)   the student

l'étudiante (*fem.*)   the girl student, the co-ed
le livre   the book
la maison   the house
la rue   the street
l'heure (*fem.*)   the hour

→ French has only two genders, masculine and feminine.

Nouns denoting males are normally masculine, those denoting females are feminine.

For nouns which in English are neuter, the definite article indicates the French gender.

The singular definite article is *le* for masculine nouns, *la* for feminine nouns; but both masculine and feminine nouns beginning with a vowel or h mute take *l'* as a definite article; for such nouns the indefinite article (see later) will indicate the gender.

le docteur the doctor	les docteurs the doctors
le médecin the physician	les médecins the physicians
l'homme the man	les hommes the men
la femme the woman	les femmes the women
l'étudiant (*masc.*) the student	les étudiants the students
l'étudiante (*fem.*) the girl student	les étudiantes the girl students
le livre the book	les livres the books
la maison the house	les maisons the houses
la rue the street	les rues the streets
l'heure (*fem.*) the hour	les heures the hours

→ The plural of the definite article is *les* for all nouns.
→ Most French nouns form the plural by adding a written -*s* which is silent in pronunciation.

le docteur the doctor	un docteur a doctor
le médecin the physician	un médecin a physician
l'homme the man	un homme a man
la femme the woman	une femme a woman

l'enfant   the child

l'étudiant   the student

l'étudiante   the girl student

le livre   the book

la maison   the house

la rue   the street

l'heure   the hour

un enfant or une enfant   a child

un étudiant   a student

une étudiante   a girl student

un livre   a book

une maison   a house

une rue   a street

une heure   an hour

→ The indefinite article is *un* for the masculine, *une* for the feminine nouns.

l'homme malade   the sick man

les hommes malades   the sick men

l'étudiant est malade   the student is ill

les étudiantes sont malades   the girl students are ill

→ Most French adjectives, like nouns, form the plural by adding a written *-s* which is silent in pronunciation.

→ If a noun is plural, any adjective that describes it must also be plural.

un homme malade   a sick man

une femme   a woman

des hommes malades   sick men or some sick men

des femmes   women or some women

→ *Des* may be regarded as the plural of *un, une*. It is translated by "some," which is often understood in English, but which always appears in French.

QUESTIONS

(Answer in full sentences.)

1. Où est le médecin? 2. Où est Marie? 3. Où est Henri? 4. Comment va Marie? 5. Comment va Henri? 6. Est-ce qu'Henri est souvent malade? 7. Est-ce que Georges est souvent malade? 8. Est-ce que Marie va très bien? 9. Est-ce que le médecin va bien? 10. Est-ce que Georges est malade de temps en temps?

EXERCICES

A. Make the following sentences negative and repeat them orally:
1. Il est malade aujourd'hui. 2. Nous sommes à la maison. 3. Je suis souvent malade. 4. Vous êtes malade. 5. Ils sont dans la rue.

B. Make the foregoing statements interrogative.

C. Place the correct definite article before each of the following: maison, rue, livre, médecin, heure, étudiant, homme, étudiante, enfant, docteur, femme.

D. Give the plural of the foregoing with the correct definite article.

E. Reclassify the foregoing as masculines and feminines with the correct indefinite article. Give the plural of these.

F. Complete the following conjugations:
1. je suis trop malade; tu es .... 2. je ne suis pas très souvent malade; tu n'es .... 3. est-ce que je suis à la maison? est-ce que tu es .... etc.

THÈME

—Good morning, doctor. How are you?
—Very well, thank you. Where is Henry today?
—Henry is not very well today. He is at home.
—Is he often ill?
—No, only from time to time. Today he is not well.
—Well, goodbye.
—See you soon.

LECTURE

Georges est très malade. Marie rencontre (*meets*) le médecin dans la rue.

Allez voir (*go and see*) Georges, s'il vous plaît, il est très malade, dit-elle (*says she*).

Le médecin va (*goes*) à la maison. Il va voir (*goes to see*) Georges qui est dans le salon (*living room*). Georges est un étudiant.

—Bonjour, Georges. Comment ça va, aujourd'hui ?

—Ça ne va pas bien, M. le docteur. Je suis très malade.

—Est-ce que vous êtes souvent malade ?

—Non, M. le docteur, pas trop souvent. Aujourd'hui, je suis très fatigué (*tired*).

—Donnez-moi la main (*give me your hand*). Montrez-moi la langue (*show me your tongue*). Marie, passez-moi le thermomètre (*pass me the thermometer*), s'il vous plaît . . . . Merci, Marie. Eh bien! Georges, vous êtes très malade. Vous avez (*you have*) la grippe. Oui, Georges, vous n'allez pas bien. Téléphonez-moi (*telephone me*) de temps en temps.

—Oui, M. le docteur. Au revoir.

—Au revoir, Georges. Au revoir, Marie.

COMPOSITION

Write a six-line dialogue in French between George and the doctor. Use phrases you have learned in the *Conversation* and *Lecture*.

Lesson 2

Present indicative of *aller*

Negative and interrogative negative of *aller*

Insertion of -t- in *va-t-il, va-t-elle*

Use of *aller* with reference to health

Use of *il est, elle est, c'est*

Preposition *à*

Contraction of *à* with *le* and *les*

Feminine and plural of adjectives ending in e

Agreement of adjectives with nouns

Position of adjectives

CONVERSATION

Au Téléphone

HENRIETTE: Allô!

ALBERT: Allô. C'est vous, Henriette?

HENRIETTE: Mais oui! C'est Henriette.

ALBERT: Comment allez-vous?

HENRIETTE: Assez bien. Et vous, comment vous portez-vous?

ALBERT: Bien, merci. Dites-moi, Henriette, est-ce que vous êtes libre ce soir?

HENRIETTE: Pourquoi?

ALBERT: Parce que je voudrais aller au cinéma. Mais pas seul. Il
  y a un film épatant, avec Charles Boyer. C'est un film français.

HENRIETTE: Entendu! J'accepte avec plaisir. A quelle heure?

ALBERT: A huit heures. Ça va? Marie et Henri vont aussi au
  cinéma.

HENRIETTE: Est-ce qu'Henri n'est pas malade?

ALBERT: Non, il va bien aujourd'hui. Alors, à ce soir, Henriette.

HENRIETTE: C'est bien. A ce soir.

VOCABULAIRE ET EXPRESSIONS

une nation a nation
une ville a city
une université a college, a university
un cinéma a movie theater
un film a motion picture
un téléphone a telephone

une table a table
un soir an evening
un plaisir a pleasure
Henriette Henrietta
Albert Albert
Charles Charles

grand tall, great, large, big
petit small, little
jeune young
seul alone

intelligent smart, clever, bright,
  intelligent
libre free
épatant wonderful
français French

aller to go
aller voir to go and see

voir to see

huit eight
quand? when?
comment? how?
beaucoup much
mieux better (only when used as
  an adverb)

pourquoi? why?
alors then
tard late
parce que because
sur on, upon
avec with

pour to, in order to (followed by an infinitive)

mais but! why! (in exclamations)

et and

allô! hello! (only on telephone)

c'est it is; est-ce? is it?

à ce soir see you tonight

assez bien well enough, fairly well

comment allez-vous? comment vous portez-vous? how are you?

dites-moi tell me

entendu! agreed! O.K.

à huit heures at eight o'clock

ce soir this evening, tonight

il y a there is, there are

est-ce qu'il y a? y a-t-il? is there? are there?

je voudrais (plus infinitive) I'd like to . . . .

à quelle heure? at what time?

ça va? all right? O.K.?

c'est bien all right, O.K.

VERBES

Present Indicative of aller (to go)

je vais au cinéma I go, I am going to the movies

tu vas au cinéma you go, you are going to the movies

il va au cinéma he goes, he is going . . .

elle va au cinéma she goes, she is going . . .

nous allons au cinéma we go, we are going to the movies

vous allez au cinéma you go, you are going to the movies

ils vont au cinéma they go, they are going . . .

elles vont au cinéma they go, they are going . . .

→ The present tense of French verbs (*je vais*) conveys both the English present (*I go*) and the English present progressive (*I am going*).

je ne vais pas à l'université I don't go, I'm not going to the university

tu ne vas pas à l'université you don't go, you're not going . . .

il ne va pas à l'université he doesn't go, he's not going . . .

elle ne va pas à l'université she doesn't go, she's not going . . .

nous n'allons pas à l'université   we don't go, we're not going . . .
vous n'allez pas à l'université   you don't go, you're not going . . .
ils ne vont pas à l'université   they don't go, they're not going . . .
elles ne vont pas à l'université   they don't go, they're not going . . .

→ The auxiliary "do" which appears in English in questions and negative statements (*does he go? they do not go*) is not used in French.

est-ce que je ne vais pas à la maison?   don't I go, am I not going to the house?
est-ce que tu ne vas pas à la maison?   don't you go, aren't you going to the house?
est-ce qu'il ne va pas à la maison?   doesn't he go, isn't he going . . . ?
est-ce qu'elle ne va pas à la maison?   doesn't she go, isn't she going . . . ?
est-ce que nous n'allons pas à la maison?   don't we go, aren't we going . . . ?
est-ce que vous n'allez pas à la maison?   don't you go, aren't you going . . . ?
est-ce qu'ils ne vont pas à la maison?   don't they go, aren't they going . . . ?
est-ce qu'elles ne vont pas à la maison?   don't they go, aren't they going . . . ?

or

ne vais-je pas à la maison? don't I go, am I not going to the house?

ne vas-tu pas à la maison?
ne va-t-il pas à la maison?
ne va-t-elle pas à la maison?

n'allons-nous pas à la maison? don't we go, aren't we going to the house?

n'allez-vous pas à la maison?
ne vont-ils pas à la maison?
ne vont-elles pas à la maison?

→ The negative interrogative form of the verb is formed by placing *ne* before and *pas* after the verb if the *est-ce que* device is used. If the verb and the subject pronoun are inverted, *ne* goes before the verb, *pas* after the pronoun.
→ Note the insertion of *-t-* in *va-t-il?* and *va-t-elle?* This "glide-*t*" is inserted in questions to ease the pronunciation when the verb-form ends in a vowel and the subject pronoun begins with another vowel.

je vais au cinéma   I am going to the movies
il va à la maison   he is going to the house
je vais beaucoup mieux   I am much better
elle va assez bien   she is fairly well

→ *Je vais* and other forms of the same verb (which in the infinitive has the form *aller*) are used:
    a) to translate the English "to go," "to be going."
    b) to translate the English "to be," with reference to health.

GRAMMAIRE

Où est le livre? Il est sur la table   Where is the book? It's on the table
Où est la table? Elle est dans la maison   Where is the table? It's in the house

→ The English "it is" is translated by *il est* when the "it" replaces a specific masculine noun; by *elle est* when it replaces a specific feminine noun.

c'est vous   it's you
c'est bien   it's well, it's all right, it's O.K.

→ In most other cases, "it is" is rendered by *c'est*.

il est huit heures   it's eight o'clock
il est tard   it is late

→ In expressions of time, however, *il est* is used.

Marie   Mary
l'homme   the man
le cinéma   the movie theater
l'université   the university

la maison   the house

à Marie   to Mary
à l'homme   to the man
au cinéma   at or to the movies
à l'université   at or to the university
à la maison   at or to the house, at home

→ *à* is a preposition meaning "to" or "at."

→ *à* contracts with the masculine definite article *le* in the form *au*.

→ It does not contract with the feminine article *la* or with *l'*.

les hommes	the men	**aux hommes**	to the men
les cinémas	the movie theaters	**aux cinémas**	to or at the movie theaters
les maisons	the houses	**aux maisons**	to or at the houses

→ *à* always contracts with the plural definite article *les* in the form *aux*.

le jeune étudiant	the young student	**les jeunes étudiants**	the young students
la jeune femme	the young woman	**les jeunes femmes**	the young women
l'homme libre	the free man	**les hommes libres**	the free men
la nation libre	the free nation	**les nations libres**	the free nations

→ Adjectives ending in *e* do not change their form in the feminine, but add *s* to form the plural.

le grand livre	the large book	**les grands livres**	the large books
la grande maison	the large house	**les grandes maisons**	the large houses
le petit livre	the small book	**les petits livres**	the small books
la petite maison	the small house	**les petites maisons**	the small houses

→ Adjectives that do not end in *e* usually add *e* to form the feminine singular, *s* to form the masculine plural, *es* to form the feminine plural.

→ If the final consonant of the masculine singular form is silent, it becomes pronounced when the feminine *e* is added.

l'étudiant est intelligent   the student is intelligent

l'étudiante est intelligente   the girl student is intelligent

les étudiants sont intelligents   the students are intelligent

les étudiantes sont intelligentes   the girl students are intelligent

→ The adjective must take the same gender and number as the noun it modifies, even if separated from it by a verb.

l'homme libre the free man
l'homme intelligent the intelligent man
l'homme malade the sick man

le grand homme the great man
le jeune homme the young man
le petit homme the small man

→ Most French adjectives follow the noun they modify; but several frequently used adjectives precede the noun. Learn the position of adjectives by observation.

QUESTIONS

(Answer in full sentences.)

1. Qui téléphone à Henriette? 2. Comment va Henriette? 3. Comment va Albert? 4. Est-ce qu'Henriette est libre? 5. Où Albert voudrait-il aller? 6. Pourquoi? 7. Est-ce qu'Henriette accepte avec plaisir? 8. A quélle heure est le film? 9. Est-ce qu'Henri va au cinéma? 10. Est-ce qu'Henri est malade?

EXERCICES

A. Make affirmative statements of the following questions:

1. Est-ce qu'il va voir un film? 2. Est-ce que tu vas à l'école (*school*)? 3. Est-ce que nous allons au cinéma? 4. Est-ce que je vais au téléphone? 5. Est-ce que vous allez à la maison?

B. Change the affirmative to the negative in the foregoing questions.

C. Write questions requiring the following answers:

1. C'est Albert. 2. Je vais bien, merci. 3. Elle va au cinéma à huit heures. 4. Les étudiantes sont intelligentes. 5. Marie est libre ce soir.

D. Replace the blanks by *au, aux, à la, à l'*, whichever is correct:
1. Ils vont _____ maison. 2. Il passe (*passes*) le livre _____ homme. 3. Elle passe le livre _____ étudiants. 4. Nous allons _____ cinéma.

THÈME

—Are you free tonight?
—Why, yes!
—I should like to go to the movies. There is a French film.
—The French film with Charles Boyer is at the (*au*) Paramount.
—Why aren't you going with Mary?
—Mary is not well. But how is Henriette?
—Oh! She is well. She is going to the movies with Henry this evening.
—Goodbye. I'll see you tonight.

LECTURE

ALBERT: Bonjour, Henriette. Comment allez-vous?

HENRIETTE: Très bien, merci, et vous? Et comment va Georges? Est-ce qu'il est toujours (*still*) malade?

ALBERT: Non, il n'est pas malade aujourd'hui. Il va à l'école (*school*) aujourd'hui. Mais, dites-moi, Henriette, est-ce que vous êtes libre ce soir?

HENRIETTE: Oui, pourquoi?

ALBERT: Je voudrais aller au cinéma. Il y a un bon (*good*) film au Paramount. C'est un film français épatant, avec Charles Boyer.

HENRIETTE: Oh! je voudrais voir un film avec Charles Boyer. J'accepte avec plaisir.

ALBERT: Entendu! Je vais téléphoner à Henri ou à Georges.

HENRIETTE: Henri est très malade. Il ne va pas assez bien pour aller au cinéma.

ALBERT: Alors, je vais téléphoner à Georges. Il va souvent au cinéma avec Marie.

[Le jeune homme va au téléphone.]

Allô! Georges? Comment vous portez-vous aujourd'hui?

GEORGES: Beaucoup mieux, merci, et vous? Comment ça va?

ALBERT: Ça va bien. Je voudrais aller au cinéma ce soir avec Henriette, vous et Marie. Il y a un film épatant au Paramount. Est-ce que Marie va assez bien pour aller voir un bon film?

GEORGES: Oh! oui. Elle va très bien. Moi aussi, je voudrais voir un bon film. Dites-moi à quelle heure vous allez au cinéma.

ALBERT: A huit heures, ce soir.

GEORGES: Entendu! A ce soir, à huit heures. Au cinéma?

ALBERT: Oui. C'est bien. A tout à l'heure, au cinéma.

COMPOSITION

Write a ten-line conversation between a boy and a girl, using as many of the following expressions as you can:

1. il est tard 2. entendu 3. avec plaisir 4. seul 5. il y a 6. épatant 7. parce que 8. dites-moi 9. c'est bien 10. ce soir 11. à la maison 12. le téléphone 13. mais 14. intelligent 15. grand 16. petit 17. libre 18. comment 19. malade 20. assez bien.

Lesson 3

Present indicative of *avoir*

Negative and interrogative of *avoir*

Present indicative of *vouloir*

Negative and interrogative of *vouloir*

Interrogative sentence with noun subject

Ce, cet, cette, ces

Use of demonstrative adjective

Use of *-ci* and *-là*

Use and meaning of *combien, combien de, assez,
assez de, trop de, beaucoup,* and *beaucoup de*

Expressions of time

CONVERSATION

Dans une Boutique

MARIE: Combien ce crayon, s'il vous plaît, monsieur?

LE VENDEUR: Trente francs, mademoiselle.

MARIE: Et cette plume?

LE VENDEUR: Cent dix francs, mademoiselle.

MARIE: C'est trop.

LE VENDEUR: Voulez-vous plutôt un stylo? Voici un excellent
stylo à sept cent cinquante francs.

18

MARIE: Non, merci. Je n'ai pas assez d'argent sur moi. Mais, dites-moi, Paul. Quelle heure est-il?

PAUL: Il est deux heures et demie.

MARIE: Oh! il est tard. Allons-nous-en. Je ne veux pas un stylo, aujourd'hui. Merci bien, monsieur.

LE VENDEUR: Il n'y a pas de quoi, mademoiselle. Au revoir.

VOCABULAIRE ET EXPRESSIONS

un vendeur a salesman
une boutique a shop
un crayon a pencil
une plume a pen
un encrier an inkwell
un stylo a fountain pen
l'argent (*masc.*) the money
un franc a franc

un centime a 1/100th part of a franc
mademoiselle Miss
Paul Paul
midi twelve o'clock, noon
minuit twelve o'clock, midnight
excellent excellent

avoir to have

vouloir to want

demi half
un quart a quarter, a fourth
un, une one
deux two
trois three
quatre four
cinq five
six six
sept seven
huit eight
neuf nine
dix ten
onze eleven
vingt twenty
trente thirty
quarante forty

cinquante fifty
soixante sixty
cent one hundred, a hundred
ce, cet, cette this, that
ces these, those
combien (de) how much, how many
assez (de) enough
trop (de) too much, too many
beaucoup (de) much, many, a great deal
moins less
sur on, upon, with (only in the sense of "to have something with one")

voici   here is, here are   de   of, from
plutôt   rather   pour   for

merci bien   thank you very much   il n'y a pas de quoi   don't men-
allons-nous-en   let's go (away)   tion it
                                   voulez-vous?   do you want? will
                                        you have?

VERBES

Present Indicative of avoir (to have)

j'ai un stylo   I have, I've got a fountain pen
tu as un stylo   you have, you've got a fountain pen
il a un stylo   he has, he's got . . .
elle a un stylo   she has, she's got . . .
nous avons un stylo   we have, we've got . . .
vous avez un stylo   you have, you've got . . .
ils ont un stylo   they have, they've got . . .
elles ont un stylo   they have, they've got . . .

→ *Avoir* translates the English "have"; it also translates the col-
loquial English "have got."

je n'ai pas assez d'argent   I haven't, I don't have, I haven't got enough
     money
tu n'as pas assez d'argent   you haven't, you don't have, you haven't got
     enough money
il n'a pas assez d'argent   he hasn't, he doesn't have, he hasn't got . . .
elle n'a pas assez d'argent   she hasn't, she doesn't have, she hasn't
     got . . .
nous n'avons pas assez d'argent   we haven't, we don't have, we haven't
     got . . .
vous n'avez pas assez d'argent   you haven't, you don't have, you haven't
     got . . .
ils n'ont pas assez d'argent   they haven't, they don't have, they haven't
     got . . .
elles n'ont pas assez d'argent   they haven't, they don't have, they haven't
     got . . .

est-ce que j'ai dix francs? have I, do I have, have I got ten francs?
est-ce que tu as dix francs? have you, do you have, have you got ... ?
est-ce qu'il a dix francs? has he, does he have, has he got ... ?
est-ce qu'elle a dix francs? has she, does she have, has she got ... ?
est-ce que nous avons dix francs? have we, do we have, have we got ... ?
est-ce que vous avez dix francs? have you, do you have, have you got ... ?
est-ce qu'ils ont dix francs? have they, do they have, have they got ... ?
est-ce qu'elles ont dix francs? have they, do they have, have they got ... ?

or

ai-je dix francs? have I, do I have, have I got ten francs?
as-tu dix francs? have you, do you have, have you got ... ?
a-t-il dix francs? has he, does he have, has he got ... ?
a-t-elle dix francs? has she, does she have, has she got ... ?
avons-nous dix francs? have we, do we have, have we got ... ?
avez-vous dix francs? have you, do you have, have you got ... ?
ont-ils dix francs? have they, do they have, have they got ... ?
ont-elles dix francs? have they, do they have, have they got ... ?

→ Note again the -t- which is used in questions between the verb-form and the subject pronoun when the former ends and the latter begins in a vowel.

→ The negative is formed by putting ne before the verb and pas after the verb (in simple tenses).

→ The interrogative is formed 1) by prefixing est-ce que to the statement; 2) by inverting the subject pronoun and verb and placing a hyphen between them, remembering to insert -t- if the verb ends and the pronoun begins with a vowel (a-t-il dix francs?); 3) by placing the subject noun at the beginning of the sentence with a comma, followed by the inverted question with a pronoun, such as: Marie, est-elle malade? or le livre, est-il sur la table?

Present Indicative of **vouloir** (to want)

je veux ce crayon   I want this pencil
tu veux ce crayon   you want this pencil
il veut ce crayon   he wants this pencil
elle veut ce crayon   she wants this pencil
nous voulons ce crayon   we want this pencil
vous voulez ce crayon   you want this pencil
ils veulent ce crayon   they want this pencil
elles veulent ce crayon   they want this pencil

GRAMMAIRE

voulez-vous **ce** livre?   do you want this book? do you want that book?
voulez-vous **cet** encrier?   do you want this inkwell? do you want that
   inkwell?
voulez-vous **cette** plume?   do you want this pen? do you want that
   pen?

→ French ordinarily makes no distinction between "this" and "that."
Translate "this" or "that" by *ce,* before masculine nouns beginning
with a consonant.

Use *cet* before masculine nouns beginning with vowels or (usually) h.

Use *cette* before feminine nouns.

voulez-vous **ces** livres?   do you want these books? do you want those
   books?
voulez-vous **ces** encriers?   do you want these inkwells? do you want
   those inkwells?
voulez-vous **ces** plumes?   do you want these pens? do you want those
   pens?

→ "These" and "those" are translated by *ces,* before all plural nouns.

voulez-vous **ce livre-ci** ou **ce livre-là?**   do you want this book or that
   book?
voulez-vous **ces plumes-ci** ou **ces plumes-là?**   do you want these pens
   or those pens?

→ If a distinction must be made between "these" and "those," "this"
and "that," use *-ci* after the noun for "this," "these"; and *-là* after the
noun for "that," "those."

j'ai **le stylo de Marie**   I have Mary's pen
je viens **de la maison**   I come from the house

→ *De* is a preposition meaning "of" or "from."
→ *De* must be used whenever English uses the possessive 's or '.
This means that "Mary's" must be changed to "of Mary," "the physi-
cians' pens" to "the pens of the physicians," etc.

j'ai **le stylo du médecin**   I have the doctor's pen
j'ai **le stylo de l'enfant**   I have the child's pen
j'ai **le stylo de l'homme**   I have the man's pen
j'ai **le stylo de la femme**   I have the woman's pen

→ *De* contracts with the masculine singular definite article *le* into
du.
→ *De la* and *de l'* do not contract.

j'ai **les stylos des médecins**   I have the doctors' pens, I have the pens of
   the doctors
j'ai **les crayons des enfants**   I have the children's pencils
j'ai **les plumes des femmes**   I have the women's pens

→ *De* contracts with the plural definite article *les* into *des.*

combien ce crayon?   how much (is) this pencil?
combien de crayons voulez-vous?   how many pencils do you want?
combien d'argent voulez-vous?   how much money do you want?

→ *Combien* means "how much" or "how many."
   In "how much is" or "how much are" the verb "to be" is omitted.
   If a noun follows, *de* must be used.

c'est assez   it's enough, that's enough
avez-vous **assez de crayons?**   have you enough pencils?
avez-vous **assez d'argent?**   have you enough money?

→ *Assez* means "enough."
If a noun follows, *de* must be used.

c'est trop   it's too much, that's too much
il a **trop d'enfants**   he has too many children
il a **trop d'argent**   he has too much money

→ *Trop* means "too much," "too many."
If a noun follows, *de* must be used.

c'est beaucoup   it's much, it's many, it's a great deal, that's a great deal
il a **beaucoup d'enfants**   he has many children
il a **beaucoup d'argent**   he has a great deal of money

→ *Beaucoup* means "much," "many," "a great deal."
If a noun follows, *de* must be used.

quelle heure est-il?   what time is it?
il est deux heures   it is two o'clock
il est deux heures et demie   it is half past two
il est deux heures et quart   it is quarter past two
il est deux heures moins le quart   it is a quarter to two
il est deux heures dix   it is ten minutes after two
il est deux heures moins dix   it is ten minutes to two
il est midi   it is twelve noon
il est minuit   it is twelve midnight

QUESTIONS

1. Que dit (*says*) Marie?   2. Combien le stylo?   3. Combien la plume?   4. Est-ce que le stylo est bon?   5. Est-ce que Marie a assez d'argent?   6. Quelle heure est-il?   7. Est-ce qu'il est tard?   8. Est-ce que Marie veut le stylo?   9. Est-ce qu'elle dit merci au vendeur?   10. Que répond (*answers*) le vendeur?   11. Est-ce qu'il dit au revoir?

EXERCICES

A. I. Give the affirmative of the following:

1. il ne veut pas 2. nous ne voulons pas 3. il n'a pas 4. vous n'avez pas 5. je ne veux pas 6. ils ne veulent pas 7. ils n'ont pas 8. nous n'avons pas 9. vous ne voulez pas 10. tu ne veux pas 11. je n'ai pas 12. tu n'as pas 13. Marie n'est pas malade 14. Paul, ne veut-il pas beaucoup d'argent? 15. le livre n'est pas sur la table

II. Give the interrogative of the foregoing forms.

B. I. Use *ce, cet, cette* or *ces* with the following nouns:

1. franc 2. crayon 3. vendeur 4. stylo 5. plume 6. boutique 7. argent 8. heure 9. heures 10. crayons 11. plumes 12. homme 13. encrier 14. film 15. cinéma 16. étudiantes 17. étudiant

II. Use the foregoing nouns in their correct form after the following:

1. *assez* 2. *trop* 3. *beaucoup* 4. *combien*
(Change from the singular to the plural when necessary.)

III. Use *du, de l', de la* or *des* with each of the above nouns according to meaning and gender.

C. Substitute a suitable word for the blank in the following expressions of time:

1. _____ est deux heures. 2. Il _____ trois _____.
3. _____ heure est-il? 4. Il est trois heures _____ cinq.
5. Est-il deux heures _____? 6. Il est trois heures et _____.
7. Il est une heure _____ demie. 8. Il est deux heures _____ quart. 9. Il est cinq heures _____. 10. Est-il _____?

THÈME

—What time is it?
—It is half past two.
—Where are you going?
—I am going to a shop. I should like a fountain pen.
—How much money have you?
—I have six dollars but I haven't enough money.
—You have too much money. Do you want a pencil, too?
—No, I do not want a pencil. I have lots of pencils.
—It is late.
—To what shop are you going?
—To Henry Vollard's shop.

LECTURE

Dans une Papeterie (stationery store)

LE VENDEUR: Bonjour, mademoiselle.

MARIE: Bonjour, monsieur. Je voudrais un stylo, s'il vous plaît. Mon frère (*brother*) est en France et je veux lui envoyer (*send him*) un cadeau (*present*). Il veut m'écrire (*write to me*) et il a besoin (*need*) d'un stylo. Les plumes en France ne sont pas très bonnes (*good*) à présent (*at present*).

LE VENDEUR: Très bien, mademoiselle. Un excellent stylo à quatre dollars?

MARIE: Je vais voir combien d'argent j'ai sur moi. Non, c'est trop. Je n'ai pas assez d'argent. Avez-vous un stylo à deux dollars?

LE VENDEUR: Non, mademoiselle, il n'y a pas un seul (*a single*) stylo à deux dollars. Mais voici un porte-mine (*automatic pencil*).

MARIE: Oh! non. Je ne veux pas de (*any*) porte-mine. Mais voici Georges! Je vais lui demander (*ask him for*) de l' (*some*) argent. Georges! Voulez-vous me prêter (*lend me*) deux dollars?

GEORGES: Oui, certainement. Voici cinq dollars. Est-ce que vous voulez un porte-mine?

MARIE: Non, un stylo pour mon frère. Il est en Normandie (*Normandy*) à présent.

GEORGES: Je voudrais être en France. Monsieur, avez-vous une carte (*map*) de France? Je veux voir les noms des provinces.

MARIE: Des provinces? Il n'y a plus de (*no longer any*) provinces en France, Georges. Il y a des départements.

LE VENDEUR: Voici une carte de France. Cette carte vaut (*is worth*) un dollar.

GEORGES: Je ne veux pas cette carte, monsieur. Montrez-moi une autre (*other*) carte, s'il vous plaît.

MARIE: Mais Georges, il est tard. (Au vendeur) Avez-vous ce stylo, monsieur?

LE VENDEUR: Oui, mademoiselle. Voici, mademoiselle. Merci bien.

MARIE: Venez, Georges. Allons-nous-en. Au revoir, monsieur.

COMPOSITION

Write a ten- or twelve-line dialogue between a clerk in a store and a customer buying a fountain pen or an automatic pencil. Use some expressions of time.

Lesson 4

Present indicative of *prendre*

Idiomatic use of *prendre*

Infinitive forms of regular verbs

Present indicative of *acheter*

Present indicative of *essayer*

Orthographic changes in verbs ending in
ayer, eyer, oyer, and uyer

Aller and *vouloir* plus the infinitive

Use of the article with names of languages

Partitive to translate "some" or "any"

Omission of partitive article after negative and
when noun is preceded by adjective

Exceptions to foregoing

CONVERSATION

Dans un Magasin

LE VENDEUR: Mademoiselle désire?

JACQUES: Allons, Hélène. Parlez. Dites quelque chose. Que désirez-vous?

HÉLÈNE: Oh! non, Jacques. J'ai peur. Monsieur, parlez-vous anglais?

LE VENDEUR: Non, malheureusement, mademoiselle. J'en suis désolé.

HÉLÈNE: Eh bien! alors, parlez lentement, très lentement, s'il vous plaît.

LE VENDEUR: Oui, mademoiselle, avec plaisir.

HÉLÈNE: Je voudrais acheter un chapeau et des gants.

LE VENDEUR: Oui, mademoiselle. Malheureusement, nous n'avons pas de gants. Mais quant au chapeau, voici quelque chose de très chic.

JACQUES: Comprenez-vous, Hélène?

HÉLÈNE: Mon Dieu, non; je ne comprends pas.

LE VENDEUR: Voulez-vous essayer ce chapeau, mademoiselle?

JACQUES: Ce chapeau vous va à merveille, Hélène.

HÉLÈNE: Très bien. Je le prends. Combien, monsieur?

LE VENDEUR: Huit cent quatre-vingt-dix-huit francs. Mademoiselle ne veut rien d'autre?

HÉLÈNE: Merci, c'est tout.

LE VENDEUR: Au revoir, mademoiselle, et merci encore.

HÉLÈNE: Au revoir, monsieur.

VOCABULAIRE ET EXPRESSIONS

le pain   the bread
le magasin   the store
le chapeau   the hat (*pl.* **les cha-peaux**)
le gant   the glove
le billet   the ticket
l'eau (*fem.*)   the water
la glace   the ice cream
la peur   the fear

la jeune fille   the girl
les jeunes gens   the young people
l'anglais   English (language)
le français   French
l'espagnol   Spanish
l'allemand   German
Hélène   Helen
Jacques   James

bon   good, fine (the *fem.* is irregular, **bonne;** *masc. pl.* **bons;** *fem. pl.* **bonnes**)

chic   elegant, stylish (this adjective is invariable; same form in the feminine and in the plural)

désirer to wish, to desire
accepter to accept
prendre to take
essayer to try, to try on (j'essaie)

parler to speak
acheter to buy (j'achète)
jeter to throw (je jette)
comprendre to understand

douze twelve
treize thirteen
quatorze fourteen
quinze fifteen
seize sixteen
dix-sept seventeen
dix-huit eighteen
dix-neuf nineteen
vingt et un twenty-one

vingt-deux twenty-two
vingt-trois twenty-three
soixante-dix seventy
soixante et onze seventy-one
soixante-douze seventy-two
quatre-vingts eighty
quatre-vingt-un eighty-one
quatre-vingt-dix ninety
quatre-vingt-onze ninety-one

encore still, yet, again
lentement slowly
malheureusement unfortunately

que? qu'est-ce que? what?
plus more

allons come, come now, come on
j'en suis désolé I'm very sorry
quelque chose (de) something
à merveille wonderfully
aller to fit, to suit, to be becoming
dites quelque chose say something

parlez lentement speak slowly
avoir peur to be afraid
mon Dieu! goodness! gracious!
c'est tout that's all
je le prends I'll take it
rien d'autre? anything else?
quant à as for

VERBES

Present Indicative of prendre (to take)

je prends le chapeau et les gants
   I take, am taking the hat and
   the gloves
tu prends le chapeau et les gants

nous prenons le chapeau et les
   gants
vous prenez le chapeau et les
   gants

il **prend** le chapeau et les gants
elle **prend** le chapeau et les gants

ils **prennent** le chapeau et les gants
elles **prennent** le chapeau et les gants

→ *Prendre* means "to take" but never in the sense of "to take a person or a thing somewhere."

It occasionally means "to buy" (*prendre un billet* means "to buy a ticket").

In shopping, *je le prends* is used idiomatically with the meaning "I'll take it."

Prendre has a large number of compounds, all conjugated in the same way. The most common of these are *comprendre* (to understand) and *apprendre* (to learn).

The Infinitive

être to be
avoir to have
aller to go, to be going to
vouloir to want
prendre to take
comprendre to understand

désirer to wish, to desire
parler to speak
accepter to accept
acheter to buy
essayer to try, to try on
finir to finish

→ The French infinitive corresponds to the English infinitive preceded by "to." The preposition "to" is usually not translated in French.

→ French has many irregular verbs. They occur frequently and must be learned separately; among these are *être, avoir, aller, vouloir, prendre.*

→ French also has regular verbs which fall into three classes, each marked by special endings: *-er, -ir, -re.*

Most French regular verbs have an infinitive ending in *-er.*

Present Indicative of a Regular Verb ending in **-er: parler** (to speak)

je parl-e français I speak, am speaking French
tu parl-es français you speak, are speaking, etc.

il (elle) parl-e français
nous parl-ons français
vous parl-ez français
ils (elles) parl-ent français

→ The present indicative endings of these verbs are:
Singular **-e, -es, -e**   Plural **-ons, -ez, -ent**

Present Indicative of **acheter** (to buy)

j'achète un billet I buy a ticket	**nous achetons** un billet
tu achètes un billet you buy, etc.	**vous achetez** un billet
il achète un billet	**ils achètent** un billet
elle achète un billet	**elles achètent** un billet

→ Most verbs whose infinitive ending *-er* is preceded by a mute *e*
plus a consonant (as in *lever, mener, acheter*) change this *e* mute of the
stem to *è*. This occurs in the first, second, and third person singular and
the third person plural of the present indicative. This is done to prevent
the occurrence of two mute *e's* in two successive syllables in the same
word, which would cause an unpleasant sound. Other similar verbs
double the consonant before a mute *e* of the ending as in *jeter: je jette;
appeler: j'appelle*.

Present Indicative of **essayer** (to try, to try on)

j'essaie un chapeau I try on a hat	**nous essayons** un chapeau
tu essaies un chapeau	**vous essayez** un chapeau
il essaie un chapeau	**ils essaient** un chapeau
elle essaie un chapeau	**elles essaient** un chapeau

→ Verbs ending in *-yer* generally change the *y* to *i* before a mute *e*
in the ending. This is purely orthographic and does not affect the pronunciation. Verbs ending in *-ayer* and *-eyer* may retain the *y* throughout (*j'essaie* or *j'essaye*). Verbs ending in *-oyer* or *-uyer* must change *y*
to *i* (*déployer,* to deploy: *je déploie; appuyer,* to support: *j'appuie*).

je vais acheter un chapeau   I am going to buy a hat

→ *Aller* with the infinitive has the same use as the English "to be
going to."

je veux acheter un chapeau   I want to buy a hat

→ *Vouloir* with the infinitive has the same use as the English "to
want to."

GRAMMAIRE

je parle anglais I speak English
elles parlent français they speak French

→ Names of languages are not capitalized in French.

répondez en français, s'il vous plaît please answer in French
parlez-vous français? do you speak French?
il parle parfaitement le français he speaks French perfectly
je ne comprends pas le français I do not understand French

→ Except when the name of a language immediately follows *parler* (to speak) and after *en* (in), the masculine singular article is used with the names of languages.

je désire du pain I want (some) bread
avez-vous du pain? have you (any) bread?
je veux de l'eau I want (some) water
avez-vous de l'eau? have you (any) water?
je voudrais de la glace I should like (some) ice cream
a-t-il de la glace? has he (any) ice cream?
je vais acheter des livres I am going to buy (some) books
ont-ils des livres? have they (any) books?

→ "Some" or "any," expressed or understood, is translated in French by the partitive article which consists of **de** *plus the definite article.* This partitive article must be used in French even where the "some" or "any" is only implied in English.

je ne désire pas de pain I want no bread, I don't want any bread
vous n'avez pas d'eau you don't have any water, you have no water
il n'achète pas de livres he doesn't buy any books, he buys no books

→ If the sentence is negative, *de* alone, without the definite article, is normally used for "some" or "any." The English "no" used before a noun with an affirmative verb (*he has no books*) is regularly translated into French by making the verb negative and using *de* before the noun (*il n'a pas de livres*).

il a d'excellents livres   he has excellent books

→ If an adjective precedes a noun, in the plural especially, *de* alone without the article is used for "some" or "any," expressed or understood. This rule is seldom observed in the singular and one normally hears *il a du bon pain*. (*Il a de bon pain* is literary.)

Des jeunes gens (young people), *des jeunes filles* (girls), *des petits pois* (peas), *des petits pains* (rolls), and other expressions where the adjective does not have its customary value but forms a unit with the noun are exceptions to the rule for the plural.

QUESTIONS

1. Est-ce qu'Hélène parle français? 2. Est-ce qu'elle a peur? 3. Qui parle lentement? 4. Est-ce qu'Hélène veut acheter quelque chose? 5. Que veut-elle acheter? 6. Qu'est-ce qu'il y a dans le magasin? 7. Est-ce qu'Hélène comprend le vendeur? 8. Pourquoi Hélène achète-t-elle un chapeau? 9. Est-ce qu'Hélène veut autre chose? 10. Que dit-elle au vendeur? 11. Est-ce que vous parlez anglais? 12. Parlez-vous français?

EXERCICES

A. Fill in the blank using the correct form of *prendre*.
1. Il _____ le livre et je _____ le crayon. 2. Nous _____ ces gants. 3. Vous _____ trop de pain. 4. Ils _____ des billets. 5. Est-ce que tu _____ les chapeaux?

B. Write the present indicative of the following verbs:
parler, acheter, essayer.

C. Write the negative of the foregoing verbs in the present indicative.

D. Fill in the blank with the correct partitive construction.

1. J'ai —————— pain mais je n'ai pas —————— eau. 2. Je veux —————— eau, mais je ne veux pas —————— pain. 3. Il va acheter —————— glace mais il ne va pas acheter —————— livres. 4. Il a —————— excellents livres. 5. Vous n'avez pas —————— eau, avez-vous —————— pain? 6. Nous n'avons pas —————— billets. 7. Il achète —————— gants et elle achète —————— chapeaux. 8. Nous n'avons pas —————— crayon.

E. Ask questions to which the following are the answers:

1. Non, malheureusement. 2. Non, j'en suis désolé. 3. C'est tout, merci. 4. Non, je veux quelque chose de très simple. 5. Oui, je le prends.

THÈME

—What do you wish, Miss?

—I should like some ice cream.

—I am very sorry, Miss, but we have no ice cream.

—Have you any bread?

—Yes, and we have sandwiches (*le sandwich*) and soup (*la soupe*). Do you want some water, too?

—Yes, some water and some sandwiches. It is late.

—Yes, unfortunately. Will you have some soup, too?

—No, I want no soup now.

—And you, sir, what will you have (do you wish)?

—Some soup and sandwiches. Have you any peas?

—No, I am sorry.

—Tell me, Henry, do you speak French?

—No, I do not understand much and I speak slowly.

—But you speak Spanish and German.

—Yes. Mary is learning Spanish, too. Where is Mary?

—She is at the store. She is buying a hat. She has no hat now.

—That hat is very stylish.

—Yes, and she is stylish, too.

LECTURE

JACQUES: Bonjour, Hélène, comment allez-vous aujourd'hui? Vous avez un beau (*fine*) chapeau. Où allez-vous?

HÉLÈNE: Je veux aller acheter des gants, mais je ne parle pas encore très bien le français et le vendeur ne va pas comprendre. Accompagnez-moi (*accompany me*), s'il vous plaît.

JACQUES: Avec plaisir.

HÉLÈNE: Bonjour, monsieur. Parlez-vous anglais? Je parle mal le français. Je voudrais acheter des gants et un chapeau.

LE VENDEUR: Voici quelque chose de très beau. Voulez-vous essayer ce chapeau, mademoiselle? Comprenez-vous?

HÉLÈNE: Non, monsieur.

JACQUES: Elle ne comprend pas. Elle va mettre (*put on*) ce chapeau. Je vais parler à sa place (*in her place*). Ce chapeau vous va à merveille, Hélène. N'est-il pas chic? Et regardez (*look at*) ces gants! Voulez-vous les (*them*) essayer, Hélène?

HÉLÈNE: Oui. Ils me vont à merveille et le chapeau aussi. Combien, monsieur?

JACQUES: Le vendeur dit que (*that*) ce chapeau vaut (*is worth*) neuf cent quatre-vingt-quinze francs et les gants huit cent soixante et onze francs. Est-ce que vous les prenez, Hélène?

HÉLÈNE: Oui, Jacques, ils me vont très bien. Je les (*them*) prends.

LE VENDEUR: Est-ce que c'est tout, monsieur?

JACQUES: Oui, c'est tout, merci.

HÉLÈNE: Voici une cravate (*necktie*) très chic. Essayez cette cravate. Je veux voir si elle vous va.

JACQUES: Oh non! Hélène. J'ai beaucoup de cravates. Je ne veux pas de cravates. Où allez-vous maintenant (*now*)?

HÉLÈNE: Je vais à la maison. Accompagnez-moi, voulez-vous?

JACQUES: Avec plaisir. Mais, quelle heure est-il? Cinq heures?

HÉLÈNE: Oh non! Cinq heures moins cinq seulement. Prenons (*let's take*) un taxi.

COMPOSITION

Write a ten-line conversation containing the following expressions:

1. quelque chose de 2. à merveille 3. quatre-vingts 4. quatre-vingt-un 5. soixante et onze 6. l'espagnol 7. l'allemand 8. le billet 9. le magasin 10. lentement 11. malheureusement 12. rien d'autre 13. treize 14. le gant 15. d'excellents livres 16. qu'est-ce que 17. s'il vous plaît 18. l'anglais.

Review Lesson 1

A. Conjugate:

    1. Je suis à l'école. 2. Je vais à la maison. 3. Je veux essayer ce chapeau. 4. Je jette mes gants. 5. J'appelle (*call*) Georges. 6. J'essaie (*ou* j'essaye) les gants. 7. J'achète un stylo. 8. J'ai un livre. 9. Je prends des billets.

B. Replace the blank by the correct partitive construction:

    1. Il achète —————— glace. 2. Avez-vous —————— pain? 3. Voulez-vous —————— eau? 4. Ils ont —————— stylos. 5. Il n'y a pas —————— glace. 6. Je ne veux pas —————— pain. 7. Je ne prends pas —————— eau. 8. Nous n'avons pas —————— stylos. 9. Ils ont —————— excellents stylos. 10. Nous avons —————— gants.

C. Replace the blank by: *au, à l', à la, aux, du, de l', de la,* or *des*.

    1. Voici le livre —————— vendeur. 2. Avez-vous le stylo —————— jeune fille? 3. Montrez-moi les crayons —————— étudiants. 4. Où sont les étudiants —————— école? 5. Nous allons souvent —————— école. 6. Il achète un livre —————— magasin. 7. Ils vendent les gants —————— jeunes filles. 8. Nous parlons français —————— vendeurs. 9. Nous allons —————— maison —————— vendeur. 10. Il jette le crayon —————— garçon.

D. Make the following sentences interrogative, then negative, and finally negative interrogative:

    1. Vous êtes souvent malade. 2. Il comprend le français. 3. Nous parlons français. 4. Ils prennent des billets. 5. Nous voulons un bon stylo. 6. J'achète toujours de bons livres. 7. Il appelle Paul et Marie.

E. Translate the following words and then use the plural in a sentence:

    1. fountain pen 2. store 3. glove 4. ticket 5. ice cream 6. house

7. city 8. table 9. evening 10. movie theater 11. telephone 12. film
13. book 14. man 15. student 16. pencil 17. street 18. hour 19. child
20. physician.

F. Study the spelling and meaning of the words of this and subsequent dictations before they are given in class.

G. DICTÉE

La France est une contrée riche et fertile. Il y a quatre grands fleuves en France: la Seine, la Loire, la Garonne et le Rhône. La Seine passe à Paris et à Rouen. La Loire passe à Orléans et à Nantes. La Garonne passe à Toulouse et à Bordeaux. Le Rhône passe à Lyon et à Avignon. Les montagnes qui séparent la France de l'Italie sont les Alpes. La France n'est pas si grande que le Texas mais l'Union française (la France et les colonies françaises) est plus grande que les États-Unis et ses possessions.

H. THÈME

a)—What time is it?
—It is quarter past two.
—Where are you going?
—I am going to the store. I should like (*je voudrais*) to buy a fountain pen.
—How much money have you?
—I have six dollars but I haven't enough money.
—Why! You have too much money. You want to buy a fountain pen. Do you want to buy this book too?
—No, I am sorry, but I am not going to take this book.
—Well, I have a date (*un rendez-vous*) at a quarter to three. See you soon.
b)—Hello! George. How are you?
—Pretty well. How are you? Are you free today?
—Yes. Where are you going?
—To the store. I want to buy some gloves, some neckties, and a hat.
—Have you any water here?
—Yes. Here is some water.

—Thank you. Say! I haven't any ticket for the French movie at school tonight. Have you a ticket?

—No. I am going to buy a ticket at school. Is Mary going to the movie, too?

—Yes.

—How is she? Is she sick?

—No. She is better. But gracious! It is half past four. Goodbye.

—Well then, goodbye. See you tonight.

I. Pronounce the following words:

papa, il a, mais, très, elle, les, des, j'ai, voici, ici, Jacques, trois, Paul, bonne, homme, chose, stylo, nous, vous, il veut, deux, neuf, de, le, je, plus, du, plume.

Lesson 5

Conjugation of -er verbs

Orthographic changes and conjugation of *appeler*

Reflexive pronouns

Position of reflexive pronouns in positive and
negative statements and questions

Omission of article after *être* before nouns of
profession, nationality, and religion

Possessive adjectives

CONVERSATION

L'Agent de Police et l'Étranger

L'AGENT: Un instant, Monsieur, s'il vous plaît.

L'ÉTRANGER: Qu'est-ce qu'il y a?

L'AGENT: Comment vous appelez-vous, Monsieur?

L'ÉTRANGER: Je m'appelle Victor Lambert.

L'AGENT: Vous êtes étranger?

L'ÉTRANGER: Oui, monsieur l'agent.

L'AGENT: Montrez-moi votre passeport, s'il vous plaît.

L'ÉTRANGER: Voici mon passeport.

L'AGENT: Quel âge avez-vous?

L'ÉTRANGER: J'ai trente et un ans.

L'AGENT: Depuis combien de temps êtes-vous ici?

41

L'étranger: Dans cette ville?

L'agent: Non, Monsieur, en France.

L'étranger: Depuis deux mois et une semaine.

L'agent: Êtes-vous Anglais?

L'étranger: Non, je suis Américain.

L'agent: Et cette dame, c'est votre femme?

La dame: Oui, M. l'agent, je suis sa femme; Françoise Rosemarie Lambert.

L'agent: Je regrette, Monsieur, mais vos papiers ne sont pas en règle. Voulez-vous m'accompagner chez le commissaire de police?

L'étranger: Allons donc! Vous plaisantez!

La dame: Pas possible!

L'agent: Pardon, Monsieur. Je ne plaisante pas. J'insiste. Accompagnez-moi.

VOCABULAIRE ET EXPRESSIONS

l'étranger (*fem.* l'étrangère) the foreigner

la femme the woman; the wife

la dame the lady

le passeport the passport

l'âge (*masc.*) the age

l'an (*masc.*) the year

le mois the month

la semaine the week

l'instant the instant

le temps the time

le papier the paper (but *not* newspaper)

montrer to show

accompagner to accompany, to come with, to go with

l'agent, l'agent de police the policeman

le commissaire (de police) the chief of police

la police the police

l'amie the friend (*fem.*)

l'hospitalité (*fem.*) the hospitality

la France France

Anglais English, Englishman (capitalize if it refers to a person)

Américain American (capitalize if it refers to a person)

s'appeler to call oneself, to be called, one's name to be

regretter to regret, to be sorry

plaisanter to joke
appeler to call (j'appelle)

insister to insist

mon, ma, mes my
ton, ta, tes your
son, sa, ses his, her

notre, nos our
votre, vos your
leur, leurs their

depuis since
chez to or at the home, office, place of business of
ici here

en in (en has particular uses, as with *fem. sing.* names of countries: *en France*)
dans in, within, into

un instant just a second
qu'est-ce qu'il y a? qu'y a-t-il? what's the matter?
quel âge avez-vous? how old are you?
j'ai trente ans I am thirty (years old)
comment vous appelez-vous? what is your name?
je m'appelle my name is
depuis combien de temps (or depuis quand) êtes-vous ici? how long have you been here?
je suis ici depuis— I have been here—

je suis Américain I am an American
montrez-moi show me, let me see
je regrette I'm sorry
en règle in order (especially in connection with documents)
voulez-vous? will you?
allons donc! come now! come, come!
pas possible! impossible! you don't say so!
pardon! pardon me!
accompagnez-moi come with me! come along!

VERBES

→ *Plaisanter* (to joke); *accompagner* (to accompany, come with, go with); *insister* (to insist); *montrer* (to show); *regretter* (to regret, to be sorry) are all regular verbs of the *-er* conjugation.

To conjugate them in the present indicative, drop the *-er* of the infinitive and add the endings *-e, -es, -e, -ons, -ez, -ent.* (See p. 31)

Present Indicative of **appeler** (to call)

j'appelle	I call	**nous appelons**	we call
tu appelles	you call	**vous appelez**	you call
il appelle	he calls	**ils appellent**	they call
elle appelle	she calls	**elles appellent**	they call

→ Verbs ending in *-eler,* like *appeler,* generally double the l before a mute *-e* of the ending. This is done to prevent the sound of two mute *e's* in two successive syllables in the same word.

je m'appelle   I call myself, I am called, my name is
tu t'appelles   you call yourself, you are called, your name is
il s'appelle   he calls himself, he is called, his name is
elle s'appelle   she calls herself, she is called, her name is
nous nous appelons   we call ourselves, we are called, our names are
vous vous appelez   you call yourself or yourselves, you are called, your
     name is or your names are
ils (elles) s'appellent   they call themselves, they are called, their names
     are

→ *S'appeler* is *appeler* used reflexively; that is, with the subject acting on himself or for himself or to himself. English uses many verbs reflexively (I hurt myself, I cut myself, etc.); and many verbs are reflexive in French which are not so in English, such as *je me lave,* I wash.
→ The reflexive pronouns are as follows:

me	myself, to or for myself	**nous**	ourselves, to or for ourselves
te	yourself, to or for yourself	**vous**	yourself, yourselves, to or
se	himself, herself, itself, them-selves, to or for himself, her-self, itself, themselves		for yourself, yourselves

→ Note the position of these pronouns. They normally precede the verb, coming between the subject pronoun and the verb-form.
Note that *me, te, se,* become *m', t', s'* if a vowel follows.

je ne m'appelle pas Jean   I do not call myself, I am not called, my
     name is not John

$\rightarrow$ In the negative, the reflexive pronoun follows *ne* and precedes the verb.

est-ce qu'il s'appelle Robert? s'appelle-t-il Robert?

$\rightarrow$ In the interrogative, the reflexive pronoun comes immediately before the verb.

GRAMMAIRE

je suis étranger	I am a foreigner	**ils sont médecins**	they are doctors
il est Américain	he is (an) American	**elle est protestante**	she is a Protestant

$\rightarrow$ A predicate noun used after the verb "to be" and describing the subject's profession, nationality, religion, or class is generally used without the indefinite article or the partitive.

mon livre	my book	**ma maison**	my house
mes livres	my books	**mes maisons**	my houses

$\rightarrow$ "My" is translated: 1. by *mon* before a masculine singular noun; 2. by *ma* before a feminine singular noun; 3. by *mes* before a plural noun.

ton livre	your book	**ta maison**	your house
tes livres	your books	**tes maisons**	your houses

$\rightarrow$ "Your" (familiar singular) is translated: 1. by *ton* before a masculine singular noun; 2. by *ta* before a feminine singular noun; 3. by *tes* before a plural noun.

son livre	his or her book	**sa maison**	his or her house
ses livres	his or her books	**ses maisons**	his or her houses

$\rightarrow$ "His" or "her" is translated: 1. by *son* before a masculine singular noun; 2. by *sa* before a feminine singular noun; 3. by *ses* before a plural noun. "Its" has the same translation.

notre livre	our book	**notre maison**	our house
nos livres	our books	**nos maisons**	our houses

→ "Our" is translated: 1. by *notre* before a singular noun; 2. by *nos* before a plural noun.

votre livre	your book	**votre maison**	your house
vos livres	your books	**vos maisons**	your houses

→ "Your" (singular or plural) is usually translated: 1. by *votre* before a singular noun; 2. by *vos* before a plural noun.

leur livre	their book	**leur maison**	their house
leurs livres	their books	**leurs maisons**	their houses

→ "Their" is translated by: 1. *leur* before a singular noun; 2. *leurs* before a plural noun.

mon amie, ton amie, son amie my friend (*fem.*), your friend, his or her friend

mon hospitalité, ton hospitalité, son hospitalité my hospitality, your hospitality, his or her hospitality

→ *Mon, ton, son* are used, however, instead of *ma, ta, sa,* before feminine singular nouns beginning with a vowel or (usually) h. This is done in order to avoid the break in the voice that would come if two vowels were to be pronounced successively.

→ Note that *mon, ton, son,* etc. are *adjectives* to be used only when a substantive follows.

QUESTIONS

1. Comment vous appelez-vous? 2. Êtes-vous Américain ou étranger? 3. Avez-vous un passeport? 4. Quel âge a Monsieur Lambert? 5. Quel âge avez-vous? 6. Depuis quand êtes-vous dans cette ville? 7. Êtes-vous Anglais? 8. Est-il Anglais? 9. Qui est la dame qui accompagne M. Lambert? 10. Comment s'appelle-t-elle? 11. Est-ce que ses papiers sont en règle? 12. Où va-t-elle accompagner l'agent de police? 13. Que répond-elle à l'agent quand il lui dit (*tells her*) de l'accompagner? 14. Est-ce qu'il plaisante? 15. Est-ce qu'il y a un commissaire de police dans votre ville?

EXERCICES

A. Give the negative of the following forms:
1. il s'appelle Henri
2. nous nous appelons Georges et Henri
3. vous vous appelez Marie
4. tu t'appelles Georges
5. ils s'appellent Georges et Anna

B. Give the interrogative of:
1. je me montre aimable
2. il se montre aimable
3. nous nous montrons aimables
4. vous vous montrez aimables
5. ils se montrent aimables
6. tu te montres aimable

C. Use the correct pronoun in the following reflexive forms:
1. il _____ appelle
2. vous _____ appelez
3. ils _____ appellent
4. nous _____ appelons
5. elles _____ appellent
6. je _____ appelle
7. elle _____ appelle
8. tu _____ appelles

D. Conjugate the present indicative of *être* using each of the following as predicate nouns: a) étranger b) Américain c) Anglais d) Français e) médecin f) professeur g) catholique h) protestant

E. I. Use in turn *mon, ton, son, ma, ta, sa, mes, tes, ses*—whichever forms are correct, with the following nouns:
ami, livre, maison, papier, médecin, âge, passeport, femme, amis, livres, maisons, papiers, médecins, passeports, hospitalité.

II. Use in turn *notre, votre, leur, nos, vos, leurs*—whichever forms are correct, with the following nouns:
commissaire, hospitalité, agent, pain, gant, billet, eau, magasin, chapeau, crayons, encriers, stylos, plumes, enfants, argent.

F. Find in the vocabulary the word best suited to fill in the blanks in the following sentences:
1. Victor Lambert est —————. 2. Quel ————— avez-vous? 3. J'ai trente —————. 4. Êtes-vous ————— de Monsieur Lambert? 5. Depuis combien de ————— êtes-vous dans cette ville? 6. Je suis ici depuis —————. 7. Voilà un ————— de police! 8. L' ————— de police demande son passeport à M. Lambert. 9. Je —————, je n'ai pas de passeport. 10. —————-moi votre passeport! 11. Comment ————— ce monsieur? 12. Pourquoi ————— -vous l'agent de police? 13. Ont-ils ————— passeport? 14. Avez-vous ————— passeport? 15. J'ai ————— passeport. 16. Il a ————— passeport. 17. Nous avons ————— passeports. 18. Il va ————— le commissaire de police. 19. Mes papiers sont —————. 20. —————, je n'ai pas ma carte d'identité.

G. Ask questions to which the following are answers:
1. Je viens dans un instant. 2. J'ai vingt ans. 3. Je m'appelle Georges. 4. Il s'appelle Henri. 5. Nous nous appelons Smith. 6. Nous sommes ici depuis deux mois. 7. Ils sont à Paris depuis deux semaines. 8. Nous sommes Américains. 9. Je suis Anglais. 10. Ces documents sont en règle maintenant. 11. Il est malade et nous le regrettons. 12. Allons donc! pas possible!

THÈME

—Are you a foreigner?
—No, I am an American.
—Have you a passport?
—Yes, but I insist. I am not a foreigner.
—Show me your passport. Show me those papers, too. How long have you been in this city?

—I have been here twenty-five years.
—What is your name?
—Georges Lambert.
—Why, you're French.
—No, I am an American now and my wife is also an American.
—How old are you, sir?
—I am thirty-two years old.
—These papers are not in order. Accompany me to the chief of police.
—Why, you're fooling.
—No, I am not fooling. I insist.

LECTURE

Un Accident d'Automobile

LAMBERT: Voilà un agent; appelez-le, s'il vous plaît.

L'AGENT: Avez-vous un permis de conduire (*a driver's license*)?

LAMBERT: Oui, Monsieur, ici avec mon passeport.

L'AGENT: Eh bien, montrez-moi votre permis. Maintenant, comment vous appelez-vous?

LAMBERT: Henri Lambert.

L'AGENT: Et qui est cette dame qui vous accompagne?

LAMBERT: C'est ma femme, Monsieur.

MME LAMBERT: Oui, je suis sa femme. Je m'appelle Mary Jones Lambert.

L'AGENT: Depuis combien de temps avez-vous votre permis, Monsieur?

LAMBERT: Depuis cinq ans, monsieur l'agent.

L'AGENT: Et votre femme, depuis combien de temps a-t-elle son permis?

LAMBERT: Elle n'a pas de permis, Monsieur.

L'AGENT: Et maintenant, dites-moi. Quel âge avez-vous, Monsieur?

LAMBERT: J'ai quarante-cinq ans.

L'AGENT: Et votre femme?

MME LAMBERT: Je ne veux pas dire mon âge, Monsieur. Je suis étrangère.

L'AGENT: Êtes-vous Anglaise ou Américaine?

MME LAMBERT: Je suis Américaine, Monsieur, mais mon mari (*husband*) est Français. Je voyage (*travel*) en France pour la première fois (*time*).

L'AGENT (*à Mme Perle*): Et vous, Madame. Depuis combien de temps avez-vous votre permis?

MME PERLE: Depuis un mois seulement.

L'AGENT: Monsieur Lambert dit que vous avez tamponné (*you hit*) son auto.

MME PERLE: Oui, Monsieur. Ce sont mes freins (*It's my brakes*). Toujours mes freins. Je le regrette, monsieur l'agent.

L'AGENT: Je comprends. Est-ce que vous faites souvent examiner vos freins? (*Do you have your brakes examined often?*) . . . Mais un instant. Ce permis n'est pas en règle.

MME PERLE: Qu'est-ce qu'il y a?

L'AGENT: Je ne comprends pas. Accompagnez-moi chez le commissaire de police, Madame. C'est très curieux (*curious*).

MME PERLE: Que voulez-vous dire? (*What do you mean?*) Mes papiers ne sont pas en règle? Vous plaisantez, Monsieur.

L'AGENT: Pardon, madame. Je ne plaisante pas. Voulez-vous m'accompagner? Et vous aussi, Monsieur?

COMPOSITION

Write a conversation between a policeman, a customer, and a salesman in a store.

Lesson 6

Present indicative of *pleuvoir, sortir,* and *faire*

Idiomatic uses of *faire*

Expressions of weather

Idiomatic uses of *avoir* to express
physical sensations

Formation of the imperative

Interrogative pronouns translating "what"

Interrogative adjectives translating "what"

Agreement of interrogative adjectives

Qu'est-ce que c'est que cela?

CONVERSATION

Le Temps

MADELEINE: Quel temps fait-il dehors, René? Est-ce qu'il fait
mauvais temps?

RENÉ: Il fait plutôt chaud dans la rue. Mais ici, dans la maison,
il fait presque froid.

MADELEINE: Vraiment? Moi, j'ai très chaud.

RENÉ: Pourquoi ne sortons-nous pas? Il fait vraiment beau.
Faisons une petite promenade.

MADELEINE: Avec plaisir. Attendez un instant. Je vais prendre
mon chapeau et mon sac à main.

51

RENÉ: Prenez aussi votre manteau.

MADELEINE: Mais vous dites qu'il fait chaud.

RENÉ: Oui, c'est vrai. Mais vous avez toujours froid quand vous sortez.

MADELEINE: Eh bien, je suis prête. Sortons.

RENÉ: En route.

MADELEINE: Ah, mon Dieu, mon chapeau! Il fait du vent aujourd'hui!

RENÉ: Oui, mais il fait aussi du soleil.

MADELEINE: Et ces nuages là-bas?

RENÉ: Enfin, il ne pleut certainement pas encore.

MADELEINE: Non, mais s'il pleut, qu'est-ce que je vais faire?

RENÉ: S'il fait mauvais temps, nous allons tout simplement rentrer. Mais il ne va pas pleuvoir. Il fait trop frais.

MADELEINE: Je ne suis pas du tout de votre avis. Je suis en nage.

RENÉ: Écoutez, Madeleine; oublions un peu le temps. Mettons-nous d'accord. Autrement, nous allons rentrer trop tard pour le cinéma.

MADELEINE: Bon! D'accord. Mettons-nous en route et oublions le temps. S'il fait chaud, il fait chaud. S'il fait froid, il fait froid. Voilà tout.

VOCABULAIRE ET EXPRESSIONS

le travail (*pl.* **travaux**) the work
le sommeil the sleep, the sleepiness
la soif the thirst
la faim the hunger
la promenade the walk
le voyage the trip
le lit the bed
le soleil the sun

le vent the wind
le nuage the cloud
le manteau the woman's coat
le sac the woman's bag
le sac à main the handbag
Madeleine Madeleine
René René (*masculine name*)
vrai true, real
froid cold

chaud   warm, hot
frais (*fem.* fraîche)   cool
prêt   ready
mauvais   bad

beau   (change to **bel** before vowel or h; *fem. sing.* **belle;** *masc. pl.* **beaux;** *fem. pl.* **belles**) beautiful, handsome, fine

pleuvoir (il pleut)   to rain
penser   to think
oublier   to forget
arriver   to arrive, to happen

sortir   to go out
rentrer   to come back, to come home, go home
écouter   to listen, to listen to

dehors   out, outside
presque   almost, nearly
là-bas   over there, down there
vraiment   really, truly
pas encore   not yet
(ne ... pas) du tout   (not) at all
un peu   a little, a while
que   that (*conjunction*)
que? qu'est-ce que? qu'est-ce qui? quoi?   what? (*pronouns*)

quel? quelle? quels? quelles?   what? which? (*adjectives*)
toujours   always, still
enfin   after all, in short, finally, at last
si   if (becomes s' before **il, ils**)
pas du tout   not at all
autrement   otherwise
certainement   certainly, surely
bien   very, quite

quel temps fait-il?   what kind of weather is it? how is the weather?
il fait (très) chaud (froid, frais)   it is (very) warm (cold, cool)
il fait du vent   it is windy
il fait du soleil   it's sunny
il fait (très) beau (temps)   it is (very) fine weather, the weather is fine
il fait (très) mauvais (temps)   it is (very) bad weather, the weather is bad
j'ai (très) chaud (froid, sommeil, faim, soif)   I am (very) warm (cold, sleepy, hungry, thirsty)
tout simplement   simply
d'accord   agreed
voilà tout   that's all
mettons-nous d'accord   let's come to an understanding, let's get together
mettons-nous en route   let's get started, let's get going

faire une promenade (un voyage)   to take a walk (a trip)
attendez! wait!
en route   let's go
être en nage   to be dripping with perspiration
être de votre avis   to be of your opinion, to agree with you

VERBES

Present Indicative of pleuvoir (to rain)

il pleut   it rains, it is raining

→ *Pleuvoir* is an impersonal verb. Such verbs appear only in the third person singular.

Present Indicative of sortir (to go out)

je sors de la maison I go out, I am going out of the house	nous sortons de la maison we go out of the house, etc.
tu sors de la maison	vous sortez de la maison
il sort de la maison	ils sortent de la maison
elle sort de la maison	elles sortent de la maison

Present Indicative of faire (to do, to make)

je fais I do, I make, I am doing, I am making	nous faisons we do, we make, we are doing, we are making
tu fais	vous faites
il fait	ils font
elle fait	elles font

qu'est-ce que vous faites? que faites-vous?   what are you doing?
il fait son lit   he is making his bed
il fait chaud   it is warm
il fait mauvais (temps)   it is bad weather, the weather is bad
je fais une promenade   I am taking a walk

→ In addition to its basic meanings of "do" and "make," *faire* has a variety of idiomatic usages. One is to describe the state of the weather;

another is to translate "to take," in such expressions as "to take a walk" (*faire une promenade*), "to take a trip" (*faire un voyage*), etc.

j'ai froid	I'm cold	**j'ai soif**	I'm thirsty
j'ai chaud	I'm warm	**j'ai sommeil**	I'm sleepy
j'ai faim	I'm hungry	**j'ai peur**	I'm afraid

→ *Avoir* is used to express a number of physical sensations.

nous faisons	we do, we make	**faisons**	let us do, let us make
nous allons	we go, we are going	**allons**	let's go
nous sortons	we are going out	**sortons**	let's go out

→ For the English imperative "let us" followed by the infinitive French uses the same form as the first person plural of the present indicative, with the subject pronoun omitted.

vous faites	you are doing	**faites**	do
vous allez	you are going	**allez**	go
vous sortez	you are going out	**sortez**	go out

→ For the second person imperative, French uses the second person plural of the present indicative, with the subject pronoun omitted.

GRAMMAIRE

qu'est-ce qu'il y a dans le sac?   what is (there) in the bag?
que désirez-vous?   what do you wish?
qu'est-ce que vous voulez?   what do you want?

→ "What?" when it does not immediately precede a noun but is the *object* of a verb is translated by *que* or *qu'est-ce que*.
  Que requires inversion of verb and subject pronoun.
  Qu'est-ce que requires normal declarative order.

qu'est-ce qui va arriver?   what is going to happen?
qu'est-ce qui est sur la table?   what is on the table?

→ "What" when it does not immediately precede a noun and is the *subject* of a verb is translated by *qu'est-ce qui*.

quoi?   what? what did you say?

quoi? vous avez peur?   what? you are afraid?

avec quoi faites-vous votre travail?   with what do you do your work?

→ "What" standing by itself or used as the object of a preposition is *quoi.*

quel temps fait-il?   what (sort of) weather is it?

quelle heure est-il?   what time is it?

quels livres voulez-vous?   what (*or* which) books do you want?

quelles maisons allez-vous voir?   what (*or* which) houses are you going to see?

montrez-moi quels livres vous désirez   show me what (*or* which) books you wish

quels sont les livres que vous allez lire?   what are the books you are going to read?

quels beaux livres!   what fine books!

→ "What," used interrogatively or not, when it is an adjective modifying a noun is *quel, quelle, quels, quelles,* agreeing with the noun it modifies. This is true even when the adjective "what?" is separated from the noun it modifies by the verb "to be."

In this use, "what" is often the equivalent of "which."

Qu'est-ce que c'est que cela? means "what is that?"

QUESTIONS

1. Quel temps fait-il dans la rue? 2. Fait-il chaud dans la maison? 3. Pourquoi René veut-il sortir? 4. Que veut-il faire dehors? 5. Pourquoi Madeleine prend-elle un manteau? 6. Pourquoi dit-elle "Sortons"? 7. Pourquoi pensent-ils qu'il va pleuvoir? 8. S'il pleut, que vont-ils faire? 9. Pourquoi Madeleine et René ne sont-ils pas d'accord sur le temps? 10. Pourquoi ne veulent-ils pas rentrer trop tard? 11. Est-ce qu'il fait du soleil aujourd'hui? 12. Est-ce qu'il va pleuvoir? 13. Aimez-vous sortir quand il fait du vent? 14. Est-ce qu'il fait toujours frais quand il fait du vent?

EXERCICES

A. Conjugate:

1. je sors quand il fait beau
2. je fais mon lit tous les jours
3. je ne fais pas de promenade quand il pleut

B. Translate:

1. Henry is thirsty. 2. Mary is sleepy. 3. We are hungry. 4. Are you cold? 5. They are very warm. 6. It is sunny. 7. The weather is bad. 8. What kind of weather is it? 9. The weather is very fine. 10. The weather is warm. 11. It is windy. 12. Is it cool? 13. It is very cold. 14. Let's take a walk! 15. Let's make the beds! 16. Let's go out! 17. Go out! 18. It is not very warm. 19. I am not very thirsty.

C. Use the correct form of *que, qu'est-ce que, qu'est-ce qui, quoi,* in the following:

1. ——————— voulez-vous? 2. ——————— vous désirez? 3. ——————— vous faites? 4. ——————— faisons-nous? 5. ——————— il y a dans le livre? 6. ——————— va arriver? 7. ——————— vous écoutez? 8. ——————— pensez-vous de mon ami? 9. ——————— est sur le papier? 10. ——————— il y a dans mon sac? 11. Avec ——————— faites-vous le pain? 12. De ——————— parlez-vous? 13. ——————— voulez-vous faire? 14. ——————— vous voulez faire?

D. Fill in the blank with the correct form of *quel, quels, quelle,* or *quelles:*

1. ——————— maison voulez-vous acheter? 2. ——————— heure est-il? 3. ——————— livres voulez-vous? 4. ——————— chapeau désirez-vous? 5. ——————— travail faites-vous là? 6. ——————— âge avez-vous? 7. ——————— gants voulez-vous acheter? 8. ——————— voyage allez-vous faire? 9. ——————— route (*fem.*) prenez-vous? 10. ——————— langues (*fem. pl.*) parlez-vous?

THÈME

—What's the weather like outside?
—It's nice today.

—Let's go out and take a walk.

—Agreed. But take your coat. It is windy. It is not warm.

—My wife writes (*écrit*) that it is cold in (*à*) New York and that it rains every day (*tous les jours*).

—The weather is always bad in (*à*) New York.

—Have you your hat and your gloves? Are you ready? Let's go out.

—It's cold. And there are clouds. Where is the sun?

—After all (*après tout*), it is going to rain perhaps (*peut-être*). If it rains are we going to return home?

—No, then let's go to the movies.

—I agree. But let's get started. I do not want to return too late. Now it is sunny.

LECTURE

GEORGES: Entrez. C'est vous, Henri? Bonjour. Ça va? Vous êtes là aussi, Marie? Comment allez-vous? Quel temps fait-il dehors?

HENRI: Nous voulons nous reposer (*rest*) un peu. Il fait chaud ici, près du feu (*near the fire*). Il fait assez frais dehors et il y a beaucoup de vent mais quand on marche vite (*one walks fast*), on a chaud.

GEORGES: Asseyez-vous (*sit down*). Donnez-moi votre chapeau et votre pardessus (*overcoat*). Marie, donnez-moi votre parapluie (*umbrella*). Et bien! Depuis votre mariage vous ne sortez presque jamais (*never*). Avez-vous un joli appartement?

HENRI: Oui, assez. Il est petit mais assez grand pour nous deux. Et vous, que faites-vous maintenant? Êtes-vous toujours (*still*) professeur?

GEORGES: Oh non. Je suis journaliste maintenant. C'est très intéressant, comme profession. On a beaucoup d'aventures extraordinaires, mais c'est une profession difficile. Il faut sortir par tous les temps (*in all sorts of weather*); quand il fait chaud, quand il fait froid. Heureusement (*fortunately*), il fait du soleil à Paris deux jours sur trois (*two days out of three*); mais la nuit (*at night*), il fait toujours très frais.

HENRI: Faites-vous des articles ou seulement du reportage (*reporting*)?

GEORGES: Je fais les deux (*both*). En ce moment, je prépare une série d'articles sur les monuments de Paris.

HENRI: Vraiment (*truly, really*)! De quels monuments allez-vous parler?

GEORGES: Eh bien! je vais commencer par (*start with*) les grandes églises (*churches*): Notre-Dame, La Madeleine, St. Sulpice, St. Étienne du Mont, St. Germain, La Trinité et la Sainte Chapelle. Je vais parler dans un article des grandes bibliothèques (*libraries*) de Paris comme la Bibliothèque Nationale, et la Bibliothèque de la Sorbonne. Enfin, je vais discuter les écoles comme la Sorbonne, le Collège de France et l'École Normale Supérieure.

HENRI: C'est très intéressant. Montrez-moi vos articles, un de ces jours. Mais dites! Est-ce qu'il pleut encore? Je veux aller au cinéma. Marie, veux-tu m'accompagner?

MARIE: Avec plaisir. Mais il commence à faire vraiment beau. Continuons plutôt notre promenade. Il n'y a plus de nuages. Mais, dites, puis-je vous demander un verre (*glass*) d'eau? J'ai très soif.

GEORGES: Mais, bien sûr. Avez-vous faim aussi? Puis-je vous offrir (*offer*) des gâteaux (*cakes*)?

HENRI: Vous êtes bien aimable. Mais nous allons partir.

COMPOSITION

Write a conversation containing the following words and phrases:

a) le travail, le sommeil, le lit, la soif, la faim, la promenade, le voyage, sortir, rentrer, dehors, pas encore, du tout, un peu, toujours, mettons-nous en route, faire une promenade

or

b) le pardessus, le soleil, le vent, le nuage, froid, frais, beau, presque, là-bas, plutôt, enfin, autrement, il fait chaud, il fait très mauvais, j'ai froid, il fait du soleil, d'accord.

Lesson 7

Plural of present indicative of *comprendre* as
reciprocal verb

Present indicative of *dire*

Orthographic changes and conjugation of *répéter*

Use and translation of *on*

Use of *on* or reflexive to translate the
English passive

Use of *n'est-ce pas*

Uses of *ceci* and *cela*

Substitution of *ce* for *cela* before *être*

CONVERSATION

Un Malentendu

PAULINE: Dites donc, Guillaume, comment s'appelle ceci en français?

GUILLAUME: Quoi, Pauline?

PAULINE: Ceci.

GUILLAUME: Ça! C'est un cahier.

PAULINE: Ca-hier. Comment écrit-on ça?

GUILLAUME: C-a-h-i-e-r. Cahier. Et maintenant voyons. Qu'est-ce
que cela veut dire en anglais?

PAULINE: Cahier? "Newspaper," n'est-ce pas?

GUILLAUME: Pas du tout!

PAULINE: Que voulez-vous dire?

GUILLAUME: Je veux dire tout simplement que "newspaper" n'est pas "cahier" en français. C'est "journal."

PAULINE: Mais voyons. Attendez un instant. Est-ce que nous nous comprenons? Comment dit-on "newspaper" en français?

GUILLAUME: Journal.

PAULINE: Mais je ne parle pas du journal.

GUILLAUME: De quoi parlez-vous alors?

PAULINE: De cela. Qu'est-ce que c'est que cela?

GUILLAUME: Je répète que c'est un cahier. En anglais, on appelle ça un "notebook."

PAULINE: Ah! Enfin, je comprends. Maintenant, nous parlons de la même chose!

VOCABULAIRE ET EXPRESSIONS

le cahier   the notebok

le journal (*pl.* **journaux**)   the newspaper

la chose   the thing

le malentendu   the misunder-standing

Pauline   Pauline

Guillaume   William

tel (*masc.*)   such, **telle** (*fem.*) such

même   same

large   wide·

aimer   to like, to love

se comprendre   to understand each other

dire   to say, to tell

répéter (**je répète**)   to repeat

ceci   this

on   one, people, we, you, they (*indefinite*)

cela (**ça**)   that

tout   everything, all

dites donc   listen, look here, say!

comment s'appelle ceci en français?   what do you call this in French?

de quoi parlez-vous? what are you talking about?
qu'est-ce que c'est que cela? what is that?
voyons let's see
qu'est-ce que cela veut dire? what does that mean?
que voulez-vous dire? what do you mean?
je veux dire I mean
n'est-ce pas? isn't he? didn't they? isn't that so? etc.
comment dit-on . . . en français? how do you say . . . in French?
comment écrit-on cela? how is that spelled?

VERBES

Present Indicative of se comprendre (to understand each other)

nous nous comprenons we understand each other
vous vous comprenez you understand each other
ils se comprennent they understand each other
elles se comprennent they understand each other

→ This is the verb *comprendre* used reciprocally, with two or more subjects acting upon one another. This use can occur only in the plural. The same pronouns are used as in reflexive verbs to translate "each other," "one another": *nous* for the first person, *vous* for the second, *se* for the third.

Present Indicative of dire (to say, to tell)

je dis bonjour	nous disons bonjour
tu dis bonjour	vous dites bonjour
il dit bonjour	ils disent bonjour
elle dit bonjour	elles disent bonjour

Present Indicative of répéter (to repeat)

je répète la phrase	nous répétons la phrase
tu répètes la phrase	vous répétez la phrase
il répète la phrase	ils répètent la phrase
elle répète la phrase	elles répètent la phrase
on répète la phrase	

→ Verbs in *er* in which the last vowel of the stem is *é* change *é* to *è* when the ending of the present indicative has an *e* mute.

je veux dire   I mean
qu'est-ce que cela veut dire?   what does that mean?
que voulez-vous dire?   what do you mean?

→ *Vouloir dire* idiomatically translates "to mean." The *vouloir* is conjugated, while the *dire* stays in the infinitive form.

GRAMMAIRE

je parle du livre   I am talking about the book
de quoi parlez-vous?   what are you talking about?
  Parler de means "to talk about" as well as "to speak of."

→ A preposition cannot be placed at the end of the clause or sentence in French as is often done in English, but must precede the word it governs.

quand on fait son travail, tout va bien   when one does his work, when you do your work, when people do their work, everything goes right

→ *On* is an indefinite pronoun which may be translated: "one," "people," "you," "we."

on dit qu'il est ici   people say he is here, they say he is here, it is said that he is here

→ *On* may also translate "somebody" or an indefinite "they," or an English passive. Note that the conjunction "that" (*que*) cannot be omitted in French.

ici on parle français   French is spoken here

→ The English passive is often translated in French by *on* with the third person singular of the active verb.

on appelle ça un cahier   that is called a notebook
ça s'appelle un cahier   that is called a notebook

on ne fait pas cela   you don't do that, that isn't done
cela ne se fait pas   you don't do that, that isn't done

→ The reflexive is also used, though not so frequently as *on,* to translate the English passive.

il fait son travail, n'est-ce pas?   he does his work, doesn't he?
vous allez voir le médecin, n'est-ce pas?   you are going to see the
   doctor, aren't you?
elle est ici, n'est-ce pas?   she is here, isn't she?

→ The abbreviated interrogative repetition of the verb in English is invariably translated in French by *n'est-ce pas?*

j'aime ceci   I like this
je dis ceci pour amuser les enfants   I say this to amuse the children
cela ne veut rien dire   that means nothing
qu'est-ce que c'est que cela?   what is that?

→ "This" and "that" referring to general situations, statements, and undefined objects are usually translated by *ceci* and *cela,* respectively. *Ceci* and *cela* do sometimes refer to clearly defined objects when you point to them.

je n'aime pas ça   I don't like that
qu'est-ce que c'est que ça?   what is that?

→ *Cela* is frequently abbreviated to *ça.*

c'est vrai   that's true
ce n'est pas tout   that's not all
   As subject of *être, ce, c'* is used in preference to *cela* or *ceci.*

QUESTIONS

1. Qu'est-ce que c'est qu'un malentendu?   2. Un cahier, est-ce un journal?   3. Comment écrit-on cahier?   4. Comment écrit-on journal?   5. De quoi parlent Guillaume et Pauline?   6. Pourquoi ne se comprennent-ils pas?   7. Pourquoi Guillaume répète-t-il la réponse (*the answer*)?   8. Quand vous discutez avec des amis, est-ce que vous

vous comprenez toujours? 9. Quand dit-on "Que voulez-vous dire?"
10. Racontez la conversation qu'on lit dans cette leçon.

EXERCICES

A. Translate the following:
1. They are saying. 2. He says. 3. They understand each other.
4. We say. 5. You understand each other. 6. You say. 7. She repeats.
8. Mary and Louise understand each other. 9. You are repeating
yourself. 10. They are repeating. 11. We are repeating. 12. What do
you mean? 13. I mean that we are not going out. 14. What does that
mean? 15. What is he talking about? 16. He is talking about the
water. 17. Now, what are you talking about? 18. We are talking
about the weather. 19. She is talking about her friends. 20. It is said
that he does his work. 21. He is here, isn't he? 22. People speak
French here. 23. This is not true. 24. What is that?

B. Replace the blank by one of the following: *on, ceci, cela, ça,*
   ce, c', n'est-ce pas.
1. Où va-t —————— maintenant? 2. —————— est très joli.
3. C'est vrai, ——————? 4. Quand fait-—————— son lit? 5.
—————— est trop grand, —————— est trop petit. 6. Georges est
malade, ——————? 7. Parle-t-—————— anglais, ici? 8. A-t-
—————— des gâteaux dans ce restaurant? 9. ——————, c'est un
journal, ——————? 10. Qu'est-ce que c'est que ——————?

THÈME

—Where are we now?
—We are in (*à*) Paris.
—What is that?
—That is the Seine.
—Is the Seine wide (*large*)?
—Yes, it is very wide.

—What is that over there?
—That is the Louvre.
—Is that Notre-Dame over there?
—No, it is not Notre-Dame.
—Are you going to the Sorbonne (*la Sorbonne*)?
—Yes, I want to see a man at the Sorbonne.
—Where are we going to eat (*manger*)?
—Is there a restaurant (*un restaurant*) near here?
—Yes, let's go there (*allons-y*).
—What do you want to take?
—I want some ice cream.
—Very good. I want some ice cream, too. Let's call the waiter (*le garçon*).

LECTURE

Conversation entre un Homme et un Enfant

—Qu'est-ce que vous voulez, mon enfant?
—Dites-moi, qu'est-ce que c'est que ça?
—Quoi? Que voulez-vous dire? L'automobile?
—Non, derrière (*behind*) l'auto.
—Ça? Eh bien! C'est une moto, une motocyclette.
—Qu'est-ce que c'est qu'une motocyclette?
—C'est une bicyclette avec un moteur, et souvent aussi un side-car.
—Je voudrais avoir une moto. Quand vais-je avoir une moto?
—Oh! Un de ces jours. Pas maintenant.
—Comment s'appelle ceci, sur le devant (*front*) de la moto?
—Ça, c'est le phare (*headlight*). Ça donne de la lumière (*light*) quand
    on conduit (*drives*) la nuit (*at night*).
—Est-ce que toutes les motos ont un phare?
—Oui, en général.
—Et qu'est-ce que c'est que ça?
—De quoi parlez-vous?
—De ceci.
—Oh! ça. C'est le guidon (*handle bars*).
—Que veut dire "guidon"?
—C'est ce qui aide (*that's what helps*) à guider (*to steer*) la moto.

—Avez-vous une moto?

—Non, mais j'ai une auto. Je préfère les autos.

—Où allons-nous maintenant?

—Nous allons au Jardin des Plantes (*Botanical Gardens*).

—Qu'est-ce que c'est que le Jardin des Plantes?

—C'est un parc (*park*) où il y a beaucoup de fleurs (*flowers*) et de plantes différentes. Dans le Jardin des Plantes à Paris il y a aussi des animaux.

—Où est le Jardin des Plantes? Est-ce que c'est ça, là-bas?

—Oui, c'est ça.

—Nous allons entrer, n'est-ce pas?

—Bien sûr, et vous allez voir tous les animaux.

COMPOSITION

Write a dialogue between a father and his young son in which the son asks his father questions about the things he sees in a department store.

Lesson 8

Present indicative of *venir* and compounds

Past participle of -er verbs

Past participle of some irregular verbs

Formation of past indefinite with *avoir*

Negative of the past indefinite

Distinction between *matin* and *matinée,*
soir and *soirée*

CONVERSATION

Au Café

GEORGES: Comment! Vous, ici? D'où venez-vous?

HENRI: Je viens de Bordeaux. J'ai fait le voyage de Bordeaux à Paris en auto.

GEORGES: Avez-vous une auto, maintenant? Pas possible!

HENRI: Si, je vous assure. J'ai acheté une Ford, la semaine dernière.

GEORGES: Cette fois, alors, vous n'avez pas pris le train? Avez-vous conduit la nuit?

HENRI: Non, nous avons quitté Bordeaux ce matin à trois heures.

GEORGES: Et vous n'avez pas eu de pannes en route?

HENRI: Non, l'auto a marché merveilleusement bien.

GEORGES: Mais, vous n'avez pas encore commandé. N'avez-vous pas faim?

HENRI: Si, je vais commander dans un instant.

GEORGES: Eh bien, alors, je vais appeler le garçon. Hier on a servi un excellent repas dans ce café-restaurant. J'ai eu un excellent bifteck. J'ai été si content de mon repas que, quand le garçon a rendu la monnaie, j'ai laissé cent francs.

VOCABULAIRE ET EXPRESSIONS

la panne breakdown (*auto*)
le bifteck the (beef) steak
le garçon the waiter
la carte the menu
le repas the meal
le café the café; the coffee
le restaurant the restaurant

la monnaie the change (*money*)
le jour, la journée the day
le matin, la matinée the morning
le soir, la soirée the evening
la nuit the night
content (de) pleased, satisfied (with), glad, happy

quitter to leave (depart from)
laisser to leave, leave behind
conduire to drive, lead
assurer to assure
commander to order

servir to serve, *p.p.* **servi,** served
marcher to go (*lit.* to walk)
rendre to return, give back, *p.p.* **rendu** returned, given back

compris understood, *p.p.* of **comprendre**
pris taken, *p.p.* of **prendre**
voulu wanted, *p.p.* of **vouloir**

eu had, *p.p.* of **avoir**
été been, *p.p.* of **être**
fait done, made, *p.p.* of **faire**
dit said, told, *p.p.* of **dire**

heureusement luckily, happily, fortunately
merveilleusement wonderfully, marvelously
si yes (*in reply to a negative statement or question*)
la semaine dernière last week

VERBES

Present Indicative of **venir** (to come)

je viens de Paris
tu viens de Paris

nous venons de Paris
vous venez de Paris

| il **vient** de Paris | ils **viennent** de Paris |
| **elle vient** de Paris | **elles viennent** de Paris |

→ Like *venir* are conjugated all its compounds: *devenir,* to become; *convenir,* to agree; *parvenir,* to arrive; to succeed, etc.; also, *tenir,* to hold, and its compounds: *appartenir,* to belong; *contenir,* to contain; *retenir,* to retain, to hold back.

GRAMMAIRE

parler to speak	**parlé** spoken
acheter to buy	**acheté** bought
visiter to visit	**visité** visited
montrer to show	**montré** shown
appeler to call	**appelé** called

→ The past participle of *-er* verbs is formed by replacing the *er* of the infinitive with *é.*

prendre to take	**pris** taken
comprendre to understand	**compris** understood
vouloir to want	**voulu** wanted
avoir to have	**eu** had
être to be	**été** been
faire to do, to make	**fait** done, made
dire to say, to tell	**dit** said, told
servir to serve	**servi** served

→ The past participle of irregular verbs must be learned separately.

j'ai parlé I have spoken, I spoke
tu as acheté you have bought, you bought
il a visité he has visited, he visited
elle a écouté she has listened, she listened
nous avons pris we have taken, we took
vous avez compris you have understood, you understood
ils ont fait they have done, they did, they have made, they made
elles ont dit they have said, they have told, they said, they told

→ The past participle preceded by the present indicative of *avoir* forms a tense called the past indefinite. This tense translates both the English present perfect (*I have spoken*) and the English past (*I spoke*).

je n'ai pas parlé   I haven't spoken, I didn't speak

→ With any compound tense used in the negative *ne* precedes the auxiliary, while *pas* follows it.

j'ai étudié à la bibliothèque ce matin   I studied in the library this morning
j'ai passé la matinée à la bibliothèque   I spent the morning in the library
je vais au cinéma ce soir   I'm going to the movies tonight
nous avons passé la soirée au cinéma   we spent the evening at the movies

→ Note the distinction between **matin** and **matinée,** and between **soir** and **soirée.** The feminine form stresses the period of time throughout its duration.

QUESTIONS

1. D'où vient Henri? 2. Comment a-t-il fait le voyage de Bordeaux? 3. Qu'est-ce qu'il a acheté la semaine dernière? 4. A-t-il conduit la nuit? 5. A-t-il pris le train? 6. Quand a-t-il quitté Bordeaux? 7. Est-il content de son auto? 8. Est-ce qu'il a fait bon voyage? 9. Pourquoi Georges demande-t-il à Henri s'il n'a pas faim? 10. Où a-t-on servi un excellent repas à Georges? 11. Qu'est-ce qu'il a mangé? 12. Pourquoi est-il content?

EXERCICES

A. Conjugate:
1. Je viens du Louvre.
2. Je sors vers six heures et demie.

3. Je viens ici le matin.

4. Je sors le matin quand j'ai déjeuné.

B. Put the following sentences into the past indefinite tense:

1. Je parle à mon frère. 2. J'achète une maison. 3. Je visite le musée. 4. Je montre mon chapeau à mon ami. 5. J'appelle le monsieur. 6. Je prends le livre. 7. Je comprends la leçon. 8. Je veux étudier ma leçon. 9. J'ai mon passeport. 10. Je ne suis pas malade. 11. Je fais mon lit.

C. Substitute the past indefinite tense for the present in the following:

1. Il est malade. 2. Il fait froid. 3. Nous faisons notre travail. 4. Il fait du vent. 5. Vous êtes malade, n'est-ce pas? 6. Il ne fait pas chaud. 7. Ils ont leur passeport. 8. Est-ce qu'il fait frais? 9. Nous voulons aller au cinéma. 10. Ils comprennent le français. 11. Vous prenez les livres. 12. Il appelle l'étudiant. 13. Il montre ses gants à sa femme. 14. Nous ne visitons pas la ville. 15. Vous achetez des gâteaux, n'est-ce pas? 16. Je parle de ceci, pas de cela.

D. To what questions are the following sentences answers:

1. J'ai pris le train à six heures et demie. 2. J'ai fait mon lit hier soir. 3. J'ai été malade ce matin. 4. Vers huit heures j'ai dit au revoir. 5. J'ai déjeuné près du Louvre. 6. Nous avons bien dîné. 7. Nous avons parlé français. 8. Nous avons été au Louvre de bonne heure. 9. Nous avons visité le musée. 10. Il a écouté l'opéra. 11. J'ai été content. 12. Ils ont fait un voyage.

THÈME

—George! Where are you coming from?

—I am coming from Versailles.

—Did you make the trip by train?

—No, I took the Ford. I drove all night and I assure you (that: *que*) I am tired (*fatigué*).

—Did you have any breakdowns?

—No, luckily, we had no breakdowns. The auto went marvelously well.

—Aren't you hungry?

—Yes, I am very hungry. Let's order. Where is the waiter?

—There is the waiter. Have you had a beefsteak here? They're very good.

—Good, we are going to have a good meal. Did the waiter return the menu? Oh! Here is the menu!

LECTURE

HENRI: Voici le Café des Deux Magots. Entrons. Dites, Paul, avez-vous acheté le journal?

PAUL: Non, Henri. Il n'y a rien dans le journal, aujourd'hui. J'ai regardé le journal que mon frère a acheté et je crois (*think*) que je l'ai pris (*I have taken it*). Regardez dans ma serviette (*briefcase*).

HENRI: Avez-vous rendu le livre que je vous ai donné hier?

PAUL: Oui, je l'ai lu (*I read it*) hier soir (*last night*) et je l'ai rendu ce matin.

HENRI: Alors, vous avez lu toute la nuit (*the whole night*)?

PAUL: Non. Mais, regardez. Qui est ce monsieur là-bas à cette table? N'est-ce pas un journaliste célèbre?

HENRI: Oh! je ne sais pas, je vous assure. De temps en temps on voit un romancier (*novelist*) qui se promène le long des Boulevards.

PAUL: Mais, voyons, nous n'avons encore rien commandé. Demandons la carte. Garçon! La carte, s'il vous plaît. Qu'est-ce qu'il y a à manger? Du bifteck? Du jambon (*ham*)? Du veau (*veal*)? Qu'est-ce que vous allez prendre?

HENRI: Oh! je ne sais pas; un sandwich et un bock (*small glass of beer*). Et vous?

PAUL: Oh! moi, j'ai faim, et soif aussi. Je vais commander un bifteck, des frites (*French fried potatoes*), et un demi (*large glass of beer*).

HENRI: Eh bien! Moi aussi, je vais commander un bifteck et des tomates farcies (*stuffed tomatoes*). J'ai très peu mangé ce matin.

COMPOSITION

Write 150 words relating a conversation in a restaurant.

Review Lesson 2

A. *Continuez la conjugaison des verbes suivants:*

1. Je ne comprends pas la leçon. 2. Je dis de répéter la phrase.
3. Je répète ma leçon. 4. Je viens de New York en auto. 5. Je sors à
sept heures et demie. 6. J'appelle ma sœur à sept heures. 7. J'ai parlé
à mon ami. 8. J'ai acheté trois livres. 9. J'ai passé la journée chez mon
ami. 10. J'ai pris deux billets. 11. J'ai voulu être chez Henriette vers
cinq heures. 12. J'ai appelé Georges à huit heures. 13. J'ai montré mon
chapeau à ma femme.

B. *Traduisez les phrases suivantes:*

1. George is a foreigner. 2. Henry is a physician. 3. Paul is a professor. 4. He is a Protestant. 5. We are Americans. 6. He is French.
7. Mary is my friend. 8. Have you my book and my pen? 9. He has
your fountain pen. 10. There is our house. 11. Here is their house.
12. Has he my books? 13. I haven't your books. 14. Where is his
friend? 15. Is that their passport? 16. Give me my gloves, please.
17. I want his papers. 18. Show me your tickets.

C. *Employez les mots suivants dans des phrases:*

1. que, qu'est-ce que, qu'est-ce qui, quoi. 2. quel, quels, quelle,
quelles.

D. *Remplacez les tirets* (dashes) *par le mot qui convient* (which
suits): beau, froid, soleil, faim, soif, chaud, vent.

1. Quand il fait —————, nous avons —————. 2. Après
(*after*) le dîner, nous n'avons pas —————. 3. Il fait du —————
en mars (*March*). 4. Vous n'avez pas ————— quand il fait beaucoup de —————. 5. Il ne fait pas ————— quand il pleut.

E. *Employez chacun* (each) *des mots suivants dans deux phrases
différentes:*

on, ceci, cela, ça, cet, cette, ce, ces, c'est, n'est-ce pas, temps.

74

F. *DICTÉE*

On a souvent dit que Paris est la plus belle ville du monde. Elle possède d'admirables monuments. Elle a des parcs et des jardins magnifiques. Ses rues et ses boulevards ont attiré des visiteurs de tous les pays du monde. Ceux qui n'ont jamais vu Paris désirent le voir; ceux qui ont déjà visité cette belle ville veulent y retourner.

Paris est traversé par la Seine, qui divise la capitale en deux parties. Au centre de Paris se trouve l'île de la Cité, entre deux bras de la Seine. La grande cathédrale, Notre-Dame de Paris, domine toutes les petites maisons de la Cité.

G. *THÈME*

—How long have you been here?

—I have been here two hours and I have visited the Louvre.

—I had a breakdown on the way. My auto did not go very well. I left the car in a garage (*un garage*). I took a taxi (*un taxi*). Are you hungry?

—Yes, I am very hungry. Luckily, I had breakfast (*déjeuner*) at ten o'clock. Let us go to a restaurant. I am going to call a taxi. . . .

—There is a table (*une table*). Call the waiter. I am so tired. I want a big meal. Where is the menu? Waiter!

—Do you want beefsteak (*un bifteck*), some vegetables (*des légumes*), bread, coffee, and ice cream?

—Yes, that's grand. I am very tired. Aren't you cold here?

—Yes, I am very cold. I am going to take that table, over there. Tell me, what did you see in (*at*) the Louvre?

—I saw some pictures (*tableaux*) by Poussin, Watteau, Corot, and Millet.

—You know that I have not been in Paris this week. I visited Chartres and Tours. But it rains a lot in Tours. The weather has been good in Paris, hasn't it? Paul said that it has been windy but that it has been warm. But where is that waiter? I want to go to the movies at eight o'clock.

Lesson 9

Present indicative of *partir*

Formation of past indefinite with *être*

Agreement of the past participle with subject of
intransitive verbs conjugated with *être*

Past indefinite of reflexive verbs

Agreement of past participle with direct object
preceding reflexive verbs

Uses of *tout, tous, toute, toutes*

CONVERSATION

PAUL: Qu'est-ce que vous avez fait hier, Marguerite?

MARGUERITE: Eh bien, je vais vous le dire: hier matin, je me suis
levée de bonne heure; puis. . . .

PAUL: Pas possible!

MARGUERITE: C'est tout à fait vrai, je vous assure; à huit heures
moins le quart.

PAUL: Puis?

MARGUERITE: Puis; je me suis promenée toute la matinée dans ce
beau Jardin du Luxembourg. A midi, je suis rentrée à l'hôtel.
Robert est venu me voir et nous avons déjeuné ensemble.

PAUL: Et l'après-midi?

MARGUERITE: L'après-midi, je suis allée au musée du Louvre.
C'est vraiment magnifique. Nous avons passé toute l'après-

midi au musée. Nous avons visité toutes les salles. Enfin, Robert est parti. Je suis rentrée, bien fatiguée, vers six heures et demie. Heureusement j'ai trouvé ma sœur prête à sortir quand je suis arrivée. Nous sommes sorties et nous avons diné d'une façon magnifique au restaurant Marguery.

PAUL: Et hier soir?

MARGUERITE: Le soir, nous sommes allées à un théâtre au Boulevard des Italiens, tout près de la place de l'Opéra. Nous avons passé toute la soirée au théâtre. Nous ne sommes rentrées à l'hôtel que vers minuit.

VOCABULAIRE ET EXPRESSIONS

l'après-midi (*fem.*)   the afternoon
l'hôtel (*mas.*)   the hotel
la salle   the (large) room, hall
la façon   the fashion, the way
le théâtre   the theatre
l'opéra (*mas.*)   the opera
le jardin   the garden
le musée   the museum

la place   the square; the place
la sœur   the sister
Marguerite   Margaret
magnifique   magnificent, wonderful
fatigué   tired, weary
tout (toute, tous, toutes)   all, whole

se lever (je me lève)   to get up
passer   to spend (time, not money); to pass
se promener (je me promène)   to walk about, to take a walk
venir   to come (*p.p.* venu)
visiter   to visit
trouver   to find

dîner   to have dinner, to dine
rentrer   to return, come back, come home again
déjeuner   to have lunch
partir   to leave, to depart (*p.p.* parti)
arriver   to arrive, to get (to)

puis   then (especially in the sense of "afterwards")
ensemble   together

vers   toward; with expressions of time, "at about"
assez   fairly, rather, enough

ne . . . que   not . . . but; not . . . except; only (the verb is inserted between *ne* and *que:* *je n'ai passé que deux heures au Louvre,* I spent only two hours at the Louvre). The *que* must precede immediately the word upon which *only* or *except* bears.

hier matin   yesterday morning
hier soir   last night
ce soir   this evening, tonight
l'après-midi   (in) the afternoon
le soir   (in) the evening
de bonne heure   early
vers huit heures   at about eight o'clock
(tout) près de   (very) near

toute l'après-midi   the whole afternoon
toute la matinée   the whole morning
toute la soirée   the whole evening
toute la journée   the whole day
tout à fait   altogether, quite
d'une façon magnifique   in grand fashion

VERBES

Present Indicative of partir (to leave, to depart)

je pars ce soir
tu pars ce soir
il part ce soir
elle part ce soir

nous partons ce soir
vous partez ce soir
ils partent ce soir
elles partent ce soir

Note that *partir* is conjugated like *sortir* (Lesson 6).

GRAMMAIRE

Intransitive Verbs with Être

je suis allé (*fem.* je suis allée)   I have gone, I went
tu es allé (*fem.* tu es allée)   you have gone, you went
il est allé   he has gone, he went
elle est allée   she has gone, she went
nous sommes allés (*fem.* nous sommes allées)   we have gone, we went
vous êtes allé (*fem.* vous êtes allée; *mas. pl.* vous êtes allés; *fem. pl.* vous êtes allées)   you have gone, you went

ils sont allés   they went
elles sont allées   they (*fem.*) went

→ Certain intransitive verbs form the past indefinite with the present of *être* instead of "avoir" (compare archaic English "he is come"; modern English "they are gone"). When *être* is used, the past participle fulfills the function of a predicate adjective; it must therefore agree with the subject.

elle est venue à la maison   she came to the house
nous sommes sortis ce matin   we went out this morning
ils sont partis hier soir   they left last night
mes parents sont arrivés à Paris   my parents have arrived in Paris
quand êtes-vous rentré?   when did you get home?
est-ce qu'ils sont montés à votre chambre?   did they go up to your room?
à quelle heure sont-ils descendus déjeuner?   at what time did they come down to breakfast?
elle est née en octobre   she was born in October
elle est morte hier   she died yesterday
ils sont tombés de l'auto   they fell out of the car
ils sont restés à la maison   they stayed at home
nous sommes entrés au Louvre   we went into the Louvre
quand êtes-vous retournés?   when did you go back?
ils sont devenus riches   they became rich

→ Some of the verbs that take *être* as an auxiliary are: *aller* (to go, p.p. *allé*); *venir* (to come, p.p. *venu*); *sortir* (to go out, p.p. *sorti*); *partir* (to leave, depart, p.p. *parti*); *arriver* (to arrive, p.p. *arrivé*); *rentrer* (to get back, get home, p.p. *rentré*); *monter* (to go up, come up, p.p. *monté*); *descendre* (to go, come down, p.p. *descendu*); *naître* (to be born, p.p. *né*); *mourir* (to die, p.p. *mort*); *tomber* (to fall, p.p. *tombé*); *rester* (to stay, remain, p.p. *resté*); *entrer* (to go in, come in, enter, p.p. *entré*); *retourner* (to return, go back, p.p. *retourné*); *devenir* (to become, p.p. *devenu*).

je me suis levé (*fem.* je me suis levée)	nous nous sommes levés (*fem.* nous nous sommes levées)
tu t'es levé (*fem.* tu t'es levée)	vous vous êtes levé(s) (*fem.* vous vous êtes levée[s])

il s'est levé   ils se sont levés
elle s'est levée   elles se sont levées

→ The past indefinite of reflexive verbs is formed with the auxiliary
être. The past participle agrees with the preceding reflexive pronoun
when this pronoun is the direct object. The reflexive pronouns are
me, te, se, nous, vous, se.

    tout est prêt   everything is ready, all is ready; **je sais tout**   I know
everything

→ *Tout* without a noun means "everything," or "all" in the sense of
"everything."

    tous sont prêts   all are ready, everybody is ready

→ The mas. pl. *tous* (with final -s pronounced), without a noun,
means "all" referring to people, "everyone", "everybody". It requires
a plural verb.

    tout le jardin   the whole garden
    tout le travail   all the work
    toute la matinée   the whole morning
    toute l'eau   all the water

→ *Tout le, toute la,* with a noun following, means "all the," "the
whole." In French, the article follows *tout, toute;* it does not precede,
as in the English usage: "the whole."

    tous les hommes   all the men
    toutes les femmes   all the women

→ *Tous les* (final -s of *tous* silent), *toutes les,* with a plural noun following, mean "all the."

QUESTIONS

    1. Que demande Paul à Marguerite?   2. Qu'est-ce que Marguerite
a fait hier matin?   3. A quelle heure Marguerite s'est-elle levée?
4. Où s'est-elle promenée?   5. Où est-elle rentrée à midi?   6. Qui est

venu la voir et qu'est-ce qu'ils ont fait ensemble? 7. Où est-elle allée l'après-midi? 8. A quelle heure est-elle rentrée? 9. Qui est prêt à sortir? 10. Où sont-elles allées? 11. Où ont-elles dîné? 12. Comment ont-elles dîné?

EXERCICES

A. *Continuez:*
  1. Je suis rentré chez moi de bonne heure. Tu es, etc.
  2. Je me suis promené dans le jardin toute la matinée.
  3. Je suis arrivé à Paris à minuit cinq.
  4. Je suis sorti du Louvre à midi.
  5. Je suis allé chez mon frère vers deux heures.

B. *Traduisez:*
  1. She has not died. 2. They have come from Paris. 3. We arrived this morning. 4. We came home at midnight. 5. They went out at three o'clock. 6. They went up. 7. She came down. 8. She took a walk in the street. 9. We got up at nine o'clock.

C. *Donnez les questions qui correspondent aux réponses suivantes:*
  1. C'est tout à fait vrai. 2. Nous nous sommes levés de bonne heure. 3. Nous avons passé toute l'après-midi au musée. 4. Marie est partie vers six heures et demie. 5. J'ai trouvé ma sœur prête à sortir. 6. Nous ne sommes rentrés qu'à six heures. 7. Il a visité toutes les salles de tous les musées. 8. Le soir, ils sont allés au cinéma. 9. Enfin, elle est partie. 10. Paul et Marguerite sont arrivés ce matin.

D. *Remplacez l'infinitif par la forme correcte du participe passé:*
  1. Elle s'est (promener). 2. Nous nous sommes (lever). 3. Ils sont (rentrer). 4. Sont-elles (aller) au théâtre? 5. Elle est (tomber) de la fenêtre (*window*). 6. Elle s'est (lever) à six heures. 7. Je suis (arriver) ce matin de très bonne heure. 8. Il m'a (assurer) que c'est tout à fait vrai. 9. Il est (venir) me voir à l'hôtel. 10. Nous avons (dîner) ensemble.

E. Use the proper form of *tout, toute, tous, toutes* before the following nouns and use in a sentence:

1. les jours. 2. la matinée. 3. les soirs. 4. le monde. 5. l'eau.
6. la salle. 7. les matins. 8. le théâtre. 9. les jardins. 10. les restaurants. 11. les places. 12. le musée. 13. les opéras. 14. les soirées. 15.
le travail. 16. les hôtels. 17. l'après-midi. 18. les femmes. 19. les
hommes. 20. les chapeaux.

THÈME

"Do you know (*savez-vous*) that Paul visited Paris yesterday?"
"It's not possible!"
"Yes, he arrived by auto yesterday morning with Henry."
"Where did they go?"
"They came to my house first (*d'abord*). Luckily I got up early
yesterday. They had breakfast and then they spent the whole morning in the Museum of the Louvre. We took a walk in the Luxembourg Garden. Then at noon, Mary went back to the hotel. Paul and
Henry came to the hotel at about twelve-thirty and we went out
together. We had lunch at Marguery's and in the afternoon we went
to a movie house on the Boulevard des Italiens."
"How did you spend the evening?"
"Paul bought tickets for the theater. Towards six-thirty we had
dinner at a little restaurant quite near the Opera Square. We spent a
wonderful evening but I have never been so tired. At midnight, after
the theater, we went to dance (*danser*) at Montmartre and we got home
only at four o'clock this morning."

LECTURE

HÉLÈNE: Est-ce que vous venez souvent au théâtre, Marie?
MARIE: Oui, Hélène, assez souvent. L'année dernière je suis venue une
fois par semaine (*once a week*). J'ai vu toutes les bonnes pièces
(*plays*) de la saison (*season*).
HÉLÈNE: Ma mère et moi (*My mother and I*), nous ne sommes venues
que (*only*) cinq fois en tout (*in all*); mais nous avons vu de très
bonnes pièces.

MARIE: Mais vous venez de loin, n'est-ce pas?

HÉLÈNE: Oui, assez. Nous habitons (*live in*) la banlieue (*suburbs*). Je suis partie de chez moi (*my house*) à cinq heures pour arriver ici à sept heures et demie.

MARIE: Mon Dieu, que c'est long (*how long it is!*)! Pourquoi ne pas venir de bonne heure, passer l'après-midi dans les grands magasins (*department stores*) et puis passer la soirée au théâtre?

HÉLÈNE: Ce n'est pas du tout une mauvaise idée. L'autre jour, par exemple (*for example*), j'ai fait précisément (*exactly*) cela (*that*); en bouquinant (*book-browsing*), je suis tombée sur (*ran across*) ce joli petit volume—une première édition de *Topaze*.

MARIE: La fameuse pièce de Pagnol? Mais dites donc! (*tell me!*) Que fait Pagnol maintenant?

HÉLÈNE: Oh! Il fait du cinéma comme tous les auteurs modernes.

MARIE: Mais, dites-moi, quel train avez-vous pris pour venir?

HÉLÈNE: Je suis montée dans le train à Fontenay-aux-Roses, nous avons traversé la banlieue, puis un peu de Paris, et nous sommes arrivées à la Gare (*station*) Montparnasse. Là, je suis descendue et quand je suis sortie de la gare, j'ai tout de suite cherché un taxi. Je n'ai pas trouvé de taxi. J'ai donc attendu un autobus. J'ai fini par prendre le Métro (*subway*). Comme j'avais retenu (*reserved*) ma place au théâtre d'avance (*my theatre seat ahead of time*) je n'ai pas été obligé de faire la queue (*to stand in line*). Je me suis promenée un peu et puis je suis entrée au théâtre. La dernière fois, nous sommes sorties du théâtre à temps pour aller prendre quelque chose au café. Henri nous a accompagnées. Nous sommes tous venus ensemble dans la matinée, nous avons déjeuné à la Chaumière Normande, puis l'après-midi nous avons visité le Louvre et le Luxembourg. Mais voilà le rideau (*curtain*) qui se lève. Je vais aller reprendre ma place. Attendez-moi à l'entr'acte (*intermission*).

QUESTIONS

1. Est-ce que Marie a vu beaucoup de pièces l'année dernière? 2. Combien de pièces Hélène a-t-elle vues? 3. Avec qui est-elle venue? 4. Est-ce qu'Hélène habite la ville? 5. A quelle heure est-elle partie de chez elle? 6. Comment Marie passe-t-elle la soirée? 7. Qu'est-ce

qu'Hélène a acheté? 8. Qui est Pagnol? 9. Comment Hélène est-elle venue de la banlieue? 10. Pourquoi n'a-t-elle pas pris un taxi? 11. Pourquoi a-t-elle fini par prendre le Métro? 12. Qu'est-ce qu'elle avait retenu d'avance? 13. Quand Henri a accompagné sa sœur, où sont-ils allés après le théâtre? 14. Où sont-ils allés l'après-midi? 15. Qu'est-ce que c'est que le Louvre et le Luxembourg? 16. Quand Hélène et Marie vont-elles se revoir?

COMPOSITION

Écrivez une composition sur une promenade en auto et une visite de Paris. (150 mots)

Lesson 10

Present indicative of *voir* and *mettre*

Position of *pas* in compound tenses

Direct object pronouns

Position of direct object pronouns in simple
and compound tenses

Agreement of past participle in verbs
conjugated with *avoir*

Uses of *voici, voilà,* and *il y a*

Use of *il y a* in expressions of time

Position of adjectives of color

CONVERSATION

Une Invitation à Déjeuner

ÉTIENNE: Dites, Yvonne, avez-vous vu mon frère?

YVONNE: Mais, oui, je l'ai vu en classe il y a une heure. Pourquoi?
Est-ce que vous ne le trouvez pas?

ÉTIENNE: Je le cherche depuis une heure. Ah, enfin! Le voilà!

FRANÇOIS: Tiens! Étienne! Qu'est-ce que tu fais ici? Bonjour,
Yvonne.

YVONNE: Bonjour, François.

ÉTIENNE: François, je te cherche depuis une heure. Où est-ce que
tu te caches?

FRANÇOIS: Eh bien, me voici maintenant! J'ai été occupé. Où est votre sœur, Yvonne? Je ne l'ai pas vue ce matin.

YVONNE: Elle est toujours en classe, je pense. Ah, mon Dieu! Ma serviette noire! Où est-ce que je l'ai mise? Est-ce que je l'ai oubliée dans la salle de classe?

ÉTIENNE: Non, Yvonne, ne vous inquiétez pas. La voici. Je la tiens ici sous ce journal.

YVONNE: Ah, coquin! Est-ce que vous l'avez cachée?

ÉTIENNE: Pas du tout. Vous l'avez laissée là-bas sur ce banc, il y a un instant. Je l'ai trouvée et la voici.

YVONNE: Les voilà!

ÉTIENNE: Qui?

YVONNE: Ma mère et ma sœur. Je les ai vues ce matin de bonne heure. Puis elles sont sorties ensemble, et je ne les revois qu'à présent.

ÉTIENNE: Bonjour, Madame! Bonjour, Rose!

MADAME: Bonjour. Est-ce que vous avez fini toutes vos classes?

ÉTIENNE: Oui, Madame. Nous les avons toutes finies. Pour aujourd'hui du moins.

MADAME: Eh bien, rentrons pour le déjeuner. Je vous invite.

ÉTIENNE: Avec plaisir. Nous avons tous faim.

VOCABULAIRE ET EXPRESSIONS

le frère   the brother
le père   the father
la mère   the mother
les parents (*masc. pl.*) the parents
le banc   the bench
la serviette   the briefcase
la classe   the class
la salle de classe   the classroom

Madame   madam, ma'am, Mrs. (in writing it is often abbreviated to *Mme* [no period]. Where English uses "Mrs." followed by the last name in direct address, French usually has *Madame* without the name.)

le déjeuner   the lunch
l'invitation (*fem.*)   the invitation
le coquin   the rascal

Étienne   Stephen
François   Frank, Francis
Yvonne   Yvonne

rouge   red
blanc (*fem.* **blanche**) white
bleu   blue
vert   green

noir   black
jaune   yellow
violet   purple
occupé   busy

voir   to see (*p.p.* **vu**)
revoir   to see again
chercher   to look for (do not translate *for*)
inviter   to invite
mettre   to put, place (*p.p.* **mis**)
cacher   to hide, to conceal

laisser   to leave (*leave behind*); to leave in the sense of "to depart" is **partir**
finir   to finish (*p.p.* **fini**)
tenir   to hold (*p.p.* **tenu**)
s'inquiéter   to worry

voilà   there is, there are (*points out*)
les voilà   there they are
me voici   here I am
il y a   there is, there are (*statement*); ago (*precedes expression of time:* **il y a deux heures**   two hours ago)

que (*relative pronoun*)   whom, which, that (only as *object* of verb)
du moins   at least
en classe   in class
sous   under, beneath
ah, coquin!   you rascal!

VERBES

Present Indicative of **voir** (to see) *p.p.* **vu**

je vois mon frère à l'école
tu vois
il voit
elle voit

nous voyons
vous voyez
ils voient
elles voient

Present Indicative of **mettre** (to put, to place) *p.p.* **mis**

je mets sa serviette sur le banc	**nous mettons**
tu mets	**vous mettez**
il met	**ils mettent**
elle met	**elles mettent**

je n'ai pas vu votre père I haven't seen your father, I didn't see your
father
j'ai mis mon chapeau I put on my hat

→ Remember: In compound tenses, *ne* precedes and *pas* follows the
auxiliary (*avoir* or *être*).

GRAMMAIRE

elle me voit she sees me	**vous nous voyez** you see us
je te vois I see you	**ils vous voient** they see you
tu le vois you see him, you see it	**nous les voyons** we see them
il la voit he sees her, he sees it	**elles les voient** they see them

→ The direct object pronouns are:

me	me	**nous**	us
te	you	**vous**	you
le	him, it	**les**	them
la	her, it		

They are normally placed immediately before the verb.

je ne le vois pas I don't see him, I don't see it
je ne l'ai pas vu I haven't seen him (it), I didn't see him (it)

→ Notice the relative position of *subject pronoun, ne, object pronoun, verb, pas;* and in compound tenses, *subject pronoun, ne, object
pronoun, auxiliary, pas, past participle.*
→ *Me, te, se, le, la,* become *m', t', s', l', l',* respectively, *if the next
word begins with a vowel.*

j'ai vu votre frère I saw your brother **je l'ai vu** I saw him
j'ai vu votre sœur I saw your sister **je l'ai vue** I saw her

j'ai vu vos frères I saw your brothers **je les ai vus** I saw them
j'ai vu vos sœurs I saw your sisters **je les ai vues** I saw them

→ A *past participle* conjugated with *avoir* may change its form if the *direct object* pronoun *precedes* the verb; then the past participle agrees in gender and number with this direct object pronoun.

j'ai vu Louis et Marie I saw **je les ai vus** I saw them
Louis and Mary

→ If the *preceding* direct object pronoun covers mixed genders, the agreement is masculine plural.

où est la femme que j'ai vue hier? where is the woman (whom) I saw
yesterday?
où sont les femmes que j'ai vues hier? where are the women (whom)
I saw yesterday?

→ The *past participle* conjugated with *avoir* also *agrees with a preceding relative pronoun direct object,* the relative pronoun taking the same gender and number as its antecedent.
→ Note that the relative pronoun cannot be omitted in French as it so often is in English: (**les femmes que j'ai vues** the women whom I saw, the women I saw.)

quelle maison avez-vous vue hier? what house did you see yesterday?
quelles maisons avez-vous vues hier? what houses did you see yesterday?

→ In an interrogative sentence, there is also *agreement with a preceding noun direct object.*
→ The rule may be summed up as follows:
A *past participle* conjugated with *avoir agrees with a preceding direct object,* but not with a following direct object.

In the majority of instances, this makes no difference in the *spoken language,* since *vu, vue, vus, vues* are all pronounced alike; note however the change in pronunciation in: *pris, prise; mis, mise; fait, faite; dit, dite; mort, morte; ouvert, ouverte; conduit, conduite; écrit, écrite.*

voici mes parents   here are my parents   **les voici**   here they are
voilà ma mère   there is my mother   **la voilà**   there she is

Voici means "here is," "here are," pointing out.
Voilà means "there is," "there are," pointing out.

→ The subject of the English "here is," "here are," "there is," "there are" becomes the direct object of *voici, voilà,* and is placed before them.

Il y a un livre sur la table. Où? **Le voilà.**   There is a book on the table. Where? There it is.
Il y a deux hommes dans la rue. Où? **Les voilà.**   There are two men in the street. Where? There they are.

→ **Il y a** and **voilà** both mean "there is," "there are." But **voilà** *points out,* while **il y a** *makes a simple statement.*

Je l'ai vu **il y a une heure**   I saw him an hour ago

→ **Il y a** also means *ago.* It precedes the expression of time.

un sac-à-main rouge   a red purse   **un crayon bleu**   a blue pencil
un banc vert   a green bench   **une plume verte**   a green pen
une maison blanche   a white house   **un stylo blanc**   a white fountain pen
un crayon jaune   a yellow pencil   **un encrier noir**   a black inkwell

→ Adjectives of color regularly follow the noun.

QUESTIONS

1. Qui est François?   2. Qui le cherche depuis une heure?   3. Est-ce que François est venu, finalement?   4. Qu'est-ce qu'il a dit à Étienne? 5. Que dit-il à Yvonne?   6. Depuis combien de temps Étienne cherche-t-il son frère?   7. Où était-il occupé?   8. Qu'est-ce qu'Yvonne a perdu? 9. Qui l'a trouvée?   10. Où l'a-t-il trouvée?   11. Qui arrive?   12. Qui a fini ses classes?   13. Pourquoi va-t-on rentrer?

EXERCICES

A. *Employez la forme correcte du verbe* voir *dans les phrases suivantes:*

1. Elles —————— le professeur tous les jours. 2. Nous ——————
notre mère le soir. 3. Vous —————— ce monsieur; il est médecin.
4. Ils —————— que je suis malade. 5. Tu —————— que j'ai sommeil. 6. Je —————— que mon amie n'est pas ici. 7. Il —————— le
livre sur la table. 8. Elle ne —————— pas son frère.

B. *Conjuguez:*
Je mets la chaise près de la table.

C. *Mettez les formes suivantes au négatif:*

1. Nous avons vu votre père ce matin. 2. Il a vu l'agent de police
dans la rue. 3. Tu as vu ton frère. 4. Vous avez vu le livre que j'ai
acheté. 5. Ils ont vu mes amis dans l'auto. 6. J'ai vu son fils.

D. I. *Employez les pronoms compléments directs* le, la, les *dans
les phrases suivantes et traduisez-les:*

1. je vois 2. il voit 3. nous voyons 4. vous voyez 5. ils voient

II. *Employez les pronoms compléments directs* le, la, les *avec
les verbes suivants et complétez les phrases:*

1. je mets 2. elle met 3. nous mettons 4. vous mettez 5. elles
mettent

E. *Remplacez le tiret par* le (l'), la (l') *et* les (*masc. ou fém.*)
et faites accorder le participe passé:

1. je —————— ai vu 2. il —————— a vu 3. nous ——————
avons vu 4. vous —————— avez vu 5. ils —————— ont vu

F. *Remplacez le tiret par* me (m'), te (t'), nous, vous *et faites
accorder le participe passé:*

1. elle —————— a vu 2. il —————— a cherché 3. il ——————
a trouvé 4. ils —————— ont caché 5. ils —————— ont quitté

G. *Traduisez en français:*

1. Where is the invitation (which) I left on the table? 2. There is Mary; I saw her in (*à*) Paris yesterday. 3. Here is the house (which) I bought. 4. Here is the street (which) I looked for last night, but I did not find it. 5. There are the pens (which) we put on the table. 6. We took the breakfasts (which) we asked for. 7. There are five houses on (*dans*) that street. 8. What books did you buy yesterday? 9. On the table there is a big black inkwell, a small white fountain pen, a small green pencil, and some yellow paper.

H. *Faites des phrases en employant le passé indéfini et le vocabulaire suivant:*

le frère, le banc, le déjeuner, la classe, les parents, l'encrier noir, le crayon rouge, le stylo vert, du moins, un coquin, toujours.

THÈME

—Whom (*qui*) are you looking for? Your sister?

—Yes, have you seen her?

—Yes, I saw her in the classroom two hours ago.

—If you find her, tell her (*dites-lui*) that (*que*) you have seen me and that I want to see her.

—There she is with Paul.

—Yvonne! Where's my black briefcase?

—Oh! I put it on a table and I forgot it.

—Go look for it, please. Have you finished your classes?

—Yes, I have finished them all.

—Quickly. I want to go to lunch. Aren't you hungry? Today, I am inviting you.

—Oh, thank you. Put these books in the car.

LECTURE

—Venez tous, le dîner est servi! Yvonne, Étienne, dépêchez-vous! (*hurry up!*)

—Nous voici. Nous attendons au salon depuis un quart d'heure.
Nous mourons (*are dying*) de faim. Asseyons-nous (*Let us sit down*)
vite.

—La soupe est déjà froide. Étienne, voulez-vous vous asseoir là
près de Marie? Et vous, Georges, près d'Yvonne. François, venez ici à
ma gauche (*left*).

—Oh! Quelle bonne soupe! Passez-moi le sel (*salt*), s'il vous plaît.
Et le poivre (*pepper*), Étienne.

—Avec plaisir, Yvonne. Qui l'a faite, cette soupe? Vous, Marie?

—Non, Étienne, c'est notre cuisinière (*cook*), Henriette.

—Dites à Henriette que cette soupe est excellente. Mais quelles
jolies assiettes à soupe (*soup-plates*)! Où les avez-vous achetées? Mais
vous les avez depuis longtemps, peut-être?

—Non, nous les avons achetées hier. Il y avait (*There was*) aussi un
service (*set of dishes*) bleu et un service vert. Nous avons choisi le
service jaune. Sur une nappe (*tablecloth*) blanche, je trouve que c'est
très joli (*pretty*).

—Pardon, Alice, mais puis-je avoir (*may I have*) une serviette
(*napkin*)?

—Quoi, vous n'avez pas de serviette? Je l'ai mise là à votre droite
(*right*). C'est peut-être ce coquin de Georges qui l'a prise! Dites donc,
Georges. C'est vous qui avez caché la serviette de François?

—Moi? Quelle idée! Je ne l'ai même (*even*) pas vue!

—Pourtant (*And yet*), je me rappelle (*remember*) que (*that*) je l'ai
placée à la droite de son assiette. Regardez tous sous la table, sous votre
chaise, s'il vous plaît.

—La voici, près de mon pied (*foot*). Elle est tombée (*fallen*) par
terre (*on the floor*).

—Merci bien, Yvonne. Marie, voulez-vous m'aider? La bonne
(*servant*) est sortie aujourd'hui. Aimez-vous tous le poisson (*fish*)? On
nous a apporté huit jolies truites (*trout*) tout à l'heure. On les a at-
trapées (*caught*) ce matin dans le ruisseau (*brook*).

—Moi, j'adore le poisson, surtout (*especially*) quand il est frais.

—Passez-moi les assiettes, je vais servir tout le monde. Vous,
François, puisque (*since*) vous êtes à ma gauche, vous allez servir les
légumes (*vegetables*). Aimez-vous tous les pommes de terre et les
haricots verts (*string beans*)? Est-ce que vous voulez votre salade
maintenant ou plus tard? Nous n'avons que de la laitue (*lettuce*).
Prenez un petit pain (*roll*), Georges.

—Cette truite est vraiment excellente. Je me rappelle avoir mangé de la truite en Suisse il y a deux ans, mais elle était moins (*less*) bonne. Si vous voulez du dessert (*dessert*), voilà des fruits et du fromage (*cheese*). Servez-vous. C'est sans cérémonie (*informal*) ici, aujourd'hui.

QUESTIONS

1. Qui attend au salon? 2. Pourquoi crie-t-on "dépêchez-vous"? 3. Que sert-on pour le dîner? 4. Est-ce qu'on aime la soupe? 5. Qu'est-ce qui manque (*is lacking*) à la soupe? 6. Qui a fait la soupe? 7. Dans quoi sert-on la soupe? 8. Est-ce que les assiettes sont bleues? 9. Où est la serviette de François? 10. Où a-t-on placé sa serviette? 11. Quel est le second plat (*dish*)? 12. Quels légumes sert-on? 13. Y a-t-il de la salade? 14. Quelle sorte de salade? 15. Que sert-on comme dessert?

COMPOSITION

Écrivez une composition sur un dîner entre amis (*among friends*). Considérez les questions suivantes pour vous guider (*to guide you*):
1. Combien de personnes sont invitées au déjeuner?
2. Comment sont-elles placées à table?
3. Qu'est-ce qui se passe (*happens*) pendant le repas?
4. Que sert-on?

Lesson 11

Present indicative of *écrire, lire, se sentir,*
and *se remettre*

Present indicative of *se rappeler*

Uses of *venir de*

Use and position of indirect object noun
and pronoun

Use and omission of article with names of
days of the week

CONVERSATION

Lettres de Famille

HENRI: Est-ce que vous avez écrit à votre beau-père, Jean?

JEAN: Oui, je viens de lui écrire aujourd'hui même. Je lui ai écrit
une très longue lettre, mais je ne l'ai pas encore mise à la
poste. La semaine dernière, il m'a envoyé une carte postale.
Je l'ai reçue hier matin de bonne heure. Quand je l'ai lue, je
me suis senti tout bouleversé.

HENRI: Pourquoi?

JEAN: Il me dit que ma belle-mère, mon beau-frère et ma belle-
sœur ont été très malades.

HENRI: Ah, c'est dommage!

JEAN: Oui, vraiment. Puis, comme j'ai eu hier matin une dépêche
de ma tante qui me dit que mon oncle vient de se remettre

d'une longue maladie, je pense qu'il y a vraiment eu assez de maladies dans ma famille.

HENRI: En effet. Quand est-ce qu'elle vous a envoyé cette dépêche? Elle vous a écrit une lettre la semaine dernière, n'est-ce pas?

JEAN: Oui, elle m'a écrit mardi et elle a envoyé la dépêche dimanche matin. Quant à mes parents, je leur ai envoyé les paquets que vous m'avez donnés.

HENRI: Quand ça?

JEAN: Je les ai envoyés—voyons—jeudi ou vendredi dernier. Je ne suis pas tout à fait sûr de la date. En tout cas, ils sont arrivés. Ils les ont reçus samedi après-midi.

HENRI: Est-ce que vous avez des nouvelles de votre frère?

JEAN: Non. Je vais lui écrire mardi ou mercredi prochain—enfin, la semaine prochaine. Mais on m'a dit qu'il va beaucoup mieux.

VOCABULAIRE ET EXPRESSIONS

le beau-père the father-in-law
le beau-frère the brother-in-law
la belle-sœur the sister-in-law
la belle-mère the mother-in-law
l'oncle the uncle
la tante the aunt
la famille the family
la lettre the letter
la carte (postale) the (post) card
la dépêche, le télégramme the wire, the telegram
le paquet the package
la maladie the illness

la date the date (*not* a date with someone; use **le rendez-vous** for that)
les nouvelles (*fem. pl.*) the news (**la nouvelle** the piece of news)
(le) lundi Monday
(le) mardi Tuesday
(le) mercredi Wednesday
(le) jeudi Thursday
(le) vendredi Friday
(le) samedi Saturday
(le) dimanche Sunday

long (*fem.* **longue**) long
dernier (*fem.* **dernière**) last
bouleversé upset

sûr (*fem.* **sûre**) certain
prochain next

écrire (*p.p.* écrit)   to write
envoyer (j'envoie)   to send
se sentir (*p.p.* senti)   to feel
se rappeler (je me rappelle)   to remember, to recall

recevoir (*p.p.* reçu)   to receive
lire (*p.p.* lu)   to read
donner   to give
se remettre (*p.p.* remis)   to recover

comme   as, like
en effet   indeed, that's right
venir de + *infinitive*   to have just + *past participle*
mettre à la poste   to mail
en tout cas   at any rate, in any case
aujourd'hui même   this very day
la semaine dernière (prochaine)   last (next) week
il y a eu   there was, there were, there has been, there have been
lundi   (on) Monday

lundi dernier (prochain)   last (next) Monday
lundi matin   Monday morning
lundi après-midi   Monday afternoon
lundi soir   Monday evening, Monday night
tous les lundis   every Monday
c'est dommage!   that's too bad! what a pity!
avoir des nouvelles de   to have heard from, to have news of
on m'a dit   somebody told me, I have been told

VERBES

Present Indicative of écrire (to write) *p.p.* écrit

j'écris une lettre à ma tante	nous écrivons
tu écris	vous écrivez
il (elle) écrit	ils (elles) écrivent

Present Indicative of lire (to read) *p.p.* lu

je lis une dépêche	nous lisons
tu lis	vous lisez
il (elle) lit	ils (elles) lisent

Present Indicative of **se sentir** (to feel) *p.p.* **senti**

je me sens beaucoup mieux	**nous nous sentons**
tu te sens	**vous vous sentez**
il (elle) se sent	**ils (elles) se sentent**

→ Note in the case of *se sentir* that the conjugational scheme is like that of *partir* or *sortir*. Remember that *reflexive verbs take être*, not *avoir*, in the compound tenses (**je me suis senti** I felt). *Sentir,* when not reflexive, means *to smell* or *to feel* something.

Present Indicative of **se remettre** (to recover) *p.p.* **remis**

je me remets bien vite	**nous nous remettons**
tu te remets	**vous vous remettez**
il (elle) se remet	**ils (elles) se remettent**

→ Conjugated like *mettre*. The same applies to all other compounds of *mettre* (*promettre,* to promise; *permettre,* to permit, to allow; *soumettre,* to submit; etc.).

Present Indicative of **se rappeler** (to remember)

je me rappelle cette histoire	**nous nous rappelons**
tu te rappelles	**vous vous rappelez**
il (elle) se rappelle	**ils (elles) se rappellent**

je viens d'écrire la lettre   I have just written the letter
il vient de parler à mon frère   he has just spoken to my brother
nous venons de le faire   we have just done it

→ **Venir de** *followed by the infinitive* translates the English "to have just" followed by a past participle. Note that in French *venir* is conjugated while the infinitive remains unchanged.

GRAMMAIRE

j'ai parlé **à mon frère**   I spoke to my brother
il a écrit **à sa mère**   he wrote to his mother, he wrote his mother

il a écrit une lettre **à sa mère**   he wrote his mother a letter
nous avons envoyé le paquet **à nos parents**   we sent our parents the
    package
ils ont donné le livre **à Henri**   they gave Henry the book

→ An indirect object is not merely one before which "to" is used in English, but one before which "to" *can* be used. English omits "to" quite frequently, even when the sentence also contains a direct object. French never omits *à* if the indirect object is a noun. English, when it omits "to," places the indirect object before the direct. French normally places the direct noun object before the indirect noun object.

il m'a écrit   he wrote to me, he wrote me
je t'ai parlé   I spoke to you
elle lui a donné un livre   she gave him a book
tu lui as envoyé le paquet   you sent her the package
vous nous avez écrit   you wrote to us, you wrote us
ils vous ont dit   they said to you, they told you
elles leur ont donné des livres   they gave them books
nous leur avons envoyé les paquets   we sent them the packages

→ In English, indirect object pronouns have exactly the same form as direct object pronouns (*me, you, him, her, us, you, them*), sometimes with "to," more frequently without.

The French indirect object pronouns are as follows:

me	to me, me	**nous**	to us, us
te	to you, you	**vous**	to you, you
lui	to him, to her, him, her	**leur**	to them, them
se	to himself, to herself (reflex-ive)	**se**	to themselves (reflexive)

→ It will be noted that these indirect pronouns are like the direct object pronouns *save in the third person,* where the *direct forms* are *le* (him), *la* (her), *les* (them), while the *indirect forms* are *lui* (to him, to her, him, her), *leur* (to them, them).

The test for an indirect object is to determine whether "to" *can* be used before it in English. If it can, and the object is a noun, *à* must be used in French; if the object is a pronoun, an *indirect*, not a direct *object pronoun* must be used.

le **dimanche** Sunday   le **lundi** Monday   le **mardi** Tuesday

→ Names of the days of the week are all masculine. They are not capitalized in French.

je l'ai vu lundi I saw him on Monday
je vais le voir lundi I am going to see him on Monday

→ "On" is not translated with days of the week.
→ If the article is not used with days of the week "next" or "last" is implied.

je le vois le lundi I see him Mondays, I see him on Mondays
je le vois tous les lundis I see him every Monday

→ The English plural "Mondays" or "on Mondays" is translated by a singular in French: *le lundi*. The English singular "every Monday" is translated by the French plural form: *tous les lundis*.

QUESTIONS

1. A qui Jean vient-il d'écrire? 2. Quelle sorte de (*what kind of*) lettre a-t-il écrite? 3. L'a-t-il mise à la poste? 4. Quand son beau-père lui a-t-il envoyé une carte postale? 5. Quand il l'a lue, comment s'est-il senti? 6. Qu'est-ce que le beau-père a dit sur sa carte? 7. Quand Jean a-t-il eu une dépêche de sa tante? 8. Qu'est-ce que sa tante a dit dans sa dépêche? 9. Est-ce que sa tante lui a aussi écrit une lettre? 10. Qu'est-ce qu'il a envoyé à ses parents? 11. Quand les a-t-il envoyés? 12. Qui n'a pas de nouvelles de son père?

EXERCICES

A. *Traduisez les formes suivantes:*

a) *j'écris, ils écrivent, nous écrivons, elle a écrit, vous écrivez,* you have written, *il lit,* we have written, I have read, *nous lisons,* she reads, we feel, *ils se sentent,* you feel, I am recovering, we are recovering, they recover

   b) Conjuguez les phrases suivantes: 1. j'écris une lettre à ma mère 2. j'ai lu la leçon devant la classe 3. je me sens beaucoup mieux maintenant 4. je me suis remis de cette indisposition après quelques heures de repos 5. je me rappelle le jour de votre mariage 6. je me suis rappellé son nom tout de suite 7. je viens de lire le livre.

B. *Remplacez le tiret par tous les pronoms suivants:* me (m'), te (t'), lui, nous, vous, leur.

   1. Il —————— écrit une lettre. 2. Il —————— a parlé de la Révolution française. 3. Il —————— a donné un livre qui vient de paraître (*appear*). 4. Il —————— envoie un paquet tous les samedis.

C. *Traduisez les phrases suivantes:*

   1. I saw her Sunday. 2. We are going to write them Tuesday. 3. I give him a new book every Wednesday afternoon. 4. She goes to their house Fridays. 5. I mailed the letter last Monday. 6. What a pity! Monday afternoon I am going to see my mother. 7. I am writing to her, this very day. 8. At any rate I have a telegram from my father. 9. I am still upset by (*par*) the letter which I read in Saturday morning's paper. 10. A telegram from my aunt came last Thursday evening.

THÈME

   —I am all upset. I have just received a letter from my father-in-law. He has just recovered from a long illness. He told me that his wife, my mother-in-law, has been ill too.

   —That's too bad. How are they, now?

   —I sent them a telegram this morning and I wrote him a letter, but I have not yet mailed it. I am going to send them some packages Thursday. Last Saturday I sent them a package with Saturday's newspaper. He does not say in his letter that he is going to come to Paris. At any rate, I am going to see them next Wednesday or Thursday, I mean (*je veux dire*) Wednesday of next week.

LECTURE

—Puis-je (*May I*) vous offrir (*offer*) encore une tasse de thé (*cup of tea*)?

—Oui, merci. Vous êtes bien aimable (*kind*). Avec du sucre (*sugar*) et de la crème (*cream*).

—Un sandwich? Ou un petit-four (*small cake*)? Ils sont très bons. Marie les a faits ce matin.

—Puisque (*Since*) vous insistez. J'aime beaucoup les petits-fours. Donnez-en aussi à Henri. Vous les aimez, n'est-ce pas?

—Oui, beaucoup. Mais dites-moi, Hélène, avez-vous des nouvelles de Georges? Je lui ai écrit deux fois (*twice*), mais je n'ai jamais eu de réponse.

—Oh, il n'écrit pas souvent; et puis il a été malade. Il vient de m'écrire une longue lettre pleine (*full*) de nouvelles. Il vient de passer le week-end avec son ami, Robert. Tout à coup, en descendant du train, il s'est senti malade. Il a appelé un taxi, il a donné son adresse au chauffeur, et après cela, il ne s'est plus rappelé ce qui (*what*) est arrivé (*happened*). Il s'est trouvé sur son lit. Il est resté au lit quinze jours (*two weeks*). On lui a lu son courier (*mail*) tous les jours. Il n'a pas pu (*was not able*) quitter sa chambre avant samedi dernier. Il s'est remis très lentement (*slowly*).

—Oh! C'est dommage! J'espère (*I hope*) qu'il se porte mieux maintenant.

—Oh! oui! Il m'a invitée à un bal (*dance*) qui se donne au Grand Hôtel samedi prochain, Jacqueline.

—Je me demande (*wonder*) si c'est au même bal que Jacques m'a invitée. Jacques et Georges sortent toujours ensemble. Mais, pour revenir à la lettre de Georges; il m'est arrivé quelque chose de semblable (*similar*), il y a un mois. Quand je suis montée dans l'autobus, je me suis sentie indisposée. Je me suis levée pour sortir immédiatement et je ne me suis plus rien rappelé. Je me suis réveillée (*woke*) à l'hôpital avec ma belle-sœur auprès de mon lit. Il paraît (*appears*) qu'on lui a envoyé une dépêche qu'elle a reçue à deux heures du matin. Elle s'est levée, a appelé un taxi et est allée immédiatement à l'hôpital. Une fois arrivée, elle est montée à ma chambre et m'a trouvée toute pâle sur le lit. Il paraît que je me suis évanouie (*fainted*) dans l'autobus. Heureusement, je me suis remise assez vite, mais je me suis sentie faible (*weak*) pendant quelques jours.

QUESTIONS

1. Comment aimez-vous votre thé, avec du sucre ou sans sucre? 2. Comment aimez-vous votre café, avec de la crème ou sans crème? 3. Aimez-vous les sandwiches au jambon (*ham*)? 4. Aimez-vous les sandwiches au fromage (*cheese*)? 5. Aimez-vous les sandwiches aux tomates? 6. Avez-vous jamais mangé un petit-four? 7. De qui Hélène a-t-elle reçu une lettre? 8. Comment se porte-t-il? 9. Où a-t-il passé le week-end? 10. Qu'est-ce qui lui est arrivé en descendant du train? 11. A qui (*to whom*) a-t-il donné son adresse? 12. Est-ce qu'il s'est rappelé ce qui est arrivé? 13. Combien de temps est-il resté au lit? 14. A-t-il beaucoup lu? 15. Comment savez-vous qu'il se porte mieux? 16. Est-ce que quelque chose de semblable est arrivé à Jacqueline? 17. Quand s'est-elle trouvée indisposée? 18. Où s'est-elle réveillée? 19. Comment sa belle-sœur a-t-elle appris la nouvelle de son accident? 20. Où était-elle tombée malade? 21. Est-ce qu'elle s'est remise vite?

COMPOSITION

Employez les expressions suivantes dans une composition basée sur une expérience personnelle: 1) mettre à la poste 2) se sentir 3) bouleversé 4) une dépêche 5) c'est dommage 6) en effet 7) en tout cas 8) avoir des nouvelles 9) la semaine prochaine 10) quand ça? 11) dimanche matin 12) vendredi dernier.

Lesson 12

Present indicative and past participle of *valoir*

Relative position of direct and indirect
object pronouns

Review of agreement of past participle with
preceding direct object

Agreement of *quatre-vingt* and *cent* with
following noun

Use of *mille, million,* and *milliard*

CONVERSATION

L'Oncle riche et le Neveu pauvre

PHILIPPE: Bonsoir, Pierre.

PIERRE: Bonsoir, Philippe. Ça va bien, cher ami?

PHILIPPE: Comme ci comme ça, mon vieux. Des rhumes de temps
en temps. Dites-moi, est-ce que vous voyez quelquefois votre
neveu Charles?

PIERRE: Oui, même trop souvent. L'autre jour, il est venu m'emprunter six mille francs.

PHILIPPE: Et vous les lui avez prêtés?

PIERRE: Eh bien, oui. Pauvre garçon! Il ne gagne pas grand'chose.
Et la vie coûte cher.

PHILIPPE: Il dépense beaucoup d'argent, n'est-ce pas?

PIERRE: Oui, c'est normal quand on a une grande famille—six fils et quatre filles. Six beaux garçons et quatre bien jolies jeunes filles. Je leur envoie quelquefois des cadeaux—de petits mandats-poste. Je leur ai envoyé un petit mandat-poste avant-hier.

PHILIPPE: Oui, mais revenons à la question d'argent. Vous lui avez donné tout cet argent?

PIERRE: Oui, je le lui ai donné. Bien entendu, il va me le rendre.

PHILIPPE: Quand ça?

PIERRE: Eh bien, vers la fin du mois.

PHILIPPE: Et s'il ne vous le rend pas?

PIERRE: Oh! par exemple! C'est un homme fort honnête.

PHILIPPE: Oui, mais j'ai entendu dire qu'il emprunte de l'argent à tout le monde.

PIERRE: C'est peut-être vrai. Mais il paie toujours ses dettes. L'année dernière, par exemple, il m'a emprunté mille francs. Il me les a rendus le mois dernier.

PHILIPPE: Et puis, il vous a emprunté six mille francs l'autre jour?

PIERRE: Je les lui ai prêtés volontiers. Je suis bien sûr qu'il va me les rendre.

PHILIPPE: Et s'il ne vous les rend pas?

PIERRE: Eh bien, ça m'est égal. Tant pis pour moi.

PHILIPPE: Et les dix mille francs que vous avez donnés à Paul et à Marie?

PIERRE: Je les leur ai donnés comme cadeau. Ce n'est pas un emprunt. Ils sont bien pauvres. Ils ont besoin d'argent. D'ailleurs, j'ai tant d'argent à la banque en ce moment. Je peux bien leur donner dix mille francs.

PHILIPPE: Vous êtes très bon. Mais il est tard. J'ai un rendez-vous.

PIERRE: Eh bien, bonsoir, Philippe.

PHILIPPE: A demain, Pierre.

VOCABULAIRE ET EXPRESSIONS

le neveu   the nephew
le garçon   the boy

le fils (-s pronounced; pl. same) the son

la fille   the daughter
le rhume   the cold (*disease*)
la fin   the end
la vie   the life
l'emprunt (*mas.*)   the loan
la dette   the debt
la banque   the bank
le dollar   the dollar
le mandat-poste (*pl.* les mandats-poste)   the money-order
le cadeau (*pl.* cadeaux)   the present, the gift
mille (usually spelt mil in dates) 1000
le million (de)   the million
le milliard (de)   the billion

deux cents   200
Pierre   Peter
Philippe   Philip
riche   rich
pauvre   poor
cher (*fem.* chère)   dear, expensive
fort   strong (*used as an adverb:* quite, very)
honnête   honest
joli   pretty
égal (*masc. pl.* égaux)   equal
autre   other
vieux (use vieil before a vowel or h; *fem. sing.* vieille; *masc. pl.* vieux, *fem. pl.* vieilles)   old

emprunter (à)   to borrow (from)
revenir (conj. like venir; *être* in compound tenses; *p.p.* revenu)   to come back, to get back

prêter   to lend
dépenser   to spend
coûter   to cost
gagner   to earn, to gain, to win
payer   to pay (je paie)

même (*as an adverb*)   even
ne ... pas grand'chose   not much
avant-hier   day before yesterday
comme ci comme ça   so so
l'autre jour   the other day
j'ai entendu dire   I have heard (people) say
peut-être   perhaps, maybe
par exemple!   the very idea! I declare!
volontiers   gladly, willingly
ça m'est égal   it's all the same to me
tant pis   so much the worse, too bad

la vie coûte cher   the cost of living is high
à demain   see you tomorrow
mon vieux   old man, my friend
avoir besoin de   to need
maintenant   now
demain   tomorrow
un billet de banque   a bank note
bien entendu   of course
tout le monde   everybody
par exemple   for instance
l'année dernière   last year
le mois dernier   last month
d'ailleurs   on the other hand, besides

VERBES

Present Indicative of **valoir** (to be worth) *p.p.* **valu**

je vaux autant que lui   I am as   **nous valons** autant que lui
    good as he   **vous valez** autant que lui
tu vaux autant que lui   **ils (elles) valent** autant que lui
il (elle) vaut autant que lui

GRAMMAIRE

Philippe me donne un livre; **il me le donne**   Philip gives me a book;
    he gives it to me
Albert me donne une plume; **il me la donne**   Albert gives me a pen;
    he gives it to me

→ "it to me" is **me le, me la,** according to the French gender of
the "it."

Arthur me donne les paquets; **il me les donne**   Arthur gives me the
    packages; he gives them to me

→ "them to me" is **me les.**

Philippe te prête un livre; **il te le prête**   Philip lends you a book; he
    lends it to you
Albert te prête une plume; **il te la prête**   Albert lends you a pen; he
    lends it to you

→ "it to you," when a familiar "you" is used, is **te le, te la,** according to the French gender of the "it."

Arthur te prête les stylos; **il te les prête**   Arthur lends you the fountain
    pens; he lends them to you

→ "them to you" (familiar you) is **te les.**

Philippe nous envoie le paquet; **il nous l'envoie**   Philip sends us the
    package; he sends it to us
Albert nous envoie la lettre; **il nous l'envoie**   Albert sends us the letter;
    he sends it to us

→ "it to us" is **nous le, nous la,** according to the gender of the "it"; note that both **le** and **la** lose their final vowel before a vowel.

Arthur nous envoie les dépêches; **il nous les envoie**   Arthur sends us the wires; he sends them to us

→ "them to us" is **nous les.**

Jean vous donne le livre; **il vous le donne**   John gives you the book; he gives it to you
Madeleine vous donne la plume; **elle vous la donne**   Madeline gives you the pen; she gives it to you

→ "it to you" (polite or plural "you") is **vous le, vous la,** according to the gender of the "it."

François vous envoie les paquets; **il vous les envoie**   Frank sends you the packages; he sends them to you

→ "them to you" (polite or plural "you") is **vous les.**
→ If there are two object pronouns in the phrase, put the indirect forms **me, te, nous, vous** *before* the direct forms **le, la, les.**

Philippe a donné un livre à son frère; **il le lui a donné**   Philip gave his brother a book; he gave it to him
Philippe a donné une plume à son frère; **il la lui a donnée**   Philip gave his brother a pen; he gave it to him
Philippe a donné un livre à sa sœur; **il le lui a donné**   Philip gave his sister a book; he gave it to her
Philippe a donné une plume à sa sœur; **il la lui a donnée**   Philip gave his sister a pen; he gave it to her

→ "it to him," "it to her" is **le lui, la lui,** according to the French gender of the "it." Note that "to him" and "to her" both appear as **lui.**

Henri a donné les livres à son frère; **il les lui a donnés**   Henry gave the books to his brother; he gave them to him
Henri a donné les plumes à sa sœur; **il les lui a données**   Henry gave the pens to his sister; he gave them to her

→ "them to him," "them to her" are both rendered by **les lui.**

il a donné les livres à ses frères; **il les leur a donnés**   he gave the books
   to his brothers; he gave them to them
il a donné les plumes à ses sœurs; **il les leur a données**   he gave the
   pens to his sisters; he gave them to them

→ "them to them" is **les leur.**
→ If both object pronouns are third person, put the direct before
the indirect, except for the third person reflexive:
ils se les sont donnés   they gave them to each other

→ In all the foregoing examples, *note the agreement of the past
participle with the preceding direct object,* and the lack of agreement
with an indirect object, or with a following direct object.

il a emprunté une valise à son frère; **il la lui a empruntée**   he borrowed
   a valise from his brother; he borrowed it from him
j'ai emprunté six cents francs à mes parents; **je les leur ai empruntés**
   I borrowed 600 francs from my parents; I borrowed them from
   them

→ Note the construction used with **emprunter.** English says "to
borrow *from* someone," French says "to borrow *to* someone."

quatre-vingts hommes   eighty men
quatre-vingt-un hommes   eighty-one men
deux cents dollars   two hundred dollars
deux cent cinq dollars   two hundred and five dollars

→ **Quatre-vingts** and plural hundreds are spelt with an -*s* unless
they are followed by another numeral.

mille francs   one thousand francs
cinq mille francs   five thousand francs

→ **Mille** is invariable. Never use **un** with **cent** or **mille** (a hundred,
one hundred, a thousand, one thousand), except when it means "mile":
j'ai marché un mille ce matin.

un million de dollars   a million dollars
cinq millions de dollars   five million dollars

un milliard de dollars a billion dollars
cinq milliards de dollars five billion dollars

→ **Million** and **milliard** take an *-s* if plural, and require *de* before a following noun.

QUESTIONS

1. Avez-vous un oncle riche? 2. Est-ce que vous lui empruntez de l'argent? 3. Votre oncle, comment se porte-t-il? 4. A-t-il souvent des rhumes? 5. Et vous, avez-vous des rhumes de temps en temps? 6. Prêtez-vous de l'argent à vos amis? 7. Avez-vous jamais emprunté de l'argent? 8. Empruntez-vous à la banque ou à vos amis? 9. Connaissez-vous quelqu'un (*someone*) qui ne gagne pas grand'chose? 10. Est-ce qu'il dépense beaucoup? 11. Est-ce que vous dépensez beaucoup? 12. Est-ce qu'on vous envoie quelquefois des mandats-poste? 13. Envoyez-vous des mandats-poste comme cadeaux? 14. Est-ce que Charles paie toujours ses dettes?

EXERCICES

A. *Placez* me le, me la, me les *correctement dans les phrases suivantes pour en compléter le sens; faites accorder le participe passé.*
    1. Il donne. 2. Il trouve. 3. Il prête. 4. Ils ont donné. 5. Ils ont envoyé. 6. Ils ont prêté.

B. *Placez* te le, te la, te les *correctement dans les phrases suivantes pour en compléter le sens; faites accorder le participe passé.*
    1. Donne-t-il? 2. Emprunte-t-il? 3. Prête-t-il? 4. Ont-ils donné? 5. Ont-ils emprunté? 6. Ont-ils prêté?

C. *Placez* nous le, nous la, nous les *correctement dans les phrases suivantes pour en compléter le sens; faites accorder le participe passé.*

1. Il ne promet pas. 2. Il ne rend pas. 3. Il n'écrit pas. 4. Il n'a pas promis. 5. Il n'a pas pris. 6. Il n'a pas montré.

D. *Placez* vous le, vous la, vous les *correctement dans les phrases suivantes pour en compléter le sens; faites accorder le participe passé.*
1. Ils vendent. 2. Ils montrent. 3. Je rends. 4. J'ai emprunté. 5. J'ai lu. 6. J'ai écrit.

E. *Placez* le lui, la lui, les lui *correctement dans les phrases suivantes pour en compléter le sens; faites accorder le participe passé.*
1. Nous donnons. 2. Vous avez emprunté. 3. Je n'ai pas rendu. 4. Ils ont écrit. 5. Avez-vous demandé? 6. Est-ce que je montre?

F. *Placez* le leur, la leur, les leur *correctement dans les phrases suivantes, pour en compléter le sens; faites accorder le participe passé.*
1. Nous promettons. 2. Vous avez promis. 3. Je n'ai pas envoyé. 4. Ils ont rendu. 5. Avez-vous demandé? 6. Est-ce que j'ai emprunté?

G. *Traduisez:*
1. There are eighty professors at our university. 2. Eighty-five men have returned to our town today. 3. Now, I have five hundred dollars. 4. He wants seven hundred and fifty dollars, Wednesday. 5. He has one thousand dollars and his mother has five thousand dollars.

H. *Préparez des questions auxquelles on répondra* (will answer) *en classe en employant les mots et les expressions suivants:*
1. 1949 2. un million 3. cinq milliards 4. un rhume 5. le neveu
6. le mandat-poste 7. la dette 8. la banque 9. la fin 10. la jeune fille
11. vieux, vieille 12. honnête 13. dépenser 14. coûter 15. de temps en temps 16. ça m'est égal 17. à demain 18. la vie coûte cher 19. bien entendu 20. comme ci comme ça 21. volontiers 22. tant pis 23. j'ai entendu dire 24. le mois dernier 25. tout le monde

THÈME

—How are you?

—Oh, just so-so. And how are you? I don't see you very often.

—I have been ill. I have colds very frequently.

—And how is that young man who was (*qui était*) in the bank when I saw you the last time?

—My nephew? He is very well.

—He borrowed a thousand dollars from my bank and he has not paid them back (*rembourser*) yet. They (*on*) say that (*qu'*) he has borrowed money from everybody.

—Poor boy. He is really a very honest fellow but he does not earn much and he has a large family. I often send them gifts. I sent them a gift yesterday. But he always pays his debts. The cost of living is so high now. I am going to send him some money this afternoon. I always say that (*que*) I have lent it to him. His brother is always borrowing. He spends money without thinking (*réfléchir*).

LECTURE

—Bonjour, mon vieux, ça va bien?

—Oh! Comme ci, comme ça. Depuis huit jours je me sens trop souvent indisposé. Je vais aller voir le médecin. Je vais lui demander des vitamines. Et vous, où allez-vous maintenant?

—Je vais à la banque. Je n'ai plus d'argent. Je viens de recevoir un chèque. Je veux le toucher (*cash*). J'ai des dettes à payer et des achats (*purchases*) à faire.

—Des dettes à payer! Vous payez vos dettes! Par exemple! Ça, c'est du nouveau (*that's new*). Depuis quand rendez-vous ce qu'on vous prête?

—Oh! Depuis quelques mois. Mon père m'a fait promettre (*promise*) de ne plus rien emprunter. Il a payé toutes mes dettes et j'ai fait la promesse (*the promise*) de n'avoir plus de dettes.

—Il les a toutes payées! Et vous continuez à dépenser comme avant, je suppose.

—Non, je suis un jeune homme rangé (*serious-minded*) maintenant. Je fais même des économies (*savings*). J'ai fait la connaissance
d'une jeune fille. . . .

—Ça suffit (*enough*), je comprends. A quand le mariage?

—Oh! Nous ne sommes pas fiancés (*engaged*). Après tout, je suis
encore à l'université. Je n'ai pas fini mon droit (*law studies*).

—Qui est-ce? Est-ce que je la connais (*know*)?

—Elle s'appelle Mathilde. Elle est jolie, jeune, blonde. Son père est
banquier (*a banker*).

—Oh! Je comprends de mieux en mieux (*better and better*). Monsieur (*you*) voudrait être l'avocat (*lawyer*) de la banque.

—Oh! Je ne vise (*aim*) pas encore si haut (*high*). Mais, nous voici
arrivés. Voulez-vous entrer avec moi?

—Si vous voulez. Ça m'est égal. Je n'ai rien à faire.

—Allons au premier guichet (*window*). Je connais l'employé. C'est
mon futur beau-frère. Attendez un peu. Je vais faire un chèque (*make
out a check*).

—Puisque je suis ici, je crois que je vais moi-même toucher un
chèque. Voulez-vous l'endosser (*endorse*)?

—Bien volontiers.

—A propos de chèques, avez-vous des nouvelles de Georges?

—Non, et vous?

—Moi non plus, et c'est ce qui m'inquiète (*worry*). Je lui ai prêté
cinq mille francs, il y a six mois, et il ne me les a pas encore rendus.

—Par exemple! Ça, c'est un peu fort (*that's going too far*). S'il a
besoin de tant d'argent, pourquoi ne pas faire un emprunt à la banque?
Alors, s'il ne paie pas, c'est tant pis pour la banque. A-t-il au moins une
bonne raison de ne pas payer ses dettes?

—Peut-être. Il a beaucoup de frais (*expenses*). Il ne gagne pas
grand'chose. Il a une grande famille et la vie coûte cher en ce moment.
C'est un fort honnête homme.

—Eh bien! Dans ce cas (*case*), ne vous impatientez pas (*get impatient*). Vous aurez bientôt de ses nouvelles.

QUESTIONS

1. Comment allez-vous? 2. Est-ce que ça va bien? 3. Êtes-vous jamais indisposé? 4. Dans ce cas, allez-vous voir un médecin? 5. Vous a-t-il jamais donné des vitamines? 6. Avez-vous un compte (*account*) en banque? 7. Quand on vous donne un chèque, est-ce que vous allez toucher votre chèque à la banque ou à la poste? 8. Où pouvez-vous toucher un mandat-poste? 9. Connaissez-vous des gens (*people*) qui ne paient pas leurs dettes? 10. Est-ce que vos amis rendent toujours ce qu'ils empruntent? 11. Prêtez-vous souvent de l'argent à vos amis? 12. Est-ce que vous êtes à l'université? 13. Allez-vous faire votre droit? 14. Avez-vous des amis qui font leur droit? 15. Avez-vous des amis qui sont déjà fiancés? 16. Allez-vous souvent à la banque? 17. Quand vous avez besoin d'argent en (*some*) demandez-vous à la banque? 18. Est-ce que la vie coûte cher en ce moment? 19. Est-ce qu'on paie toujours ses dettes? 20. Quand on est étudiant à l'université, quelles sortes de frais a-t-on? 22. Est-ce qu'un étudiant peut gagner beaucoup pendant qu'il (*while he*) fait ses études (*studies*)? 23. Est-ce que vous vous impatientez quand vous n'avez pas de nouvelles? 24. A-t-on jamais une bonne raison de ne pas payer ses dettes?

COMPOSITION

Préparez des questions et des réponses qui exigent l'emploi des expressions suivantes. Traduisez-les ensuite en anglais.

1. comme ci comme ça 2. entendre dire 3. par exemple! 4. volontiers 5. ça m'est égal 6. tant pis 7. la vie coûte cher 8. à demain 9. de temps en temps 10. bien entendu 11. tout le monde 12. d'ailleurs 13. emprunter 14. prêter 15. un chèque 16. la dette 17. le cadeau 18. mon vieux 19. le rhume 20. la fin 21. un emprunt.

Review Lesson 3

A. *Conjuguez les verbes suivants:*

1. Je pars pour Paris, tu pars, etc. 2. Je suis sorti cette après-midi. 3. Je suis rentré de bonne heure. 4. Je suis allé à l'église. 5. Je suis venu de France. 6. Je vois Yvonne en classe. 7. Je mets la serviette sur la chaise. 8. Je les ai vus ce matin. 9. J'écris une lettre tous les jours. 10. Je lis un livre tous les huit jours. 11. Je ne me sens pas très bien. 12. Je me suis rappelé cette histoire. 13. Je la lui ai écrite. 14. Je les leur ai donnés.

B. *Traduisez les phrases suivantes:*

1. He goes out every day. 2. She wrote all morning. 3. Don't take all the good things. 4. We understand everything. 5. They listened to the whole opera. 6. They are very happy. 7. She stayed home all evening. 8. All the men arrived.

C. *Remplacez tous les noms, compléments directs et indirects, par les pronoms convenables et changez la forme du participe passé, quand c'est nécessaire.*

1. Il a trouvé les deux plumes. 2. Ils ont caché ma serviette. 3. Avez-vous fini vos leçons? 4. Nous avons vu nos cousines ce matin. 5. Il a mis sa serviette sur le banc. 6. Voilà Yvonne! 7. Nous avons vu vos parents hier matin. 8. Elle a envoyé cette dépêche à son frère. 9. Nous avons écrit une lettre à sa tante. 10. Il a donné les livres à ses amis. 11. Vous avez donné les livres à Jean et à moi. 12. Ils ont emprunté mille dollars à son frère.

D. a) *Employez d'abord* me le, me la, me les; *puis* nous le, nous la, nous les *pour compléter le sens des phrases suivantes; faites accorder le participe passé:*

1. Vous avez donné. 2. Elle a envoyé. 3. Ils ont pris. 4. Il n'a pas acheté. 5. Elles ont montré.

b) *Complétez les phrases suivantes par* le lui, la lui, les lui; *puis* le leur, la leur, les leur:

115

1. Nous avons rendu. 2. Vous avez lu. 3. Avez-vous promis?
4. Nous avons prêté. 5. Vous avez emprunté.

E. *Remplacez l'infinitif par la forme correcte du participe passé:*

1. Avez-vous la plume que j'ai *acheter* hier? 2. Où est la maison
que nous avons *voir* il y a huit jours? 3. Quelles chaises avez-vous
prendre? 4. Quelle robe a-t-elle *faire?* 5. Où sont les deux hommes
que nous avons *voir* devant la maison?

F. *Écrivez des phrases avec la première ou la troisième personne
du passé composé* (past indefinite) *de chacun des verbes suivants:*

aller, venir, arriver, partir, monter, descendre, rester, tomber, entrer, sortir, devenir, retourner.

G. *Traduisez:*

1. Here is my pen. 2. There it is. 3. Where are your brothers?
There they are. 4. Now there are three men in the room. 5. Here he is.
6. There are fifty pages (*la page*) in this book. 7. I write to him on
Wednesdays. 8. She told me the news Tuesday. 9. I am going to borrow three hundred dollars. 10. Eighty-one men have come to the bank
and they have all borrowed money.

H. *DICTÉE* (*les élèves doivent préparer la dictée avant la classe*)

Ordinairement les rues de Paris sont excellentes. Presque toutes
sont pavées en bois ou en asphalte. Les plus importantes sont larges,
mais dans certaines parties de la ville il y en a qui sont très étroites.
C'est là surtout qu'on voit beaucoup de charrettes, où des hommes, ou
plus souvent des femmes, vendent toutes sortes de choses: des légumes,
du poisson, des fruits et des étoffes. De temps en temps on voit des
charrettes tirées par des chiens, comme en Hollande, mais cela n'est
pas si fréquent à Paris qu'à la campagne.

Vous savez que tous les restaurants ont des tables et des chaises
sur les trottoirs; et même en hiver on y mange, car (*for*) un grand feu
de charbon est toujours là pour chauffer les clients.

I. *TRADUCTION*

—He has been looking for you for two hours. Where have you
been?

—I have been at school. Have you seen my sister?

—No, I haven't seen her. She went out this morning with you.

—I left her at the store. She forgot her briefcase there yesterday. By the way (*A propos*), have you written to your brother?

—No, I haven't written him but I sent him a telegram. He answered me this morning. He says that he is going to write you Wednesday. The packages (which) you sent him have arrived. He is going to send you a check in the letter.

—I showed you the letter (which) he wrote me last Tuesday, didn't I?

—Yes, he gave you news (*des nouvelles*) of your parents. I had news from my uncle today. He has just returned from France. He came by plane (*par avion*).

—Have you ever made the trip (*le voyage*) to France by plane?

—No, I haven't enough money in the bank for that. However, I am going to do it one of these days.

Lesson 13

Present indicative and past participle of -re verbs

Comparison of uses of *y* and *là*

Position of *y*

Comparative uses of *y* and indirect object pronouns

Use and position of partitive pronoun *en*

Idiomatic uses of *en*

Relative position of *y* and *en*

CONVERSATION

La Cousine Arrive de la Campagne

PAULETTE: Est-ce que vous allez attendre votre cousine à la gare, Sylvie?

SYLVIE: Oui, je vais l'y attendre. Je vais m'y rendre vers huit heures. Voulez-vous m'y accompagner, Paulette?

PAULETTE: Non, malheureusement. J'ai perdu beaucoup de temps la semaine dernière. Je vais essayer d'en rattraper un peu ce soir.

SYLVIE: Pourtant, vous êtes allée à l'opéra hier soir. Est-ce que vous y avez entendu de bons chanteurs?

PAULETTE: Oui, j'en ai entendu deux vraiment épatants. Avez-vous répondu à la lettre de Georges?

SYLVIE: Non, je n'y ai pas encore répondu. Je vais lui répondre demain soir, si je trouve le temps. Il m'écrit tous les jours, mais je ne lui réponds qu'une fois par semaine.

PAULETTE: Votre cousine, à quel hôtel va-t-elle descendre?

SYLVIE: A l'Hôtel du Nord. Elle y descend chaque fois qu'elle vient à Paris.

PAULETTE: C'est vrai, elle y est descendue la dernière fois qu'elle est venue. C'est là que je lui ai fait visite.

SYLVIE: Vous avez du rouge?

PAULETTE: Mais, oui, chère amie. En voulez-vous?

SYLVIE: S'il vous plaît. J'ai essayé d'en acheter aujourd'hui, mais, au magasin, on n'a pas voulu m'en vendre. C'est embêtant, n'est-ce pas? Et moi, qui en ai besoin à chaque instant!

PAULETTE: C'est vrai! On en trouve très peu à présent. Rappelez-vous, pendant la guerre il n'y en a pas eu du tout.

SYLVIE: Oui, je sais. Mais enfin, nous sommes de vieilles clientes.

PAULETTE: On va nous en vendre demain, j'en suis sûre.

SYLVIE: Oh, il est déjà sept heures et demie! Je pars tout de suite pour la gare. Je ne veux pas être en retard. Au revoir, Paulette.

PAULETTE: A demain, Sylvie. Venez me voir avec votre cousine.

VOCABULAIRE ET EXPRESSIONS

le cousin the cousin (*masc.*)
la cousine the cousin (*fem.*)
le client the customer (*masc.*)
la cliente the customer (*fem.*)
le rouge the rouge
le chanteur the singer
la campagne the country
la gare the station
la guerre the war
le verre the glass

le besoin the need
la fois the time (in the sense of first, last, next, this time; for time in the absolute, use *le temps*)
Sylvie Sylvia
Paulette Paulette
moi I (when used without a verb immediately following)
chaque each
embêtant annoying, exasperating

attendre   to wait, to await, to wait
   for (do not translate "for")
se rendre   to betake oneself, to go
perdre   to lose
vendre   to sell
essayer de   to try to (j'essaie de)

rattraper   to catch up, to regain
entendre   to hear
répondre (à)   to answer
descendre   to put up (*at a hotel*);
   to go down, to come down
   (usually conj. with *être*)

là   there (*pointing out*)
y   there, to it, to them
par   by (is also used where English uses the indefinite article
   with an expression of time in
   a distributive sense: **trois fois
   par jour** three times a day)

pourtant   however, nevertheless
plusieurs   several
en   some, any, of it, of them, from
   it, from them
peu de   little, few
déjà   already
en retard   late

chaque fois   each time
une fois par jour   once a day
deux fois par semaine   twice a
   week
la première fois   the first time
la dernière fois   the last time
la prochaine fois   the next time

c'est que   the fact is that, the reason is that
je suis en retard   I am late
tout de suite   at once, immediately
tous les jours   every day
faire visite à   to visit, pay a visit
   to, make a call on

VERBES

Present Indicative of perdre (to lose) *p.p.* perdu

je perds
tu perds
il (elle) perd

nous perdons
vous perdez
ils (elles) perdent

→ When verbs have the ending *-re* in the infinitive, this ending is
replaced in the present indicative by *-s, -s, -, -ons, -ez, -ent,* and in the
past participle by *-u.*

   Entendre (to hear), *attendre* (to wait, to wait for), *répondre* (to
answer), *vendre* (to sell), *rendre* (to give back), *se rendre* (to betake
oneself, to go; to surrender), *descendre* (to put up at a hotel, to go

down, to come down; conjugated with *être*), are all verbs of this type.
Caution: many verbs ending in *-re* are irregular.

GRAMMAIRE

je vais à Paris   I am going to Paris
j'y vais   I am going there
je l'y ai vu   I saw him there
je les y attends   I am waiting for them there
j'ai vu le livre dans le train   I saw the book in the train
je l'y ai vu   I saw it there
mettez-la sur la table   put it on the table
mettez-l'y   put it there
il est chez Louis   he is at Louis'
il y est   he is there
votre plume est dans la boîte   your pen is in the box
elle y est   it is there
votre livre est sur la table   your book is on the table
il y est   it is there

→ Y is an adverbial pronoun meaning "there" and referring to a place already mentioned (use *là* for "there," to point out). Y, because it means "there," replaces not only *à* + *noun*, but *dans, sur, chez, sous,* etc., + noun. Its position in the sentence is like that of an object pronoun, preceding the verb and following all the other object pronouns, except *en* (**il y en a** there is some).

je le lui ai donné là   I gave it to him there

→ Y is never used when more than one other pronoun accompanies the verb.

Avez-vous répondu à Jean? **Je lui ai répondu.**   Did you answer John? I answered him.
Avez-vous répondu à sa lettre? **J'y ai répondu.**   Did you answer his letter? I answered it.

→ Y is also used to translate "to it," "to them," referring to things (*lui* means "to him," "to her," and *leur* means "to them" referring to people). Observe that *répondre* in French calls for an indirect personal object.

Avez-vous de l'eau? **En avez-vous?** Do you have any water? Do you have any?

Avez-vous des livres? **Oui, j'en ai.** Have you any books? Yes, I have.

Avez-vous de l'encre? **En avez-vous?** Have you any ink? Have you any?

A-t-il de bons livres? **Il en a.** Has he any good books? He has.

Il n'a pas d'encre. **Il n'en a pas.** He has no ink. He hasn't any.

Voilà l'eau; **j'en ai pris un verre.** There is the water; I took a glass (*of it*).

Voilà les livres; **j'en ai pris trois.** There are the books; I took three (*of them*).

Combien de sœurs a-t-il? How many sisters has he?

Il en a plusieurs. He has several (*of them*).

Il en a trois. He has three (*of them*).

→ *En* is a pronoun meaning *"some," "any." En* also translates *"of it," "of them."* In English, "some," "any," "of it," "of them" are often left out of such sentences, but *en must be used in French* in order to express the thought fully.

→ Note that there is *no agreement of a past participle* with a preceding *en*.

Avez-vous besoin de ces livres? Oui, j'en ai besoin. Do you need these books? Yes, I need them.

"To need" is *avoir besoin de.* Since *en* replaces *de + a noun or pronoun,* "to need it," "to need them" is *en avoir besoin.*

Venez-vous de Paris? **Oui, j'en viens.** Do you come from Paris? Yes, I come from there.

Il arrive du Canada. **Il en arrive.** He is coming from Canada. He is coming from there.

→ *En* also means *"thence," "from there."*

il nous en a donné he gave us some

je leur en ai donné I gave them some

ne lui en parlez pas don't speak of it to him
il y en a there are some

→ In the sentence, *en follows all other object pronouns.* Y and *en* are never found together except in *il y en a* (there is some, there are some), and other tenses of *y avoir*.

il est tard it is late
il est arrivé tard he came late; i.e., at a late hour
il est arrivé en retard he came late; i.e., behind schedule
le train est arrivé en retard the train came in late
je suis en retard I am late

Tard and *en retard* both mean "late"; but *tard* calls attention to the lateness of the hour, *en retard* to the lateness of the act.

QUESTIONS

1. Qui est-ce que Sylvie va attendre à la gare? 2. A quelle heure va-t-elle s'y rendre? 3. Est-ce que Paulette va l'y accompagner? 4. Pourquoi Paulette refuse-t-elle? 5. Qu'est-ce qu'elle va essayer de faire ce soir? 6. Où est-elle allée hier soir? 7. Qu'est-ce qu'elle y a entendu? 8. A-t-elle répondu à la lettre de Georges? 9. Combien de fois par semaine écrit-il? 10. Combien de fois par semaine répond-elle? 11. Où est-ce que sa cousine va descendre? 12. Quand est-ce qu'elle y est descendue? 13. Est-ce que Paulette a du rouge? 14. Pourquoi Sylvie n'en a-t-elle pas? 15. Pourquoi Sylvie part-elle tout de suite pour la gare?

EXERCICES

A. *Conjuguez:*
1. J'ai perdu un stylo. 2. Je perds du temps. 3. Je réponds à la lettre. 4. J'y ai répondu. 5. Je descends à cet hôtel. 6. J'y descends. 7. Je ne les y attends pas. 8. Est-ce que j'entends bien?

B. *Remplacez les noms en italique par le pronom* en *ou* y:

1. Je vais *à la maison* immédiatement.   2. Je vous ai vus *au théâtre*.   3. Je vous ai attendu *à la gare*.   4. Je lui ai donné *des cravates*. 5. Je n'ai pas répondu *à la dépêche*.   6. Avez-vous *de la viande* aujourd'hui?   7. Je n'ai plus *de vin*.   8. Mon père m'a dit qu'il avait besoin *d'argent*.   9. Henri vient *de Versailles*.   10. J'ai acheté une douzaine *d'oranges*.   11. J'ai perdu trois *oranges*.   12. Ont-ils acheté *du pain?*   13. Je suis allé en avion *à Paris*.   14. Avez-vous été *en Chine?* 15. Combien *de frères* avez-vous?   16. A-t-il dîné *chez Maurice?*   17. Le livre est *sur la table*.   18. Les souliers sont *dans la boîte*.   19. J'ai mis les paquets *sous la table*.   20. Nous sommes allés *chez le dentiste*.   21. Elle est arrivée *à Paris* aujourd'hui.

C. *Traduisez les phrases suivantes:*

1. It is always late when I return home.   2. Mary got home late from the theater.   3. I got there late.   4. Why are you always late? 5. The train is late today.   6. It is late, let's go home.   7. It's half past twelve, it is late.   8. My cousin is late, I am leaving.

D. *Employez les mots suivants dans des phrases et traduisez-les en anglais:*

1. chaque fois   2. deux fois par semaine   3. la première fois   4. il a besoin de   5. tout le temps   6. tous les jours   7. pourtant   8. peu de 9. le verre   10. chaque   11. embêtant   12. la gare   13. descendre   14. faire visite   15. du rouge.

THÈME

—Where are you going?

—I am going to the station. I am going to see Mary there and we are going to wait for Sylvia.

—Did I see you at the opera last night?

—Yes, I went there to hear the new singers. There are several that I have not yet heard.

—Are there any good singers?

—There are two. Why don't you ever go (there)?

—The last time I went to the opera I did not have a good time (*s'amuser*).

—Try to buy tickets for tonight. The opera is good, I am sure (of it).

—Do I need an evening suit (*un habit*) to (*pour*) go there tonight?

—No.

—Well, here we are at the station. Wait a minute. I am going to see if the train is late. It is half past eight.

—No, I am going home. I am tired. I went to bed late last night and I want to go to the opera tomorrow (*demain*).

LECTURE

—Pardon, Monsieur. Pouvez-vous (*Can you*) me dire l'heure de l'arrivée (*arrival*) du train de Marseille?

—Certainement, Mademoiselle. D'après (*According to*) l'horaire (*timetable*), il doit (*must*) entrer en gare à huit heures dix, mais il est en retard d'une heure.

—Merci, monsieur.

—Pardon, Monsieur. Pouvez-vous me dire. . . .

—Par exemple! Vous ici! Depuis quand êtes-vous de retour (*back*), Jean? Qui attendez-vous?

—J'attends Marie. Et vous, Hélène?

—Moi aussi. Le train est en retard. Il a au moins (*at least*) une heure de retard. Passons à la salle d'attente (*waiting-room*). Il n'est que sept heures et demie.

—Ne voulez-vous pas faire un petit tour (*take a short walk*) en attendant?

—Je veux bien. Est-ce que Marie va descendre à l'hôtel?

—Très probablement. Elle descend toujours à un petit hôtel, rue Racine, assez près de l'Odéon et pas trop loin de la Sorbonne. Elle va rester à Paris un mois ou deux.

—Elle ne m'a pas écrit. J'ai eu de ses nouvelles par Sylvie, cette jeune Américaine chez qui elle est restée quand elle est allée aux États-Unis (*to the United States*). Vous vous rappelez. Elle y est allée, il y a un an. Eh bien! Cette Américaine est ici maintenant. Elle demeure dans la même pension de famille (*boarding house*) que (*as*) moi, rue Vavin.

—Asseyons-nous à la terrasse de (*in front of*) ce café. Nous pourrons (*shall be able*) mieux causer qu' (*than*) en marchant. Qu'est-ce que vous prenez? Une glace ou un café noir?

—Je préfère une glace à la vanille. Il fait chaud ce soir. Et demandez aussi une carafe (*bottle, decanter*) d'eau. J'ai très soif.

—Garçon! Une glace à la vanille, une glace au chocolat (*chocolate flavor*) et une carafe d'eau, s'il vous plaît. Mais continuons notre conversation. Cette Américaine, comment est-elle (*what is she like*)?

—Comme toutes les Américaines. Grande, belle, blonde, élégante. Elle met un peu trop de rouge. Elle achète les meilleurs parfums (*perfumes*) de Chanel, les meilleures poudres (*powders*) de Coty et le meilleur rouge de Guerlain. Elle fume (*smokes*) sans cesse (*constantly*). Elle trotte (*runs about*) partout, par tous les temps (*any kind of weather*). Elle est infatigable (*tireless*). Elle se lève tard, déjeune tard, ou pas du tout, dîne tard et rentre tard. Elle est invitée partout. C'est précisément pour cela qu'elle n'a pas pu (*was unable*) venir à la gare. J'y suis venue à (*in*) sa place. Elle est débordée (*overwhelmed*) d'invitations. Elle commence a en avoir assez. "Il y en a tant," m'a-t-elle dit l'autre jour, "que ça devient embêtant. Et cependant, je ne peux pas les refuser."

—Elle doit être intéressante, votre blonde. Est-ce qu'il y en a beaucoup comme elle en Amérique?

—Je n'en sais rien. Tout ce que je puis vous dire, c'est qu'elle me plaît beaucoup (*I like her a lot*). Mais regardons l'heure. Je ne veux pas être en retard.

—Oh! Nous avons encore une bonne heure à attendre. Puis-je vous offrir encore quelque chose?

—Non, merci. Je préfère aller prendre mon billet de quai (*platform ticket*) et attendre l'arrivée du train. Depuis la guerre on ne peut plus se fier aux (*have confidence in*) renseignements (*information*) des employés de gare. Le train n'est peut-être pas si en retard qu'on nous l'a dit. Allons voir. Il y a tant de trains à cette heure-ci. N'y en a-t-il pas deux venant de Marseille, un express et un train-omnibus (*local*)? Je me demande si elle est en première, deuxième, ou troisième classe. Qu'en pensez-vous?

QUESTIONS

1. Qu'est-ce qu'Hélène demande à l'employé de la gare? 2. D'après l'horaire, à quelle heure le train doit-il entrer en gare? 3. Pourquoi la question de Jean est-elle interrompue? 4. Est-ce qu'Hélène attend quelqu'un? 5. De combien de temps le train est-il en retard? 6. Quelle heure est-il? 7. Qu'est-ce que Jean veut faire en attendant l'arrivée du train? 8. Où Marie va-t-elle descendre? 9. Où se trouve son hôtel? 10. Qu'est-ce que c'est que la Sorbonne? 11. Combien de temps Marie va-t-elle rester à Paris? 12. Par qui Hélène a-t-elle des nouvelles de Marie? 13. Qui est allé en Amérique? 14. Où demeure Sylvie? 15. Pourquoi Jean invite-t-il Hélène à s'asseoir à la terrasse d'un café? 16. Qu'est-ce qu'Hélène commande? 17. Faites la description de Sylvie. 18. A-t-elle beaucoup d'énergie? 19. Quelle sorte de vie mène-t-elle? 20. Est-ce une vie mouvementée? 21. Pourquoi commence-t-elle à se plaindre? 22. Pourquoi Hélène veut-elle regarder l'heure? 23. Pourquoi Hélène ne veut-elle pas prendre encore une glace? 24. Est-ce que les employés de gare ont changé depuis la guerre? 25. Comment Marie voyage-t-elle? En première, en deuxième, ou en troisième?

COMPOSITION

Écrivez une lettre à une amie. Décrivez une attente à la gare avec une autre amie. Suivez le plan que voici:

9 septembre 19——

Ma chère Marguerite,

Mon bon souvenir à votre frère. Toutes mes amitiés. Votre tout(e) dévoué(e),

_____

Lesson 14

Present indicative and past participle of *boire*

Present indicative of *manger* and *commencer* and orthographic changes

Present indicative and past participle of regular *-ir* verbs

Uses and position of *ne . . . rien, ne . . . personne, ne . . . jamais*

Rien de followed by an adjective

Uses of *ni . . . ni, ne . . . plus, ne . . . point*

Use of definite article with generic nouns

CONVERSATION

Un Repas à la française

ÉDOUARD: Qu'est-ce que vous choisissez, Ernestine?

ERNESTINE: Du jus de tomate pour commencer, puis un consommé, des œufs au jambon, une salade et du gâteau à la crème. Et vous, qu'est-ce que vous prenez?

ÉDOUARD: Moi, je préfère déjeuner à la française. Vous allez voir. Garçon, s'il vous plaît, des hors-d'œuvre, un potage Julienne, du poulet rôti avec des légumes et des pommes de terre frites, puis du fromage de Brie, et pour finir des fruits.

ERNESTINE: Qu'est-ce que c'est qu'un potage Julienne?

ÉDOUARD: C'est un potage aux légumes: des choux, des carottes, un peu de lard peut-être.

LE GARÇON: C'est tout, Monsieur? Et comme fruit? Que voulez-vous? Nous avons des pommes, des poires, des pêches et du raisin.

ÉDOUARD: Des pêches et du raisin, s'il vous plaît.

ERNESTINE: Il me semble que vous avez bien choisi, parmi tous les plats de ce menu, Édouard. Les Français mangent beaucoup à midi, n'est-ce pas?

ÉDOUARD: Oui, c'est souvent le repas principal de la journée.

ERNESTINE: Ce vin est délicieux. Voulez-vous remplir mon verre?

ÉDOUARD: Avec plaisir. En Amérique je ne bois presque jamais de vin. Mais ici, c'est autre chose. Tout le monde en boit.

ERNESTINE: Vous avez raison. Personne dans ma famille ne boit de vin. A table, nous ne buvons ni vin ni bière.

ÉDOUARD: Qu'est-ce que vous buvez?

ERNESTINE: Nous ne buvons rien. C'est-à-dire, rien d'alcoolique. On prend du café, du thé, du lait, ou tout simplement de l'eau avec ses repas.

ÉDOUARD: Est-ce que vous n'avez jamais bu de vin avant aujourd'hui?

ERNESTINE: Si, j'en ai bu. Mais en général on ne boit pas d'alcool chez nous.

ÉDOUARD: En France, on ne considère ni le vin ni la bière comme des boissons alcooliques. Ce terme est réservé aux boissons fortement alcooliques, comme le rhum, le cognac, le whiskey et les liqueurs. Buvez donc sans crainte ce bon vin de France.

ERNESTINE: A votre santé!

ÉDOUARD: A la vôtre!

VOCABULAIRE ET EXPRESSIONS

le jus the juice   **le plat** the dish
le consommé the consomme   **le jambon** the ham

l'œuf (*masc.*) the egg (final -*f* pronounced in the singular but silent in the plural: œufs)

la tomate   the tomato

la salade   the salad

le gâteau   the cake (*pl.* gâteaux)

la crème   the cream

la pomme   the apple

la terre   the land, the earth, the ground

la pomme de terre   the potato

les hors-d'œuvre   the hors-d'œuvres

le potage   the soup

le lard   the bacon

le chou   the cabbage (*pl.* choux)

le poulet   the chicken

le légume   the vegetable

le fromage   the cheese

le fruit   the fruit

le raisin   the grapes

la poire   the pear

la pêche   the peach

le menu   the menu

la boisson   the beverage, the drink

la bière   the beer

l'alcool (*masc.*)   the alcohol

le vin   the wine

la liqueur   the liquor, the liqueur, the cordial

le rhum   rum

le cognac   cognac

le café   the coffee

le thé   the tea

le lait   the milk

la santé   the health

l'histoire (*fem.*)   the story, the history

la crainte   the fear

le terme   the term

l'Amérique (*fem.*)   America

Ernestine   Ernestine

Édouard   Edward

rôti (*adj.*)   roasted; (*noun, masc.*) roast

frit   fried

délicieux (*fem.* délicieuse)   delicious, delightful

alcoolique   alcoholic

principal (*masc. pl.* principaux)   chief, principal

général (*masc. pl.* genéraux)   general

choisir   to choose

manger   to eat (**nous mangeons**)

boire (*p.p.* bu)   to drink

rôtir   to roast

commencer   to begin (**nous commençons**)

préférer   to prefer (**je préfère**)

sembler   to seem

réserver   to reserve

remplir   to fill

considérer   to consider (**je considère**)

ne . . . jamais   never, not ever

ne . . . personne   no one, nobody, not anyone, not anybody

ne . . . rien   nothing, not anything
ne . . . ni . . . ni   neither . . . nor, not . . . either . . . or
ne . . . point   not (*emphatic*), not at all (*literary*)
pour   in order to, to (use before an infinitive when "to" expresses purpose)
avant   before (*preposition*)
fortement   strongly
surtout   especially, above all
donc   so, then, therefore

les œufs au jambon   ham and eggs
le gâteau à la crème   cream cake, cream pie, cream tart
à la française   French style
il me semble   it seems to me
c'est autre chose   it's something else, it's a different story
en Amérique   in America, to America
en France   in France, to France
avoir raison   to be right (**vous avez bien raison** you are quite right)
avoir tort   to be wrong
à table   at the table
c'est-à-dire   that is to say
en général   in general
à votre santé!   to your health! (reply: **à la vôtre!** to yours!)

VERBES

Present Indicative of **boire** (to drink) *p.p.* **bu**

je bois une tasse de thé	**nous buvons**
tu bois	**vous buvez**
il (elle) boit	**ils (elles) boivent**

Present Indicative of **manger** (to eat)

je mange des pommes de terre	**nous mangeons**
tu manges	**vous mangez**
il (elle) mange	**ils (elles) mangent**

→ *-er* verbs ending in *-ger* insert *e* after *g* when the ending starts with *a* or *o*. This is done to keep the palatal sound of the *g*, which before *a* or *o* would sound like the *g* of *good*. The inserted *e* is completely silent.

Present Indicative of **commencer** (to begin)

je commence ma lecture	**nous commençons**
tu commences	**vous commencez**
il (elle) commence	**ils (elles) commencent**

→ *-er* verbs ending in *-cer* change the *c* to *ç* when the ending starts with *a* or *o* to keep the same pronunciation of the *c* (*s*).

Present Indicative of **choisir** (to choose) *p.p.* **choisi**

je choisis	**nous choisissons**
tu choisis	**vous choisissez**
il (elle) choisit	**ils (elles) choisissent**

→ Another class of verbs end with *-ir* in the infinitive. This ending is replaced in the present indicative by *-is, -is, -it, -issons, -issez, -issent,* and in the past participle by *-i*.

Like *choisir,* conjugate *remplir* (to fill), *finir* (to finish), *rôtir* (to roast).

→ Caution—not all verbs ending in *-ir* are regular. *Partir, sortir, sentir,* for example, do not follow this scheme.

GRAMMAIRE

vous avez raison   you are right
j'ai eu tort   I was or have been wrong

→ "to be right" is *avoir raison,* and "to be wrong" is *avoir tort. Avoir* is conjugated; *raison* and *tort* are nouns.

je ne vois rien   I see nothing, I don't see anything
je n'ai rien vu   I saw nothing, I didn't see anything

rien n'est prêt   nothing is ready
Qu'avez-vous vu? Rien.   What did you see? Nothing.
je vous donne cela pour rien   I give you that for nothing

→ "Nothing," "not anything" is *rien,* which requires *ne* before the verb if a verb is used. If *rien* is the object of a verb in a compound tense, it goes between the auxiliary and the past participle.

il n'y a **rien de vrai** dans cette histoire   there is nothing true in that story

→ *Rien* followed by an adjective requires *de.*

il n'a **rien à manger**   he has nothing to eat

→ *Rien* followed by an infinitive requires *à.*

donnez-moi **quelque chose de bon à manger**   give me something good to eat

→ The same prepositions are used under like circumstances with *quelque chose* (something).

je ne vois personne   I see no one; I don't see anybody
je n'ai vu personne   I saw no one; I didn't see anybody
personne n'est venu   no one came; nobody came
Qui avez-vous vu? Personne.   Whom did you see? No one.
il n'a parlé à personne   he spoke to no one

→ "No one," "nobody," "not anyone," "not anybody" are translated by *personne,* with *ne* before the verb if a verb is used. Unlike *rien, personne* follows the past participle if it is the object of a compound tense.

je ne le vois jamais   I never see him
je ne l'ai jamais vu   I have never seen him; I haven't ever seen him
Quand est-il venu ici? Jamais.   When did he come here? Never.

→ "Never," "not ever" are translated by *jamais,* which precedes the past participle in compound tenses and requires *ne* before the verb if the verb is expressed.

L'avez-vous jamais vu?   Have you ever seen him?

→ In interrogative sentences, without *ne, jamais* means "ever."

je ne bois **ni vin ni bière**   I drink neither wine nor beer
je n'ai jamais bu **ni vin ni bière**   I have never drunk either wine or beer

→ "Neither . . . nor," "not either . . . or" is *ni . . . ni,* with *ne* before the verb. The partitive "some" or "any" (*du, de l', de la, des*) is generally omitted with *ni . . . ni.*

je ne le vois plus   I no longer see him; I don't see him any more
je ne l'ai plus vu   I no longer saw him; I didn't see him any more
il n'a plus d'argent   he has no more money

→ *Ne . . . plus* means "no longer," "no more," "not any longer," "not any more." Its position is the same as that of *ne . . . pas.*

je ne le vois point   I *don't* see him; I don't see him at all
je ne l'ai point vu   I *haven't* seen him; I haven't seen him at all

→ *Ne . . . point* is a somewhat stronger negative than *ne . . . pas.* It is somewhat archaic and purely literary.

le vin est alcoolique   wine is an alcoholic beverage
j'aime **le lait**   I like milk
la liberté est nécessaire à l'homme   liberty is necessary to man

→ Nouns used in a general sense and abstract nouns require the definite article in French.

QUESTIONS

1. Aimez-vous le consommé?   2. Préférez-vous un déjeuner à l'américaine ou à la française?   3. Qu'est-ce que c'est qu'un potage Julienne? 4. Aimez-vous le jambon?   5. Qu'est-ce qu'Ernestine a choisi?   6. Est-ce qu'Édouard a bien choisi?   7. Est-ce qu'on boit du vin en Amérique? 8. Est-ce qu'on boit du vin en France?   9. Que préférez-vous avec votre repas: du café, du thé, du vin, du lait ou de l'eau?   10. Est-ce qu'on boit beaucoup de bière en France?   11. Quelles sont les boissons fortement alcooliques?   12. Quelle est la boisson favorite des Français? 13. En général, qu'est-ce qu'on boit en Amérique?

EXERCICES

A. **I.** *Remplacez le tiret par la forme correcte du verbe* boire:

1. Est-ce qu'il —————— son thé? 2. Je n'ai pas —————— mon café. 3. Nous —————— de l'eau tous les jours. 4. Est-ce que vous —————— ce verre d'eau? 5. Ils ne —————— pas beaucoup de thé. 6. Je —————— mon lait.

II. *Remplacez le tiret par la forme correcte du verbe* manger:

1. Nous ne —————— pas assez. 2. Vous —————— trop de viande. 3. Je ne —————— pas beaucoup. 4. Est-ce qu'il —————— sa soupe? 5. Va-t-il la ——————, oui ou non? 6. Ils n'ont rien ——————. 7. Est-ce qu'il —————— autant que (*as much as*) son frère?

III. *Conjuguez:*

1. Je commence ces leçons de chant demain. 2. Je choisis toujours une chambre au deuxième étage.

B. **I.** *Employez* ne . . . rien, ne . . . personne, *dans les questions suivantes et répondez-y:*

1. Avez-vous vu? 2. Avez-vous trouvé? 3. Entendent-ils? 4. Choisit-il? 5. Défendons-nous . . . ?

II. *Employez* ne . . . jamais, ne . . . plus *dans les questions suivantes et répondez-y:*

1. Avez-vous revu votre ami? 2. Avez-vous parlé de cet incident? 3. Ont-ils défendu ce monsieur? 4. Discute-t-il cette question? 5. Mangeons-nous de la salade?

III. *Employez* ne . . . ni . . . ni *dans les phrases suivantes:*

1. Il a de l'argent et des amis. 2. Nous avons une plume et de l'encre. 3. Vous avez du pain et de l'eau.

C. *Traduisez:*

1. He is always right and I am always wrong. 2. We had nothing to eat this morning. 3. Who came? Nobody. 4. What do you want? Nothing. 5. You are right, she is wrong once more (*encore une fois*). 6. Is everything ready? Nothing is ready. 7. There is nothing true in

this book. 8. Have you nothing good to eat? 9. I want something good to read. 10. He likes bread.

D. *Préparez trois menus différents en vous servant du vocabulaire de cette leçon.*

THÈME

—What will you have, Marguerite?

—Will you please pass me the menu? No one gave it to me.

—Yes, of course. What would you like to have to begin?

—I would like some appetizers first. Then some soup, vegetable soup or cabbage soup. Have they roast chicken? Oh, yes! then I'd like some chicken, some fried potatoes and some vegetables. I have eaten nothing today.

—It seems to me that the menu is good today. You have chosen well; the chicken is fine here. I want some tomato soup, a beefsteak, some cabbage, some potatoes, then a little cheese.

—Would you like some wine? I never drink any.

—Yes, gladly. I don't drink wine with my meals in America but in France I always drink wine.

—Will you have some coffee or tea?

—Oh! after a good meal, I always prefer coffee.

LECTURE

—Est-ce bien ici la Maison des Étudiantes (*Girls' Dormitory*)?

—Oui, Monsieur.

—Est-ce que Mlle Marguerite Diderot est chez elle?

—Une minute, Monsieur, je vais vous le dire. . . . Qui dois-je annoncer (*who shall I say is calling*)?

—Monsieur Jean Saint-Robert.

—Merci, Monsieur. Je vais l'appeler au téléphone. Allô! Mlle Diderot? Bonjour, Mademoiselle. Il y a un M. Saint-Robert qui vous

attend au salon. Oui, Mademoiselle. Très bien, Mademoiselle. Elle
descend à l'instant, Monsieur. Veuillez vous asseoir (*Please sit down*).

—Bonjour, Jean.

—Bonjour, Marguerite. Comment allez-vous? J'ai appris (*I learned
of*) votre arrivée ce matin. Que faites-vous ce soir? Êtes-vous libre?
Pouvons-nous (*can we*) dîner ensemble?

—Avec plaisir. Je déteste manger dans une pension le premier jour
de mon arrivée à Paris.

—Parfait (*grand*)! Où voulez-vous dîner?

—Allons au Bois de Boulogne. Il y a là un excellent restaurant qui
s'appelle l'Armenonville.

—Bon! Alors, dépêchons-nous (*Let's hurry*). Je vais appeler un
taxi.

—Non! Prenons un de ces fiacres (*horse and carriage*). Ils sont si
pittoresques (*picturesque*).

—Si vous voulez. Mais nous n'avons pas trop de temps si vous
voulez arriver avant huit heures.

—Eh bien! Dans ce cas, prenons le Métro jusqu'à (*as far as*) l'Étoile
et de là nous pouvons continuer notre chemin en fiacre.

—Qu'est-ce que vous aimez manger?

—Quand je vais dans un bon restaurant, je choisis toujours des
hors-d'oeuvre pour commencer. Il y a tant de choix (*there is so much
variety*). J'aime beaucoup le jambon et les saucissons (*smoked sausages*).
Puis, il y a toutes sortes de salades: salade de pommes et de céleri; de
tomates et de concombres (*cucumbers*); de chou-fleur (*cauliflowers*) et
de champignons (*mushrooms*). Il y a aussi presque toujours du poisson
froid, du saumon (*salmon*) ou du thon (*tuna fish*), et enfin des
piments, des olives, des artichauts (*artichokes*) et des oignons (*onions*).

—Eh bien! pendant que vous mangez vos hors-d'oeuvre, moi je
vais mourir de faim parce que je préfère garder (*to keep*) mon appétit
pour le potage, la viande (*meat*) et les légumes.

—Vous n'avez qu'à prendre un apéritif (*drink, cocktail*) pour
vous donner de l'appétit. Mais dites-moi ce que (*what*) vous aimez. On
peut presque choisir le menu avant d'arriver au restaurant.

—Bon! Si vous voulez. Mais nous voici à l'entrée du Métro. Descendons. J'ai un carnet de billets (*booklet of tickets*). Nous pouvons
passer sur le quai sans attendre. Heureusement, le trajet (*trip*) n'est
pas très long.

—Voici notre train. Maintenant, dites-moi ce que vous aimez manger pour dîner.

—Eh bien, comme potage, j'aime surtout les bisques (*thick, rich soup*), bisques de homards (*lobster*), bisques d'écrevisses (*crayfish*). Comme viande, le gigot (*roast lamb*), un Châteaubriant (*thick steak*), des côtelettes de mouton (*mutton chops*), une escalope de veau (*veal steak*). Comme volaille (*fowl, poultry*), un bon poulet chasseur (*chicken stew*) ou un canard (*duck*) aux oranges. Comme légumes, j'aime tout: les pommes de terre frites, les artichauts, les tomates, les aubergines (*egg-plant*), les champignons, les asperges (*asparagus*). Mais ce n'est pas la peine de continuer; ça n'en finirait jamais (*it would never end*). Ah! Nous voilà à notre station. Descendons vite.

—Jean (à part)—Je me demande si j'ai assez d'argent sur moi?

QUESTIONS

1. Qui demeure à la Maison des Étudiantes? 2. Comment est-ce qu'on annonce l'arrivée de M. Saint-Robert? 3. Que fait M. Saint-Robert en attendant Mlle Diderot? 4. Qu'est-ce que Jean demande à Marguerite? 5. Où Marguerite déteste-t-elle manger? 6. Où veut-elle dîner? 7. Comment vont-ils au restaurant? 8. Aimez-vous voyager en taxi? 9. Comment Marguerite aime-t-elle commencer le repas quand elle est dans un bon restaurant? 10. Qu'est-ce que c'est qu'un hors-d'oeuvre? 11. Qu'est-ce que Jean aime manger? 12. Quelles sortes de soupe peut-on choisir? 13. Quelles sortes de viandes préfère-t-il? 14. Comment peut-on préparer le poulet? 15. Quels sont les noms de quelques légumes?

COMPOSITION

Décrivez une soirée d'été (*summer*):
1. Les amis que vous rencontrez.
2. Les cafés où vous vous arrêtez pour prendre l'apéritif.
3. Le restaurant que vous choisissez pour dîner.
4. Le repas qu'on vous offre.
5. Le cinéma ou le bal où vous allez après le dîner.

Lesson 15

Present indicative and past participle of *suivre*

Present indicative and past indefinite of *s'en aller*

Formation of the imperative

Some irregular imperatives

Use of *veuillez*

Position of pronoun objects with the imperative
affirmative and negative

Donnes-en, vas-y, and *va-t-en*

Use of *moi* and *toi* after imperative

CONVERSATION

Comment on Trouve son Chemin

LA DEMOISELLE: Pardon, Monsieur. Voulez-vous m'indiquer le chemin pour aller à la Place de la Concorde?

LE MONSIEUR: Avec plaisir, Mademoiselle. Suivez-moi, s'il vous plaît, jusqu'à cette rue que vous voyez là-bas, tout droit devant vous.

LA DEMOISELLE: Merci, Monsieur.

LE MONSIEUR: Attention, Mademoiselle. Les taxis marchent vite dans ces rues étroites. Restez sur le trottoir.

LA DEMOISELLE: Merci encore une fois, Monsieur.

LE MONSIEUR: A présent, Mademoiselle, regardez bien.

LA DEMOISELLE: De quel côté, Monsieur?

LE MONSIEUR: De ce côté-ci. Nous entrons à présent dans la rue de Grenelle, tout près du Boulevard Raspail. Pour arriver à la Place de la Concorde, suivez ce grand boulevard jusqu'au Boulevard St-Germain. Là, tournez à gauche et suivez le Boulevard St-Germain. Suivez-le jusqu'à la Seine. Au bout du boulevard, à votre gauche, il y a un grand bâtiment public. C'est la Chambre des Députés qui est maintenant l'Assemblée Nationale. En face, il y a un pont—le Pont de la Concorde. Traversez-le, et de l'autre côté du pont, sans tourner ni à droite ni à gauche, vous allez vous trouver dans la Place de la Concorde.

LA DEMOISELLE: Merci infiniment, Monsieur. Mais alors, pourquoi m'a-t-on dit de continuer jusqu'à la Seine, de prendre à gauche le long des quais et puis, après cinq minutes de marche, de traverser le fleuve?

LE MONSIEUR: On s'est trompé, Mademoiselle.

LA DEMOISELLE: Merci beaucoup, Monsieur.

LE MONSIEUR: Il n'y a pas de quoi, Mademoiselle. . . . Mademoiselle, attendez un instant.

LA DEMOISELLE: Qu'est-ce qu'il y a?

LE MONSIEUR: Venez ici, s'il vous plaît. Vous allez vous tromper.

LA DEMOISELLE: Pourquoi?

LE MONSIEUR: Vous voulez prendre le chemin qui conduit à la Place de la Concorde, n'est-ce pas?

LA DEMOISELLE: Eh bien?

LE MONSIEUR: Eh bien, allez par ici, pas par là. Ça, c'est la rue de La Chaise.

LA DEMOISELLE: Par où alors?

LE MONSIEUR: Par le boulevard que je vous ai indiqué. Par là, vous allez dans la direction contraire. C'est ce boulevard-ci. Regardez-le bien.

LA DEMOISELLE: Ah, merci, Monsieur! Oui, en effet, je me suis trompée. C'est de ce côté-là. Excusez-moi. Je ne vous ai pas bien écouté.

LE MONSIEUR: Encore une fois, au revoir, Mademoiselle.

VOCABULAIRE ET EXPRESSIONS

le taxi   the taxi
le trottoir   the sidewalk
la route   the way, the road, the highway
l'avenue (*fem.*)   the avenue
le boulevard   the boulevard
le côté   the side, the direction
le chemin   the way, the road, the path
la direction   the direction
l'endroit (*masc.*)   the place, the spot
le moyen   the way, the means
le fleuve   the river

le pont   the bridge
le quai   the quay, the wharf
le bâtiment   the building
la marche   the walk, walking
la chambre   the chamber, the room
le député   the deputy, the representative
l'attention (*fem.*)   the attention, the care
droit   right, straight
gauche   left, clumsy, awkward
large   wide (large is **grand**)
public (*fem.* **publique**)   public
contraire   contrary, opposite

indiquer   to indicate, to show
regarder   to look (at) (*use a direct object and do not translate "at"*)
se tromper   to make a mistake, to be mistaken
excuser   to excuse
tourner   to turn
se trouver   to find oneself, to be

suivre   to follow (*p.p.* **suivi**)
rester   to stay, to remain (*être*)
continuer   to continue, to go on
traverser   to cross
entrer (dans)   to enter, to go in (*être*) (j'entre dans la chambre I enter the room; **j'y entre** I go in [there])
s'en aller   to go away (*être*)

jusqu'à   as far as, up to
devant   in front of
le long de   along
sans   without

en face (de)   opposite
après   after
infiniment   infinitely

voulez-vous m'indiquer . . . ?
will you show me . . . ?
tout droit straight ahead
encore une fois once again
de ce côté-ci on this side, this way
à gauche to the left
merci infiniment a thousand thanks
par ici this way; par là that way
par où? which way?

excusez-moi excuse me
suivez-moi follow me
attention! careful! attention!
de quel côté? on which side? which way?
à droite to the right
de l'autre côté de on the other side of
venez ici come here
en effet in fact, as a matter of fact

VERBES

Present Indicative of suivre (to follow) *p.p.* suivi

je suis ce chemin I follow this road
tu suis
il (elle) suit

nous suivons
vous suivez
ils (elles) suivent

Present Indicative of s'en aller (to go away)

je m'en vais à la maison
tu t'en vas
il (elle) s'en va

nous nous en allons
vous vous en allez
ils (elles) s'en vont

Past Indefinite of s'en aller

je m'en suis allé (*or* allée)
tu t'en es allé (allée)
il s'en est allé
elle s'en est allée

nous nous en sommes allés (allées)
vous vous en êtes allé (allée, allés, allées)
ils s'en sont allés
elles s'en sont allées

The Imperative

écoutez
écoutons

finissez
finissons

attendez
attendons

→ As stated before (Lesson 6) the polite imperative has normally the same form as the second person plural of the present indicative without the subject pronoun, while the "let us" form is the same as the first person plural of the present indicative without the subject pronoun.

écoute   **finis**   **attends**

→ The familiar singular imperative (corresponding to the pronoun *tu*) normally has the same form as the second singular of the present indicative, without the subject pronoun. However, verbs in *-er* drop the *-s* of the second singular present indicative.

sois be	**soyons** let us be	**soyez** be
aie have	**ayons** let us have	**ayez** have
veuille be willing	**veuillons** let us be willing	**veuillez** be willing
va go	**allons** let us go	**allez** go

→ There are very few exceptions to the rules stated above. Note, however, the irregular imperatives of *être*, *avoir*, and *vouloir*, and the irregular second singular imperative of *aller*.

veuillez le faire   please do it; be kind enough to do it

→ The imperative of *vouloir* followed by an infinitive has the meaning of "please," "be kind enough to."

GRAMMAIRE

suivons-le let us follow him	**suivez-nous** follow us
rappelons-nous let us remember	**rappelez-vous** remember
prends-le take it	**prenons-le** let us take it
regardez-la look at her	**regardez-les** look at them
écrivons-lui let us write to him	**écrivez-leur** write to them
allons-y let us go there	**allez-y** go there
prenez-en take some	**prenons-en** let us take some

→ *With the imperative affirmative, object pronouns follow* the verb instead of preceding, and are attached to it by a hyphen.

~~~~~~

suivez-moi   follow me

écrivez-moi   write to me

donnez-m'en   give me some

donnes-en   give some

rappelle-toi   remember

donnez-moi   give me

va-t'en   go away

vas-y   go there

→ With the imperative *affirmative*, *me* and *te* are changed to *moi* and *toi*, save before *y* and *en*. Note that, for the sake of euphony, *donnes* and *vas* are used instead of *donne* and *va*.

donnons-leur-en   let us give them some

allons-nous-en   let us go away

donne-le-lui   give it to him

donnons-les-leur   let us give them to them

donnez-m'en   give me some

allez-vous-en   go away

→ With the imperative affirmative, two object pronouns are attached to each other by hyphens, save for *m'en* and *t'en*.

vendez-les-moi   sell them to me

envoyez-la-leur   send it to them

donnez-les-nous   give them to us

→ In the imperative *affirmative,* the *direct* object pronoun always *precedes* the *indirect*. However, *en* or *y* always comes last.

ne le suivons pas   let us not follow him

ne lui écris pas   don't write to him

ne m'en donnez pas   don't give me any

ne m'y écrivez pas   don't write to me there

ne les lui donnez pas   don't give them to him

ne me les vends pas   don't sell them to me

ne me l'y envoyez pas   don't send it to me there

ne vous les écrivez pas   don't write them to yourself

ne les prenez pas   don't take them

ne me suivez pas   don't follow me

ne t'en va pas   don't go away

ne leur en donnons pas   let us not give them any

ne me l'envoyez pas   don't send it to me

→ If the imperative *negative* is used, the general rules apply: 1. the object pronouns precede the verb; 2. no hyphens are used; 3. *me* is used exclusively for me, to me; *te* is used exclusively for you, to you (familiar); 4. the indirect pronouns *me, te, nous, vous* precede the direct *le, la, les*. 5. the indirect pronouns *lui, leur* follow *le, la, les*.

QUESTIONS

1. Quel renseignement la demoiselle demande-t-elle au monsieur? 2. Quelle est la première indication qu'il lui donne? 3. Pourquoi lui dit-il de rester sur le trottoir? 4. Quels boulevards faut-il suivre pour arriver à la Place de la Concorde? 5. Où se trouve la Chambre des Députés? 6. Où se trouve le Pont de la Concorde? 7. Est-ce que la Place de la Concorde est près du Pont de la Concorde? 8. Pourquoi le monsieur dit-il à la demoiselle d'attendre un instant? 9. Quelle rue veut-elle prendre? 10. Est-ce qu'elle prend la bonne direction? 11. Pourquoi s'excuse-t-elle? 12. Comment leur conversation se termine-t-elle (*does it end*)?

EXERCICES

A. *Remplacez le tiret par la forme correcte du présent de l'indicatif de*

I. suivre:

1. Je —————— l'agent de police qui me montre le chemin. 2. Nous —————— vos conseils. 3. Il —————— les indications que le monsieur lui a données. 4. Vous —————— le chemin. 5. Ils —————— le petit enfant.

II. s'en aller:

1. Elle —————— pour une semaine. 2. Nous —————— tous les ans en été (*in the summer*). 3. Elles —————— maintenant. 4. Ils —————— très souvent le matin. 5. Je —————— immédiatement.

B. *Remplacez le tiret par la forme correcte du passé indéfini de* s'en aller:

1. Il _____ hier matin. 2. Je _____ parce que je ne voulais (*did not want*) plus le voir. 3. Nous _____. 4. Vous _____ trop tard. 5. Tu _____ avec tes amis ce jour-là. 6. Ils _____ hier matin à six heures.

C. *Traduisez les phrases suivantes:*

1. Don't send it to me. 2. Don't send it to him. 3. Don't give them to him. 4. Let's follow him. 5. Let's take some. 6. Follow me. 7. Give me some. 8. Go. 9. Will you please come here. 10. Let's write to him. 11. Look at them. 12. Let's go there. 13. Look at her. 14. Send it to me. 15. Give them to us. 16. Give them some. 17. Give it to him. 18. Don't take them. 19. Don't write to him. 20. Don't sell them to her. 21. Sell them to me. 22. Write them to him. 23. Send them to them. 24. Go there. 25. Write to them.

D. *Écrivez des phrases en vous servant des expressions et des mots suivants:*

1. tout droit   2. de l'autre côté   3. en effet   4. de quel côté   5. à gauche   6. encore une fois   7. excusez-moi   8. en face de   9. vite   10. j'y entre   11. par où   12. le pont   13. le trottoir   14. venez ici   15. merci infiniment

THÈME

—Do you want to go to Concord Square?

—Yes, please. I have lost my way.

—If you want to go on foot (*à pied*), cross this street, turn to the left and then continue straight ahead.

—Thank you. I have been walking for three hours and I am very tired. I wanted to go to the Chamber of Deputies, I walked to the Seine and there I got lost (lost myself). I asked a policeman who told me to follow the Seine. I crossed from the left bank (*la rive*) to the right bank on the bridge, but I did not find the Chamber of Deputies. After an hour's walk I found a street which leads into this avenue, but now I am lost again. Please show me again which street I must (*je dois*) follow.

LECTURE

—Pardonnez-moi, Madame. Je me suis trompée de chemin. Pouvez-vous m'indiquer comment je pourrais arriver à l'Arc de Triomphe?

—Quel Arc voulez-vous dire, Mademoiselle? L'Arc de Triomphe de l'Étoile ou l'Arc de Triomphe du Carrousel?

—L'Arc de Triomphe de l'Étoile, s'il vous plaît.

—Bon! Nous sommes à la Place de la Concorde. Si vous voulez aller par le Métro, traversez la place. L'entrée (*entrance*) du Métro de la Station Concorde se trouve là-bas, en face. Prenez un train, direction (*going in the direction of*) Neuilly, descendez à la Station Étoile, montez l'escalier de la sortie (*exit*) et vous êtes devant l'Arc de Triomphe. Si vous voulez y aller à pied, traversez la place en sens inverse (*in the opposite direction*) et suivez cette grande avenue qui monte. C'est l'Avenue des Champs-Élysées qui va jusqu'à la Place de l'Étoile.

—Merci, Madame. Excusez-moi de vous avoir dérangée (*disturbed*). Je commence à être très fatiguée. Je marche depuis deux heures. Je suis partie du Boulevard Saint-Michel où j'ai passé la matinée à bouquiner (*hunt for books*); puis, au lieu de (*instead of*) prendre le Métro, j'ai suivi à pied le Boulevard Saint-Germain jusqu'à la Chambre des Députés. Après m'être promenée un peu, le long de la Seine, je l'ai traversée par le pont de la Concorde.

—Dans ce cas (*in that case*), vous êtes certainement trop fatiguée pour continuer à pied. Je vous conseille de prendre un taxi. Appelez un taxi et dites au chauffeur de vous conduire Place de l'Étoile. Est-ce que vous êtes étrangère (*a foreigner*)?

—Oui, Madame, je suis Américaine. Je suis des cours (*I am attending courses*) à la Sorbonne. Je prépare ma licence (*a university degree like the M.A.*).

—Vous avez beaucoup de mérite (*you are to be congratulated*), Mademoiselle. Faire sa licence à la Sorbonne est très difficile, surtout pour une étrangère. Je vous souhaite (*wish you*) bonne chance (*good luck*). Depuis quand êtes-vous en France? Vous parlez très bien. Mon mari était (*was*) professeur à la Sorbonne avant sa mort (*death*).

—Vraiment, Madame? Était-il professeur de littérature?

—Non, Mademoiselle. Professeur de géographie. Mais vous, Mademoiselle, quels sont vos projets (*plans*)? Vous, une étrangère, vous préparez la licence?

—Oui, Madame. J'ai déjà complété mon baccalauréat (*B.A.*) en Amérique. J'ai donc pu établir une équivalence et m'inscrire (*establish equivalent prerequisites for matriculation*) à l'université. On m'a admise (*admitted*) à la Sorbonne. J'ai payé mes inscriptions (*matriculation fees*) et me voilà candidate à la licence. Je vais passer mes quatre certificats en deux ans, deux certificats par an. Si je les passe avec succès, j'aurai (*I shall have*) ma licence ès lettres en juin de l'année prochaine.

—Quels certificats allez-vous préparer, Mademoiselle?

—Je ne sais pas encore; je visite tous les cours en ce moment pour choisir les professeurs les plus intéressants. J'espère cependant me présenter aux certificats de philologie française, de littérature française, de littérature anglaise et d'histoire de l'art.

—Quoi! Pas de latin?

—Non, Madame. Je n'ai jamais fait de latin aux États-Unis. Il serait (*would be*) trop difficile de commencer maintenant. Mais, pourriez-vous (*could you*) me dire si j'aurai (*I shall have to*) à passer un examen (*take an examination*) écrit aussi bien qu'un examen oral pour chaque certificat?

—Certainement, Mademoiselle, et si on échoue (*fail*) à un des examens, il faut se présenter à la session suivante. Mais je suis sûre que vous allez réussir (*to pass*).

—Je l'espère. Mais il faut continuer mon chemin. Merci de vos conseils (*for your advice*) et de votre amabilité (*kindness*), Madame. Au plaisir de vous revoir.

Au revoir, Mademoiselle. Nous nous reverrons (*we shall see each other*) peut-être aux cours publics (*public lectures*). J'y vais très souvent. Ne travaillez pas trop. Suivez peu de cours mais approfondissez vos études (*study seriously*).

QUESTIONS

1. Pourquoi la demoiselle arrête-t-elle la dame? 2. Où veut-elle aller? 3. Combien d'Arcs de Triomphe y a-t-il à Paris? 4. Comment s'appellent-ils? 5. Comment peut-on aller de la Place de la Concorde à l'Arc de Triomphe par le Métro? 6. Comment peut-on aller à pied

de la Place de la Concorde à l'Arc de Triomphe? 7. Pourquoi la demoiselle est-elle fatiguée? 8. Comment a-t-elle passé la matinée? 9. Où
s'est-elle promenée? 10. Est-ce que la demoiselle est étrangère? 11. Que
fait-elle à Paris? 12. Pourquoi la dame lui dit-elle qu'elle a beaucoup
de mérite? 13. Qu'est-ce qu'elle lui souhaite? 14. De quoi le mari de
la dame était-il professeur? 15. Qu'est-ce que la demoiselle a complété
aux États-Unis? 16. Qu'est-ce qu'elle prépare en France? 17. Combien
d'examens aura-t-elle (*will she have*) à passer? 18. De quoi la dame
est-elle sûre? 19. De quoi la demoiselle remercie-t-elle la dame? 20. Où
se reverront-elles? (*Where will they see each other?*) 21. Où la dame
va-t-elle souvent? 22. Quels conseils donne-t-elle à la demoiselle?

COMPOSITION

Décrivez une promenade dans une grande ville.

Lesson 16

Present indicative and past participle of *savoir*

Present indicative and past participle of *connaître*

Comparative uses of *savoir* and *connaître*

Present indicative and past participle of *pouvoir*

Uses of *pouvoir*

Use of *re-* as prefix to verb

Use of *ce qui* and *ce que*

Use of ordinal and cardinal numbers in dates

Use and omission of definite article in
expressions of time

The seasons

Distinction between *quand* and *lorsque*

CONVERSATION

Le Grand-père et la Grand'mère Voyagent

THÉRÈSE: Savez-vous ce qui arrive, André?

ANDRÉ: Non, Thérèse, naturellement je ne le sais pas. Racontez-moi ça.

THÉRÈSE: Eh bien, mon grand-père et ma grand'mère sont partis

150

de New-York le vingt-neuf août et ils vont arriver à Paris demain matin.

ANDRÉ: Je suis heureux de l'apprendre. Est-ce que je les connais?

THÉRÈSE: Mais certainement! Vous avez fait leur connaissance au mois de janvier, en Amérique.

ANDRÉ: Ah, oui! je me rappelle. Et dites-moi; à leur âge, est-ce qu'ils peuvent voyager sans difficulté?

THÉRÈSE: Sans aucun doute. En été on voyage facilement. Et puis, ils ne sont pas si âgés, après tout. Grand-père a soixante ans et grand'maman. . . . Je ne vais pas vous dire son âge. On ne révèle jamais l'âge d'une femme, même lorsqu'elle est grand'mère.

ANDRÉ: Vous avez tout à fait raison. D'ailleurs être vieux, cela ne fait rien, lorsqu'on se sent jeune. Quand est-ce que je vais avoir le plaisir de les revoir?

THÉRÈSE: Pouvez-vous venir chez nous demain soir? Ils sont sûrs d'y être.

ANDRÉ: Malheureusement, je ne peux pas. J'ai rendez-vous avec mon chef de bureau.

THÉRÈSE: Quel dommage! Vous êtes bien sûr que c'est avec votre chef de bureau, et pas avec quelque jolie jeune fille que vous avez connue à l'université?

ANDRÉ: Thérèse, je vous assure. . . .

THÉRÈSE: C'était pour rire! Alors, voici ce que nous allons faire. Vous allez venir dîner chez nous après-demain.

ANDRÉ: C'est entendu. J'en prends note. Cela me fait grand plaisir. C'est pour le vendredi, huit septembre, alors.

THÉRÈSE: C'est juste. A vendredi.

ANDRÉ: A vendredi. En attendant, présentez mes respects à vos grands-parents.

THÉRÈSE: Au revoir, André.

ANDRÉ: Au revoir, Thérèse, et n'oubliez pas de présenter mes hommages à madame votre mère.

VOCABULAIRE ET EXPRESSIONS

le grand-père the grand-papa, the grandfather
la grand'mère, la grand'maman the grandmother
le monde the world
le chef the chief, the head (of an office)
le bureau (*pl.* bureaux) the office
la connaissance the acquaintance
la difficulté the difficulty
la note the note
les hommages regards, respects (used in the plural when referring to a lady)
les respects regards, respects (referring to old people)
l'Amérique America
en Amérique in America
André Andrew
Thérèse Theresa

janvier January
février February
mars March
avril April
mai May
juin June
juillet July
août August
septembre September
octobre October
novembre November
décembre December
lundi Monday
mardi Tuesday

mercredi Wednesday
jeudi Thursday
vendredi Friday
samedi Saturday
dimanche Sunday
l'hiver (*masc.*) winter
le printemps spring
l'été (*masc.*) summer
l'automne (*masc.*) autumn
en hiver in the winter
au printemps in the spring
en été in the summer
en automne in the fall
juste just, right, correct

savoir to know, to know how
connaître to know, to be acquainted with

arriver (*être*) to happen, to arrive
se passer to happen
raconter to tell, to relate

révéler (je révèle) to reveal
assurer to assure
reconnaître to recognize
pouvoir can, to be able

voyager (nous voyageons) to travel
nager (nous nageons) to swim

ce qui (*subj.*), ce que (*obj.*) what
naturellement naturally, of course
assurément certainly, surely
sans aucun doute undoubtedly
quelque some (one or another), any
lorsque when
en attendant meanwhile
si so
avoir tout à fait raison to be absolutely right
après-demain day after tomorrow
au mois de février in February
cela ne fait rien it makes no difference
cela me fait (grand) plaisir that gives me (great) pleasure

faire la connaissance de to make the acquaintance of
je ne (le) sais pas I don't know
être heureux de + *infinitive* to be happy to
prendre note de to make a note of
je ne peux pas I can't
puis-je? est-ce que je puis? *or* est-ce que je peux? may I?
quel dommage! what a pity! too bad!
présenter ses hommages à to pay one's respects to, offer one's regards to
c'était pour rire I was joking
après tout after all

VERBES

Present Indicative of **savoir** (to know) *p.p.* **su**

je sais ma leçon aujourd'hui
tu sais
il (elle) sait

nous savons
vous savez
ils (elles) savent

Imperative: **sache, sachons, sachez**

je sais ce qui s'est passé I know what happened
je sais ce que vous avez fait I know what you did
je ne sais pas I don't know

→ *Savoir* is to know a fact, a situation, but not a person.

savez-vous nager?   Can you swim? Do you know how to swim?
Ce petit enfant sait écrire.   This little child can (knows how to) write.

→ *Savoir* translates "can" when "can" means "to know how to."

Present Indicative of **connaître** (to know) *p.p.* **connu**

je connais ce monsieur	**nous connaissons**
tu connais	**vous connaissez**
il (elle) connaît	**ils (elles) connaissent**

reconnaître (to recognize) is conjugated like **connaître**

je connais bien cet homme   I know that man well
Est-ce que vous le connaissez?   Do you know him?
c'est un endroit qu'il connaît   it's a spot he knows

→ *Connaître* means to know a person, to be acquainted with a specific place or thing.

Present Indicative of **pouvoir** (can, to be able) *p.p.* **pu**

je peux (je puis) le faire	**nous pouvons**
tu peux	**vous pouvez**
il (elle) peut	**ils (elles) peuvent**

je ne peux pas le faire   I can't do it
Pouvez-vous nager après cette maladie?   Can you swim after that illness?

→ *Pouvoir* means "to be able," "can" (provided "can" does not mean "to know how"; use *savoir* for that).

Est-ce que je peux (*or* **puis**) **sortir?**   May I go out?
Oui, **vous pouvez sortir** à présent.   Yes, you may go out now.

→ *Pouvoir* also translates "may" in the sense of asking for or granting permission.

Enfin, **j'ai pu le voir.**   Finally, I was able to see him, managed to see him, succeeded in seeing him.

→ The *past indefinite* of *pouvoir* means "could" in the sense of "managed," "succeeded."

appeler to call		**rappeler** to recall	
voir to see		**revoir** to see again	
faire to do, to make		**refaire** to do again, make again	
venir to come		**revenir** to come back	
partir to start, leave		**repartir** to start off again	

→ *Re-* or *R-* prefixed to a verb usually has the sense of "again." Compare English "make," "remake"; "tell," "retell." The use of this prefix is much more common in French than in English.

GRAMMAIRE

Je ne sais pas **ce qui** est arrivé.   I don't know what happened.
Savez-vous **ce que** vous avez fait?   Do you know what you did?
Ce qu'il a vu, personne ne le sait.   What he saw, no one knows.

→ The relative pronoun "what" is translated by *ce qui* if it is the *subject, ce que* if it is the *object* of the verb.

Il est arrivé **le premier mai.** He arrived on the first of May (on May 1st).
Il est reparti **le trois juin.** He left again on the third of June (on June the third).

→ Names of the months are not capitalized in French. They are all masculine. For days of the month, do not translate "on" or "of." Use *le premier* for "the first," *cardinal numbers* from "the second" on.
     Note that in French the day must precede the month.

Je l'ai vu **vendredi.**   I saw him on Friday.
Je l'ai vu **le six juillet.**   I saw him on July the sixth.
Je l'ai vu **le vendredi six juillet.**   I saw him on Friday, July the sixth.
Je l'ai vu **vendredi, le six juillet.**   I saw him on Friday, July the sixth.

→ If the day of the week is stated along with the day of the month, the article precedes either the day of the week or the date.

le printemps Spring		**au printemps** in the Spring	
l'été Summer		**en été** in the Summer	
l'automne Fall		**en automne** in the Fall	
l'hiver Winter		**en hiver** in Winter	

→ Names of the seasons are all masculine. They are not capitalized in French. "In" is translated by *au* with printemps, by *en* with the others.

Je l'ai vu **quand** il est parti.   I saw him when he left.
Je l'ai vu **lorsqu'**il est parti.   I saw him when he left.
Quand est-il parti?   When did he leave?

→ *Quand* and *lorsque* both mean "when." They are interchangeable, except *in questions,* direct or indirect, where *quand* alone may be used.

QUESTIONS

1. Est-ce qu'André sait ce qui arrive?   2. Qui va arriver à Paris? 3. Où est-ce qu'André a connu les grands-parents de Thérèse?   4. Quand les a-t-il vus?   5. Est-ce qu'ils voyagent beaucoup?   6. Pourquoi pas? 7. Est-ce qu'André va avoir le plaisir de refaire leur connaissance?   8. Où vont-ils se réunir?   9. Quand vont-ils se réunir?   10. Avec qui André a-t-il un rendez-vous?   11. Pourquoi André proteste-t-il?   12. Quand André va-t-il dîner chez Thérèse?   13. Comment André va-t-il se rappeler cette invitation?   14. Qu'est-ce qu'il présente aux grands-parents de Thérèse?

EXERCICES

A. *Conjuguez au présent de l'indicatif:*

1. Je sais nager maintenant.   2. Je ne sais pas ce qui s'est passé. 3. Je sais ce que vous avez fait.   4. Est-ce que je sais ma leçon aujourd'hui?   5. Est-ce que je connais cet homme?   6. C'est un endroit que je ne connais pas.   7. Paris est une ville que je connais bien. 8. Je ne peux pas le faire maintenant.   9. Je repars tout de suite.   10. Je refais mes devoirs.

B. *Remplacez le tiret par* ce que *ou* ce qui *selon le sens:*

1. Je sais —————— vous avez fait.   2. Est-ce que vous savez

——————— est arrivé? 3. Il n'a dit à personne ——————— il a vu.
4. Personne ne veut lui dire ——————— est arrivé à son fils. 5. Tout
——————— je sais, c'est qu'il est malade. 6. ——————— est vrai, c'est
qu'il n'est pas arrivé.

C. *Traduisez les expressions en italiques:*

1. Il a quitté Paris *the first of June.* 2. Elle est arrivée en France
the fifth of May. 3. Je l'ai vu au théâtre *the second of March.* 4. Je
l'ai vu à Paris *in the spring.* 5. Il neige beaucoup *in winter.* 6. Je l'ai
connu *when* il était enfant. 7. *In summer,* il fait très chaud à New
York. 8. Les feuilles tombent des arbres *in autumn.* 9. *When* voulez-
vous acheter cette maison? 10. Je l'ai reçu *the sixth of October.*

D. *Faites des questions avec les expressions suivantes et répondez-y.*

1. Présenter mes hommages à 2. prendre note de 3. après tout
4. faire la connaissance de 5. certainement 6. se passer 7. ce qui 8. ce
que 9. cela me fait plaisir 10. je ne peux pas

THÈME

—Do you know that my grandmother and grandfather arrived
from America today?

—No, when did they leave America?

—They left New York a week ago and are arriving at Le Havre
tomorrow. I am going to Le Havre to wait for them. They are so old.
At their age they cannot travel without some difficulty.

—Were they sick?

—Yes, of course, my grandmother was very ill.

—What a shame! At her age. I hope they are well now. Give them
my regards. Are you going to invite them to have dinner with me
Friday, January 3? I want to see them again. I remember them very
well. I met a very pretty girl at their house (*chez eux*) in New York.
They invited her for dinner and I made her acquaintance.

—Yes, I know. They know you well. Until Friday, then.

LECTURE
Départ de New York

—Eh bien! Nous voici arrivées. Dites au chauffeur de nous apporter nos valises. Je vais voir si les bagages sont arrivés. Je les ai expédiés (*sent*) par grande vitesse (*express*) hier.

—Très bien! Je vous rejoindrai (*I shall join you*) dans un instant. J'ai dit à mes parents de m'attendre à la salle d'attente (*waiting room*). Mon grand-père et ma grand'mère sont venus de la campagne pour me dire au revoir. Est-ce que vous les connaissez? Je vais vous présenter. Mais, voilà l'employé. Faites-lui enregistrer (*have him check*) nos bagages. Avez-vous assez d'étiquettes (*labels*)? En voilà, si vous en avez besoin. Y avez-vous mis notre nom et notre adresse? et notre destination? Eh bien! A tout à l'heure.

—Bonjour, Monsieur. Je veux faire enregistrer mes bagages à destination de Paris. Les voilà, là-bas, sur le quai. Savez-vous si je peux les faire enregistrer directement pour Paris?

—Certainement, Mademoiselle! Alors, vous allez passer la douane (*go through customs*) à Paris. Écrivez votre nom et votre adresse sur cette feuille (*sheet of paper*), s'il vous plaît. Puis indiquez la valeur des malles (*value of the trunks*), leur destination, votre numéro (*number*) de cabine, la classe, première, deuxième, ou touriste, et votre adresse en France. Voyons si vous avez mis votre adresse sur toutes les étiquettes. Non, en voici une qui est incomplète. Veuillez la compléter. Bon, vous n'avez plus qu'à monter à bord (*on board*).

—On m'a dit de faire examiner mon passeport et mon billet avant d'aller à bord. Savez-vous où je dois aller?

—Oui, Mademoiselle. C'est à droite du bureau (*office*) de la douane. Mais, voici votre bulletin de bagages (*baggage check*). Merci, Mademoiselle.

—C'est moi qui vous remercie, Monsieur. Cette queue (*line*) là-bas, c'est pour les passeports, n'est-ce pas?

—Un instant, Mademoiselle. N'est-ce pas votre amie qui vient là?

—En effet, merci.

—Oh Hélène! Nos parents sont arrivés. Ils veulent des laissez-passer (*permits*) pour nous rejoindre à bord. Où peut-on les obtenir, Monsieur?

—Là-bas, près de la passerelle (*gangplank*), Mademoiselle. Voulez-vous un porteur (*porter*) pour vos valises? En voici un.

—Oui, merci, Monsieur. Porteur, suivez-nous, s'il vous plaît.

—Hélène, allez dire à nos parents de venir. Je vais acheter leurs laissez-passer. Puis je vous retrouve à côté de la passerelle de première où on examine les passeports.

—Non, retrouvez-moi avec nos parents sur le pont (*deck*) du bateau, à gauche. Je vais directement à bord.

—Comme vous voulez. Mais dépêchez-vous.

(*Quinze minutes plus tard*)

—Ah! Nous voilà tous ensemble. Bonjour grand-père, bonjour grand'mère. Est-ce que vous avez fait un bon voyage? Vous êtes bien gentils, tous les deux (*both of you*), de venir me dire au revoir. A votre âge, il n'est pas facile de voyager.

—Qu'est-ce que tu veux dire, à notre âge? Je suis plus jeune que toi (*younger than you*). Soixante-dix ans, c'est encore jeune. Et ta grand'mère, quel âge crois-tu qu'elle a? Quatre-vingt-dix? Elle est encore plus jeune que moi. Elle a insisté pour prendre l'avion pour venir ici. Je parie (*bet*) que tu n'es jamais montée en avion.

—Pardonnez-moi, grand-père. Oui, vous êtes plus jeunes que moi, tous les deux. Descendons voir notre cabine. Il faut passer par le salon (*drawing room*), puis on suit le premier corridor à droite. C'est le numéro 125.

(*Cinq minutes après*)

—Quelle jolie cabine! Voyez! Nous avons des lits au lieu de couchettes (*instead of berths*), une table de toilette (*dressing-table*), une commode (*chest of drawers*), des fauteuils (*armchairs*), et une vraie fenêtre. Et regardez donc les fleurs qu'on nous a apportées! Que c'est gentil! Et des noix (*nuts*) et des bonbons (*candies*). Qui nous les a envoyés?

—Oh! Regardez la salle de bain (*bathroom*) avec une douche (*shower*). Quel luxe!

—Quand je pense à ma première traversée (*crossing*)! Quatre personnes dans une cabine intérieure (*inside cabin*). Rien que des couchettes. Rien qu'un petit lavabo (*wash-basin*) dans un coin (*corner*).

—Oh! Voilà qu'on sonne (*there goes the bell*). C'est pour les visiteurs. Il faut partir, maintenant. Au revoir!

—Au revoir et bon voyage. Écrivez-nous souvent. Notre bon souvenir (*regards*) à tous nos amis. Présentez nos hommages aux Renoir et aux Blanchet. Bon voyage!

QUESTIONS

1. Où les deux jeunes filles sont-elles arrivées? 2. Comment ont-elles envoyé leurs bagages? 3. Comment arrivent-elles au quai? 4. Pourquoi une d'elles s'absente-t-elle? 5. Où va-t-elle retrouver ses parents? 6. Qui est venu de la campagne? 7. Pourquoi sont-ils venus? 8. Est-ce que son amie connaissait ses grands-parents? 9. Par qui fait-on enregistrer ses bagages? 10. Qu'est-ce que c'est qu'une étiquette? 11. Si on fait enregistrer ses bagages directement pour Paris où faut-il passer la douane? 12. Combien de classes y a-t-il sur un grand bateau transatlantique? 13. Avant de recevoir son bulletin de bagages, quelle formalité la demoiselle doit-elle remplir? 14. Quelle formalité faut-il remplir avant de monter à bord? 15. Quels permis les visiteurs doivent-ils obtenir? 16. Pourquoi les grands-parents sont-ils gentils? 17. Quel âge le grand-père a-t-il? 18. Quel pari (*bet*) le grand-père fait-il? 19. Comment peut-on arriver à la cabine des demoiselles? 20. Décrivez la cabine. 21. Comparez cette cabine à une cabine d'autrefois (*of former times*). 22. Pourquoi sonne-t-on la cloche (*the bell*)? 23. A qui envoie-t-on des amitiés? 24. Quel souhait (*wish*) fait-on aux voyageuses?

COMPOSITION

Décrivez le départ par bateau pour un pays étranger d'un couple de nouveaux-mariés (*newlyweds*).

Review Lesson 4

A. *Conjuguez, au même temps, les verbes des phrases suivantes:*

1. Je perds du temps à leur parler. 2. Je bois du café tous les jours.
3. Je mange des fruits à chaque repas. 4. Je commence à comprendre
le français. 5. Je choisis ces fleurs pour les donner à des amis. 6. Je
finis de dîner avant de sortir. 7. Je suis trois cours par jour. 8. Je m'en
vais tout de suite. 9. Je m'en suis allé de bonne heure. 10. Je sais ce
qui s'est passé. 11. Je connais la ville de Paris. 12. Je peux vous dire la
vérité.

B. *Traduisez les phrases suivantes:*

1. He is at Henry's; George is there, too. 2. He wrote me a letter
and I answered it. 3. Did she answer him? 4. He has some milk. Have
you any? 5. Here are your pencils, I have two. 6. She speaks of her
book and he speaks of it, too. 7. Speak to her about it. 8. They come
from New York. Do you come from there? 9. Has he any coffee?
He has some. 10. They haven't much. 11. Here is your briefcase. Do
you need it? 12. Are there any flowers? There are some in that room.
13. It is late. I am tired. 14. The train arrived late. 15. He came home
very late. 16. Please excuse me (*excusez-moi*); I am very late.

C. *Employez les expressions suivantes dans des phrases, en mettant le verbe au présent et au passé composé:*

1. ne . . . rien 2. ne . . . personne 3. ne . . . jamais 4. ni . . . ni
5. ne . . . plus

D. *Changez les phrases suivantes en mettant tous les verbes à
l'impératif, à la première et deuxième personnes du pluriel, si
le sens le permet:*

1. Je le suis. 2. Ils la regardent. 3. Elle lui écrit. 4. Il lui en donne.
5. Ils le lui donne. 6. Elle les leur vend. 7. Il ne le lui envoie pas.
8. Elle y va. 9. Il leur en vend. 10. Elle lui écrit.

E. *Remplacez le tiret par* ce que *ou* ce qui:

1. J'ai vu —————— il a fait. 2. Nous avons lu —————— il a écrit. 3. Savez-vous —————— est arrivé à Marie? 4. Dites-lui —————— peut arriver. 5. —————— il peut faire, c'est de partir.

F. *Écrivez toutes les dates en français:*

1. Elle est arrivée (*June 5*), et elle est repartie (*September 1*). 2. Je l'ai vu (*Friday, August 5*). 3. L'avez-vous vu (*Saturday*)? 4. J'ai fait sa connaissance (*Monday, May 1*).

G. *DICTÉE*

Le théâtre sérieux en France, au moyen âge, sort de l'église. Il est tiré des cérémonies religieuses. On trouve d'abord des drames liturgiques, basés sur la liturgie, en prose latine du onzième siècle; puis des drames farcis où la langue populaire ou vulgaire se mêle au latin.

Ces deux sortes de drames sont d'abord représentés à l'intérieur des églises; puis, à cause de la grande assistance, la représentation a lieu sur le parvis, une sorte de plateforme en pierre devant l'église. Parmi les premières pièces on trouve La Représentation d'Adam, Le Jeu de Saint Nicolas, et Les Miracles de Notre-Dame.

Les origines du théâtre comique sont plus obscures. Au treizième siècle on fait jouer le Jeu d'Adam, pièce d'un caractère satirique, et le Jeu de Robin et Marion, pièce dramatique accompagnée de musique.

H. *THÈME*

—Friday, my grandfather and grandmother are going to arrive in Paris. They are coming from New York by plane. They left San Francisco a week ago.

—How old are they?

—Oh, they are not so old. Besides, they feel so young. After all, they have traveled a great deal together.

—I want to make their acquaintance. Are they going to stay in Paris all summer?

—Of course. They want to see the monuments of Paris and visit France.

—If they want to go to a good restaurant, I know one that serves a delicious meal. It is quite near the Boulevard Saint-Germain. Their appetizers and soups are excellent. Their wine is very good, also.

—My grandfather and grandmother drink neither wine nor beer but that makes no difference (*cela ne fait rien*).

—That's too bad. If they arrive on Friday, come to my hotel Saturday at six o'clock. If you are not late and if they serve us quickly at the restaurant, we can go to the Opera. I am going to leave you now because my cousin is coming from the country today. I am going to the station to wait for her. Do you want to come in my car? Your hotel is on the (my) way and you can get off there.

Thank you very much. It's annoying, isn't it, not to have (*de ne pas avoir*) a car. I am going to buy one. I need it every day.

Lesson 17

Imperfect indicative of *parler, vendre,* and *finir*

Imperfect of some irregular verbs

Uses of the imperfect

Use of imperfect compared with use of
past indefinite

Disjunctive personal pronouns and uses

Use of disjunctive pronoun with *présenter,* etc.

Use of disjunctive pronoun with *c'est* and *ce sont*

Use of *qui, qui est-ce qui, qui est-ce que*

CONVERSATION

Les Présentations

M. BRUNOT: Joseph, voulez-vous me permettre de vous présenter
mon gendre Raoul Bernier?

M. BERNIER: Enchanté, Monsieur.

JOSEPH: C'est moi qui suis enchanté de faire votre connaissance.
J'ai beaucoup entendu parler de vous.

M. BERNIER: Je vous remercie de votre amabilité. Qui est-ce qui
vous a parlé de moi?

JOSEPH: Votre beau-père et votre belle-sœur Louise. Elle me disait
presque chaque fois qu'elle me rencontrait: "Vous allez faire

un de ces jours la connaissance de mon beau-frère. Il va revenir à Paris, et je vais vous présenter à lui."

M. BERNIER: C'est très gentil de sa part. Lorsque nous étions à New-York, elle nous répétait toujours qu'elle allait nous faire connaître ses bons amis parisiens. Bien entendu, nous ne demandions pas mieux, mais il y avait la mer entre nous et eux.

JOSEPH: Eh bien, à présent, nous voici.

(Madeleine entre)

MADELEINE: Pardon, Messieurs. Ah! te voilà, Joseph! On t'attend là-bas.

JOSEPH (avant de partir): Madeleine! Je veux te présenter M. Bernier, le beau-fils de notre hôte, qui vient de rentrer des États-Unis.

M. BERNIER: Enchanté, Madame.

MADELEINE: Enchantée, Monsieur. Alors, Joseph, va voir tes amis. Je me charge de M. Bernier. Voilà ma sœur Henriette. Je vais vous présenter à elle.

VOCABULAIRE ET EXPRESSIONS

le mari   the husband
le gendre, le beau-fils   the son-in-law
la mer   the sea

gentil (*fem.* **gentille**)   nice, kind
chéri   darling, dear, beloved
parisien (*fem.* **parisienne**), Parisian

présenter   to introduce
remercier de   to thank for
entendre parler de   to hear about (*entendre* is conjugated, *parler* stays in the infinitive)
rencontrer   to meet (casually; use **faire la connaissance de** for "to meet socially")
vouloir bien   to be willing
se charger de   to take charge of, take care of **(nous nous chargeons)**

moi   me, I
toi   you
lui   him, he
elle   her, she

nous   us, we
vous   you
eux   them, they
elles   them, they

qui est-ce qui?   who?
entre   between
près de   near

qui est-ce que?   whom?
loin de   far from

enchanté (de faire votre connaissance)   pleased to meet you,
   delighted
c'est moi   it is I
il y avait   there was, there were

c'est très gentil de sa (votre) part
   it's very kind of him or her
   (you)
je ne demande pas mieux   I don't
   ask for anything better

VOCABULAIRE SUPPLÉMENTAIRE

les messieurs   the gentlemen (plural of monsieur)
l'hôte   the host; the guest

la présentation   the introduction
la bonté, l'amabilité   the kindness
Raoul   Ralph

VERBES

Imperfect Indicative of parler, vendre, and finir

je parl-ais à mon beau-frère
tu parl-ais
il (elle) parl-ait

nous parl-ions
vous parl-iez
ils (elles) parl-aient

je vend-ais ma bibliothèque
tu vend-ais
il (elle) vend-ait

nous vend-ions
vous vend-iez
ils (elles) vend-aient

je fin-iss-ais mes leçons
tu fin-iss-ais
il (elle) fin-iss-ait

nous fin-iss-ions
vous fin-iss-iez
ils (elles) fin-iss-aient

→ The imperfect indicative has these endings, for all verbs: *-ais,
-ais, -ait, -ions, -iez, -aient.*

They are added to the stem. However, regular *-ir* conjugation
verbs insert *-iss-* between the stem and the ending.

être   to be; **j'étais**   I was, used to be
avoir   to have; **j'avais**   I had, used to have
savoir   to know; **je savais**   I knew, used to know
connaître   to know; **je connaissais**   I knew, used to know
dire   to say, tell; **je disais**   I was saying, telling, used to say, tell
faire   to do, make; **je faisais**   I was doing, making, used to do, make
prendre   to take; **je prenais**   I was taking, used to take
vouloir   to want; **je voulais**   I wanted, used to want
boire   to drink; **je buvais**   I was drinking, used to drink
lire   to read; **je lisais**   I was reading, used to read
écrire   to write; **j'écrivais**   I was writing, used to write
venir   to come; **je venais**   I was coming, used to come
sortir   to go out; **je sortais**   I was going out, used to go out
partir   to leave; **je partais**   I was leaving, used to leave
voir   to see; **je voyais**   I was seeing, used to see
pouvoir   can, to be able; **je pouvais**   I could, used to be able

→ Irregular verbs in *-ir, -oir,* generally form the imperfect by dropping
the *-ir, -oir* of the infinitive and adding the endings given above.

Note that the irregularities in the imperfect of *être, dire, faire,
prendre, boire, lire, écrire, voir, connaître* appear in the stem, not in
the endings, which are the same for all verbs.

Lorsque j'allais à l'université, je le voyais tous les jours.   When I went
(used to go) to the university, I saw (used to see) him every day.

→ The imperfect indicates what used to happen, repeatedly or regularly. English expresses this by "used to" or by the simple past. If an
English past can be replaced by "used to," use the imperfect in French.

Il écrivait quand je suis entré.   He was writing when I came in.

→ The imperfect also denotes what was going on when something
else took place. English here uses the past progressive (*he was writing*).

j'ai parlé I spoke, I have spoken
je parlais I was speaking, I used to speak

Pauvre Albert! Je le voyais souvent. Poor Albert! I saw him often.
je l'ai vu la semaine dernière I saw him last week

→ Note the contrast between the past indefinite, indicating generally a single past action or event considered as completed (taking place and then ceasing), and the imperfect, indicating an incompleted past action, state, or condition, as to the completion of which no indication is given.

je savais qu'il allait venir I knew (all along) he was going to come
j'ai su qu'il allait venir I learned that he was going to come
je voulais le faire I wanted to (but did not get to) do it
j'ai voulu le faire I wanted to (and decided to) do it; I insisted on doing it
l'année dernière je ne pouvais pas nager Last year I was not able to swim
enfin, j'ai pu le voir finally, I was able to (managed to) see him

→ With verbs like *savoir, vouloir, pouvoir* which by their nature generally indicate a continuing action, it is the imperfect rather than the past indefinite which translates the English past. The past indefinite of these verbs often has a special meaning which denotes a single occurrence at a specific point of time: *j'ai su,* I learned, I found out; *j'ai voulu,* I insisted upon, decided upon (and did); *j'ai pu,* I was able to, succeeded in (and did).

GRAMMAIRE

avec moi	with me	**entre nous**	between us
sans toi	without you	**vers vous**	toward you
pour lui	for him	**près d'eux**	near them
d'elle	from her	**loin d'elles**	far from them

→ The disjunctive personal pronouns, *moi, toi, lui, elle, nous, vous, eux, elles,* are used after prepositions.

Qui va là? **Moi.** Who goes there? I.

Qui a-t-il vu? **Toi.**   Whom did he see? You.
Qui a parlé? **Lui.**   Who spoke? He.

→ These pronouns are also used when the verb is understood.

moi, je vais le faire   *I* am going to do it
toi, tu vas le faire?   *You*'re going to do it?
je le crois, **moi**   *I* believe it
lui peut le faire   *He* can do it
eux vont le faire   *They* are going to do it
je l'ai vu, **lui**   I saw *him*

→ They are also used as stressed subject or object pronouns. As subjects, *moi* and *toi* are often followed by *je* and *tu,* respectively. The others are usually immediately followed by the verb.

moi et toi, nous allons le faire   you and I are going to do it
toi et lui, vous pouvez le faire   you and he can do it
lui et elle savent le faire   he and she know how to do it

→ Two subject pronouns of different persons are expressed by the disjunctives and summed up by *nous* or *vous.* If both are third person, the disjunctives alone are used.

il me présente à lui   he introduces me to him
il me le présente   he introduces him to me
il t'a présenté à moi   he introduced you to me
il te l'a présentée   he introduced her to you
il nous a présentés à eux   he introduced us to them
il nous les a présentés   he introduced them to us
il vous a présenté à nous   he introduced you to us
il s'est présenté à eux (à moi, etc.)   he introduced himself to them (to me, etc.)

→ If there are two object pronouns both denoting people, and the direct is *me, te, nous,* or *vous,* the indirect pronoun cannot be used, but must be replaced by a disjunctive with *à* after the verb.

c'est moi (it is I) **qui le fais**   **c'est nous** (it is we)
c'est toi (it is you)   **c'est vous** (it is you)
c'est lui (it is he) **que j'ai vu**   **ce sont eux** (it is they) *or* **c'est eux**

c'est elle (it is she)   ce sont elles (it is they) *or* c'est elles

→ Disjunctives are used after *c'est* and *ce sont* (it is). Note that *ce sont* is used only with a third person plural, *c'est* can be used in all cases, including the third person plural.

Qui est arrivé? **Qui est-ce qui** est arrivé?   Who came?
Qui avez-vous vu? **Qui est-ce que** vous avez vu?   Whom did you see?

→ *Qui?* means both *who?* and *whom? Qui est-ce qui* (*who?*) and *qui est-ce que?* (*whom?*) may replace it, but require declarative word-order.

QUESTIONS

1. Qui veut-on présenter à Joseph?   2. Est-ce que Joseph est content de faire la connaissance de M. Bernier?   3. Comment M. Bernier répond-il quand on le présente?   4. De qui Joseph a-t-il entendu parler? 5. Qui avait parlé de M. Bernier?   6. Qui allait revenir à Paris?   7. Que disait Louise quand elle était à New York?   8. Qu'est-ce qui séparait ces futurs amis?   9. Qui interrompt la discussion?   10. Est-elle présentée aux autres?   11. Quelles autres présentations se font ensuite?

EXERCICES

A. *Conjuguez:*
1. Je parlais à mon oncle quand son gendre est entré.
2. Avant la guerre je vendais des dictionnaires.
3. Je finissais mon travail au moment où ces messieurs sont arrivés.
4. L'année dernière je mangeais mon petit déjeuner à huit heures.
5. Je commençais toujours mon dîner par une assiette de soupe.

B. *Remplacez les infinitifs par les temps passés qui conviennent et traduisez les phrases en anglais:*
1. Quand nous (*être*) en France nous (*aller*) souvent au café.   2. Il (*avoir*) de bons professeurs mais ne (*savoir*) jamais ses leçons.   3. Elle

(*faire*) ses devoirs quand on lui (*dire*) de partir. 4. Je (*prendre*) des leçons de français tous les samedis quand (*être*) petit. 5. Quand il (*avoir*) dix ans, (*manger*) du matin au soir. 6. Je (*vouloir*) acheter ce livre, mais on a refusé de me le vendre. 7. Elle (*boire*) toujours de l'eau avec ses repas. 8. Je (*lire*) dans le journal que Georges (*écrire*) un autre roman. 9. Je (*venir*) de lui parler quand il est tombé malade. 10. Il (*sortir*) de chez lui quand sa sœur (*arriver*). 11. Nous (*partir*) pour l'Afrique du Nord tous les ans à cette saison. 12. Elle (*suivre*) toujours les conseils qu'on lui (*donner*). 13. Nous (*connaître*) quelqu'un de ce nom quand nous (*être*) jeunes. 14. Mon professeur (*voir*) tout.

C. *Remplacez le nom propre par le pronom qui convient:*

1. Il est sorti avec Marie mais sa sœur est sortie avec Georges. 2. Nous allons partir avec Georges et Marie. 3. Les enfants sont loin de Madame Dupont. 4. Entre Jean et moi, il n'y a jamais eu de malentendu. 5. C'est Marie qui m'a présenté à M. Duhamel. 6. C'est Georges. 7. C'est Marie. 8. Qui est là? C'est Georges et Philippe. 9. Est-ce que c'est Henri? 10. Est-ce vous? Non, c'est Antoine.

D. *Quelles questions ont pu suggérer les réponses suivantes?*

1. Je pense à mes amis très souvent. 2. Je pense que ce film est très stupide. 3. Lui et moi, nous sortons souvent ensemble. 4. Rien n'est arrivé. 5. Il nous a présentés à eux.

E. *Faites des phrases avec les expressions suivantes:*

1. Qui est-ce qui? 2. se charger de 3. vouloir bien 4. entendre parler de 5. Qui est-ce que? 6. remercier de 7. rencontrer 8. faire la connaissance de

THÈME

—May I present my friend, George Smith.

—I am delighted to make your acquaintance.

—Delighted, sir! My friend has often spoken of you.

—I, too, have heard about you. You met my father-in-law in Paris, I believe?

—Yes, when I was in Paris I saw him often. He was a real Parisian.

—When did you return from Paris?

—I just returned from France last week.

—Oh! here is my sister. May I present her to you? She is going to France soon.

LECTURE

—Comme je vous le disais, monsieur, ce complet (*suit*) gris (*gray*) vous va à merveille (*is extremely becoming*). Autrefois (*formerly*), je portais toujours du gris. C'est chic (*fashionable*) et pas du tout salissant (*easy to soil*). Je le préfère au bleu foncé (*dark blue*). Regardez-vous dans la glace (*mirror*)! Ce veston (*coat, jacket*) est parfait. Le pantalon (*trousers*) me paraît un peu long, le gilet (*vest*) un peu étroit (*tight*).

—Si j'avais un peu plus d'argent, j'achèterais (*I would buy*) un second complet. J'ai un ami qui venait ici et qui achetait toujours deux complets à la fois (*at once*). Il prétendait (*claimed*) qu'il usait (*wore out*) moins (*less*) ses vêtements de cette façon.

—Ça, c'est bien vrai, monsieur. Et comment s'appelait-il, votre ami?

—Monsieur Richard.

—Mais, bien sûr! Je me rappelle. C'est lui qui m'a présenté à Monsieur Antoine, le grand acteur (*actor*) qui est devenu depuis un de nos meilleurs clients (*customers*). C'était un samedi matin, nous venions d'ouvrir le magasin, ils étaient pressés tous les deux (*they were both in a hurry*). Ce sont eux qui m'ont donné ma première grosse commande (*big order*): deux complets pour M. Richard, six pour M. Antoine. M. Antoine ne choisissait que les meilleures étoffes (*materials*), toujours dans des tons clairs (*in light shades*). Par exemple! Le voilà qui entre dans le magasin!

—Voudriez-vous me présenter à lui? Comme vous le savez, je connais M. Richard, mais je n'ai jamais fait la connaissance de M. Antoine.

—Avec plaisir! Excusez-moi un instant. Je vais l'amener (*bring*).

—Monsieur Grandet, je voudrais vous présenter un de mes meilleurs clients et un grand ami de M. Richard, le grand acteur, M. Antoine.

—Enchanté de faire votre connaissance, Monsieur. J'ai beaucoup entendu parler de vous comme acteur et comme ami. Peu d'acteurs ont une meilleure presse (*better publicity in the newspapers*) que vous ces jours-ci.

—Merci, Monsieur. Vous me faites trop d'honneur (*you honor me too much*). J'espère (*hope*) que mon public sera toujours satisfait de mes efforts.

—J'en suis sûr, Monsieur. Mais, il paraît (*seems*), M. Antoine, que vous partez en tournée (*go on the road*) avant la fin du mois.

—Oui, Monsieur, je fais ma première tournée en Amérique. Je vais jouer (*play*) dans toutes les grandes villes des États-Unis et du Canada. (Monsieur Grandet part; Monsieur Antoine au tailleur):

—M. Raoul, je voudrais acheter quelques complets. Avez-vous une étoffe anglaise noire avec une rayure (*stripe*) blanche? Et ensuite une étoffe marron foncé (*dark brown*)? Et pourriez-vous me les livrer (*deliver*) jeudi en huit (*week from Thursday*)?

—Nous ferons notre possible (*we'll do our best*), M. Antoine. A propos; votre complet gris est prêt; ce veston croisé (*double-breasted*) doublé (*lined*) de soie (*silk*). Venez par ici. Nous allons l'essayer (*try it on*) devant cette glace (*mirror*). Voilà! Regardez-vous. Est-ce qu'il vous plaît?

—Oui, assez.

—Il est parfait. C'est un chef d'œuvre (*masterpiece*).

QUESTIONS

1. Que disait le vendeur à son client? 2. Pourquoi portait-il autrefois du gris? 3. A quoi le préfère-t-il? 4. Comment le veston lui va-t-il? 5. Est-ce que le pantalon et le gilet lui vont bien? 6. Pourquoi achète-t-on quelquefois deux complets à la fois? 7. Qui est M. Richard? 8. Qui est devenu un des meilleurs clients du tailleur? 9. Quelle sorte de complets M. Antoine choisissait-il? 10. Pourquoi le vendeur se rappelle-t-il M. Antoine? 11. Qui entre dans le magasin? 12. Qui présente-t-on à M. Grandet? 13. Est-ce que M. Antoine a beaucoup de succès? 14. Quand M. Antoine part-il en tournée? 15. Où va-t-il? 16. Pourquoi est-il venu au magasin? 17. Quelle sorte de complets

cherche-t-il?   18. Pour quand les veut-il?   19. Qu'est-ce que le vendeur lui propose?   20. Que pense le vendeur du nouveau complet?

COMPOSITION

Préparez un dialogue de vingt phrases entre un tailleur et son client qui vient avec son fils de seize ans à qui il veut acheter un complet.

Lesson 18

Present indicative and past participle of *rompre*

Imperfect indicative of *manger* and *commencer*

Penser à and *penser de*

Demander with a direct and an indirect object

Distinction between *gens* and *personnes*

CONVERSATION

La Situation internationale

—Maintenant que nos amis sont partis, nous pouvons reprendre notre conversation interrompue.

—Oui, avec plaisir; qu'est-ce que nous disions?

—Vous me disiez que, lorsque vous étiez à New York, ma belle-sœur vous demandait toujours si vous ne vouliez pas faire la connaissance de leurs amis de Paris.

—Ah, oui, en effet. Elle pensait toujours à vous.

—Ce qui nous flatte énormément.

—Qu'est-ce qu'on pense ici de la situation internationale?

—Eh bien, on est d'avis que les choses vont se remettre petit à petit, surtout en ce qui concerne la France et l'Europe occidentale. Mais on se demande aussi s'il en sera de même partout.

—La situation est donc meilleure en France. J'en suis très heureux.

175

En Amérique, il y a plusieurs personnes qui s'opposent toujours à l'intervention des États-Unis dans les affaires de l'Europe.

—Ce sont des gens qui ne pensent qu'à eux-mêmes, et qui ne se rendent pas compte des difficultés.

—C'est vrai; ils ont raison et ils ont tort à la fois. Mais, voici ma femme. Nous partons déjà, Jeanne?

—Oui, il est tard. Es-tu prêt?

—Oui. Au revoir, Monsieur. J'espère continuer cette conversation une autre fois.

VOCABULAIRE ET EXPRESSIONS

les gens (*masc.*) the people
le soldat the soldier
la voix (*pl.* **voix**) the voice
la question the question
la situation the situation
haut high
complet (*fem.* **complète**) complete

meilleur better (*adjective*)
mieux better (*adverb*)
demander to ask, ask for
se demander to wonder
poser une question to ask a question
rompre to break
interrompre to interrupt

moi-même (I) myself
toi-même (you) yourself
lui-même (he) himself
elle-même (she) herself
nous-mêmes (we) ourselves

vous-même, vous-mêmes (you) yourself, yourselves
eux-mêmes (they) themselves
elles-mêmes (they) themselves

quelqu'un, quelqu'une someone, anyone
quelques-uns, quelques-unes some, any
quoi? (*interrogative*) what?
j'en suis heureux I'm glad, I'm glad of that

en être de même to be the same
un (une) autre another
au sujet de about, concerning
partout everywhere
se rendre compte (**de** + *noun or pronoun;* **que** + *verb*) to realize

à haute voix   out loud
aux États-Unis   in, to the U.S.A.
petit à petit   little by little

en ce qui concerne   so far as . . .
    is (are) concerned

VOCABULAIRE SUPPLÉMENTAIRE

l'avis (*masc.*)   the opinion (not
    advice)
la paix   peace
la difficulté   the difficulty
la conversation   the conversation

l'Europe (*fem.*)   Europe
international (*pl.* internationaux)
    international
occidental (*pl.* occidentaux)   west-
    ern

reprendre   to resume, retake
être d'avis   to be of the opinion

flatter   to flatter
concerner   to concern

VERBES

Present Indicative of rompre (to break) *p.p.* rompu

je romps le silence
tu romps
il (elle) rompt

nous rompons
vous rompez
ils (elles) rompent

   Like rompre, conjugate interrompre (to interrupt)

Imperfect Indicative of manger and commencer

je mangeais un fruit quand il est
    entré
tu mangeais
il (elle, on) mangeait

nous mangions

vous mangiez
ils (elles) mangeaient

je commençais
tu commençais
il (elle, on) commençait

nous commencions
vous commenciez
ils (elles) commençaient

→ In accordance with the rules given in Lesson 14, verbs ending in
-ger insert *e* before *-ais, -ait, -aient,* while those ending in *-cer* change *c*
to *ç* before the same endings.

GRAMMAIRE

Pensez-vous à lui? Oui, je pense à lui.   Are you thinking of him? Yes,
   I'm thinking of him

Pensez-vous à vos amis? Je pense à eux.   Are you thinking of your
   friends? I'm thinking of them.

Pensez-vous à vos cours? J'y pense.   Are you thinking of your courses?
   I'm thinking of them.

A quoi pensez-vous?   What are you thinking of?

→ *Penser à* means *to think of* in the sense of "to direct one's
thought toward." The indirect object pronouns are not used in this
construction, being replaced by disjunctives. Y is, however, used for
things or ideas, both singular and plural.

Que pensez-vous de lui?   What do you think of him?

Qu'en pensez-vous?   What do you think about it?

→ *Penser de* means "to think of" in the sense of *"to have an opinion
about."* *En* is used for things or ideas; *de with a disjunctive* for persons.

J'ai demandé **à mon frère** ce qu'il allait faire.   I asked my brother
   what he was going to do.

Je **lui** ai demandé ce qu'il allait faire.   I asked him what he was going
   to do.

J'ai demandé sa plume **à mon frère.**   I asked my brother for his pen.

Je **lui** ai demandé sa plume.   I asked him for his pen.

Je **l'ai** demandée **à mon frère.**   I asked my brother for it.

→ *The thing* one asks for is a *direct object* in French.
   The person one asks is an *indirect object* in French.

Beaucoup de gens sont ici.   Many people are here.

Peu de gens comprennent tout ce qu'ils lisent.   Few people understand
   all they read.

Combien de personnes y a-t-il? How many persons are there?
Trois personnes sont venues. Three persons have come.

Gens and *personnes* both mean "people." *Gens,* however, refers to an indefinite number of people, while *personnes* usually refers to a definite number of people.

QUESTIONS

1. Maintenant que nos amis sont partis, que peut-on faire? 2. Lorsqu'on était à New York, que demandait toujours la belle-sœur? 3. A qui pensait-elle? 4. Sur quoi voulait-on poser des questions? 5. De quel avis est-on? 6. Qu'est-ce qu'on se demande? 7. A quoi s'opposent certaines personnes, aux États-Unis? 8. Quelle sorte de gens ne se rendent pas compte des difficultés? 9. Quelle opinion peut-on avoir de ces gens-là? 10. Pourquoi la conversation est-elle interrompue? 11. Comment la conversation se termine-t-elle?

EXERCICES

A. I. *Conjuguez:*
  1. Je romps le silence (à l'affirmatif et au négatif).
  2. Est-ce que j'ai interrompu la conversation?
  3. Je n'ai pas interrompu la conversation.
  4. Je mangeais une pomme quand Georges est entré.
  5. Je commençais à lire quand la petite Marie est tombée.

  II. *Remplacez le tiret par la forme correcte*: moi-même, lui-même, nous-mêmes, vous-mêmes, eux-mêmes, elles-mêmes:
  1. Je veux lire ce livre —————. 2. Le petit garçon s'est lavé —————. 3. Nous avons préparé notre déjeuner —————. 4. Faites ce travail —————, je refuse de le faire. 5. Elles s'en sont chargées —————.

B. *Répondez aux questions suivantes par une phrase:*
  1. A qui pensez-vous? 2. Pensez-vous à Marie? 3. Est-ce qu'il pense souvent à ses cours? 4. Pense-t-elle jamais à ses amis? 5.

Qu'est-ce qu'il a demandé à son frère? 6. Lui avez-vous demandé son billet? 7. Ne pensons-nous pas toujours à vous? 8. Y pensez-vous encore? 9. Que pensez-vous de cette pièce (*play*)? 10. Que pensez-vous de ce livre qui vient de paraître? 11. Que pensez-vous de ce nouveau journal? 12. Avez-vous répondu à ma lettre? 13. A qui l'avez-vous demandé? 14. En pensez-vous du bien ou du mal? 15. Est-ce que je le lui ai demandé? 16. Est-ce que beaucoup de gens vont en France maintenant? 17. Combien de personnes avez-vous vues au bal? 18. Est-ce qu'il y a plusieurs personnes ici aujourd'hui?

C. *Traduisez:*

1. The soldier asked the policeman a question. 2. I wonder what (*ce que*) it is. 3. She always thinks of herself. 4. I like him because he never thinks of himself; he always thinks of others. 5. I am glad of that. 6. Speak out loud. 7. Someone always interrupts me when I speak. 8. I realize that. 9. Some people have arrived in the United States from France today. 10. What are the people thinking of now?

THÈME

—Hello! How are you? I was thinking about you. Do you want to meet Marie's brother? He is coming to our house tomorrow evening.

—Why! of course. At what time?

—Oh! At 8:30 or 9 o'clock. Marie will be (*sera*) there, too.

—I am glad (*of it*). I was thinking of her yesterday. We used to have lunch together (*ensemble*) every day but I haven't seen her for a month. How is she? I have not been in Boston for three weeks.

—She is quite well. But do you realize that I haven't seen you for several weeks?

—You are right. I was in New York. I was studying (*étudier*) the international situation for my history professor (*professeur d'histoire*). I wonder if things are going to right themselves (*s'arranger*).

—Of course. After a war, there are always difficulties. But may I ask you some questions?

—Yes, but not now. I am going to see Henry in ten minutes. Until tomorrow then. Goodbye.

LECTURE

—Bonjour, Marie, je pensais précisément (*precisely, just*) à vous quand vous êtes entrée! J'allais vous demander si vous pouviez rester dans l'appartement une heure ou deux pendant que votre mère et moi, nous allons chez le cordonnier (*shoemaker*) faire réparer (*to have . . . repaired*) nos chaussures et ensuite en ville acheter quelques cadeaux (*presents*). Votre mère a commandé (*ordered*) quelques articles à un grand magasin (*department store*) et on a promis la livraison (*delivery*) des paquets cette après-midi.

—Bien volontiers. J'ai un thème français à faire, un roman à lire pour mon cours d'anglais et beaucoup de biologie à étudier. Je comptais rester ici toute la journée, Hélène.

—Parfait! Alors, amusez-vous bien. Vous avez de quoi vous occuper (*you have enough to keep you busy*).

—N'achetez pas trop de choses et revenez pour dîner.

—Oh! Nous serons de retour (*we shall be back*) avant cela. Au revoir, Marie. Venez, Madame. Allons d'abord chez le cordonnier. Je veux faire ressemeler (*to have . . . resoled*) mes souliers (*shoes*). Ce cordonnier n'emploie que le meilleur cuir (*leather*). Et vous, si je me rappelle bien, vous n'avez besoin que de talons en caoutchouc (*rubber heels*)?

—Oui, c'est tout. Mais je me demande si je ne ferais (*would do*) pas bien de m'acheter une autre paire de souliers. Est-ce que votre cordonnier en vend, ou ferions-nous mieux d'aller chez un marchand de chaussures (*a shoe store*)?

—Ce cordonnier vend des chaussures, mais il ne vend que des souliers des meilleures marques (*the best makes*) et il est un peu cher. Quelle est votre pointure (*size*)?

—Il me faut un six, mais je préfère un soulier étroit (*narrow*). Autrefois, je portais un cinq et demi large et j'ai commencé à avoir des cors (*corns*) aux doigts de pied (*toes*). J'aimerais aussi acheter une paire de caoutchoucs. Il pleut tant en ce moment chez nous et il est difficile de s'en procurer (*to obtain*) dans mon petit village.

—Qu'est-ce que vous allez acheter au grand magasin?

—Oh! Des cadeaux de Noël (*Christmas presents*). Je veux, par exemple, acheter des gants pour ma belle-mère. Elle porte un sept et demi ou un huit, et c'est assez difficile à trouver. Puis je veux me procurer des chaussettes (*socks*), une demi-douzaine (*half-dozen*) de mouchoirs (*handkerchiefs*), et quelques cravates pour mon gendre. Il est jeune et il aime les couleurs voyantes (*"loud"*). Je vais offrir un pyjama, des vêtements de dessous (*underwear*), des caleçons (*shorts*) et des chemises de flanelle (*flannel shirts*) à mon mari. Que pensez-vous de mon idée? Depuis trois ans je lui demande un nouveau manteau de fourrure (*fur coat*) et il persiste (*persists*) à me donner une chemise de nuit (*night gown*) et des combinaisons (*underwear*). Cette fois je vais lui faire le même genre (*sort*) de cadeau. Pour ma fille, je vais choisir du parfum (*perfume*) Coty, de la poudre (*powder*) Houbigant, et un bâton de rouge Guerlain pour les lèvres (*lipstick*). Elle passe tout son temps à se farder (*"making up"*). Il paraît que les hommes aiment ça; mais moi, je ne sais pas. Qu'en pensez-vous?

—Je suis plus ou moins de votre avis (*I am more or less of your opinion*). Mais voici l'autobus qui arrive. Montons! Avez-vous des billets? Je pense toujours à ces choses à la dernière minute. Regardez dans votre porte-monnaie (*purse*). Vous en avez peut-être. Les voilà. Bon. Voici le contrôleur (*conductor*) qui arrive.

QUESTIONS

1. A qui pensait Hélène? 2. Que voulait-elle demander à Marie? 3. Où voulait-elle aller avec la mère de Marie? 4. Qu'est-ce que la mère de Marie a commandé? 5. De quoi avait-on demandé la livraison? 6. Qu'est-ce que Marie avait à faire? 7. Quand Hélène va-t-elle être de retour? 8. Que veut-elle faire chez le cordonnier? 9. Que pense-t-elle du cordonnier? 10. Qu'est-ce que la mère de Marie veut acheter? 11. Quelle sorte de chaussures le cordonnier vend-il? 12. Quelle pointure faut-il à Hélène (*does Helen need*)? 13. Pourquoi ne porte-t-elle plus un cinq et demi? 14. Que veut-elle acheter de plus? 15. Que veut-elle acheter pour sa belle-mère? 16. Et pour son beau-fils, que veut-elle se procurer? 17. Quelles sortes de cravates porte-t-il? 18. Que veut-elle offrir à son mari? 19. Pourquoi a-t-elle choisi ce genre de cadeau de Noël? 20. Quel genre de cadeau choisit-elle pour sa fille? 21. Que pense-t-elle des femmes fardées (*made up*)? 22. Pourquoi la conversation est-elle interrompue? 23. A quoi pense Hélène à la dernière minute?

COMPOSITION

Écrivez un dialogue qu'on entend dans un salon où l'on prend le thé, où l'on fait des présentations et où l'on discute des pièces, des romans, et la situation internationale.

Lesson 19

Future indicative of *parler, vendre,* and *finir*

Future of some irregular verbs

Use of *aller* plus the infinitive

Uses of the future indicative

Comparison of adjectives

Use of *de* and *que* after the superlative

Use of *aussi . . . que* and *si . . . que*

Plus que, moins que, plus de, moins de

Tant de and *tant*

Autant de and *autant que*

À before an infinitive

Formation of adverbs from adjectives

Comparison of adverbs

Some irregular forms of adverbs

LETTRES

le 3 février, 19—

Cher ami,

Un mot, en hâte, pour vous demander si vous pourriez venir chez nous dimanche soir. On fêtera l'anniversaire de la naissance de ma gentille belle-fille Jeannette.

Je peux vous assurer qu'on s'amusera beaucoup, même plus que l'année dernière. On dansera, on jouera aux cartes; Robert Dubois, qui viendra certainement et qui est un grand artiste, jouera du piano; il y aura d'excellents rafraîchissements. Mon cousin Paul viendra aussi avec son ami Joseph Chénier qui acceptera peut-être de chanter pour nous. Nous attendons plus de trente personnes. Puis-je compter sur vous?

Bien amicalement,
Annette

Le 5 février, 19—

Chère Annette,

Malheureusement, dimanche, je serai occupé toute la soirée. Je regrette infiniment. La chose la plus difficile pour moi, c'est de refuser vos bonnes invitations. Mais je serai très pris. C'est le sort d'un médecin qui se trouve presque seul dans sa petite ville. J'aurai tant de visites à faire, tant de malades à voir! L'année dernière, il y avait ici autant de médecins que dans votre grande ville. A présent, il y en a moins d'une demi-douzaine. Tant pis! Je devrai remettre le plaisir de vous voir à la prochaine fois que vous voudrez bien m'inviter. Les choses iront un peu mieux après la Nouvelle Année, car quelques-uns de mes collègues reviendront à ce moment-là. Je vous prie de souhaiter un heureux et joyeux anniversaire à votre belle-fille que je n'ai pas vue depuis plus de trois mois. Si votre oncle est là, faites-lui mes amitiés. Veuillez accepter mes excuses ainsi que mes hommages respectueux.

Jacques

VOCABULAIRE ET EXPRESSIONS

le monde the world, people
la belle-fille the daughter-in-law
le mot the word
le piano the piano
la carte the card; map
la visite the visit
le (la) malade the patient
l'élève (*masc.* or *fem.*) the pupil

l'amitié (*fem.*) the friendship
la douzaine (de) the dozen
la demi-douzaine (de) the half-dozen
pris (*p.p.* of **prendre**) taken up, busy
difficile hard, difficult
bon kind

s'amuser to have a good time, enjoy oneself

danser to dance

jouer to play (use **à** for games, **de** for instruments)

inviter to invite

remettre to put off, postpone; put again, put on again (conj. like *mettre*)

chanter to sing

prier de to beg to

compter to count

à cause de because of, on account of

plus que, plus de more than

peut-être perhaps, maybe (use *que* if a clause follows)

aussi . . . que, si . . . que as . . . as, so . . . as

autant de as much, as many

que than, as

quelques-uns (-unes) some

moins que, moins de less than

tant (de) so much, so many

car for

un mot a (one) word

en hâte in haste

bien à vous, bien amicalement, votre bien cordialement dévoué sincerely yours, cordially yours

souhaiter un heureux anniversaire to wish a happy birthday

faire ses amitiés à to give one's regards to

mes hommages (les plus) respectueux my kindest regards, my respects (usually from a man to a woman)

de cette façon this way, in this fashion

VOCABULAIRE SUPPLÉMENTAIRE

l'anniversaire (*masc.*) the anniversary

la naissance the birth

l'anniversaire de naissance the birthday

la fête the feast, celebration

la famille the family

l'échange (*masc.*) the exchange

l'excuse (*fem.*) the excuse, the apology

le souhait the wish (*usually addressed to another person*)

la Nouvelle Année the New Year

le rafraîchissement the refreshment

l'hommage (*masc.*) the respect, the homage

le collègue the colleague

le sort the fate

Annette Annie

Jacques James

nouveau (use **nouvel** before a vowel; *fem.* **nouvelle**; *masc. pl.* **nouveaux**) new

énorme enormous (*adv. irreg.* **énormément**)

cordial (*masc. pl.* **cordiaux**) cordial, heartfelt
respectueux (*fem.* **respectueuse**)
respectful
dévoué devoted
meilleur (*adj.*); mieux (*adv.*) better
pire (*adj.*); pis (*adv.*) worse

je devrais I should, ought to
vouloir bien to be willing to
fêter to celebrate
refuser to refuse
infiniment infinitely, tremen-
dously
à propos de concerning
tant pis so much the worse

VERBES

Future Indicative of **parler, vendre,** and **finir**

je parler-ai
tu parler-as
il (elle, on) parler-a

nous parler-ons
vous parler-ez
ils (elles) parler-ont

je vendr-ai
tu vendr-as
il (elle, on) vendr-a

nous vendr-ons
vous vendr-ez
ils (elles) vendr-ont

je finir-ai
tu finir-as
il (elle, on) finir-a

nous finir-ons
vous finir-ez
ils (elles) finir-ont

→ The future tense is formed by *adding to the whole infinitive*
(not to the stem) the endings *-ai, -as, -a, -ons, -ez, -ont. Infinitives ending in -e drop -e* before adding these endings.

The endings apply to all verbs without exception. Irregular verbs,
however, often have irregularities in their stems.

être to be; je serai I shall be
avoir to have; j'aurai I shall have
savoir to know; je saurai I shall know
aller to go; j'irai I shall go
faire to do, make; je ferai I shall do, make
vouloir to want; je voudrai I shall want

valoir to be worth; **je vaudrai** I shall be worth
venir to come; **je viendrai** I shall come
tenir to hold; **je tiendrai** I shall hold
voir to see; **je verrai** I shall see
pouvoir to be able; **je pourrai** I shall be able
envoyer to send; **j'enverrai** I shall send

→ Note the above irregular futures. The endings, however, are invariably *-ai, -as, -a, -ons, -ez, -ont.*

appeler to call; **j'appellerai** I shall call
acheter to buy; **j'achèterai** I shall buy
jeter to throw; **je jetterai** I shall throw
payer to pay; **je paierai** I shall pay

→ In accordance with the rules given in lessons 4 and 5, *verbs ending in -eler double the l,* verbs *in -eter either double the t or change e to è* in the future tense, while verbs *in -yer change y to i.*

je vais le voir demain I am going to see him tomorrow
je le verrai demain I shall see him tomorrow

→ As in English, the future and the construction "to be going to" are often interchangeable. The *aller + infinitive form* often expresses a near future.

je le verrai quand il viendra I shall see him when he comes
je viendrai la prochaine fois que vous m'inviterez I shall come the next time you invite me

→ Unlike English, the future must be used in a subordinate clause if future time is implied.

il vous le donnera si vous le lui demandez he will give it to you if you ask him for it

→ The future, however, is not permitted in a clause introduced by *si,* "if."

vous me demandez si je viendrai you are asking me if I shall come

→ But the future must be used to express future time when "if" is equivalent to "whether."

GRAMMAIRE

un petit livre a small book
un plus petit livre a smaller book
le plus petit livre the smaller book, the smallest book
ma petite plume my little pen
ma plus petite plume my smaller pen, my smallest pen

→ The comparative is formed by prefixing *plus* (more) to the adjective. The superlative is formed by using the comparative with the definite article or a possessive.

→ There is no distinction between the comparative and superlative in French when the adjective precedes the noun.

l'étudiant intelligent the intelligent student
c'est un étudiant plus intelligent he is a more intelligent student
l'étudiant le plus intelligent the most intelligent student
mon élève le plus intelligent my brightest pupil

→ If the adjective follows the noun, the definite article is used before *plus* to mark the superlative, even if the noun already has an article.

l'étudiant le plus intelligent de la classe the brightest student in the class
l'homme le plus riche du monde the richest man in the world

→ "In" after a superlative is rendered by *de*.

il est plus intelligent que vous he is brighter than you
il est moins riche que vous he is less wealthy than you

→ "Than" is translated by *que*.

il est aussi riche que vous he is as rich as you
il n'est pas si (aussi) riche que vous he is not so rich as you

→ "As . . . as" is *aussi . . . que* in affirmative; *aussi . . . que, si . . . que* in negative sentences.

j'en ai plus que vous I have more than you
j'en ai moins que vous I have less (or fewer) than you

j'en ai plus de trente   I have more than thirty
j'en ai moins de trente   I have less than thirty

→ "More than," "less than" in a comparison are *plus que, moins que*. But in a quantitative expression they are expressed by *plus de, moins de*.

j'ai tant de choses à faire!   I have so many things to do!
il a tant d'argent!   He has so much money!

→ "So much," "so many," modifying a noun is *tant de*.

il aime tant la musique!   He loves music so much!

→ "So much," "so many," used adverbially are translated by *tant*.

j'ai autant de choses à faire que vous   I have as many things to do as you
vous avez autant d'argent que lui   you have as much money as he

→ "As much," "as many" is *autant de*. In these expressions the second "as" is translated by *que*.

une chose à faire   a thing to do, a thing to be done

→ "To" before an infinitive is usually translated by *à* when the infinitive can be changed in English from the active to the passive.

vrai   true, real   **vraiment**   truly, really

→ Adjectives ending in vowels usually form the corresponding adverb by *adding -ment to the masculine* form.

cordial   cordial; *fem.* **cordiale**
cordialement   cordially
respectueux   respectful; *fem.* **respectueuse**
respectueusement   respectfully

→ Adjectives ending in consonants generally form the corresponding adverb by *adding -ment to the feminine* form.

ardent—ardemment   **suffisant—suffisamment**
intelligent—intelligemment   **constant—constamment**

→ To form adverbs from adjectives ending in *-ent* or *-ant* change *-ent* to *-emment* and *-ant* to *-amment*. **Lentement** (slowly, from **lent** slow) is an exception.

énorme—énormément	précis—précisément
profond—profondément	

→ Some adjectives change *e* to *é* before *-ment* to form the adverb.

il m'a écrit **cordialement**   he wrote me cordially
il m'a écrit **plus cordialement que vous**   he wrote me more cordially than you
il m'a écrit **le plus cordialement de tous**   he wrote me most cordially of all
il m'a écrit **très cordialement (de la façon la plus cordiale)**   he wrote me most cordially

→ Adverbs form their comparatives and superlatives like adjectives. The article *le* in the superlative is invariable; but unless *de* follows, the superlative form is usually replaced by *très* or by *de la façon la plus* (in the most . . . fashion).

bon	good	**meilleur**	better	**le meilleur**	the best
mauvais	bad	**pire**	worse	**le pire**	the worst
bien	well	**mieux**	better	**le mieux**	the best
mal	badly, poorly	**pis**	worse	**le pis**	the worst

→ As in English, a few adjectives and adverbs have irregular comparative and superlative forms.

QUESTIONS

1. Pourquoi Annette écrit-elle à Jacques?   2. Que va-t-on célébrer?
3. Pourquoi s'amusera-t-on plus que l'année dernière?   4. Qui viendra?
5. Qui chantera?   6. Pourquoi Jacques ne peut-il pas venir?   7. Qu'est-ce qui lui est difficile?   8. Pourquoi Jacques est-il si pris?   9. A quand remettra-t-il l'invitation?   10. Quand aura-t-il plus de temps?

EXERCICES

A. *Lisez à haute voix les phrases suivantes en y introduisant le futur de* parler:

1. Je —————— demain à mon professeur. 2. Il —————— aux membres du corps professoral (*faculty*) samedi prochain. 3. Nous ——————de cela une autre fois. 4. Quand vous en —————— à mon père, je suis sûr qu'il vous donnera de bons conseils. 5. Partons, ils —————— comme ça jusqu'à minuit.

Lisez à haute voix en employant le futur de vendre: 1. A la fin de l'année je —————— tous mes livres. 2. Si vous voulez acheter cette maison, Georges vous la —————— à bon marché. 3. Nous —————— tout ce que nous possédons avant d'aller en Europe. 4. Quand ——————-vous votre auto? 5. Ils —————— leurs meubles quand ils —————— leur maison.

Lisez à haute voix en employant le futur de finir: 1. Je —————— mon travail dans une heure. 2. Il —————— de manger avant vous, j'en suis sûr. 3. Nous —————— nos leçons après dîner. 4. Vous —————— quand vous aurez le temps. 5. Quand ils —————— leur soupe, je servirai la viande.

Employez le futur du verbe qui convient dans chacune des phrases suivantes: être, avoir, savoir, aller, faire, vouloir, valoir, venir, tenir, voir, pouvoir, envoyer, appeler, acheter, jeter, payer: 1. Nous —————— votre lettre par la poste demain. 2. Vous —————— ce que je veux dire quand vous —————— chez moi. 3. Il —————— rester chez nous s'il le veut. 4. Gardez ces tableaux, ils —————— trois fois leur prix dans dix ans. 5. Je —————— votre valise pendant que vous —————— chercher votre billet. 6. Je —————— manger un bon repas quand je reviendrai de ma promenade. 7. Nous —————— à la messe (*mass*) dimanche prochain. 8. Ils —————— si j'ai raison ou non. 9. Nous —————— deux autos l'année prochaine. 10. Vous —————— malade si vous mangez tant de pommes. 11. Je —————— la balle et vous l'attraperez. 12. Il —————— tout ce que vous voulez lui vendre. 13. Nous vous —————— si nous avons besoin de vous. 14. Vous —————— cher tout ce qu'il vend.

B. *Faites des adverbes des adjectifs suivants:*

1. cordial 2. respectueux 3. constant 4. seul 5. nouveau 6. vrai
7. simple 8. énorme 9. affectueux 10. rapide.

C. *Donnez la forme superlative des adjectifs et des adverbes suivants:*

1. bon 2. mauvais 3. grand 4. petit 5. intelligent 6. bien 7. mal
8. respectueux 9. cordial 10. simple.

D. *Faites des phrases avec chacun des mots suivants et traduisez-les en anglais:*

1. occupé 2. pris 3. s'amuser 4. jouer à 5. jouer de 6. remettre
7. revenir 8. prier de 9. à cause de 10. plus que 11. aussi que 12. autant de 13. tant de 14. moins que 15. car.

THÈME

1. He will see you if you are here. 2. We shall buy the books if we have enough money. 3. I shall go if he invites me. 4. She will go when he invites her. 5. They will sell the house if they need the money. 6. We are asking you if you will come or not. 7. Are you asking me whether I shall sell my house? 8. My pen is the smallest, your pen is the largest. 9. Mary is the most intelligent girl in the class. 10. She is more intelligent than you. 11. He is certainly the richest man in town. 12. No, I think he is less wealthy than Mrs. Dupont. 13. She is as rich as Mary, isn't she? 14. No, she is not as rich as Mary. 15. How many books have they? 16. They have more than you; they have more than twenty. 17. We have so many things to do! 18. You haven't as many things to do as I (have). 19. You have so much money! 20. I haven't as much as he (has); he has less than ten thousand dollars.

LECTURE

—Eh bien, où irons-nous ce soir?

—Vous êtes infatigable (*tireless*), cher ami. Moi, je resterais (*would stay*) volontiers ici. Je suis épuisé (*worn out*) après une semaine de fêtes. Notre vie sociale commence à me fatiguer. J'en ai assez.

—Eh bien, mon vieux! Je ne m'attendais pas à cela (*I didn't expect that*), surtout quand nous avons devant nous une semaine de gala. Demain soir il y aura un bal auquel (*to which*) nous sommes invités tous les deux. Ce sera le plus beau bal de la saison. Nos amis, les Bernard, viendront de la campagne; ils logeront (*will stay*), m'ont-ils dit, chez les Charleroi, et ils comptent sur nous pour les divertir (*to entertain, amuse*). Voici le programme que j'avais établi (*set down*). Après demain, mardi, nous les inviterons à dîner et après dîner nous irons à l'Opéra où on joue *Carmen*. Mercredi, le grand pianiste, Jean Corbeau, jouera ses dernières compositions: deux préludes qui exigent (*require*) un talent exceptionnel, et une sonate (*sonata*) dont les critiques ne pensent que du bien. Jeudi, il y aura cette exposition de peinture, aquarelles (*water-colors*) et toiles (*canvasses*), qu'on annonce depuis un mois. Tous les grands artistes de la dernière génération y seront représentés. Vendredi, Henriette nous préparera un dîner chez elle, et nous sortirons ensuite faire une promenade en auto dans les environs. Samedi, il y aura quelque chose; je ne puis vous dire quoi exactement; je crois que c'est Georges qui organisera la soirée. Dimanche, ils partiront et nous pourrons nous reposer.

—Eh bien! Vos projets sont très beaux, mais je sais que je ne tiendrai jamais le coup (*never hold out*). Je suis déjà à moitié (*half*) mort. Je ne sais pas comment vous arrivez à survivre à une telle vie (*survive such a life*). Quand préparez-vous vos examens? Vous échouerez (*fail*) certainement.

—Oh, ça ne sera que la deuxième fois. On finira bien par se fatiguer de me voir me présenter et on me donnera une note suffisante (*passing mark*) pour se débarrasser de moi (*to get rid of me*).

—Vous vous trompez (*you are mistaken*), mon cher. On vous mettra tout simplement à la porte (*turn you out*).

—Eh bien, dans ce cas, j'abandonnerai mes études et je me mettrai dans les affaires (*business*). D'ailleurs (*Anyhow*), je recevrai mon héritage à vingt et un ans. Pourquoi me tourmenter? J'aurai toujours de quoi manger (*something to eat*).

—Vous avez de la chance (*you are lucky*). Moi, par contre (*on the other hand*), j'ai à penser à l'avenir. Je croyais avoir une petite fortune; mais j'ai appris, il y a un mois, qu'il m'en restait très peu de chose (*very little remained*). Il paraît que mon père avait beaucoup de dettes qu'on ignorait (*they knew nothing about*), au moment de sa mort. Il faut donc (*I must therefore*) me préparer à une carrière (*a career*). Moi qui me croyais toujours à l'abri des soucis (*free from worry*) et me voyais passant mes hivers en Italie ou sur la Côte d'Azur et mes étés sur les plus belles plages (*beaches*) de Normandie, je dois envisager (*I must envisage*) maintenant une vie de travail pour refaire la fortune que mon père a perdue. Mais, parlons d'autre chose. Vous avez raison; amusons-nous cette semaine. Ça sera ma dernière "bombe" (*fling*).

QUESTIONS

1. Qu'est-ce qu'Henri pense de Paul? 2. De quoi Henri est-il fatigué? 3. Qui va arriver de la campagne? 4. Est-ce que le programme établi par Paul était complet? 5. Qu'est-ce qu'on allait faire le mardi? 6. Comment allait-on s'amuser le mercredi? 7. Qu'est-ce qui allait se passer le jeudi? 8. Quel projet a-t-on fait pour le samedi? 9. Quand partiront les Bernard? 10. Est-ce qu'Henri croit que Paul passera ses examens avec succès? 11. Si on met Paul à la porte de l'université, que fera-t-il? 12. A-t-il des raisons de s'inquiéter? 13. Est-ce qu'Henri est indépendant comme Paul? 14. Qu'est-ce qu'il a appris au sujet de sa fortune? 15. Pour remédier à la situation, à quoi va-t-il se préparer? 16. Où avait-il espéré passer ses hivers? 17. Pourquoi se décide-t-il à s'amuser cette semaine-là après tout?

COMPOSITION

Écrivez une lettre à un ami, l'invitant à votre fête d'anniversaire; puis, écrivez sa réponse.

Lesson 20

Present conditional of *parler, vendre,* and *finir*

Conditional of some irregular verbs

Uses of the conditional

Conjugation of *falloir* and *pleuvoir*

Uses of the impersonal verb

Use of the definite article when referring to
parts of the body

Possessive pronoun and its uses

CONVERSATION

La Toilette—les Vêtements

JULIEN: Arthur, as-tu envie de m'accompagner à la conférence de
M. Mornet?

ARTHUR: Je le ferais avec plaisir si j'avais un imperméable. Il pleut
à verse.

JULIEN: N'importe. Prends le mien.

ARTHUR: Et toi?

JULIEN: Moi, je mettrai mon vieux pardessus et je prendrai le parapluie.

ARTHUR: Entendu. Où est-ce que j'ai laissé mon rasoir?

JULIEN: Je l'ai vu dans la salle de bain. Est-ce que tu as besoin de
te raser? Dépêche-toi, alors, ou nous serons en retard.

ARTHUR: Écoute, mon vieux, si je ne me rasais pas j'aurais l'air
  d'un hérisson. Est-ce que tu veux te présenter à la conférence
  en compagnie d'un hérisson?

JULIEN: Eh bien, puisqu'il faut attendre, pendant que tu te raseras
  je changerai de vêtements et de souliers. As-tu vu mon complet gris?

ARTHUR: Certainement. Il est dans le placard, à côté de mon pardessus brun.

JULIEN: Je ne le vois pas.

ARTHUR: Mais regarde donc! A côté de mon pantalon! En bas et
  dans le fond!

JULIEN: Zut! Quelle guigne! Il y a un bouton de mon gilet qui
  manque.

ARTHUR: Eh bien! ne mets pas de gilet, alors! Si j'avais toujours
  chaud comme toi j'irais en manches de chemise.

JULIEN: Dis donc. Je vais ôter le mien et porter le tien. Ça va?

ARTHUR: Non, mon vieux. Apporte-moi le savon et une serviette,
  s'il te plaît.

JULIEN: Quoi! Tu vas prendre un bain à présent?

ARTHUR: Non, mais il faut se laver les mains et la figure de temps
  en temps.

JULIEN: C'est vrai. Deux fois par an au moins. Mais ne te fâche pas.
  Tiens.

ARTHUR: As-tu vu ma cravate violette?

JULIEN: Mon Dieu! Tu vas porter ça?

ARTHUR: Si je ne la portais pas, on le remarquerait.

JULIEN: Qui le remarquerait?

ARTHUR: Mais! Le professeur . . . les charmantes demoiselles. . . .

JULIEN: C'est la plus laide de tes cravates. Tu n'es pas encore
  prêt?

ARTHUR: Je le serai bientôt. Donne-moi le peigne et la brosse.

JULIEN: Les miens?

ARTHUR: Les tiens sont les miens, n'est-ce pas?

JULIEN: Tu es fou. Ça y est?

ARTHUR: Oui. Je mets un mouchoir dans ma poche, je prends ma
montre et nous voilà prêts.

JULIEN: Enfin! En route!

VOCABULAIRE ET EXPRESSIONS

le parapluie   the umbrella
le soulier   the shoe
le complet   the suit (man's)
le pantalon   the pants
le mouchoir   the handkerchief
la chemise   the shirt
la cravate   the tie
la poche   the pocket
le pardessus   the overcoat

la main   the hand
la figure   the face
l'air (*masc.*)   the air, the appearance
la bague   the ring
la montre   the watch
le savon   the soap
le bain   the bath
la demoiselle   the young lady

gris   gray
brun   brown

charmant   charming
fou (fol *before a vowel; fem.* folle)
crazy

mettre   to put on (*p.p.* mis)
avoir l'air de   to look like
changer de   to change (nous changeons)
porter   to wear, to carry
ôter   to take off

avoir envie de   to feel like (having)
se dépêcher   to hurry
falloir   must
se laver   to wash
se fâcher   to get angry

puisque   since
à côté de   next to, besides
pendant que   while
n'importe   it doesn't matter, never mind
dépêche-toi, dépêchez-vous   hurry up!
zut!   heck! darn it!

apporte-moi, apportez-moi   bring me
au moins   at least
tiens, tenez   here! (when handing someone something)
ça y est?   ready? O.K.?
en bas   down, below, downstairs
dans le fond   to the rear

VOCABULAIRE SUPPLÉMENTAIRE

le **vêtement**   the garment (*in the plural,* the clothes)
l'**imperméable** (*masc.*)   the raincoat
le **placard**   the closet
le **gilet**   the vest
la **manche**   the sleeve
la **serviette (de toilette)**   the towel
la **salle de bain**   the bathroom
le **rasoir**   the razor
la **brosse**   the brush
le **peigne**   the comb

le **bouton**   the button
la **chaîne**   the chain
le **hérisson**   the porcupine
le **professeur**   the professor
la **compagnie**   the company
la **conférence**   the lecture
la **guigne**   the bad luck
l'**envie** (*fem.*)   the desire; the envy
Arthur   Arthur
violet (*fem.* **violette**)   violet, purple

pleuvoir à verse   to pour (rain)
se **raser**   to shave
manquer   to lack, to be lacking, to be missing

prendre un bain   to bathe
se **présenter**   to appear, to present oneself
remarquer   to notice

certainement   certainly
en compagnie de   in the company of

en manches de chemise   in shirtsleeves

VERBES

Present Conditional of **parler, vendre, finir**

je parler-ais
tu parler-ais
il (elle, on) parler-ait

nous parler-ions
vous parler-iez
ils (elles) parler-aient

je vendr-ais
tu vendr-ais
il (elle, on) vendr-ait

nous vendr-ions
vous vendr-iez
ils (elles) vendr-aient

je finir-ais   nous finir-ions
tu finir-ais   vous finir-iez
il (elle, on) finir-ait   ils (elles) finir-aient

→ The conditional has the *same endings as the imperfect: -ais, -ais, -ait, -ions, -iez, -aient*. These endings, however, are *added on to the infinitive*, not to the stem. Infinitives ending in *-e* drop the *-e* before adding the endings.

être   to be; **je serais**   I should (would) be
avoir   to have; **j'aurais**   I should (would) have
savoir   to know; **je saurais**   I should (would) know (how)
aller   to go; **j'irais**   I should (would) go
faire   to do, make; **je ferais**   I should (would) do, make
vouloir   to want; **je voudrais**   I should (would) want
valoir   to be worth; **je vaudrais**   I should (would) be worth
venir   to come; **je viendrais**   I should (would) come
tenir   to hold; **je tiendrais**   I should (would) hold
voir   to see; **je verrais**   I should (would) see
pouvoir   to be able; **je pourrais**   I should (would) be able
envoyer   to send; **j'enverrais**   I should (would) send

→ Whatever irregularities occur in the stem of the future tense of a given verb will also occur in the conditional. The endings, however, are always regular.

il m'a dit qu'il viendrait demain   he told me he would come tomorrow

→ The conditional is generally used in French where English uses the auxiliary "would."

s'il était ici, il s'amuserait bien   if he were here, he would have a good time
s'il venait, je lui parlerais avec plaisir   if he came (were to come, should come), I would speak to him with pleasure
s'il parlait français, il n'aurait pas de difficulté   if he spoke (were to speak, should speak) French, he would have no trouble

→ When the *conditional* appears *in the main clause* of a conditional sentence, the *imperfect* is used *in the "if" clause*. In such sentences, the

French imperfect translates the English past (indicative or subjunctive), "came," "were to come," "should come."

falloir must		**pleuvoir** to rain	
il faut must		**il pleut** it rains, it is raining	
il fallait must		**il pleuvait** it was raining, used to rain	
il faudra must		**il pleuvra** it will rain	
fallu *p.p.*		**plu** *p.p.*	

→ *Falloir* and *pleuvoir* are impersonal verbs, used only in the third person singular.

il faut attendre   one (I, you, he, she, we, they) must wait
il faut le faire   one (I, you, he, she, we, they) must do it; it must be done
il fallait le faire   it was necessary to have it done, to do it, etc.
il faudra le faire   it will have to be done
il a fallu le faire   it had to be done

→ *Falloir* followed by the infinitive conveys a general idea of necessity or obligation, translated by the English "must," "have to." The subject is unspecified, but may generally be inferred from the context. An English passive often is the best translation for *il faut* with the infinitive.

il me faut du pain   I need some bread
il lui faut de la patience   he must have patience

→ In these impersonal constructions, an indirect object pronoun is often introduced, which in English usually becomes the subject of the sentence. If a noun instead of an infinitive follows **falloir,** the meaning is often "need," "need to have," "must have."

je me lave les mains   I am washing my hands
sa mère lui a lavé la figure   his mother washed his face

→ In referring to parts of the body, the definite article is often used in place of the possessive adjective; a reflexive indirect pronoun or an indirect pronoun indicates clearly the possessor.

GRAMMAIRE

le mien	la mienne	les miens	les miennes	mine
le tien	la tienne	les tiens	les tiennes	yours
le sien	la sienne	les siens	les siennes	his, hers, its
le nôtre	la nôtre	les nôtres	les nôtres	ours
le vôtre	la vôtre	les vôtres	les vôtres	yours
le leur	la leur	les leurs	les leurs	theirs

→ These are *possessive pronouns,* not to be confused with the possessive adjectives (see lesson 5). The possessive adjectives (*mon, ma, mes, etc.*) accompany the noun. The *possessive pronouns replace the noun.*

voici ta plume; donne-moi la mienne here is your pen; give me mine

il a vu mes crayons, mais il veut les siens he saw my pencils, but he wants his (own)

j'ai vendu ma maison et la leur I sold my house and theirs

ma sœur et la sienne sont allées au cinéma my sister and his (hers) went to the movies

→ *The possessive pronoun takes the gender and number of the noun it replaces.*

QUESTIONS

1. Est-ce qu'Arthur a envie d'aller à la conférence de M. Mornet? 2. Pourquoi ne peut-il pas y aller? 3. Quel temps fait-il? 4. Quelle proposition lui fait-on? 5. Comment son ami va-t-il se tirer d'affaire (*get out of his difficulties*)? 6. Où est-ce qu'Arthur a laissé son rasoir? 7. Pouquoi lui dit-on de se dépêcher? 8. Pourquoi doit-il (*does he have to*) se raser? 9. Qu'est-ce que son ami va faire en l'attendant? 10. Quel complet cherche-t-il? 11. Où est-il? 12. Près de quel autre vêtement? 13. Qu'est-ce qui manque à son gilet? 14. Pourquoi Arthur veut-il du savon et une serviette? 15. Pourquoi porte-t-il sa cravate violette? 16. Que fait-il encore pour se préparer? 17. Que met-il dans sa poche? 18. Que prend-il à la dernière minute?

EXERCICES

A. I. *Continuez:*

1. Si je voyais mon oncle, je lui parlerais de cela. Si tu ... etc.
2. Je vendrais ma maison si j'en avais une autre.
3. Je finirais mes leçons si j'avais le temps.
4. Je serais malade si je mangeais tant de bonbons.
5. J'aurais mal à la tête si je lisais sans lunettes.
6. Je saurais mes leçons si j'étudiais davantage.
7. J'irais en France plus souvent, s'il y avait plus d'avions.
8. Je ferais plus d'amis si j'étais plus généreux.
9. Je voudrais savoir si c'était vrai.
10. Je viendrais plus souvent si mes amis m'invitaient.

II. *Traduisez les formes suivantes:*

1. That would be worth two millions.
2. They would come tonight.
3. Would they hold their hats?
4. You would see my friend.
5. I should be able to see you.
6. We would send the books.
7. They would send the film.
8. They would be able to do the work.
9. I would see him Tuesday, if he wished (it).
10. He told me (that) he would come to see me.

B. *Remplacez l'infinitif par la forme convenable du verbe:*

1. S'il était ici, il m'(*acheter*) ce livre.
2. S'il venait à Paris, je le (*voir*) de temps en temps.
3. S'il pleuvait, je n'(*aller*) pas.
4. Il pouvait voir que je ne le (*faire*) pas.
5. S'il (*parler*) français, il aurait une meilleure place.
6. S'il (*faire*) beau temps, nous irions à la campagne.
7. S'il me donnait l'adresse, j'(*envoyer*) le paquet.
8. S'il réparait la maison, elle (*valoir*) davantage.
9. S'il (*faire*) son travail, je (*faire*) le mien.
10. S'il (*chanter*) ce soir, j'irais l'entendre.

C. *Traduisez:*

1. It will rain tomorrow. 2. One must often wait an hour. 3. It will have to be done if he wants to succeed. 4. This work (*ce travail*) had to be done before mine. 5. It was raining when I came in. 6. It rained yesterday and it is going to rain again today. 7. Goodbye. I must have some money. 8. Now one must wait for two hours and a half.

D. *Remplacez le mot entre parenthèses par la forme convenable du pronom possessif:*

1. son pardessus et (*mine*) 2. mes livres et (*his*) 3. nos enfants et (*theirs*) 4. sa femme et (*yours*) 5. vos maisons et (*ours*) 6. vos crayons et (*mine*) 7. l'argent de mon père et (*yours*) 8. vos étudiants et (*mine*) 9. ces souliers et (*hers*) 10. mes cravates et (*his*)

E. *Traduisez:*

1. This umbrella is mine; yours is in the dining-room. 2. He doesn't want these shirts; he wants his. 3. He did not put the ring in my pocket; he put it in his. 4. She took her handkerchiefs and mine. 5. He says that he has his watch, but he hasn't seen yours.

THÈME

GEORGE: Where are my raincoat and umbrella? It's pouring.
MOTHER: Here they are in the bathroom. But you haven't finished shaving (*to shave*). Here is your razor.
GEORGE: I have finished shaving but I left my razor there for a minute. I shall get it when I come back. I have to go on a trip when I get back from this lecture. Can you pack (*faire*) my valise?
MOTHER: Yes, if you wish. But what would you like to put in it?
GEORGE: Oh! Just the things that you find on the bed. Goodbye.

.   .   .   .   .

George's mother finds his gray suit, an old vest, a pair of pants, some shoes, a shirt, a necktie, a handkerchief, two towels. She opens the valise and puts them in the bottom. Then she looks for the other things. She finds some soap, his razor, a comb and brush and then closes the valise.

When George comes back, he has only to take a bath, put on his gray suit, and go to the station.

LECTURE

—Je n'aurai jamais fini de faire cette valise (*I shall never finish packing*). Ah! mon rasoir! Antoine, avez-vous vu mon rasoir? Je croyais l'avoir mis à côté de la valise ici sur le lit.

—Je ne sais pas, je ne l'ai pas vu. Mais voici votre savon à barbe (*shaving soap*) dans la salle de bain. Voulez-vous aussi votre serviette, Paul?

—Certainement pas. Il y aura des serviettes chez mes amis, j'espère. J'aurai besoin de deux chemises, de ma brosse, de mon peigne, d'une brosse à dents (*tooth brush*). Antoine, avez-vous vu ma brosse à dents?

—Oui, la voici avec cette pâte dentifrice (*tooth paste*) que je déteste. Pourquoi achetez-vous toujours cette pâte parfumée à la menthe (*mint*); pourquoi ne pas vous servir d'une bonne poudre (*powder*)? C'est bien plus simple. Dites! Voulez-vous mettre ce paquet (*package*) de lames de rasoir (*razor blades*) dans votre valise? Comment allez-vous cirer (*shine*) vos souliers? Si vous voulez, je vous prêterai (*lend*) une boîte de cirage (*box of shoe paste*) et une brosse.

—Oui, Merci. Apportez-les-moi. Mais m'avez-vous rendu mes boutons de manchettes? Je ne les trouve nulle part. Vous me les avez empruntés la semaine dernière. Je ne vous les aurais pas prêtés si j'avais pensé que vous ne me les rendriez pas.

—Oh! Ne vous fâchez pas. Je les ai mis dans votre tiroir (*drawer*); là où vous avez l'habitude de placer votre montre la nuit (*at night*), quand vous vous couchez (*go to bed*). Mais, dites donc. Il commence à pleuvoir. Je vous conseille de prendre votre imperméable, même si vous portez votre pardessus (*overcoat*). Il fait assez chaud ici et il ne fera pas très froid où vous allez. S'il pleut à verse comme maintenant tout le week-end, vous serez trempé (*soaked*) si vous n'avez pas d'imperméable.

—Eh bien! J'ai fini de faire ma valise (*packing my valise*). Contrôlons (*let's check*) le contenu (*the contents*). Un complet bleu foncé, un gilet blanc, deux chemises, un pyjama, une robe de chambre (*dressing gown*), deux paires de chaussettes, deux caleçons (*shorts*), une

ceinture (*belt*), des mouchoirs et des cravates. Tout y est. Aurez-vous
bientôt fini? Je veux prendre ma douche (*shower*). Il y a un siècle que
vous êtes dans la salle de bain. Je suis pressé (*I am in a hurry*), voyons!

—Bon, bon. Je viens. Il faut tout de même (*all the same*) se raser
une fois tous les deux jours, même si on est étudiant. Voulez-vous me
passer mes souliers et mon complet gris? Ils sont dans le placard.

—Oui, mais dépêchez-vous. Enfin, vous voilà. J'espère qu'il restera
de l'eau chaude pour ma douche. C'est embêtant (*annoying*), mais je
transpire (*perspire*) tellement quand il fait chaud et humide à la fois
(*at the same time*) qu'il me faut au moins deux ou trois douches par
jour (*in a day*). Autrefois (*formerly*) on disait que prendre plusieurs
bains (*baths*) par jour c'était mauvais pour la santé (*health*) mais on
n'exprime plus ces idées maintenant.

—Seriez-vous venu avec nous cette fin de semaine (*week-end*) si
on vous avait invité?

—Non, je n'aurais pas pu. Du reste (*besides*), on m'a invité et j'ai
refusé.

—Oh! Pardon, je ne le savais pas. Dites, devrais-je (*ought I*) faire
un cadeau à mon hôtesse?

—Ça se fait (*it's done*). Mais, comme vous êtes étudiant, on vous
excusera si vous n'apportez rien.

—Mais qu'apporteriez-vous si vous étiez à ma place?

—Oh! Un livre, quelque chose qui vient de paraître (*just out*). Un
roman policier (*detective story*), par exemple. On en lit beaucoup dans
cette maison. On aime aussi beaucoup la musique. Si vous pouviez
trouver quelques jolis disques (*records*), du Mozart ou du Debussy,
ça leur ferait très grand plaisir (*that would please them a lot*).

—Merci! Je n'entends plus rien maintenant. Je prends ma douche.
L'eau coule (*runs*) trop fort.

QUESTIONS

1. Que cherche Paul? 2. Où est-ce qu'Antoine croit avoir vu ce que Paul cherche? 3. Qu'est-ce qu'il a laissé dans la salle de bain? 4. De quoi Paul avait-il besoin pour voyager? 5. Pourquoi Antoine déteste-t-il la pâte dentifrice de Paul? 6. Que met-il dans la valise avec le rasoir? 7. A-t-il de quoi cirer ses souliers? 8. Pourquoi Paul se fâche-t-il? 9. Pourquoi Antoine lui conseille-t-il de prendre son imperméable? 10. Quand il contrôle le contenu, qu'est-ce qu'il trouve dans sa valise? 11. Pourquoi Paul est-il pressé d'entrer dans la salle de bain? 12. Pourquoi Antoine proteste-t-il? 13. Qu'est-ce qu'il faut lui passer? 14. Pourquoi Paul veut-il prendre une douche? 15. Pourquoi Antoine n'accompagne-t-il pas Paul? 16. Est-ce que Paul va faire un cadeau à son hôtesse? 17. Que va-t-il choisir? 18. Pourquoi Paul n'entend-il plus rien?

COMPOSITION

Décrivez l'arrivée chez vous d'un invité ou d'un camarade de chambre de l'école; indiquez ce que contiennent sa valise et sa malle.

Review Lesson 5

A. *Continuez la conjugaison des verbes et faites les changements nécessaires dans chaque phrase:*

1. Je parlais français avec mon professeur quand Jean est entré.
2. Je vendais des stylos dans ce petit magasin.
3. Je finissais mes leçons quand Marie est revenue.
4. Quand je mangeais au restaurant je commençais toujours par la soupe.
5. Je n'interromps jamais mon professeur quand il parle.
6. Je parlerai quand je saurai toute l'histoire.
7. Je l'enverrai chez vous quand il viendra ici.
8. Je voudrais les voir demain.
9. Si je lui donnais la maison, il la vendrait.
10. Si j'avais une auto, j'irais à la campagne.

B. *Remplacez l'infinitif par la forme correcte de l'imparfait ou du passé composé:*

1. Il (*lire*) quand je (*partir*). 2. Quand elle (*aller*) à l'école, elle (*étudier*) tous les jours. 3. Il y a vingt ans, je (*visiter*) Paris. 4. Il (*être*) à Paris quand je suis arrivé. 5. Il (*avoir*) vingt dollars quand il (*arriver*). 6. Elle (*voir*) Henri hier matin. 7. Je (*vouloir*) le voir ce matin, mais il n'était pas chez lui. 8. Nous (*savoir*) qu'il (*être*) malade.

C. *Traduisez les phrases suivantes:*

1. He knew it, I did not. 2. They are our friends, you are not our friends. 3. He and she are going to write to them. 4. Henry introduced me to him yesterday. 5. Mary introduced me to them last night. 6. Who is there? It is he. 7. Who arrived? It is they. 8. Is it you? Yes, it is we.

D. *Remplacez les tirets par* de *or* à; y, en, *or* lui:

1. Je pense qu'il est intelligent. Que pensez-vous _____ lui? 2. Je viens de lire ce roman. Qu'_____ pensez-vous? 3. Mon fils est très malade. Je pense _____ lui tout le temps. 4. Qu'est-ce que

208

vous allez acheter? J'——————— pense. 5. Je lui avais prêté ma plume.
Je la ——————— ai demandée. 6. Je ——————— ai demandé ce qu'il
voulait faire.

E. *Remplacez l'infinitif par la forme correcte du futur ou du
présent:*

1. Il (*arriver*) demain matin. 2. Je lui (*donner*) le livre quand je
le (*voir*). 3. Nous lui en (*parler*) s'il (*venir*) avant midi. 4. Vous
l'(*inviter*) la prochaine fois qu'il (*venir*). 5. Si nous le lui (*demander*),
je sais qu'il (*venir*).

F. *Traduisez les phrases suivantes:*

1. She is the most intelligent girl in the class. 2. She is more intelligent than Mary. 3. George is much less wealthy than Henry. 4.
His most intelligent student is now in France. 5. I am going to buy
the smaller house. 6. He is as tall as his father. 7. She is now more
than forty. 8. He has so much money that he has bought the finest
house in town. 9. He has so many things to do that he cannot do them
well. 10. They received (*ont reçu*) me at their home most cordially.

G. *Remplacez l'infinitif par le conditionnel ou l'imparfait:*

1. Il (*envoyer*) la lettre, s'il (*avoir*) le temps de l'écrire. 2. S'il
(*aller*) en France, il (*apprendre*) à parler français. 3. Il (*s'amuser*)
certainement, s'il (*aller*) à la campagne. 4. Si vous (*manger*) moins,
vous ne (*être*) pas si souvent malade. 5. Il m'a dit que si je (*vouloir*)
être riche, il (*falloir*) travailler beaucoup.

H. *Employez la forme correcte de* falloir:

1. Il ——————— attendre si vous voulez le voir. 2. Il ———————
finir ce livre avant l'arrivée de sa sœur. 3. Il ——————— partir plus
tôt si vous vouliez arriver ce soir. 4. Il ——————— construire cette
maison avant l'hiver. 5. Il ——————— toujours attendre sa femme plus
d'une heure.

I. *Remplacez le pronom possessif par tous les autres pronoms qui
conviennent:* le tien, le sien, la mienne, etc.

1. J'ai vendu (*la mienne*). 2. Il avait perdu (*le mien*). 3. J'ai
acheté (*les miens*). 4. Je n'ai pas reçu (*les miennes*).

J. DICTÉE

On travaille beaucoup en France. Dès l'enfance et jusqu'à la vieillesse, le Français fait preuve d'une activité remarquable. C'est que, dans les écoles, le travail est non seulement à l'honneur comme la plus grande vertu de tout honnête homme, mais qu'habituer la jeunesse au travail, à un travail de qualité, paraît être le premier principe des programmes d'enseignement. Le commerçant, l'industriel n'ont qu'une pensée: arriver le plus tôt possible à leur maison de commerce ou à leur fabrique et en sortir le plus tard possible. Les Français sont très actifs par nature. Dans quelque milieu que vous vous trouviez, il vous sera impossible de les observer sans reconnaître leur naturelle ardeur au travail, sans admirer la conscience et le soin qu'ils mettent à accomplir leur tâche. Le paysan français surtout est infatigable au travail. Il aime sa terre avec passion et la cultive avec amour. Sa femme et ses enfants sont toujours à ses côtés, partageant sa peine.

(Pargment: *Gens et Choses de France,* Macmillan)

K. TRADUCTION

If you look on the bed, Mother (*maman*), you will find my gray suit, an old pair of pants, two shirts, two neckties, six handkerchiefs, some shorts, a pair of pyjamas, and a belt. Near the bed are my shoes. Please pack (*mettez*) them in the valise while I take a shower. When I come out I shall bring the soap, some towels, a razor, toothpaste, a tooth-brush, and my comb and brush. Please ask Mary to call a taxi; the train leaves at six-fifty and it is now quarter to six. After my lecture today there were five students who came to ask me questions. They are certainly interested in international questions these days. But it is late. I shall tell you about it when I return. I shall think about my next lecture while I am in the shower and write it on the train. I hope to have more time next week.

L. *Écrivez une composition sur un voyage que vous allez faire à la campagne:*

1. Préparatifs. 2. Ce que vous mettez dans votre valise. 3. Le départ. 4. Une conversation dans le train.

Lesson 21

Present indicative and past participle of *s'asseoir*

Present indicative and past participle of *ouvrir*

Demonstrative pronouns: *celui, celle, ceux, celles,* and uses

Use of *celui-ci* and *celui-là*

The relative pronoun *dont* and its uses

Use of *à* in a descriptive phrase

CONVERSATION

Une Villa à louer

—Voici la villa dont je vous parlais hier.

—Celle de M. Reynaud?

—Non, celle que je vous ai montrée l'autre jour, quand nous avons passé par ici en auto.

—Ah, oui, je m'en souviens. La maison au toit rouge, aux murs blancs, et aux volets verts. Qui est-ce qui l'habite en ce moment?

—Personne. Est-ce que vous avez envie d'en voir l'intérieur?

—Pourquoi pas? Mais je vous avoue d'avance que je préfère celles qui sont sur la colline. Est-ce que vous avez la clé de la maison?

—Oui. La porte est toujours fermée à clé. Attendez un instant. Je vais l'ouvrir. Tiens! Elle était ouverte! Entrez, s'il vous plaît.

—Combien de pièces y a-t-il?

—Six: le salon, la salle à manger et la cuisine en bas. En haut, trois chambres à coucher et la salle de bain. Montons d'abord au premier étage. Attention! L'escalier est étroit et obscur.

—La maison est complètement meublée?

—Oui. Il y a ici tous les meubles nécessaires: tables, chaises, fauteuils, lampes, armoires, pendules, et même des oreillers, des couvertures, des draps, et des matelas. Pourquoi ne vous asseyez-vous pas un instant dans ce fauteuil?

—Non, merci, je suis fatigué d'être assis. Je préfère rester debout. Je suis resté trop longtemps dans l'auto.

—Néanmoins, essayons ce fauteuil.

—De quel fauteuil parlez-vous? De celui-ci ou de celui-là?

—Essayons celui-ci.

—Bon! Asseyons-nous. Mais, dites-moi, qui demeure dans la maison d'à côté?

—Un certain M. Rameau, avec sa nièce, son petit-fils et sa petite-fille. Il y demeurait l'année dernière, mais il n'y venait que rarement. Par conséquent, il l'a louée à notre compagnie l'autre jour. A présent, il demeure en ville, tout près d'ici. Voulez-vous descendre à la cave?

—Qu'est-ce qu'on y trouve?

—Le calorifère, la buanderie, un W. C.

—Et là-bas, qu'est-ce qu'il y a?

—Une fenêtre et une porte qui donnent sur le jardin. Voulez-vous y aller?

—Ça n'en vaut pas la peine. Montons et asseyons-nous, et quand nous nous serons reposés nous pourrons nous en aller.

VOCABULAIRE ET EXPRESSIONS

le volet the shutter	**l'étage** (*masc.*) the floor
le toit the roof	**les meubles** (*masc.*) the furniture
le mur the wall	**la fenêtre** the window
le salon the parlor	**la clé (clef)** the key

la **porte**   the door
la **pièce**   the room; the piece; the play
la **salle à manger**   the dining-room
la **cuisine**   the kitchen
la **chambre à coucher**   the bedroom
la **chaise**   the chair

certain   certain
obscur, noir   dark

se souvenir de   to remember (conj. like *venir*)
demeurer (dans), habiter   to live (in)
fermer   to close (**fermer à clé**   to lock)

celui, celle   the one
ceux, celles   the ones
celui-ci, celle-ci   this one
celui-là, celle-là   that one
ceux-ci, celles-ci   these (ones)
ceux-là, celles-là   those (ones)

la **lampe**   the lamp
l'**escalier** (*masc.*)   the staircase
l'**œil** (*masc.; pl.* les **yeux**)   the eye
l'**auto** (*fem.*)   the automobile, the car
le **petit-fils**   the grandson
la **petite-fille**   the granddaughter
la **nièce**   the niece

rare   rare
étroit   narrow

ouvrir (*p.p.* **ouvert**)   to open
couvrir (*p.p.* **couvert**)   to cover
monter (*être*)   to go up, to climb
s'asseoir (*p.p.* **assis**)   to sit down
se reposer   to rest
louer   to rent, to hire

dont   whose, of whom, of which
dedans   inside
d'avance   in advance
en haut   upstairs, above
rarement   seldom
complètement   completely

VOCABULAIRE SUPPLÉMENTAIRE

en auto   in an automobile
être assis   to be seated
être (rester) debout   to be (remain) standing
se tenir debout   to stand

la **villa**   the cottage
l'**intérieur** (*masc.*)   the inside
le **fauteuil**   the armchair, the easy chair

ça n'en vaut pas la peine   it's not worth while
par conséquent   consequently, therefore

l'**oreiller** (*masc.*)   the pillow
le **drap**   the bedsheet
la **couverture**   the blanket
la **pendule**   the clock

le calorifère   the heating plant
la cave   the cellar
la buanderie   the laundry
le W. C. (pronounced *le double vé sé*)   the toilet
le matelas   the mattress

la barbe   the beard
la peine   the trouble, the sorrow
la compagnie   the company, the firm
la colline   the hill

en ville   in town, downtown
le premier étage   the second floor
meublé   furnished
à côté   beside, next door

donner sur   to face on, open out on
avouer   to confess, avow
néanmoins   nevertheless

VERBES

Present Indicative of s'asseoir (to sit down) *p.p.* assis

je m'assieds sur cette chaise
tu t'assieds
il (elle) s'assied

nous nous asseyons
vous vous asseyez
ils (elles) s'asseyent

Note—the future of *s'asseoir* is *je m'assiérai,* or *je m'assoirai.* The imperfect is *je m'asseyais.*

Present Indicative of ouvrir (to open) *p.p.* ouvert

j'ouvre
tu ouvres
il (elle) ouvre

nous ouvrons
vous ouvrez
ils (elles) ouvrent

Note—*couvrir,* to cover, is conjugated like *ouvrir.*

GRAMMAIRE

Je n'aime pas **ce chapeau-ci;** je préfère **celui-là.**   I don't like this hat; I prefer that one.

J'ai besoin d'une plume; donnez-moi **celle-là,** s'il vous plaît.   I need a pen; give me that one, please.

Où sont mes livres? **Ceux-là** ne sont pas les miens.   Where are my books? Those are not mine.

Ces villas sont jolies, mais **celles-là** sont vraiment belles.   These cottages
   are pretty, but those are really beautiful.

→ Demonstrative adjectives (*ce, cet, cette, ces;* see Lesson 3) precede nouns. *Demonstrative pronouns replace nouns, taking the gender
and number of the noun replaced. They are:*

celui-ci, celle-ci	this one	**ceux-ci, celles-ci**	these (ones)
celui-là, celle-là	that one	**ceux-là, celles-là**	those (ones)

Avez-vous vu mon chapeau et **celui** de mon frère?   Have you seen my
   hat and my brother's?
Cette femme et **celle** à qui vous avez parlé sont les tantes du petit garçon
   qui est là-bas.   This woman and the one to whom you spoke are
   the aunts of the little boy over there.
Prêtez-moi ces livres, et **ceux** que vous avez déjà lus.   Lend me these
   books and those you have already read.
Pas **ces jeunes filles-là** mais **celles** qui sont entrées sont mes sœurs.   Not
   those girls but the ones who came in are my sisters.

→ *Celui, celle, ceux, celles* also translate "the one," "the ones," expressed or understood. *-ci* and *-là* are not used if the demonstrative pronoun is followed by a preposition, a relative clause, or any restrictive
clause. Otherwise, the use of *-ci* and *-là* with the demonstrative pronouns is compulsory.

Voici l'homme **dont** je vous ai parlé.   Here's the man of whom I spoke
   to you.
Que pensez-vous de la maison **dont** nous avons vu les pièces?   What
   do you think of the house the rooms of which we saw?
L'étudiant **dont** j'ai pris le livre est parti.   The student whose book I
   took left.

→ **Dont** is a relative pronoun, translating "whose," "of whom," "of
which." In English, "whose" is immediately followed by the noun it
modifies (the man whose book I saw). In French, the correct word-
order is obtained by changing "whose" to "of whom" (the man of
whom I saw the book).

L'homme aux yeux gris et à la barbe noire était assis à la table.   The
   gray-eyed, black-bearded man was seated at the table.

Nous avons vu **la villa aux volets verts et au toit rouge.** We saw the
cottage with green shutters and a red roof.

→ In a descriptive phrase, "with" is often rendered by *à* with the
definite article. It *introduces an adjective phrase giving the characteristic
of the object.* When two nouns are the objects of the same preposition,
English usually does not repeat the preposition. French does.

QUESTIONS

1. De quelle villa parlait-on? 2. Où se trouvait-elle? 3. D'où
l'avait-on vue? 4. De quelle couleur était le toit? les murs? les volets?
5. Est-ce que c'était la seule villa? 6. Où se trouvaient les autres? 7.
Combien de pièces y avait-il? 8. Nommez-les. 9. Pourquoi fallait-il
faire attention en montant l'escalier? 10. De quoi la maison était-elle
meublée? 11. Pourquoi ne s'est-on pas assis immédiatement? 12. Qui
habitait la maison? 13. Où demeurent-ils maintenant? 14. Qu'est-ce
qu'il y a à la cave? 15. Pourquoi n'y est-on pas descendu?

EXERCICES

A. *Continuez la conjugaison:*
   1. Je m'assieds devant eux. Tu t'assieds, etc.
   2. Je m'assiérai à table quand le dîner sera prêt.
   3. Pendant l'été je m'asseyais au soleil tous les jours.
   4. J'ouvre les fenêtres tous les jours.

B. *Remplacez le tiret par la forme correcte de* celui-ci, celui-là,
   celle-ci, celle-là, ceux-ci, ceux-là, celles-ci, celles-là.
   1. Quel chapeau préférez-vous, —————— ou ——————?
   2. Voici les pendules que nous venons d'acheter. —————— est la
mienne; —————— est à Henri.
   3. Si vous avez besoin d'une plume prenez ——————. ——————
est la mienne.
   4. Parmi ces chaises, —————— sont les plus jolies.
   5. Montrez-moi vos livres; —————— sont les miens.

C. *Traduisez les phrases suivantes:*

1. Here is my house and there is my brother's.
2. That man and the one to whom you spoke are my uncles.
3. Those books over there and these here will make a good library.
4. Those girls in the car and not those who are talking in the street are my sisters.
5. Do you see that red car? Well, the one which is to the right is mine.

D. *Traduisez les phrases suivantes en employant* dont *comme pronom relatif:*

1. There is the boy of whom I was talking.
2. What do you think of the play whose music (*la musique, fem.*) I was singing?
3. The boy whose mother is so rich is sitting in the car.
4. The woman whose key I borrowed is his mother.
5. There is the girl whose mother died yesterday.

E. *Traduisez les mots en italique:*

1. L'homme *with the black hat.* 2. Nous avons acheté la villa *with a red roof.* 3. Le vieillard *with the white beard* est mon grand-père. 4. La maison *with the green shutters is my father's.* 5. La femme *with the green hat* est une actrice célèbre.

THÈME

—Here is the house of which we saw the photo (*la photographie*).

—Yes, have you got the key?

—I have the keys for (*of*) all these houses. They are always locked. I prefer this one to the one which is on the hill. Don't you prefer it, too?

—Yes, let's look at the inside. Do you remember how many rooms there are?

—No, but we need a living room, dining room, kitchen, five bedrooms and two baths.

—Here we are! The door is open now. This living room is larger than the one we saw in that cottage yesterday.

—Yes, let's go upstairs. There is the staircase. Wouldn't you prefer a furnished cottage for the summer?

—I don't know. If my husband likes the house, he will rent it for the year. Then we will have our furniture.

—Do you want to go down to the cellar and see the furnace and the laundry?

—No, let's go and see the other houses. I don't like this one. Let's look at the one with the red shutters.

—If you rented the house furnished how much furniture would you need?

—Oh! not much: tables, chairs, beds, lamps, and one or two arm-chairs.

—Would you want mattresses, pillows, sheets, blankets, and dishes?

—Certainly, but then we would only rent for the summer. Well! Here we are. This is the cottage whose owner (*le propriétaire*) is in France now. Let's go in.

LECTURE

—Eh bien! ça s'est bien passé, votre week-end?

—C'était gentil comme tout (*nice as anything*). Ils ont une très jolie petite maison, meublée dans le meilleur goût (*best taste*). Et puis ils sont tellement (*so*) aimables tous les deux. Quand je suis descendu du train, à la gare, ils étaient là avec leur auto. Georges était au volant (*wheel*) et Marianne m'attendait près du marche-pied (*running-board*). J'ai posé ma valise dans la voiture et en dix minutes nous étions chez eux. La maison est au bord d'un lac (*on the shore of a lake*), en face des montagnes. C'est de toute beauté! (*It's very beautiful!*)

—Est-ce que c'est grand, leur maison?

—Elle est assez grande pour un couple, même pour deux. Marianne a insisté pour me montrer toute la maison. Elle est très fière (*proud*) de ce qu'elle appelle "sa petite bicoque" (*shack*). Au rez-de-chaussée (*ground-floor*) il y a un salon avec cinq fenêtres donnant sur le lac, puis une grande cheminée (*fireplace*). Il y a aussi une jolie petite salle à manger, puis une cuisine, style moderne, un grand fourneau électrique (*electric stove*), un frigidaire, un évier tout en porcelaine (*all-porcelain sink*) et des armoires à profusion (*lots of closets*). En haut (*upstairs*) il y a quatre chambres à coucher, chacune avec un lit ou un divan, une armoire à glace (*wardrobe with mirror*), des chaises, des rideaux (*cur-*

tains), que sais-je (*I don't know what all*)? A côté de chaque chambre
à coucher il y a une salle de bain moderne, avec lavabo, douche, baignoire (*bathtub*), et W. C.

—Où garent-ils (*keep*) leur voiture?

—Sous les pins (*pines*) qui sont de l'autre côté de la maison, mais
ils ont aussi un garage.

—Et comment avez-vous passé votre week-end?

—Une heure après mon arrivée, vendredi, tout un groupe d'amis
est arrivé pour prendre l'apéritif (*cocktails*) ou le thé. On nous a servi
sous les arbres du côté du lac. Puis après le départ des voisins (*neigh-
bors*), nous nous sommes promenés un peu, et enfin vers sept heures on
a dîné.

—Marianne a la réputation de faire une excellente cuisine (*to prepare excellent food*). Qu'est-ce qu'elle vous a donné à manger?

—C'était un repas simple mais délicieux. Nous avons commencé
par des hors d'oeuvre (*appetizers*), puis on nous a servi une truite
(*trout*) que Georges avait attrapée l'après-midi même.

—J'espère qu'elle était meilleure que celle que j'ai eue l'autre jour
chez les Récamier. Ils ont une nouvelle cuisinière (*cook*) qui est franchement (*frankly*) au-dessous de tout (*poor beyond words*). Et après?

—Après, on nous a servi des légumes, des haricots verts (*string
beans*) préparés au beurre et avec un peu de persil (*parsley*), de la
laitue braisée (*braised lettuce*) et des asperges (*asparagus*) servies avec
une mayonnaise délicieuse. Enfin un flan (*custard*), des fruits et du
fromage (*cheese*). Vous voyez que c'était très simple.

—Pas de vin? Ils avaient autrefois une cave (*wine cellar*) extraordinaire.

—Oh! ils l'ont toujours. Ils nous ont servi un petit vin de Bordeaux
tout à fait exquis (*altogether perfect*) et après le dîner du café noir
dans le jardin et un verre de liqueur (*cordial*).

—Et comment avez-vous passé la soirée?

—Nous avons causé (*chatted*) un peu et puis, comme il ne faisait
pas trop froid, Georges nous a proposé une promenade en canot-automobile (*motor boat*). Il nous a promenés autour du lac, au clair de lune
(*moonlight*). Il faisait bien bon sur le lac. Je ne sais pas pourquoi, j'étais
assez fatigué en arrivant et même pendant le dîner, mais cette promenade en bateau m'a tant réveillé que j'avais envie d'aller danser toute
la nuit.

—Et je parie (*bet*) que c'est ce que vous avez fait?

—Non, pas du tout. En rentrant, nous nous sommes étendus (*stretched out*) sur la pelouse (*lawn*) devant la maison et vers onze heures et demie nous nous sommes couchés.

—Je dois dire que vous avez l'air bien reposé (*well rested*). Votre week-end vous a certainement fait du bien.

QUESTIONS

1. Comment le week-end s'est-il passé? 2. Comment la maison était-elle meublée? 3. Où se trouvaient Georges et Marianne quand l'invité est arrivé à la gare? 4. Où se trouve la maison? 5. Qu'est-ce qu'il y avait au rez-de-chaussée? 6. Comment la cuisine était-elle meublée? 7. Qu'est-ce qu'il y avait en haut? 8. Comment les chambres à coucher étaient-elles meublées? 9. Quels arbres y a-t-il autour de la maison? 10. Où l'invité a-t-il fait la connaissance des voisins? 11. Après l'apéritif qu'est-ce qu'on a fait? 12. Quel était le menu du dîner? 13. Est-ce qu'on mange bien aussi chez les Récamier? 14. Comment a-t-on passé la soirée? 15. Est-ce que la promenade en bateau était agréable?

COMPOSITION

Écrivez une composition de 200 mots sur un week-end à la campagne; décrivez la maison où vous êtes resté, les repas que vous avez faits, et comment vous avez passé le temps.

Lesson 22

Present indicative and past participle of *recevoir*

Present indicative and past participle of *rire*

Agreement of past participle with preceding direct
object in reflexive and pronominal verbs

Plural of nouns ending in *s, x,* and *z*

Plural of nouns and masculine adjectives
ending in *al*

Plural of nouns ending in *au, eu,* and *ou* and
masculine adjectives ending in *au*

Plural and feminine of adjectives ending in *x*

Feminine of adjectives ending in *en* and *el*

Feminine of adjectives ending in *er*

Feminine of adjectives ending in *f*

Inversion after a direct quotation

CONVERSATION

Un Conte de Guerre

—Qu'est-ce que c'est que ce livre que vous lisez, Léon ?
—C'est un conte de guerre bien intéressant, écrit dans un français
à la fois excellent et facile.
—Où l'avez-vous trouvé ?

—Dans un des deux livres que mon père m'a envoyés. Je les ai reçus tous les deux hier. Je vais vous en lire des passages si vous avez le temps. En voici un. C'est une description qui se trouve dans une lettre écrite par un soldat à sa mère, reçue par celle-ci après la mort de son fils.

—Je vous écoute avec la plus grande attention.

—Ce matin, notre bataillon est arrivé en première ligne, sous un bombardement effroyable, après avoir fait un long détour. Nous avons marché longtemps. Il y avait sur la route que nous suivions toutes sortes de poteaux indicateurs: "Tenez la droite"; "tenez la gauche"; "défense d'entrer." A plusieurs reprises nous nous sommes arrêtés et éparpillés dans les champs pour éviter le feu de mitrailleuse des avions ennemis. Puis, tout à coup, nous sommes arrivés à notre destination. "Prenez garde!" nous a soufflé le sergent, "Voilà l'entrée des tranchées ennemies!" Un jeune soldat a eu le courage de blaguer. "Est-ce qu'il y a aussi une sortie, sergent?" a-t-il demandé à son supérieur. Tout le monde s'est mis à rire. Plus loin, un colonel parlait à voix basse avec le capitaine. Celui-ci s'est retourné de notre côté. "Défense de fumer, mes enfants!" nous a-t-il annoncé. "Est-ce que nous sommes en avance?" a-t-il demandé au colonel. "Non, vous êtes à l'heure." "Y a-t-il d'autres ordres, mon colonel?" "Rien d'autre." Ils se sont serré la main, et le colonel est reparti.

VOCABULAIRE ET EXPRESSIONS

le champ the field
le feu (*pl.* **feux**) the fire
l'avion the plane, airplane
l'ennemi (*masc.*) the enemy, foe
la mort the death
le sang the blood

l'entrée (*fem.*) the entrance
la sortie the exit
le morceau (*pl.* **morceaux**) the piece
le nez (*pl.* **nez**) the nose
le cheval (*pl.* **chevaux**) the horse

facile   easy
bas, basse, bas, basses   low
naturel, naturelle   natural

sale   dirty
heureux, heureuse   happy
italien, italienne   Italian

se mettre à   to begin to, to start to
s'arrêter   to stop, to halt
recevoir (*p.p.* reçu)   to receive

se retourner   to turn around
rire   to laugh
se serrer la main   to shake hands

qu'est-ce que c'est que . . . ?   what
     is . . . ?
celui-ci   the latter
celui-là   the former
longtemps   a long time
à la fois   at the same time, both
à l'heure   on time
en avance   ahead of time
tous les deux   both
tout à coup   suddenly

toutes sortes de   all kinds of
plus loin   further on
à plusieurs reprises   repeatedly
tenez la droite (la gauche)   keep
     right (left)
de mon côté   in my direction
défense d'entrer (de fumer)   no
     entrance (no smoking)
prenez garde!   watch out!
à voix basse   in a low voice

VOCABULAIRE SUPPLÉMENTAIRE

le conte   the tale, the story
le bataillon   the battalion
le bombardement   the bombard-
     ment
la ligne   the line
la mitrailleuse   the machine gun
le poteau indicateur   the signpost
le colonel   the colonel
le capitaine   the captain
le sergent   the sergeant
le supérieur   the superior
l'intérêt (*masc.*)   the interest
le courage   the courage

l'animal (*masc.; pl.* animaux)   the
     animal
le bijou (*pl.* bijoux)   the jewel
le veuf   the widower
la veuve   the widow
effroyable   frightful
égal   equal
national   national
fameux   famous
s'éparpiller   to scatter
souffler   to breathe, to whisper
éviter   to avoid
annoncer   to announce (nous an-
     nonçons)

VERBES

Present Indicative of **recevoir** (to receive) *p.p.* **reçu**

je reçois	nous recevons
tu reçois	vous recevez
il (elle) reçoit	ils (elles) reçoivent

Imperfect: **je recevais**   Future: **je recevrai**   Conditional: **je recevrais**

Like *recevoir,* conjugate *apercevoir,* to perceive, to see in the distance; *s'apercevoir de,* to perceive, to realize; *décevoir,* to disappoint; *concevoir,* to conceive.

Present Indicative of **rire** (to laugh) *p.p.* **ri**

je ris	nous rions
tu ris	vous riez
il (elle) rit	ils (elles) rient

Like *rire,* conjugate *sourire,* to smile; *rire de,* to laugh at.

GRAMMAIRE

elle s'est lavée   she washed (herself)
elle s'est lavé les mains   she washed her hands
les robes qu'elle s'est achetées étaient chères   the dresses she bought herself were expensive
ils se sont vus   they saw each other
ils se sont serré la main   they shook hands
les cadeaux qu'elles se sont donnés étaient jolis   the presents they gave each other were pretty

→ *Reflexive verbs* (see Lesson 7) and *reciprocal verbs* (see Lesson 9) *use* être *in their compound tenses. But the agreement is as though* avoir *were used;* that is, the past participle agrees not with the subject, but only with a direct object if there is one and it precedes the verb. In *ils se sont vus,* where the reflexive pronoun *se* is a preceding direct object, *vus* agrees with it; in *ils se sont serré la main, se* is an indirect object (the direct object is *la main*), consequently there is no agreement; in *les cadeaux qu'elles se sont donnés, etc., donnés* agrees not with *se,* which is an indirect object, nor with the subject *elles,* but with the direct object *que,* which is masculine plural because it refers to *les cadeaux.* This makes little difference in the spoken language, since most past participles have the same pronunciation regardless of their gender and number; note, however, such participles as *écrites* in *les lettres qu'ils se sont écrites.*

le temps the time	**les temps** the times
le nez the nose	**les nez** the noses
la voix the voice	**les voix** the voices

→ Nouns ending in *-s, -z,* and *-x* remain unchanged in the plural. The article, however, marks the distinction between singular and plural.

le cheval the horse	**les chevaux** the horses
l'animal the animal	**les animaux** the animals

égal, égale, égaux, égales   equal
national, nationale, nationaux, nationales   national

→ Nouns and masculine adjectives ending in *-al,* generally change *-al* to *-aux* in the plural.

le cadeau the present	**les cadeaux** the presents
le poteau the signpost	**les poteaux** the signposts
le feu the fire	**les feux** the fires
le bijou the jewel	**les bijoux** the jewels

beau (**bel** *before a vowel*), **belle, beaux, belles**   beautiful, fine
nouveau (**nouvel** *before a vowel*), **nouvelle, nouveaux, nouvelles**   new

→ Nouns and masculine adjectives in *-au,* and nouns in *-eu* generally form the plural by adding *-x.* So do several nouns in *-ou.*

heureux, heureuse, heureux, heureuses   happy
fameux, fameuse, fameux, fameuses   famous

→ Adjectives ending in *-x* remain unchanged in the masculine plural, change *-x* to *-se* in the feminine singular, and to *-ses* in the feminine plural.

italien, italienne, italiens, italiennes Italian
naturel, naturelle, naturels, naturelles natural

→ Adjectives ending in -en and -el double the final consonant before adding -e for the feminine.

cher, chère, chers, chères dear, expensive
léger, légère, légers, légères light
premier, première, premiers, premières first
dernier, dernière, derniers, dernières last

→ Adjectives ending in -er change to -ère in the feminine forms.

neuf, neuve, neufs, neuves new
veuf, veuve, veufs, veuves widower, widow, widowed

→ Adjectives ending in -f change to -ve in the feminine forms.

J'ai écrit à ma mère et à ma sœur. **Celle-ci m'a répondu; celle-là n'a pas reçu ma lettre.** I wrote my mother and my sister. The latter answered me; the former did not get my letter.
"The former" is expressed by **celui-là, celle-là, ceux-là, celles-là**
"The latter" is expressed by **celui-ci, celle-ci, ceux-ci, celles-ci**
"The latter" normally precedes "the former" in a French sentence.

"Est-ce qu'il est ici?" lui a-t-il demandé. "Oui, il vient d'arriver," a répondu mon frère. "Is he here?" he asked him. "Yes, he has just arrived," my brother answered.

→ Following a direct quotation, there is normally inversion of the subject and verb, in the parenthetical use of *dire, répondre, s'écrier, demander,* etc.

QUESTIONS

1. Qu'est-ce que c'est qu'un conte de guerre? 2. Que lisait Léon?
3. Quelle était son opinion du conte qu'il lisait? 4. Où l'avait-il trouvé?
5. Combien en avait-il reçu? 6. Quel passage voulait-il lire à son ami?
7. Par qui le conte avait-il été écrit? 8. Où se passait l'action? 9. Que

voulait-on éviter? 10. Enfin, où les soldats sont-ils arrivés? 11. Comment le colonel parlait-il? 12. Quelles restrictions y avait-il à observer?

EXERCICES

A. I. *Employez la forme correcte de* recevoir *dans les phrases suivantes:*

1. Quand elle ————— ses amies, elle sert toujours une tasse de café. 2. Quand je ————— une lettre, j'y réponds immédiatement. 3. Nous ne ————— plus de livres de France. 4. Ils ————— souvent des cadeaux de leurs parents. 5. Si nous ne ————— pas assez de viande, nous aurions faim.

II. *Conjuguez:*

1. Je recevais mes amis dans le salon. 2. Je recevrais une bonne note en français si j'étudiais davantage. 3. J'aperçois mon ami qui s'approche. 4. Je m'aperçois que nous ne nous intéressons pas à ce livre. 5. J'ai reçu un cadeau de mon oncle. 6. Je ris chaque fois que je pense à ce livre.

B. *Remplacez l'infinitif par la forme correcte du participe passé:*

1. Les services qu'ils se sont (*rendre*) sont importants. 2. Elles se sont (*voir*) hier après-midi pour la première fois. 3. Elle s'est (*laver*) la figure et les mains en rentrant de sa promenade. 4. Ils se sont (*serrer*) la main et puis ils sont partis. 5. Nous nous sommes (*laver*) avant de descendre pour le déjeuner.

C. *Employez la forme correcte de l'auxiliaire dans les phrases suivantes:*

1. Elle s'————— lavée ce matin. 2. Ils se ————— lavé les mains. 3. Vous vous ————— serré la main. 4. Nous nous ————— vus. 5. Les robes qu'elle se ————— achetées étaient jolies. 6. Les lettres qu'elles se ————— écrites sont charmantes.

D. *Donnez le pluriel des mots suivants:*

1. le temps 2. le cheval 3. le morceau 4. le feu 5. le nez 6. la voix 7. le bijou 8. le poteau 9. l'animal 10. le cadeau

E. *Donnez toutes les formes possibles des adjectifs suivants:*

1. beau 2. égal 3. nouveau 4. national 5. heureux 6. italien
7. premier 8. neuf 9. fameux 10. dernier 11. naturel 12. veuf.

F. *Traduisez le mot anglais par la forme correcte de* celui-ci,
celui-là, celle-ci, celle-là, ceux-ci, ceux-là, celles-ci, celles-là:

1. J'ai vu madame Dupont et son fils au café, hier; *the former* est
veuve maintenant et *the latter* est dans l'armée. 2. J'ai écrit à ma mère
et à mes frères, *the latter* n'ont pas encore répondu à ma lettre. 3. J'ai
parlé à ma tante et à sa fille chez elles ce matin; *the former* va en
Europe, *the latter* va rester ici comme étudiante.

THÈME

—What's that short story you are reading?

—It's a very interesting story about the war. My father sent it to
me. It's a story based (*basée*) upon a letter from a soldier to his mother.

—Will you read me a passage? I should like to hear what (*ce que*)
he said:

—After a fearful bombardment our battalion arrived at the first
line of trenches. There were all sorts of signs along the road to help us
find our way (*trouver notre chemin*). Some read: keep to the right;
others, keep to the left; others, keep out. We could hear the machine
guns and the noise of the airplanes. Everyone spoke in a low voice. One
of the soldiers began to smoke.

"No smoking," said the captain, "and hurry up, we are not ahead
of time."

"Ah! at last here we are at the entrance to the enemy trenches,"
said the sergeant.

"Are we on time, Colonel?"

"Yes, Captain."

They shook hands and the soldiers entered the trenches.

LECTURE

—La guerre, la guerre, toujours des contes de guerre!

—Oui, c'est vrai, mais qu'est-ce que vous voulez? Si l'humanité continue à vouloir faire la guerre, à quoi bon (*what's the use of*) ne pas en parler? Si on en parle assez, on finira par s'en dégoûter (*to get disgusted with*) peut-être et par ne plus la faire.

—Vous croyez?

—J'en suis sûr. En tout cas, voici un recueil de vingt-cinq contes de guerre que je viens de recevoir. C'est toujours ainsi après toutes les guerres. Je me rappelle qu'en 1919 il (*there*) a paru toute une série de romans de guerre et qu'ils ont continué à paraître pendant une bonne dizaine d'années. Il a fallu apprendre tout un vocabulaire inconnu. Il y avait aussi l'argot (*slang*) de guerre à apprendre. Cette fois c'est un autre vocabulaire, plus scientifique: bombe atomique, tank, etc., et puis tout le vocabulaire particulier à la résistance et à l'occupation.

—Oui, je me souviens maintenant de ce vocabulaire de l'autre guerre: "Nous sommes partis en première ligne sous un bombardement effroyable comme à Verdun," disait-on. Puis on parlait des tranchées et des mitrailleuses, du 75 et des zeppelins. Il y avait aussi des expressions qu'on savait déjà, qu'on avait empruntées à la vie de tous les jours comme "tenez la droite, tenez la gauche, défense d'entrer, défense de fumer" (dans les tranchées de première ligne). Vous vous rappelez qu'il y avait cette superstition que si on allumait (*light*) trop de cigarettes avec la même allumette (*match*), la troisième personne à allumer serait blessée.

—Oui, on nous disait qu'on pouvait voir la lumière d'une allumette de très loin.

—Il y avait aussi des tas (*lots*) d'anecdotes comiques sur la guerre. Ce n'était pas toujours tragique. Est-ce que vous vous rappelez celle-ci qu'on racontait au sujet d'une jeune marin (*sailor*) qui voulait obtenir un grade (*rank*) supérieur? Il n'était que matelot (*seaman*) et celui qui lui faisait passer son examen n'était que quartier-maître (*petty officer*).

—Que feriez-vous, dit celui-ci, si vous vouliez mouiller (*anchor*) un bateau à voile (*sail-boat*)?

—Je jetterais l'ancre (*the anchor*).

—Et s'il y avait un vent, disons, un vent qui soufflait à une vitesse de 45 kilomètres à l'heure?

—Je jetterais deux ancres.

—Bon. Et si le vent arrivait à une vitesse de 90 kilomètres à l'heure?

—Je jetterais trois ancres.

—Très bien! Et si le vent augmentait encore jusqu'à une vitesse de 180 kilomètres à l'heure?

—Je jetterais six ancres.

—Mais où pourriez-vous trouver six ancres à bord d'un petit bateau à voile?

—Au même endroit où vous avez trouvé ce vent qui soufflait à une vitesse de 180 kilomètres à l'heure.

QUESTIONS

1. Qu'est-ce qui caractérise la littérature après toutes les guerres? 2. Est-ce que le vocabulaire de cette littérature est différent? 3. De quoi parlait-on? 4. D'où venaient beaucoup de ces expressions? 5. Quelle était une des superstitions de l'époque? 6. Quelles sortes d'anecdotes y avait-il sur la guerre? 7. Racontez-en une.

COMPOSITION

Employez les expressions suivantes dans un petit dialogue de votre composition:

1. qu'est-ce que c'est que   2. à la fois   3. tout à coup   4. longtemps   5. à l'heure   6. de mon côté   7. en avance   8. tenez la droite   9. prenez garde   10. à voix basse   11. à plusieurs reprises   12. rien d'autre   13. défense d'entrer   14. quoi encore   15. se mettre à   16. se retourner   17. toutes sortes de   18. à l'heure

Lesson 23

Present indicative and past participle of *dormir*

Pluperfect indicative of *parler* and *aller* and its uses

Past conditional of *parler* and *aller* and its uses

Falloir with a direct and indirect object

Formation of an ordinal number from a
cardinal number

Use of ordinals and cardinals in dates and titles

Uses of *moitié* and *demi*

Uses of collective numerals ending in *aine*

CONVERSATION

Une jeune Fille fatiguée

PAULINE: Pardonnez-moi si je bâille. Je ne peux pas m'empêcher
de le faire. Mon Dieu, que je suis fatiguée!

HENRI: C'est très naturel. Si je m'étais promené autant que vous,
je serais fatigué aussi. Pourquoi vous êtes-vous tellement épuisée?

PAULINE: Ce n'est rien; c'était ma première visite dans les grands
magasins depuis 1938. Que voulez-vous? Je voulais tout
voir.

HENRI: Je me souviens qu'autrefois vous les visitiez chaque année.
C'est votre huitième visite en France, n'est-ce pas?

PAULINE: Voyons; mais non, c'est ma dixième. Si j'avais pu, je serais venue aussi en 1939, mais la guerre était sur le point d'éclater. D'ailleurs, c'était impossible cette année-là, faute d'argent. Malgré moi, il a fallu rester en Amérique.

HENRI: A quelle heure est-ce que vous vous êtes réveillée ce matin?

PAULINE: Vers huit heures. Mais j'ai mis quelque temps à m'habiller.

HENRI: Si vous vous étiez reposée hier, comme je vous l'avais conseillé, vous n'auriez pas été fatiguée aujourd'hui.

PAULINE: J'ai dormi sept heures et demie. C'est tout ce qu'il me faut.

HENRI: Ça suffit d'ordinaire. Mais après un tel voyage, il faut quelques heures de plus. Allez vite vous coucher. Vous avez besoin de dormir.

PAULINE: Vous avez raison. Bonne nuit.

HENRI: A demain.

VOCABULAIRE ET EXPRESSIONS

la moitié half
la paire the pair
demi half

second second
un tel, une telle such a

se réveiller to wake up
se coucher to lie down, go to bed
dormir to sleep

s'endormir to fall asleep
s'habiller to dress
empêcher (de) to prevent, hinder (from)

que . . . ! how . . . ! (exclamatory; follow with declarative word-order: *qu'il est bon!*
tellement so, so much, to such an extent

autrefois formerly
faute de for lack of
de plus more, furthermore, in addition, besides
d'ordinaire usually

malgré   in spite of
que voulez-vous?   what would
    you? what would you expect?
à peu près   more or less
ça suffit   that's enough

bonne nuit   good night (used
    only on retiring)
pardonnez-moi   pardon me
je ne peux pas m'empêcher de   I
    can't help
ce n'est rien   that's nothing

VOCABULAIRE SUPPLÉMENTAIRE

le départ   the departure
la vingtaine   the score
la centaine   about a hundred
éclater   to burst out
bâiller   to yawn
s'épuiser   to get exhausted

conseiller   to advise (*conseiller à
    quelqu'un de faire quelque
    chose*, to advise someone to do
    something)
mettre quelque temps à + *inf.*
    to take some time to

VERBES

Present Indicative of **dormir** (to sleep) *p.p.* **dormi**

je dors
tu dors
il (elle) dort

nous dormons
vous dormez
ils (elles) dorment

Like *dormir* conjugate *s'endormir*, to fall asleep.

Pluperfect Indicative of **parler** and **aller**

j'avais parlé
tu avais parlé
il avait parlé
elle avait parlé

nous avions parlé
vous aviez parlé
ils avaient parlé
elles avaient parlé

j'étais allé(-e)
tu étais allé(-e)
il était allé
elle était allée

nous étions allés(-es)
vous étiez allé(-e, -s, -es)
ils étaient allés
elles étaient allées

je l'avais vu avant son départ   I had seen him before his departure

ils étaient sortis avant mon arrivée   they had gone out before my arrival
elles s'étaient parlé hier   they had spoken to each other yesterday

→ The pluperfect indicative is used generally like the English past perfect.

Past Conditional of **parler** and **aller**

j'aurais parlé	nous aurions parlé
tu aurais parlé	vous auriez parlé
il aurait parlé	ils auraient parlé
elle aurait parlé	elles auraient parlé

je serais allé(-e)	nous serions allés(-es)
tu serais allé(-e)	vous seriez allé(-e, -s, -es)
il serait allé	ils seraient allés
elle serait allée	elles seraient allées

il m'aurait parlé s'il m'avait vu   he would have spoken to me if he had
     seen me

→ The past conditional is used in conditional sentences where English uses "should have," "would have." The pluperfect indicative is used in the "if" clause.

GRAMMAIRE

il me faut deux dollars   I need two dollars
il lui faut du courage   he needs courage
il vous faut de l'argent   you need money

The impersonal *falloir* may be accompanied by a direct and an indirect object. It may be translated by "to need." The indirect object becomes the subject of the English sentence.

un one	**premier** first
deux two	**second, deuxième** second
trois three	**troisième** third
quatre four	**quatrième** fourth
cinq five	**cinquième** fifth

six	six	sixième	sixth
sept	seven	septième	seventh
huit	eight	huitième	eighth
neuf	nine	neuvième	ninth
dix	ten	dixième	tenth
		onzième	eleventh
		douzième	twelfth
		treizième	thirteenth
		quatorzième	fourteenth
		dix-neuvième	nineteenth
		vingtième	twentieth
		vingt et unième	twenty-first
		vingt-deuxième	twenty-second
		quatre-vingtième	eightieth
		centième	hundredth

→ To form an ordinal numeral from a cardinal, add *-ième*. If the cardinal ends in *-e,* drop the final *-e* of the cardinal and add *-ième*. Note the change of *f* to *v* in *neuvième,* and the insertion of *u* in *cinquième.*

| **Napoléon premier** Napoleon 1st | **le premier avril** April 1st |
| **Napoléon trois** Napoleon 3rd | **le cinq avril** April 5th |

→ In dates and titles, *premier* is the only ordinal used. *Cardinal numbers are used from second on.*

la moitié de ma classe half of my class
une demi-heure half an hour
une heure et demie an hour and a half

→ "Half" as a noun is *moitié;* as an adjective it is *demi. Demi* is invariable and attached to the noun by a hyphen if it precedes, but agrees with the noun in gender if it follows.

une paire de souliers a pair of shoes
une douzaine d'œufs a dozen eggs
une dizaine de jours about ten days
une vingtaine d'hommes a score of men; about twenty men
une trentaine de femmes about thirty women; some thirty women
une centaine de dollars about a hundred dollars

→ Collective numerals similar to our "dozen" may be formed in some cases by adding the suffix *-aine* to *huit, dix, douze, vingt, trente, quarante,* etc., after dropping the final *-e.*

QUESTIONS

1. Pourquoi Pauline bâille-t-elle? 2. Qu'est-ce qu'elle ne peut pas s'empêcher de faire? 3. Quelle explication Henri donne-t-il de la fatigue de Pauline? 4. Pourquoi Pauline avait-elle visité les grands magasins? 5. Combien de fois Pauline a-t-elle visité la France? 6. Pourquoi n'est-elle pas allée en 1939? 7. A quelle heure Pauline s'est-elle réveillée? 8. Est-ce qu'elle s'est habillée vite? 9. De combien d'heures de repos Pauline a-t-elle besoin? 10. Quand lui faut-il quelques heures de plus?

EXERCICES

A. *Traduisez les verbes suivants en français et employez-les dans des phrases:*

1. they are sleeping 2. she sleeps 3. I sleep 4. we are sleeping 5. are you sleeping? 6. I had spoken 7. she had gone 8. we should have gone 9. they had spoken 10. we should have spoken 11. you would have gone 12. you had gone 13. she would have spoken 14. he had spoken 15. he would have gone 16. I woke up 17. they went to bed 18. she rested.

B. *Traduisez le mot en anglais par son équivalent en français:*

1. Henri *the fourth* 2. Louis *the eleventh* 3. Louis *the fourteenth* 4. Napoléon *the first* 5. Louis *the sixteenth* 6. François *the first.*

C. *Donnez l'équivalent français des dates suivantes:*

1. May 1st 2. April 2 3. May 4 4. June 5 5. July 1st 6. August 10 7. September 12 8. October 26 9. November 6 10. December 1st 11. January 30 12. February 12.

D. *Remplacez le tiret par un des mots suivants et traduisez chaque phrase en anglais:* la moitié, demi, une paire, une douzaine, une demi-douzaine, une vingtaine, une trentaine, une centaine.

1. —————— de la classe est absente. 2. Je vais partir dans une —————— heure. 3. Il y a —————— de livres français dans sa bibliothèque. 4. Il reviendra dans —————— de jours. 5. Donnez-moi —————— d'œufs, s'il vous plaît. 6. Vous avez besoin d'—————— de souliers, mon enfant. 7. Six crayons font —————— de crayons. 8. Donnez-moi un —————— litre de lait.

E. *Faites une question avec chacune des expressions suivantes et répondez-y:*

1. se reposer 2. se réveiller 3. se coucher 4. s'habiller 5. dormir 6. s'endormir 7. d'ordinaire 8. malgré 9. autrefois 10. tellement 11. à peu près 12. bonne nuit 13. pardonnez-moi 14. ce n'est rien 15. ça suffit 16. je ne peux pas m'empêcher de croire 17. que voulez-vous . . . ? 18. que . . . ?

THÈME

—Oh! you are yawning.

—Excuse me. I could not help myself. I am completely exhausted.

—Why are you so tired? You went to bed early last night.

—Yes, but I walked everywhere today. I wanted to see Paris again.

—If you had rested this afternoon for (*omit*) an hour or two, you would not be so tired. I wanted to go to the theatre tonight.

—If I had known that, I should have come home early.

—Perhaps (*insert:* that) if you lie down you can sleep for (*omit*) an hour or two and we can still go.

—All right. If I had been able to sleep late this morning, I would not be so tired now. Tomorrow I shall stay at home. I wanted to go to some department stores tomorrow morning, but I shall not go until the afternoon.

LECTURE

PAUL: Pourquoi bâillez-vous?

HENRI: Oh! je suis épuisé. Je vais m'étendre (*stretch out*) sur le divan et me reposer. J'ai très mal dormi et très peu. Ce n'est qu'à trois heures que j'ai fermé les yeux et puis, ce matin, je me suis réveillé de très bonne heure, sans pouvoir me rendormir.

PAUL: Si vous vous étiez reposé hier après-midi, comme je vous l'avais conseillé, vous auriez mieux dormi. Vous faites bien de vous coucher maintenant.

HENRI: Oui, c'est vrai. Vous m'excuserez si je fais (*take*) un petit somme (*nap*).

PAUL: Oh! quel joli poste de radio (*radio set*)! Puis-je écouter mon programme favori si je joue très doucement?

HENRI: Bien sûr. Ça m'aidera à dormir. Tournez le tabulateur (*dial*). C'est un récepteur à ondes courtes (*short wave*). Vous pourrez donc obtenir n'importe quel poste d'émission (*any station*).

PAUL: Mais, qu'est-ce qu'elle a, votre radio? J'entends à peine la voix de l'annonceur.

HENRI: Fermez la radio et changez de réglage (*wave length*). Je vois que je ne vais pas pouvoir dormir. Je vais me lever. L'appareil ne peut pas être détraqué (*out of order*). Je l'ai fait réparer, il y a quinze jours. Quoi! Rien encore? Je vais examiner les lampes (*tubes*). Zut alors! En voilà trois de grillées (*burnt out*). C'est curieux, ça. Mais je crois que j'en ai d'autres. Attendez. . . . Oui, les voici. Non, au fond ce n'est pas curieux qu'elles soient grillées. Je les ai depuis si longtemps.

PAUL: Il paraît que vous partez bientôt en voyage!

HENRI: Oui, en effet, je vais au bord de la mer (*seashore*) demain soir. J'ai consulté l'horaire (*timetable*) du chemin de fer (*railroad*) et je trouve que le meilleur train part à 18 heures 15. J'ai réservé une couchette de wagon-lit (*Pullman berth*) et demain matin à 8 heures 30 j'arriverai à la plage (*beach*).

PAUL: Vous préférez la plage à la montagne?

HENRI: Oui, décidément. J'aime beaucoup les bains de mer, bien que (*although*) je nage (*swim*) peu. J'aime surtout prendre des bains de soleil (*sun*). Je reste étendu sur le sable (*sand*) pendant des heures en caleçon de bain (*bathing-trunks*), à regarder plonger (*dive*) les demoiselles dans une piscine (*pool*) à côté de la plage.

PAUL: Et vous n'avez pas peur d'attraper un coup de soleil (*bad sunburn*)? On me dit que les insolations (*sun stroke*) sont très dangereuses.

HENRI: Peut-être, mais j'ai la peau (*skin*) dure et en passant à l'ombre de temps en temps, je m'en suis tiré (*got out of it*) jusqu'ici (*until now*) sans jamais trop souffrir, et tous les ans je suis bronzé comme un peau rouge (*Indian*).

PAUL: Si vous restez ici assez longtemps, je viendrai peut-être vous rejoindre. Y a-t-il moyen de prendre des leçons de natation (*swimming*)?

HENRI: Oui, il y a d'excellents professeurs. Ils vous apprennent tout ce que vous voulez: le crawl, le plongeon, comment il faut respirer.

PAUL: Puis-je vous accompagner à la gare demain soir?

HENRI: Bien volontiers. Je vous serais très reconnaissant si vous vouliez m'aider avec mes bagages. Ah! voilà la radio qui marche! Je vais m'étendre de nouveau, et vous pouvez écouter votre programme favori.

QUESTIONS

1. Que fait Henri pour se reposer? 2. Pourquoi est-il fatigué? 3. Quel conseil n'a-t-il pas suivi? 4. Qu'est-ce que Paul remarque dans la chambre? 5. Quelle sorte de poste de radio Paul a-t-il? 6. Est-ce que les postes qu'il peut entendre sont en nombre limité? 7. Comment sait-on que la radio ne marche pas bien? 8. Que fait Henri pour la réparer? 9. Pourquoi Henri préfère-t-il la plage à la montagne? 10. Comment Henri passe-t-il son temps à la plage?

COMPOSITION

Préparez un dialogue entre deux étudiants très fatigués. Employez les mots du vocabulaire autant que possible.

Lesson 24

Present subjunctive of *parler, vendre,* and *finir*

Formation and general uses of subjunctive

Subjunctive of some irregular verbs

Present indicative of *devoir*

Conjugation of *falloir*

Il faut with an infinitive

Il faut followed by the subjunctive

Uses and meaning of *devoir*

Devoir compared with *falloir*

CONVERSATION

On Déjeune en hâte

PAUL: Je dois dîner chez Louis ce soir.

GEORGES: Ça, c'est chic! Vous refusez mes invitations, mais vous acceptez les siennes!

PAUL: Écoutez! Je lui ai promis d'aller dîner chez lui, il y a deux mois. Il faut absolument que j'y aille!

GEORGES: Chacun son goût! Mais dites-moi, vous qui êtes gourmand, est-ce qu'on dîne bien chez lui?

PAUL: Oh, à merveille! La dernière fois que j'y étais, on nous a servi un repas épatant. Ce qui (*which*) me rappelle que nous n'avons pas encore déjeuné. Voici un restaurant où je mange de temps en temps lorsque je rentre tard le soir. On y mange bien et à bon marché.

GEORGES: Soit, mais alors c'est moi qui vous invite. Il faut que vous me permettiez de le faire.

PAUL: Comme vous voulez. Entrons.

GEORGES: Pas de garçons ici. Il n'y a que des serveuses.

PAUL: Tant mieux. Elles sont plus soigneuses.

LA SERVANTE: Monsieur désire?

GEORGES: Je prendrai du gigot aux haricots.

PAUL: Apportez-moi du veau sauté aux petits pois et une bouteille de vin ordinaire.

LA SERVANTE: Oui, monsieur.

GEORGES: Elle ne nous a pas mis de cuillers, de fourchettes, ou de couteaux.

PAUL: Mais si! Les voilà sous votre serviette.

GEORGES: Qu'est-ce que vous faites à présent?

PAUL: Je devrais préparer mes cours pour demain. Mais j'ai dû tant étudier hier que je n'en ai pas envie. D'ailleurs, il faut bien se reposer de temps en temps.

GEORGES: Vous avez tout à fait raison. Moi aussi, je devais travailler, mais j'ai préféré y renoncer pour venir vous voir.

PAUL: Hélas! il faut que nous soyons à l'université à trois heures. Mademoiselle, l'addition, s'il vous plaît. Qu'est-ce qu'on lui donne comme pourboire?

GEORGES: Une dizaine de francs.

PAUL: Partons.

VOCABULAIRE ET EXPRESSIONS

les haricots (*masc.*) the beans	**les petits pois** (*masc.*) the peas
le veau the veal	**la bouteille** the bottle
le gigot the leg of lamb	**la cuiller** the spoon
la tranche the slice	**le couteau** the knife

la fourchette   the fork
la serveuse   the waitress
la servante   the maid

devoir   to owe, must, have to, be
to

promettre (de)   to promise (the
person promised is an indirect object)

chacun, chacune   each one
apportez-moi   bring me

l'addition   (*fem.*)   the bill, the
check (in a restaurant)

le pourboire   the tip

permettre (de)   to permit, allow
to (the person permitted is an
indirect object)

renoncer (à)   to give up (something)

apporter   to bring

à bon marché   cheaply (**bon marché** cheap)

VOCABULAIRE SUPPLÉMENTAIRE

le goût   the taste
le gourmand   the glutton
la hâte   the haste
soigneux (*fem.* soigneuse)   careful, attentive
préparer   to prepare
hélas!   alas!

offrir (*p.p.* offert)   to offer, to
"treat"

ça, c'est chic!   that's fine!; I like
that! (*ironical*)

chacun son goût   everyone to his
tastes

soit   so be it, all right

VERBES

Present Subjunctive of **parler, vendre, finir**

que je parle   that I speak
que tu parles   that you speak
qu'il (elle) parle   that he (she)
speak

que nous parlions   that we speak
que vous parliez   that you speak
qu'ils (elles) parlent   that they
speak

que je vende   that I sell
que tu vendes   that you sell
qu'il (elle) vende   that he (she)
sell

que nous vendions   that we sell
que vous vendiez   that you sell
qu'ils (elles) vendent   that they
sell

que je finisse that I finish	**que nous finissions** that we finish
que tu finisses that you finish	**que vous finissiez** that you finish
qu'il (elle) finisse that he (she) finish	**qu'ils (elles) finissent** that they finish

→ The subjunctive is generally used in subordinate clauses when the main clause implies some measure of doubt or necessity. The cases where the subjunctive is used will be explained in detail further on. The endings of the present subjunctive are: *-e, -es, -e, -ions, -iez, -ent*. These endings are added to the stem of the verb (*parl-, vend-*); but in regular *-ir* verbs, *-iss-* is inserted between the stem and the endings (*fin-iss-*).

mettre   to put; **que je mette**   that I put
partir   to leave; **que je parte**   that I leave
ouvrir   to open; **que j'ouvre**   that I open
sortir   to go out; **que je sorte**   that I go out
dormir   to sleep; **que je dorme**   that I sleep
couvrir   to cover; **que je couvre**   that I cover
suivre   to follow; **que je suive**   that I follow
rire   to laugh; **que je rie**   that I laugh

→ Several irregular verbs add the regular endings to the stem in the present subjunctive.

dire   to say; **que je dise**   that I say
pouvoir   to be able; **que je puisse**   that I be able
faire   to do; **que je fasse**   that I do
lire   to read; **que je lise**   that I read
écrire   to write; **que j'écrive**   that I write
connaître   to know; **que je connaisse**   that I know
savoir   to know; **que je sache**   that I know

→ Other irregular verbs make a change in the stem before adding the endings *-e, -es, -e, -ions, -iez, -ent*.

prendre   to take: **prenne, prennes, prenne, prenions, preniez, prennent**
vouloir   to want: **veuille, veuilles, veuille, voulions, vouliez, veuillent**
valoir   to be worth: **vaille, vailles, vaille, valions, valiez, vaillent**
boire   to drink: **boive, boives, boive, buvions, buviez, boivent**

voir to see: **voie, voies, voie, voyions, voyiez, voient**
devoir to owe: **doive, doives, doive, devions, deviez, doivent**
recevoir to receive: **reçoive, reçoives, reçoive, recevions, receviez, reçoivent**
aller to go: **aille, ailles, aille, allions, alliez, aillent**
venir to come: **vienne, viennes, vienne, venions, veniez, viennent**
tenir to hold: **tienne, tiennes, tienne, tenions, teniez, tiennent**

→ A few irregular verbs use two different stems in the present subjunctive: one for the singular and third plural, the other for the first and second plural; the latter is often the regular stem.

être to be: **sois, sois, soit, soyons, soyez, soient**
avoir to have: **aie, aies, ait, ayons, ayez, aient**

→ The present subjunctive of *être* and *avoir* are completely irregular. Note that these are the only two verbs in which the endings are irregular.

Present Indicative of **devoir** (am to, was to, ought, must, owe)

je dois	**nous devons**
tu dois	**vous devez**
il (elle) doit	**ils (elles) doivent**

Impf. **devais**; fut. **devrai**; pres. subj. **doive—devions**; *p.p.* **dû.**

falloir (must, have to)

Pres. ind. **il faut**; impf. **il fallait**; fut. **il faudra**; pres. subj. **il faille**; p.p. **fallu.**

GRAMMAIRE

il faut le faire   someone (I, we, you) must do it; it must be done
il me faut le faire   I must do it (slightly archaic)
il faut que je le fasse   I must do it
il faut que Jean le fasse   John must do it

→ *Il faut* followed by the infinitive is often translated by "must," with the subject of the "must" unspecified or understood.

→ The subject of the "must" may be expressed by an indirect object pronoun, but this usage is somewhat antiquated.

→ *Il faut* may also be followed by a subjunctive clause. This occurs especially when there is a noun subject for the English "must."

je dois y aller demain   I am to go there tomorrow
Où est Jean? **Il doit être ici.**   Where is John? He must be here.
on doit toujours dire la vérité   one must always tell the truth

→ The present indicative of *devoir* indicates: (1) mild obligation combined with futurity, as expressed by the English "am to"; (2) "must" when it expresses not compulsion but probability; (3) "must," "should," "ought to" when these terms indicate a general, moral obligation.

je devais y aller hier, mais j'étais malade   I was to go there yesterday, but I was ill

→ The imperfect of *devoir* expresses "was to," "were to."

vous devrez étudier plus longtemps   you will have to study longer
il vous faudra étudier plus longtemps   you will have to study longer
il faudra que vous étudiiez plus longtemps   you will have to study longer

→ The future of *devoir* expresses strong future compulsion, like English "will have to." In this tense, it is interchangeable with the future of *falloir*.

je devrais le voir demain   I ought to see him tomorrow

→ The conditional of *devoir* expresses "ought to," "should."

j'aurais dû le faire la semaine dernière   I ought to have done it last week

→ The past conditional of *devoir* expresses past obligation, like the English "ought to have," "should have."

il a dû le faire   he had to do it; he must have done it
il lui a fallu le faire   he had to do it
il a dû être ici   he must have been here

→ The past indefinite of *devoir* denotes (1) "had to"; in this sense it is interchangeable with the past indefinite of *falloir;* (2) "must have," in the sense of inference or belief. Note that in the latter sense it is followed by the infinitive, not by the past participle, as is the case in English.

je lui dois cinq dollars   I owe him five dollars
je lui devais dix dollars   I owed him ten dollars
je lui devrai mille francs   I shall owe him a thousand francs

→ *Devoir* also has the meaning of "to owe" in all its tenses.

QUESTIONS

1. Où Paul va-t-il dîner?   2. Pourquoi Georges est-il fâché?   3. Pourquoi faut-il que Paul aille chez Louis?   4. Est-ce qu'on dîne bien chez Georges?   5. Où Paul mange-t-il quand il rentre tard le soir? 6. Qui sert à table dans ce restaurant?   7. Pourquoi Paul est-il content de cela?   8. Qu'est-ce que Georges choisit?   9. Que choisit Paul?   10. Pourquoi Paul demande-t-il l'addition immédiatement après le repas?

EXERCICES

A. *Continuez la conjugaison:*
1. Il faut que je parle à cet homme, il faut que tu . . . , etc.   2. Il faut que je vende ce livre.   3. Il faut que je finisse cette leçon.   4. Il faut que je mette la nappe.   5. Il faut que je parte tout de suite.   6. Il faut que j'ouvre la porte.   7. Il faut que je sorte.   8. Il faut que je dorme maintenant.   9. Il faut que je suive cet homme.   10. Il faut que je rie. 11. Il faut que je couvre la table.   12. Je dois de l'argent à Monsieur Georges.

B. *Remplacez l'infinitif par la forme correcte du subjonctif:*
1. Il faut que vous le (*dire*).   2. Il faut que nous (*pouvoir*) partir tout à l'heure.   3. Il faut qu'elles (*faire*) leur lit maintenant.   4. Faut-il que je (*lire*) ce livre tout de suite?   5. Il faut que mon frère (*écrire*) cette lettre immédiatement.   6. Il faut que vous (*connaître*) ma tante.

7. Il faut absolument que vous (*savoir*) votre rôle ce soir. 8. Pourquoi ne faut-il pas que je (*prendre*) ce journal? 9. Il ne faut pas qu'ils (*venir*). 10. Il faut que vous (*dormir*) mieux.

C. *Dans chacune des phrases suivantes, remplacez l'infinitif par trois formes du subjonctif, la première personne du singulier et du pluriel et la troisième personne du pluriel:*

1. Il faut que (*recevoir*) bientôt une réponse. 2. Faut-il que (*boire*) cette eau chaude? 3. Il faut que (*voir*) Charles. 4. Faut-il que (*lire*) ce livre tout de suite? 5. Il faut que (*payer*) cet argent. 6. Il faut que (*aller*) au musée aujourd'hui. 7. Il faut que (*venir*) ce soir. 8. Ne faut-il pas que (*tenir*) vos livres? 9. Il ne faut pas que (*être*) en retard. 10. Il faut que (*avoir*) deux crayons à l'examen. 11. Il faut que (*se reposer*) maintenant.

D. *Traduisez en français:*

1. I must do it. 2. We must do it. 3. Mary must do it. 4. It must be done. 5. He is to go there next week. 6. She must be here now. 7. One should always see one's friends. 8. We were to go to the movies, but Mary was ill. 9. You must study longer if you want to learn your lesson. 10. We ought to have done it yesterday. 11. He must have been here, he has left this letter. 12. Excuse me, but I had to do it. 13. If I borrow one thousand francs more, I shall owe him five thousand francs. 14. I owed him twenty dollars but I paid him last week. 15. Let us see! I owe you ten dollars, don't I?

THÈME

—Will you have dinner (*dine*) with me this evening?

—I am very sorry but I must go to dinner with Henry.

—Why do you always refuse my invitations? That isn't nice. I almost always accept yours.

—Last week I went to the restaurant with you. Don't you remember the fine dinner we had?

—Yes, I suppose I spoke too quickly. But here we are in front of the restaurant. Let's see what is (*what there is*) on the menu. Roast lamb with string beans. Braised veal with peas. There is not much choice. But I shall go in anyway.

—Well, goodbye then. I must hurry or I shall be late.

(The other enters the restaurant and sits down. There are waitresses instead of waiters.)

—Miss, will you bring the menu, please?

—Here is a napkin, too, sir.

—But you have forgotten to give me a fork and knife. There is only a spoon here and a glass.

—Excuse me a moment. I must go get (*chercher*) that gentleman's roast lamb. I shall return in a minute for your order (*votre commande*).

—Please hurry. I must be back at my house at 7:30. Bring the check as soon as you (*will*) bring my order, please.

—Very well, sir.

LECTURE

PIERRE: Vite . . . vite. Dépêchons-nous. Nous n'avons pas beaucoup de temps à perdre, si nous voulons arriver à l'aérodrome à l'heure et manger avant le départ. Voulez-vous manger ici avant de partir ou là-bas au restaurant?

ALBERT: Je crois que ce serait plus sûr d'aller directement à l'aérodrome et de manger là, au restaurant. Il est bien cher mais il est bon. Je dois être dans l'avion (*airplane*) à deux heures. J'ai promis d'être à Londres ce soir et il faut absolument que j'y sois. Mettez-vous au volant. Je vais mettre ma valise sur le siège de derrière. Vous me conduirez. Dépêchons-nous.

PIERRE: Eh bien! nous voici. Il n'est que midi et demi, nous avons le temps de manger tranquillement.

ALBERT: Excusez-moi un instant. Il faut que j'aille au bureau faire contrôler (*examine*) mon billet et m'assurer que ma place est toujours réservée. (Il part et revient.) Bon. Tout est en règle: billet, bagages, tout.

PIERRE: Très bien. Allons au restaurant. . . . Nous voici. Laissons notre chapeau et notre pardessus au vestiaire (*cloak room*) et allons au lavabo (*wash room*) nous laver les mains. J'ai les mains sales après avoir conduit.

ALBERT: Voyons! Où pouvons-nous nous asseoir? Si on prenait cette table près de la fenêtre? En mangeant nous pourrons regarder les

avions décoller (*take off*) et atterrir (*land*). Qu'ils sont beaux!
Avez-vous jamais volé (*flown*)?

PIERRE: Non, mais il faudra que j'essaye une fois. S'il faut dire la vérité,
j'ai la frousse (*I am afraid*).

ALBERT: Oh! il n'y a rien à craindre. Pas plus que dans une auto ou en
chemin de fer. Il faut que je vous emmène un jour avec moi.

PIERRE: Mais, est-ce qu'on n'est pas malade? On doit être horriblement
secoué (*shaken*) là-haut.

ALBERT: Pas tant que ça. Il faut bien choisir sa place. Celles à l'avant
(*in front*) sont les meilleures. On peut regarder le paysage (*landscape*) et bientôt on ne pense plus aux secousses. La vue est moins
bonne si vous avez des places au milieu ou à l'arrière; mais, malgré
tout, on est si haut qu'on peut toujours voir quelque chose.

PIERRE: A quelle hauteur (*height*) vole-t-on?

ALBERT: Oh! ça dépend. Quelquefois on monte jusqu'à quinze mille
pieds.

PIERRE: Avez-vous jamais fait de très longs voyages en avion?

ALBERT: Oui, une fois. De l'Afrique du Nord à Moscou.

PIERRE: Non! Sans arrêt? (*without stopping?*)

ALBERT: Mais non. On a atterri (*to make a landing*) plusieurs fois.

PIERRE: Franchement, n'y a-t-il pas beaucoup de danger?

ALBERT: Mais non, je vous assure. Avec les mécaniciens (*mechanics*)
qui examinent les avions avant leur départ, avec les pilotes entraînés
(*trained*) comme ils le sont aujourd'hui et les progrès qu'a faits
l'aviation depuis la guerre, on ne risque rien. Essayez, vous verrez.
Sérieusement, il faut que vous essayiez, un de ces jours. Mais voici
la serveuse. Commandons. Que voulez-vous?

PIERRE: Oh! je ne sais pas. Ce que vous prendrez.

ALBERT: Mon Dieu! Il n'y a pas grand' chose au menu aujourd'hui. Du
gigot, du riz (*rice*) aux tomates, des pommes de terre. J'aimerais
bien un peu de poisson (*fish*), Mademoiselle. Et pourrions-nous
avoir des huîtres (*oysters*) pour commencer? Ensuite, du saumon
pour deux, des pommes de terre frites, des petits pois, du pain blanc.
Et Mademoiselle, si vous avez un bon vin ordinaire, une bouteille
de vin blanc. Et n'oubliez pas les cuillers, les fourchettes et les
couteaux. Je vois que vous ne mettez plus le couvert sur la table à
l'avance comme vous faisiez autrefois.

LA SERVEUSE: Mais si, monsieur, mais aujourd'hui il y a tant de clients

à servir que je n'ai pas eu le temps de mettre d'autres couverts.
Voulez-vous que j'apporte une carafe (*pitcher*) d'eau, monsieur?

ALBERT: S'il vous plaît, mademoiselle, et veuillez nous servir aussi vite
que possible car il faut que je prenne l'avion de deux heures.

LA SERVEUSE: Très bien, monsieur, vous serez servi tout de suite.
Voulez-vous que je vous apporte l'addition en même temps que le
dessert?

ALBERT: Oui, mademoiselle, et je vous donnerai votre pourboire à ce
moment-là.

LA SERVEUSE: Merci, monsieur.

QUESTIONS

1. Pourquoi Pierre est-il impatient? 2. Où va-t-on déjeuner? 3. En
arrivant à l'aérodrome, que fait Albert? 4. Avant d'entrer dans le
restaurant pour manger, que font les deux messieurs? 5. Quelle table
choisissent-ils et pourquoi? 6. Pourquoi Pierre ne veut-il pas monter
en avion? 7. Comment peut-on faire un voyage agréable en avion?
8. Quel long voyage Albert a-t-il fait? 9. Pourquoi Albert pense-t-il
que les voyages en avion ne sont plus très dangereux? 10. Que choisissent-ils pour leur repas?

COMPOSITION

Préparez un dialogue de 300 mots (scène de restaurant) en vous
servant des expressions suivantes: la fourchette, la cuiller, le couteau, la
serviette, l'assiette, le verre, la tranche, le gigot, les petits pois, la bouteille, le vin, l'eau, la serveuse, le pourboire, l'addition, le café, le sucre,
le dessert, la glace, apportez-moi, bon marché, cher, en outre.

Review Lesson 6

A. *Traduisez les phrases suivantes:*

1. He is sitting down in the armchair. 2. We are sitting down near the lamp. 3. She was sitting down when I came in. 4. I shall sit down when I am tired. 5. They are opening the door. 6. Open the window, please. 7. She opened the door. 8. He received the book. 9. I am receiving letters from her every day. 10. Do you receive many books from France? 11. I used to receive letters from England every day. 12. He will receive his valise tomorrow. 13. They were laughing. 14. You were laughing. 15. I shall laugh. 16. He smiled. 17. They are sleeping. 18. We are not sleeping. 19. He is sleeping now. 20. They will fall asleep. 21. You slept well. 22. We must speak to you at once. 23. He must sell the house. 24. They must finish their work today. 25. I must leave this afternoon.

B. I. *Remplacez le tiret par la forme convenable du pronom démonstratif:*

1. Avez-vous besoin de ce chapeau-ci ou de _____? 2. Quelle chaise préférez-vous, _____ ou _____? 3. J'aime ces cravates-ci; voulez-vous _____? 4. J'ai fait mon choix; ceux-ci sont les miens, _____ sont les vôtres.

II. *Traduisez les expressions en italique dans les phrases suivantes:*

1. La dame *to whom* je parlais est la mère de Jean. 2. La dame *with the green hat* est la sœur de Marie. 3. L'homme *with the black beard* est son père. 4. La maison *of which* nous avons vu le toit tout à l'heure est la nôtre. 5. Il a écrit à sa tante et à son oncle; *the former* a répondu par lettre, *the latter* a répondu par téléphone.

III. *Remplacez l'infinitif par la forme correcte du participe passé:*

1. Elles se sont (*laver*) les mains. 2. Elles se sont (*voir*) hier soir. 3. Les chapeaux qu'elle s'est (*acheter*) sont très jolis. 4. Ils se sont (*laver*).

IV. *Donnez le pluriel des noms suivants:*

le temps	le nez	le cheval	le cadeau	le bijou
le feu	l'animal	la voix	le poteau	le chapeau

V. *Donnez le féminin et le pluriel masculin des adjectifs suivants:*

égal	national	beau	nouveau	heureux	italien
cher	neuf	premier	dernier	veuf	fameux

VI. *Écrivez en toutes lettres les chiffres en italique:*

Napoléon *I*	Henri *IV*	le 6 avril
une *½* heure	le *15* mai	Louis *XV*
une heure et *½*	le *10* août	le *25* octobre
le *4* juillet		

VII. *Remplacez l'infinitif par la forme correcte du verbe:*

1. Il faut que Jean (*venir*). 2. Il faut que je (*vendre*) cette maison. 3. Il faudra qu'il (*étudier*) s'il veut réussir. 4. Il faut que vous (*savoir*) toute la leçon. 5. Il faudra que nous (*lire*) ce livre ce soir.

VIII. *Traduisez les phrases suivantes:*

1. I was to read that book yesterday. 2. He should have done it last week. 3. We had to write that letter. 4. She must have arrived this morning. 5. They owe me ten dollars.

DICTÉE

Quand on parle de la France à l'étranger, on ne songe le plus souvent qu'à Paris, la capitale. C'est là une grande erreur, puisqu'au contraire l'histoire nous montre presque toujours que l'opinion de Paris est en désaccord avec celle du reste du pays.

La vraie France est aussi constituée par la Province, c'est-à-dire par une série de villes qui ont toutes, comme Paris, un passé qu'elles respectent et qu'elles aiment; et par d'innombrables régions agricoles où vivent des paysans, en général possesseurs de la terre qu'ils cultivent.

THÈME

PETER: We are going to the restaurant. Lock the door, please.

ALBERT: Very well! Where are we going?

PETER: There is a good restaurant not far from here. Follow this street, and at the end (*au bout*), on (at) the corner, is La Mandrive.

ALBERT: Do they serve a good meal?

PETER: Yes, you eat well there and cheaply. They have excellent roast lamb and very good veal.

ALBERT: We must go there then. I should prepare my courses tonight but perhaps (that) I shall have time when I come back. I don't feel like studying tonight, however.

PETER: Oh! you must rest from time to time. Did you close the door to (of) the cellar?

ALBERT: No. I didn't know I had to lock it. It was open this morning.

PETER: Why are you yawning? Are you tired?

ALBERT: Yes, I am exhausted. I walked a lot this morning. I am going to sit and wait for you while you close the house.

Lesson 25

CONVERSATION

Le Départ de nos Amis

JEAN: Voici la Gare du Nord!

MARIANNE: Encore une gare!

JEAN: Oui, il y en a une demi-douzaine à Paris. Tous les chemins de fer de l'Europe se rencontrent ici.

MARIANNE: Allons voir si nous trouverons Geneviève et Maurice sur le quai.

LE PORTEUR: Attention, Mademoiselle! Laissez passer, s'il vous plaît.

MARIANNE: Je trouve ces porteurs bien grossiers et bruyants! On les rencontre partout. Ils bousculent tout le monde avec leurs valises et leurs malles!

JEAN: Pas plus qu'ailleurs. Il faut bien que quelqu'un porte les

254

bagages; et s'ils n'étaient pas là pour vous aider, vous le re-
marqueriez bien davantage.

MARIANNE: A quelle heure partent nos amis?

JEAN: Regardons cette affiche. Non, ce n'est pas l'horaire des trains;
ce n'est qu'un avis au public.

MARIANNE: Ah, enfin, les voilà! Geneviève!

GENEVIÈVE: Marianne! Quelle joie! Vous êtes seule?

MARIANNE: Non, Jean est avec moi. Il est en train de lire une
affiche. Nous sommes venus vous dire adieu et vous souhaiter
bon voyage.

GENEVIÈVE: Que c'est gentil à vous d'être venu! C'est nous qui
aurions dû aller prendre congé de vous et de votre famille.
Vous avez été tous si aimables pour nous. Mais passons sur le
quai. Notre train part dans dix minutes. Voilà notre voiture.

MARIANNE: Vous voyagez en première?

GENEVIÈVE: Non, en wagon-lit.

MARIANNE: Quel chic! Et il y a un wagon-restaurant tout à côté
de votre voiture. Ça sera très commode!

GENEVIÈVE: Ma foi, oui! Nous avons pris le petit déjeuner assez
tard ce matin. Nous dînerons dans le train avant d'arriver.

MARIANNE: Vous nous donnerez de vos nouvelles dès que vous
serez arrivés à Amsterdam, n'est-ce pas?

GENEVIÈVE: Bien entendu! Nous vous enverrons une dépêche aussitôt que nous serons descendus du train. Allons, ne soyez pas
triste! Après tout, on se dit au revoir et pas adieu. Nous re-
viendrons le plus tôt possible.

MARIANNE: C'est vrai. Amsterdam n'est pas tellement loin.

LE CONDUCTEUR: En voiture!

GENEVIÈVE: Encore une fois, au revoir!

MARIANNE: Au revoir, Geneviève! Bon voyage!

VOCABULAIRE ET EXPRESSIONS

le nord the north	**l'est** (*masc.*) the east
le sud, le midi the south	**l'ouest** (*masc.*) the west

le train   the train
l'horaire (*masc.*) des trains   the timetable
la voiture   the railroad coach
le compartiment   the compartment
le wagon-lit   the sleeping-car
le wagon-restaurant   the dining car
le fer   the iron
le chemin de fer   the railroad

le quai   the platform
le porteur   the porter
les bagages (*masc.*)   the baggage
la malle   the trunk
la valise   the suitcase
l'affiche (*fem.*)   the notice, the poster
l'avis (*masc.*)   the notice
le petit déjeuner   the breakfast
le chien   the dog
la joie   the joy

gros (*fem.* grosse)   big, large
dur   hard
triste   sad

propre   clean
commode   comfortable
aimable   kind

réussir à   to succeed in
travailler   to work
remarquer   to notice

causer   to talk, chat
aider   to help
souhaiter   to wish

encore un, un autre   another
bon (pour)   kind (to)
loin   far, far away
après (que)   after

adieu   farewell
dès que, aussitôt que   as soon as
tant que   as long as
bien davantage   much more

être en train de faire   to be (in the act of) doing
laissez passer   gangway!
avis (au public)   public notice
dire adieu à, faire ses adieux à   to say goodbye to
que c'est gentil à vous   how kind it is of you
prendre congé de   to take leave of
donnez-moi de vos nouvelles   let me hear from you
le plus tôt possible, au plus tôt   as soon as possible
en voiture!   all aboard!
bon voyage!   have a good trip!

VOCABULAIRE SUPPLÉMENTAIRE

le public   the public   **bruyant**   noisy
l'art (*masc.*)   the art   **bousculer**   to push, to shove
grossier (*fem.* **grossière**)   rude   **tellement**   so

VERBES

Future Anterior of **parler** and **aller**

j'aurai parlé   I shall have spoken

tu auras parlé   you will have spoken

il (elle) aura parlé   he (she) will have spoken

nous aurons parlé   we shall have spoken

vous aurez parlé   you will have spoken

ils (elles) auront parlé   they will have spoken

je serai allé(e)   I shall have gone

tu seras allé(e)   you will have gone

il sera allé   he will have gone

elle sera allée   she will have gone

nous serons allés(es)   we shall have gone

vous serez allé(e)(s)(es)   you will have gone

ils seront allés   they will have gone

elles seront allées   they will have gone

aussitôt qu'il m'aura écrit, je partirai   as soon as he has written me, I shall leave

après que je serai arrivé, je vous écrirai   After I have arrived, I shall write you

dès qu'ils se seront rencontrés, ils rentreront dans leur pays   as soon as they have met, they will return to their countries

→ The future anterior corresponds in form to the English future perfect. In English, the latter is seldom used, being replaced by the present perfect ("after I have arrived" rather than "after I shall have arrived"). In French, the future anterior must be used after certain conjunctions if future perfect time is implied; that is, to indicate an action which is future to the present, but past with respect to another future action.

The most frequently used conjunctions requiring the future anterior under these circumstances are: *quand, lorsque* (when); *aussitôt que, dès que* (as soon as); *après que* (after); *tant que* (as long as).

je le verrai quand il viendra I shall see him when he comes
tant qu'il restera ici, je resterai avec lui as long as he stays here, I shall stay with him

→ The same conjunctions take the future where English uses the present to indicate future time.

parler to speak   Imperfect **parlais**   Present Participle **parlant**
vendre to sell   Imperfect **vendais**   Present Participle **vendant**
finir to finish   Imperfect **finissais**   Present Participle **finissant**
voir to see   Imperfect **voyais** Present Participle **voyant**
prendre to take   Imperfect **prenais**   Present Participle **prenant**
dire to say   Imperfect **disais**   Present Participle **disant**
devoir to owe   Imperfect **devais**   Present Participle **devant**
boire to drink   Imperfect **buvais**   Present Participle **buvant**
lire to read   Imperfect **lisais**   Present Participle **lisant**
écrire to write   Imperfect **écrivais**   Present Participle **écrivant**
faire to do   Imperfect **faisais**   Present Participle **faisant**
s'asseoir to sit down Imperfect **m'asseyais** Present Participle **s'asseyant**
rire to laugh   Imperfect **riais**   Present Participle **riant**
connaître to know Imperfect **connaissais** Present Participle **connaissant**
être to be   Imperfect **étais**   Present Participle **étant**

→ To form the present participle of any verb, regular or irregular, drop the *-ais* of the imperfect and add *-ant*.

Exceptions: **savoir** to know Impf. **savais** Pres. part. **sachant**
avoir to have Impf. **avais** Pres. part. **ayant**

en causant, nous sommes sortis   while talking, we went out
il a réussi **en travaillant** comme un esclave   he succeeded by working like a slave
il a répondu **en riant**   he answered laughing

elle est partie **en courant**   she left running
voilà un étudiant faisant (qui fait) ses devoirs   there is a student doing
  his homework
j'ai vu une femme portant (qui portait) un grand paquet   I saw a
  woman carrying a large package

→ The French present participle is translated by the English participle in -ing, but has a limited use.
  Preceded by the preposition en, it often translates the English
gerund with or without "by" or "while," but in that case must always
qualify the subject.

voilà des animaux vivants   there are some living animals

→ It is occasionally used as an adjective, like the English participle,
in which case it agrees.

elle est charmante   she is charming
quelle histoire amusante!   what an amusing story!

→ It often becomes a real adjective.

je parle   I am speaking

→ It is *never* used with the verb "to be" to form a progressive conjugation.

l'art de parler   the art of speaking
il m'a regardé sans parler   he looked at me without speaking
elle était en train de lire   she was (in the act of) reading

→ After all prepositions *except en,* the part of the verb used in
French is the infinitive, not the present participle.

parler est un art   speaking is an art

→ The infinitive is used in French where a gerund is used in English as the subject of a sentence.

GRAMMAIRE

cette serviette n'est pas propre; **donnez-m'en une autre** this napkin is not clean; give me another

Voici deux de mes frères; demain **je vous en présenterai encore un.** Here are two of my brothers; tomorrow I shall present another one to you.

→ *Un autre* and *encore un* both mean "another." But *un autre* means another in the sense of "a different one," *encore un* in the sense of an additional one, "one more."

QUESTIONS

1. Y a-t-il beaucoup de gares à Paris? 2. Pourquoi? 3. Quelle opinion Marianne a-t-elle des porteurs? 4. Quelle réponse Jean lui fait-il? 5. Pourquoi Jean et Marianne sont-ils venus à la gare? 6. Est-ce que leurs amis sont contents? 7. Comment vont-ils voyager? 8. Qu'est-ce qui se trouve tout à côté de leur voiture? 9. Quelle est leur destination? 10. Que feront-ils quand ils arriveront à destination?

EXERCICES

A. *Continuez la conjugaison:*

1. J'aurais parlé si j'avais vu Marie. 2. Je serais allé s'il m'avait invité. 3. Aussitôt que j'aurai écrit ces lettres je partirai. 4. Après que je serai arrivé, je vous écrirai. 5. Lorsque je lui aurai parlé, j'irai chez vous. 5. Dès que j'aurai acheté ce livre, je vous le passerai. 7. Je le verrai quand il viendra. 8. Tant qu'elle sera ici, je ne vous quitterai pas.

B. *Donnez le participe présent de chacun des verbes suivants:*

parler, prendre, finir, voir, vendre, dire, devoir, boire, lire, écrire, faire, s'asseoir, rire, connaître, être, avoir, savoir, servir, donner, rendre.

C. *Remplacez le tiret par un participe présent:*

1. En —————— il m'a dit qu'il allait en France. 2. En ——————
ses livres à bon marché, vous perdrez beaucoup. 3. En —————— son
travail, il a eu le temps de fumer une pipe. 4. En —————— un taxi,
vous arriverez plus tôt. 5. En —————— vos devoirs tous les jours,
vous apprendrez mieux. 6. En —————— ce livre vous trouverez
que l'auteur écrit très bien. 7. En —————— du lait tous les jours vous
deviendrez plus fort. 8. En —————— cela, il m'a quitté brusquement.
9. En —————— son amie pour la dernière fois, elle a pleuré. 10. En
——————, il a remarqué que toutes les places étaient prises.

D. *Remplacez le mot en italique par le participe présent ou l'infinitif:*

1. Il m'a regardé sans *speaking*. 2. *Speaking* est un art. 3. *Answering* n'est pas difficile. 4. *Seeing,* c'est croire. 5. *Knowing* la réputation de l'homme, il a refusé d'aller le voir. 6. Tout en *laughing,* il
a accepté le cadeau. 7. *Being* amis, ils se sont souvent écrit. 8. *Having*
trop d'argent, il en donnait aux pauvres. 9. *Owing* tant d'argent, il
n'osait plus en emprunter. 10. *Eating* est souvent un plaisir.

THÈME

MARIANNE: At what time does the train leave? Have you looked at the
timetable? From what platform does the train leave?

PAUL: Don't ask me so many questions. Go get a porter to (*pour*) help
us cross the tracks (*les voies*) with our luggage. That must be the
train over there.

MARIANNE: Well! Here's a porter! Do you know what compartment
we have? Did you reserve our seats?

PAUL: Yes, here are the tickets. We are traveling first class in the sleeper.
Porter, will you please take us there?

PORTER: Where are you going? To Marseilles? The train for Marseilles is an hour late. Do you want to wait on the platform?

PAUL: Take my baggage to the platform and we shall go to the waiting
room (*la salle d'attente*) later.

MARIANNE: This train for Marseilles is always late. Why didn't you get
tickets for a different train? I am exhausted. I want to sit down.
I'll go to the waiting room.

LECTURE

PAUL: Ah! enfin nous voilà à la gare. Je croyais qu'on n'y arriverait jamais. Quel encombrement (*jam*)! Et quel chauffeur! Un crétin comme il n'y en a pas beaucoup.

JEAN: Cessez de vous plaindre! Comptons nos valises. Sont-elles toutes ici? Appelons un porteur. Nous ne pouvons pas les transporter seuls. Quelle foule (*crowd*)! Ah, voilà un porteur! Porteur! Porteur! Nous partons pour Genève par le train de 17 heures 15. Voulez-vous prendre nos valises, s'il vous plaît?

LE PORTEUR: Oui, monsieur. Mais attendez que je trouve une camionette (*hand-truck*). Je reviens dans un instant.

PAUL: J'espère qu'il ne nous fera pas attendre trop longtemps. Quelle heure est-il? 16 heures 45, nous n'avons qu'une demi-heure. Et nous n'avons pas retenu de places. Ah! enfin, le voilà qui arrive.

LE PORTEUR: Suivez-moi, messieurs. Votre train est en gare, au quai No. 6. Il est interdit (*forbidden*) aux voyageurs de traverser les voies (*tracks*). Passez donc par le souterrain (*underpass*). Je vous retrouverai sur le quai.

JEAN: Très bien! Cherchez-nous un compartiment, s'il vous plaît; nous n'avons pas réservé de places.

LE PORTEUR: Je ferai mon possible, monsieur. (Le porteur part avec les bagages et Jean et Paul passent par le souterrain.)

JEAN: Êtes-vous sûr de l'heure de notre train?

PAUL: Mais oui, j'ai un indicateur des chemins de fer qui donne tous les départs.

JEAN: Est-ce qu'il indique aussi l'arrivée à chaque gare? Ça va être long, notre voyage. Vous dites que vous n'avez pas pu retenir de places de wagon-lit. C'est dommage. Nous serons épuisés demain.

PAUL: C'est probable; mais en cette saison, il faut s'y prendre (*go about it*) longtemps à l'avance et nous nous sommes décidés à partir il y a seulement quelques jours.

JEAN: Oui. C'est vrai. C'est de notre faute. Mais pour le retour il vaudra mieux prendre des couchettes. Enfin nous voici sur le quai. Cherchons notre porteur.

PAUL: Le voilà, là-bas. Il nous voit. Dépêchons-nous. Je crois qu'il nous a trouvé un compartiment. Quelle chance (*luck*)!

JEAN (au porteur): Avez-vous trouvé des places?

PORTEUR: Oui, monsieur. J'ai placé trois de vos valises dans le filet (*rack*); la quatrième, je l'ai mise dans le couloir (*aisle*).

PAUL: Merci, voilà un pourboire. Si personne d'autre n'arrive, nous pourrons nous étendre sur les banquettes et dormir tranquillement.

JEAN: Y a-t-il un wagon-restaurant?

PAUL: Je ne crois pas. J'ai dit à Henri d'aller nous chercher quelques sandwiches, des fruits, et une bouteille de vin au buffet. Nous arriverons en Suisse de bonne heure, demain matin. Voilà Henri.

HENRI: Voici vos sandwiches. Où étiez-vous? Je vous cherche depuis dix minutes. Mais, à propos (*by the way*), ne faut-il pas changer de voiture à Lyon?

PAUL: Non, je ne crois pas. C'est un train direct. Il y a un arrêt de vingt minutes à Lyon, mais nous n'avons pas à changer. Eh bien! au revoir et merci. Le contrôleur vient de siffler (*whistle*). Le voilà qui crie: "En voiture, s'il vous plaît."

JEAN: En effet, voilà qu'on ferme les portières (*doors*). Au revoir. A bientôt. (*A Paul*) Quelle chance, tout de même, d'avoir trouvé des places. Est-ce un compartiment de fumeurs?

PAUL: Non. Il est défendu de fumer ici, mais on peut fumer dans le couloir. Moi, je vais me reposer un peu. J'ai apporté un petit oreiller en caoutchouc (*rubber*) que je vais sortir (*take out*) et placer sur la banquette. Vous pouvez vous promener pendant que je fais un petit somme.

QUESTIONS

1. Pourquoi Paul est-il content d'arriver à la gare? 2. Que lui dit Jean? 3. Quand partent-ils et pour où? 4. Pourquoi le porteur les fait-il attendre? 5. Qu'est-ce qui est interdit aux voyageurs? 6. Comment Jean et Paul vont-ils voyager? 7. Pourquoi Paul n'a-t-il pas pris de places de wagon-lit? 8. Où le porteur a-t-il mis leurs valises? 9. Comment Paul et Jean vont-ils probablement passer la nuit? 10. Que vont-ils manger?

CONVERSATION

Employez les expressions suivantes dans un dialogue (300 mots) échangé à la gare, au moment du départ d'un train: le chemin de fer, le quai, le porteur, les bagages, la malle, la valise, la voiture, le train, le compartiment, le wagon-restaurant, propre, dur, la portière, remarquer, causer, le couloir, aider, adieu, donner de ses nouvelles, laissez passer, le plus tôt possible, en voiture, l'indicateur, que c'est gentil à vous, l'avis.

Lesson 26

Present indicative, past participle, and
imperfect of *conduire*

Use of *en* with the present participle

Past infinitive with *après*

Other uses of past infinitive

Use of *pour* before an infinitive

De with an infinitive depending upon a noun

À or *de* with an infinitive depending upon
an adjective

Verbs requiring *à, de,* or no preposition before
an infinitive

Il est facile de, ce travail est facile à . . .

CONVERSATION

En Auto

ANNA: Emmeline, je suis fatiguée. Ayez la bonté de conduire.

EMMELINE: Avec plaisir. Je vais vous remplacer au volant.

ANNA: Vous allez bien lentement.

EMMELINE: C'est que je ne peux m'empêcher d'avoir un peu peur
sur ces routes de campagne. Elles sont si étroites! De plus, elles
sont souvent mouillées, ou bien couvertes de poussière. Et les
autos américaines sont si larges!

265

ANNA: Est-ce que vous auriez préféré aller par le train?

EMMELINE: Non, je préfère aller en automobile. Je reconnais que j'ai tort de m'énerver. Ici, à la campagne, il n'y a ni tramways ni autobus pour me déranger, comme en ville.

ANNA: Tenez la droite un peu plus. Et attention aux vaches! Servez-vous de vos freins dans les descentes.

EMMELINE: Je vais essayer. Oh, regardez ce petit village là-bas, dans les champs, au pied de la montagne!

ANNA: Ce n'est pas une montagne. Ce n'est qu'une colline.

EMMELINE: Je ne vais pas discuter la géographie du pays. Que c'est joli! Cette herbe verte, ces fleurs, ce petit lac, la forêt à notre gauche, pleine d'oiseaux, les arbres, les rochers! Quel charme!

ANNA: Oui, mais n'oubliez pas le chemin. Il faut prendre la route à droite après avoir passé ce carrefour qui est là-bas devant nous. Et faites attention à cette charette à foin qui encombre la route. Ainsi nous n'aurons rien à regretter.

EMMELINE: Savez-vous ce qu'on vous appellerait en Amérique? Un "conducteur de derrière." Au lieu de jouir des beautés de la nature, les "conducteurs de derrière" ne songent qu'à critiquer ceux qui conduisent. Mais, dites-moi, est-ce que nous sommes encore très loin de Bourges?

ANNA: Non, la ville est là-bas, sur cette colline qui domine ces petites rivières. Regardez ces arbres tout autour de la ville. Parmi ces maisons nous trouverons celle de nos amis. Dans quelques minutes nous serons chez eux. Après avoir déjeuné, nous repartirons pour Paris. Ainsi nous serons rentrées avant la tombée de la nuit.

VOCABULAIRE ET EXPRESSIONS

le tramway the streetcar
l'autobus (*masc.*) the bus
le frein the brake

le carrefour the intersection
le village the village
le pays the country, countryside

la **montagne**   the mountain
la **colline**   the hill
l'**arbre** (*masc.*)   the tree
l'**oiseau** (*masc.; pl.* **oiseaux**)   the bird
l'**herbe** (*fem.*)   the grass

la **fleur**   the flower
la **forêt, le bois**   the wood
la **rivière**   the (small) river, stream
la **poussière**   the dust
le **pied**   the foot
la **tombée de la nuit**   nightfall

agité   nervous, upset
mouillé   wet
plein (de)   full (of), filled (with)

couvert (de)   covered (with)
rond   round

espérer   to hope (**j'espère**)
s'énerver   to be (to get) nervous
traduire   to translate
frapper   to strike, knock
défendre (de)   to forbid (to)

apprendre (à)   to learn (to), to teach (to)
cesser (de)   to stop (doing something), to cease
se servir de   to use, make use of

à travers   across, through
derrière   behind, back of
parmi   among
ainsi   thus, so, that way

au lieu de   instead of
autour de   around
ou bien   or else

ayez la bonté de   have the kindness to, please
critiquer quelqu'un   to criticize somebody
attention à   careful with
faites attention à   pay attention to, watch out for
aller (par le train, à pied, à cheval, en auto, en bateau, en voiture)   to go (by train, on foot, on horseback, by car, by boat, by carriage)

VOCABULAIRE SUPPLÉMENTAIRE

le **volant**   the steering-wheel
le **lac**   the lake
le **rocher**   the rock
le **charme**   the charm
la **beauté**   the beauty
la **bonté**   the kindness

la **géographie**   the geography
la **descente**   the down-grade
le **conducteur**   the driver
la **charette**   the wagon
le **foin**   the hay
la **vache**   the cow

remplacer to replace (nous remplaçons)
jouir de to enjoy
discuter to discuss
regretter to regret

déranger to trouble, disturb,
   bother (nous dérangeons)
songer (à) to think of (nous songeons)
encombrer to fill up, to encumber

possible possible

impossible impossible

VERBES

Present Indicative of conduire (to lead, to drive)

je conduis	nous conduisons
tu conduis	vous conduisez
il (elle) conduit	ils (elles) conduisent

Past participle: conduit   Imperfect: conduisais

Like *conduire*, conjugate all verbs ending in *-duire*, such as *traduire*, to translate; *produire*, to produce; *déduire*, to deduce, etc.

GRAMMAIRE

je suis fatigué de conduire   I am tired of driving
il est entré sans frapper   he came in without knocking
il est prêt à partir   he is ready to leave
avant d'entrer, il faut frapper   before coming in, you must knock

→ The form of the verb regularly used after prepositions in French is the infinitive.

il est sorti en parlant   he went out talking

→ The preposition *en*, meaning "by" or "while," requires the present participle.

après avoir mangé, il s'est couché   after eating, he lay down
après être sorti, il est rentré   after going out, he came in again

→ The preposition *après*, meaning "after," requires the past infinitive. This consists of the infinitive of *avoir* (or *être*) plus the past participle of the verb.

il est parti **sans avoir mangé**   he left without eating
elle est sortie **avant d'avoir répondu**   she went out before answering

→ The past infinitive is also used after other prepositions when past time is implied.

il faut travailler pour réussir   you must work in order to succeed

→ *Pour* is used to translate "in order to" or "to" in the sense of "in order to" before an infinitive.

ayez la bonté de me dire   have the kindness to tell me

→ An infinitive depending on a noun with the definite article is usually preceded by *de*.

je suis prêt à partir   I am ready to leave
je serai très content de le faire   I shall be very happy to do it

→ An infinitive depending on an adjective is preceded by a preposition, usually *à* or *de*.

je dois le faire   I should, must, have to do it
je sais le faire   I know how to do it
je veux le faire   I want to do it
je peux le faire   I am able to do it
je désire le faire   I desire to do it
je préfère le faire   I prefer to do it
je vais le faire   I am going to do it
j'espère le faire   I hope to do it

→ *Devoir, savoir, pouvoir, vouloir, désirer, préférer, aller, espérer* take the infinitive directly, without a preposition.

il m'a permis de le faire   he allowed me to do it
je lui ai promis de le faire   I promised him to do it
il s'est dépêché de le faire   he hurried to do it
je lui ai demandé de le faire   I asked him to do it
je lui ai défendu de le faire   I forbade him to do it

j'ai essayé de le faire   I tried to do it
j'ai oublié de le faire   I forgot to do it
j'ai fini de le faire   I finished doing it
cessez de le faire   stop doing it
j'accepte de le faire   I accept to do it
je refuse de le faire   I refuse to do it
j'ai offert de le faire   I offered to do it
je lui ai dit de le faire   I told him to do it
je l'ai prié de le faire   I begged him to do it

→ *Permettre, promettre, se dépêcher, demander* (providing you ask someone else to do something), *défendre, essayer, oublier, finir, cesser, accepter, refuser, offrir, dire, prier* require *de* before a following infinitive.

il demande à le faire   he asks to do it
j'aime à le faire   I like to do it
j'ai appris à le faire   I learned to do it
je lui ai appris à le faire   I taught him to do it
je l'ai aidé à le faire   I helped him to do it
j'ai cherché à le faire   I tried to do it
je me suis mis à le faire   I began to do it
il continue à le faire   he goes on doing it
j'ai réussi à le faire   I managed to do it, I succeeded in doing it

→ *Demander* (when you are asking to do something yourself), *aimer, apprendre, aider, chercher, se mettre, continuer, réussir* require *à* before a following infinitive.

cet exercice est **facile à traduire**   this exercise is easy to translate
il (c')est difficile de traduire cet exercice   it is hard to translate this exercise
ce travail **est impossible à faire**   this work is impossible to do
il (c')est possible de faire ce travail   it is possible to do this work

→ With *facile, difficile, possible, impossible, and other adjectives,* use *à* before the infinitive if there is a real subject. If the subject is an impersonal "it," use *de*.

Theoretically, *il* is used for an impersonal "it" and *ce* for a specific subject. Colloquially, however, the impersonal *il* is often replaced by *ce*.

QUESTIONS

1. Pourquoi Anna ne veut-elle plus conduire? 2. Qui la remplace au volant? 3. Pourquoi Emmeline conduit-elle lentement? 4. Quels sont les dangers quand on conduit en ville? 5. Quels sont les dangers quand on conduit à la campagne? 6. Pourquoi une promenade en auto à la campagne est-elle charmante? 7. De quelle ville les amies approchent-elles? 8. Pendant combien de temps vont-elles rester chez leurs amis? 9. Où iront-elles ensuite? 10. Quand espèrent-elles rentrer chez elles?

EXERCICES

A. *Conjuguez les verbes dans les phrases suivantes:*

1. Je conduis mon père à la gare tous les jours. 2. Je conduisais mon auto à toute vitesse quand l'agent de police m'a arrêté. 3. Je traduirai mon devoir. 4. J'ai produit les preuves demandées. 5. Si j'avais le temps, je les conduirais chez eux.

B. *Traduisez les mots anglais:*

1. Elle est sortie en *eating*. 2. Avant de *going out*, il faut dire au revoir à tout le monde. 3. Nous avons travaillé sans *stopping*. 4. Il ne faut jamais entrer sans *knocking*. 5. N'êtes-vous pas fatigué de *driving?* 6. Après *knocking*, elle est entrée. 7. Après *coming in*, elle s'est assise. 8. Avant de *going out*, il a dit bonsoir.

C. *Remplacez le tiret par la préposition qui convient:*

1. Il faut manger ————— vivre. 2. Veuillez avoir la bonté ————— me passer le pain. 3. Elle sera prête ————— partir dans dix minutes. 4. Je suis très content ————— vous voir. 5. Il me promet ————— venir tous les jours. 6. Le médecin me permet ————— sortir maintenant tous les jours. 7. Dépêchez-vous————— descendre. 8. Ne me demandez pas ————— vous accompagner. 9. Il a appris ————— étudier. 10. Il a offert ————— m'aider. 11. Il m'a aidé ————— monter la malle. 12. Il n'a pas réussi ————— le faire. 13. Je refuse ————— vous donner cet argent.

14. Cessez ——————— me tourmenter. 15. Avez-vous toujours cherché ——————— faire votre devoir?

D. *Complétez les phrases en ajoutant un infinitif ou une préposition avec l'infinitif:*

1. Je l'ai prié ———————. 2. Il continue ———————. 3. Je sais ———————. 4. Je désire ———————. 5. Il a fini ———————. 6. Il lui a appris ———————. 7. Nous lui avons dit ———————. 8. Avez-vous essayé ———————. 9. Il peut ———————. 10. Il s'est mis———————. 11. Pourquoi lui avez-vous défendu ———————. 12. Je préfère ———————. 13. Il est difficile ———————. 14. Il est impossible ———————. 15. Tout ceci est impossible ———————.

THÈME

—Won't you please drive the car? I'm exhausted.

—Of course. Get up and give me the wheel. I shall drive slowly.

—Yes, please. I am very nervous, today. I am afraid on these narrow mountain roads. In the morning they are quite wet.

—Perhaps you prefer to travel by autobus or by train?

—Oh, no! But be careful. Keep to the left. Use your brakes more often.

—What pretty flowers on that hill!

—Don't look at the flowers and the trees. Look at the road. A chauffeur drives his car; he doesn't look at the beauties of nature.

—How nervous you are! I am going to stop and you can take the wheel again.

—Oh! Excuse me. Continue to drive, please. I shall say nothing more.

LECTURE

HENRI: Allô! Allô! Passy 32-66? Est-ce le cabinet du dentiste Merlier? A quelle heure pouvez-vous me donner une consultation (*appointment*)? J'ai une dent cariée (*decayed*) qui me fait très mal. Demain, dites-vous, à cinq heures? Bon, j'y serai.

PAUL: Eh bien! qu'allez-vous faire maintenant?

HENRI: Je vais envoyer une dépêche à Georges pour lui dire que je ne
peux pas le rejoindre demain à la campagne. Venez, je vous mon-
trerai comment on rédige (*draw up*) un télégramme. On prend
d'abord une de ces formules (*blanks*), on écrit ensuite le nom et
l'adresse du destinataire (*addressee*), puis on écrit le message et on
signe son nom. On essaye, en général, de limiter sa dépêche à dix
mots. Pour une dépêche de nuit le tarif (*rate*) est moins cher que
pour une dépêche de jour. Voici ce que j'ai mis: "Impossible venir
demain. Consultation avec dentiste." Maintenant, envoyons-la.

PAUL: Et maintenant, nous rentrons, j'espère.

HENRI: Pas tout de suite. Je veux voir si j'ai du courier (*mail*) à la
poste restante (*general delivery*). (A l'employé) Monsieur, y a-t-il
du courier pour Paul Dumollet?

L'EMPLOYÉ: Oui, monsieur. Voici trois lettres, une carte postale et un
colis postal (*parcel post package*). Mais avez-vous une carte d'identité (*identification card*) ou un passeport, monsieur?

HENRI: Oui, monsieur. Le voici.

L'EMPLOYÉ: Bon. Voici vos lettres et votre colis. Oh! il y a aussi des
imprimés (*printed matter*) que j'avais oubliés.

HENRI: Merci, monsieur. Au revoir, monsieur.

(Chez le dentiste)

HENRI: Bonjour, mademoiselle. J'ai une consultation à cinq heures, je
crois.

L'AIDE: Oui, monsieur. Voulez-vous passer dans le cabinet (*office*) du
docteur? Il sera là dans un instant. Asseyez-vous, s'il vous plaît.
Mettez cette serviette (*towel*) en attendant. Ah! voici le docteur.

LE DENTISTE: Vous avez une dent cariée, me dit-on.

HENRI: Oui, monsieur. Je voudrais la faire arracher (*pull out*) tout de
suite.

LE DENTISTE: Arracher! laissez-moi voir. Rejetez la tête en arrière
(*throw your head back*) et ouvrez la bouche (*mouth*) toute grande
(*very wide*), comme ça. Bon! Vos dents sont très bien conservées.
Il y a une toute (*very*) petite cavité à une molaire. Il y a si peu de
carie (*decay*) à cette dent que je pourrai la plomber (*fill*) tout de
suite. Laissez-moi voir les gencives (*gums*). Elles sont en excellent
état.

HENRI: Allez-vous me radiographier (*x-ray*) la dent?

Le dentiste: Mais non! Vous n'avez rien de grave. Je suppose que vous voulez qu'on vous anesthésie (*give gas*) aussi. J'aurai fini en deux minutes. Je ne sais même pas comment vous avez pu croire qu'elle vous faisait mal, cette dent. Voulez-vous un plombage (*filling*) en porcelaine? Ça ne se verra pas du tout.

Henri: Ça m'est égal, pourvu que ça dure (*lasts*).

Le dentiste: Vous avez une des meilleures dentures (*set of teeth*) que j'aie jamais vues. Comment vous soignez-vous (*take care of*) les dents?

Henri: Oh! je les brosse (*brush*) après chaque repas avec une pâte dentifrice (*toothpaste*) ou avec de la poudre (*powder*). Mais dites, au sujet de ma dent, va-t-il falloir tuer le nerf (*kill the nerve*)?

Le dentiste: Non, non. Je vous dis que vous n'avez rien. Mon Dieu, si vous voyiez la denture de la plupart (*most*) des gens qui viennent me voir, vous comprendriez. Quelqu'un d'autre n'aurait même pas remarqué cette cavité. Eh! bien, voilà. C'est fini.

Henri: Comment? C'est fini? Vous n'avez même pas commencé. Qu'est-ce que je vous dois? Faut-il payer comptant (*pay cash*) ou puis-je vous donner un acompte (*down payment*)?

Le dentiste: Comme vous voudrez, monsieur. Votre plombage ne vous coûtera que cinq cents francs.

Henri: Merci, docteur, et au revoir.

QUESTIONS

1. A qui Henri téléphone-t-il? 2. Quelle sorte de dépêche envoie-t-il? 3. A qui l'envoie-t-il? 4. Pour quelle autre raison est-il allé à la poste? 5. Que trouve-t-il à la poste? 6. Qu'est-ce qu'Henri demande au dentiste? 7. Pourquoi le dentiste ne veut-il pas lui arracher la dent? 8. Qu'est-ce que le dentiste pense des dents d'Henri?

COMPOSITION

Écrivez une conversation (300 mots) entre un dentiste et son client, ou entre une personne qui conduit une auto et son passager.

Lesson 27

Present indicative and past participle of *vivre*

Present indicative and past participle of *mourir*

Use of definite article with parts of the body

Use of possessive adjective or indirect object pronoun with parts of the body

Use of *faire mal à, se faire mal, avoir mal à*

CONVERSATION

La Visite du Médecin

LE MÉDECIN: Qu'avez-vous, mon garçon?

GASTON: J'ai mal à la tête, Monsieur le docteur, puis j'ai des douleurs dans le dos et dans la poitrine.

LE MÉDECIN: Voyons d'abord si vous avez de la fièvre. Non, votre pouls est normal. Ôtez votre veston et écoutons un peu le cœur et les poumons.

GASTON: Oui, Monsieur le docteur.

LE MÉDECIN: Tiens! Où avez-vous reçu cette blessure?

GASTON: J'ai été blessé pendant la guerre. Un fragment d'obus dans l'épaule, un autre à la jambe droite au-dessus du genou, un troisième dans le cou. Rien de sérieux. . . . J'ai passé un mois à l'hôpital à bavarder avec les infirmières et à avaler des médicaments. Après, je suis retourné au régiment, mais je suis tombé malade tout de suite et il a fallu me renvoyer à l'hôpital.

LE MÉDECIN: Et cette brûlure au menton et à la lèvre?

GASTON: Ça, je l'ai attrapée aux États-Unis dans une collision d'autos. Ça aussi m'a valu un mois à l'hôpital. J'avais le visage complètement couvert de pansements. Je me regardais dans le miroir, et je ne voyais plus ni front, ni bouche, ni cheveux, ni oreilles, ni joues, ni gorge. Un de ces jours, je vais laisser pousser ma moustache et ma barbe, et ça cachera les cicatrices. D'ailleurs, elles ne sont pas très profondes.

LE MÉDECIN: Toussez un peu, s'il vous plaît.

GASTON: Je tousse toujours un peu. Ce sont ces sacrées cigarettes que je fume sans arrêt.

LE MÉDECIN: Essayez le cigare. C'est moins mauvais pour la santé. Est-ce que vous avez mal au bras gauche? Vous avez de la difficulté à le remuer.

GASTON: Ça, c'est encore une petite blessure de guerre. Une balle allemande qui m'a traversé le bras un peu au-dessous du coude, mais sans briser l'os. Pendant un mois j'ai eu de la difficulté à remuer les doigts, mais à présent ça va assez bien.

LE MÉDECIN: La peau est toujours un peu enflée au dessous du poignet. Pas de maux d'estomac? Jamais mal aux dents? Montrez la langue.

GASTON: Voilà, Docteur.

LE MÉDECIN: Eh bien! Ce n'est qu'un petit rhume. Voici une ordonnance qu'on vous préparera à la pharmacie qui se trouve en face de mon bureau. Une pilule toutes les trois heures. Vous ne serez pas vraiment malade cette fois. Ne vous fatiguez pas trop. Faites attention de ne pas trop fumer.

GASTON: Merci bien, Monsieur le docteur. Au revoir.

LE MÉDECIN: Au revoir, mon garçon.

VOCABULAIRE ET EXPRESSIONS

le cœur	the heart	**la dent**	the tooth
la tête	the head	**le cou**	the neck
le dos	the back	**le genou** (*pl.* **genoux**)	the knee

la poitrine   the chest, breast
le coude   the elbow
le doigt   the finger
l'ongle (*masc.*)   the nail
le menton   the chin
le visage   the face
les cheveux (*masc.*)   the hair
la lèvre   the lip
la bouche   the mouth
l'oreille (*fem.*)   the ear
la gorge   the throat
la joue   the cheek
la moustache   the mustache
l'épaule (*fem.*)   the shoulder
la jambe   the leg
le bras   the arm
le poignet   the wrist
la barbe   the beard
le corps   the body

la peau   the skin
l'estomac (*masc.*)   the stomach
la langue   the tongue
l'os (*masc.*)   the bone (pronounce
     the *s* in the sing., but not in
     the plural, **les os**)
la cicatrice   the scar
la toux   the cough
la fièvre   the fever
la brûlure   the burn
l'infirmière (*fem.*)   the nurse
le médicament   the medicine
le pansement   the bandage
l'ordonnance (*fem.*)   the prescrip-
     tion
l'hôpital (*masc.*)   the hospital
le cigare   the cigar
le tabac   the tobacco
la cigarette   the cigarette

profond   deep

sacré (*slang*)   confounded, darned

tomber   (*être*)   to fall
fumer   to smoke
attraper   to catch

pousser   to push, grow
renvoyer   to send back (**je ren-
     voie;** fut. **je renverrai**)

qu'avez-vous?   what is the matter
     with you?
au cours de, pendant   during
au dessus de   above
au dessous de   below, beneath

à tout instant   at every moment
faites-moi voir   show me
avoir soin de   to take care of
avoir mal à   to have a —ache
faire mal à   to hurt

VOCABULAIRE SUPPLÉMENTAIRE

le pouls   the pulse
le poumon   the lung

le front   the forehead
le veston   the coat, the jacket

le miroir   the mirror
la balle   the bullet
l'obus (*masc.*)   the shell (cannon)
le fragment   the fragment

le régiment   the regiment
la pharmacie   the drug store
la pilule   the pill
la collision   the collision

sérieux (*fem.* sérieuse)   serious
enflé   swollen
dangereux (*fem.* dangereuse) dan-
    gereux
blesser   to wound

tousser   to cough
avaler   to swallow
traverser   to pierce, cross
remuer   to move, stir
bavarder   to chat, "chew the rag"

VERBES

Present Indicative of **vivre** (to live) *p.p.* **vécu**

je vis
tu vis
il (elle) vit

nous vivons
vous vivez
ils (elles) vivent

Present Indicative of **mourir** (to die) *p.p.* **mort**

je meurs
tu meurs
il (elle) meurt

nous mourons
vous mourez
ils (elles) meurent

Future: **je mourrai**   Conditional: **je mourrais. Mourir** is conjugated
with *être* in the compound tenses **(il est mort; ils sont morts).**

GRAMMAIRE

donnez-moi la main   give me your hand
montrez-moi la langue   show me your tongue

→ With parts of the body, the definite article is generally used instead of the possessive when there is no doubt as to the possessor.

la balle a traversé son bras   the bullet pierced his arm
la balle lui a traversé le bras   the bullet pierced his arm
il s'est cassé le bras   he broke his arm

→ If the possessor of the part of the body must be indicated, use either the possessive adjective or an indirect object pronoun (which may be a reflexive) before the verb.

il m'a fait mal   he hurt me
il m'a fait mal au doigt   he hurt my finger
je me suis fait mal au pied   I hurt my foot

→ "To hurt" is *faire mal à* (*lit.* to do harm to). "To hurt oneself" is *se faire mal* (to do harm to oneself). The part of the body that is hurt takes *à* with the definite article.

j'ai mal à la tête   I have a headache
j'ai mal aux dents.   I have a toothache
j'ai mal à l'épaule   I have a pain in the shoulder

→ "To have a —ache" is *avoir mal à*.

QUESTIONS

1. Où Gaston a-t-il mal? 2. Comment le médecin découvre-t-il que Gaston n'a pas de fièvre? 3. Gaston a-t-il été blessé à la guerre? 4. Quand il est retourné au régiment, qu'est-ce qui lui est arrivé? 5. Quelle expérience Gaston a-t-il eue en auto? 6. Comment Gaston va-t-il cacher la cicatrice qu'il a à la figure? 7. Pourquoi tousse-t-il? 8. Quel conseil le médecin lui donne-t-il? 9. Quelles blessures Gaston a-t-il au bras? 10. Quand le médecin découvre que Gaston a un rhume, comment le soigne-t-il?

EXERCICES

A. *Continuez la conjugaison:*
1. Je vis seule avec mon père. 2. J'ai vécu loin de la ville. 3. Je vivrai jusqu'à cent ans. 4. Je vivais à la campagne.

B. *Traduisez les formes suivantes:*
1. he dies 2. we are dying 3. I am dying 4. I shall die 5. they

died 6. you are dying 7. she died 8. they would die 9. they will die
10. they are dying

C. *Traduisez les phrases suivantes:*

1. Have you a toothache? 2. Yes, I have a toothache. 3. John hurt
my finger. 4. Stop! You're hurting me. 5. Her shoulder hurts, help
her. 6. Show me your hand. 7. Shake hands with me. 8. A bullet
pierced his shoulder. 9. She hurt her foot. 10. I hurt his finger. 11.
Show me your tongue. 12. Have you a headache? 13. Does your
head hurt? 14. His back hurts.

D. *Faites la description d'un ami en vous servant des mots suivants:*

le dos, le cou, le menton, le visage, les cheveux, la tête, les dents, les
lèvres, la joue, le nez, la peau, la bouche, l'épaule, la poitrine, les os.

THÈME

—What's the matter? You seem to be sick?

—I have a headache!

—Why don't you go to the doctor? Perhaps you have a fever.

—I must have a cold. I have pains in the back and chest.

—Let me see if your pulse is normal. I think I ought to call the
doctor.

(An hour later when the doctor arrives)

—Show me your tongue. Let me see your throat. It is quite red.
Are you coughing very much? Come, let me feel your pulse. You have
a little fever. You will have to go to bed. Your cheek seems to be
swollen, too. Does it hurt?

—Yes. Perhaps I have a small abscess (*un abcès*). I wanted to go to
the dentist's today but I felt too ill. How long do you think I shall be
sick?

—About a week. I shall give you a prescription. Send someone to
the drug store near my office. Do not smoke for a week and drink lots
of water. When you get this prescription, take one of these pills every
hour. Are your war wounds hurting you much these days?

—No, only the bullet in my arm above the elbow. I cannot move
my wrist. I don't know why.

—That's strange. I'll examine you again when your cold is better.
Meanwhile, rest as much as you can.

LECTURE

MARIE: Où allez-vous, Françoise?

FRANÇOISE: Je vais à l'hôpital, voir Antoinette.

MARIE: A l'hôpital? Qu'est-ce qu'elle a? Depuis quand est-elle là?

FRANÇOISE: Depuis hier. Personne ne vous a parlé de son accident?

MARIE: Non.

FRANÇOISE: Eh bien! Hier, en rentrant chez elle dans la neige (*snow*),
elle a glissé (*slipped*) sur le pavé (*pavement*). Au même moment,
une auto, en essayant de l'éviter (*avoid*), a dérapé (*skid*). Antoinette a été coincée (*wedged*) entre la roue (*wheel*) d'une auto
stationnée (*parked*) près du trottoir (*sidewalk*) et celle qui a dérapé, et quand on l'a ramassée, on a trouvé qu'elle avait la jambe
et le bras cassés (*broken*).

MARIE: A-t-elle eu d'autres blessures?

FRANÇOISE: Non! Elle a eu de la chance (*she was lucky*). Il y avait un
médecin dans une des autos; il l'a examinée immédiatement, puis
il a appelé la police. Un agent (*policeman*) a téléphoné à l'hôpital
et on a envoyé une ambulance. D'abord, comme elle ne pouvait pas
se lever, on a cru qu'elle s'était cassé la colonne vertébrale (*had
broken her back*), mais on a bientôt découvert qu'elle avait seulement la jambe droite cassée un peu au dessus du genou, et le bras
droit au dessous du coude. Elle avait aussi des égratignures
(*scratches*) au bras.

MARIE: Et depuis qu'elle est à l'hôpital, pas de complications?

FRANÇOISE: Non, je ne crois pas. En tout cas, hier soir elle n'avait pas
de fièvre. On a pu lui trouver une chambre particulière (*private*).
On l'avait d'abord placée dans une chambre à côté d'une dame qui
avait un gros rhume. Elle toussait sans cesse. On craignait une
pneumonie (*pneumonia*). Les médecins venaient toutes les heures
lui examiner les poumons. Alors Antoinette a demandé qu'on lui
donne un autre lit.

MARIE: Est-ce qu'elle a le cœur solide?

FRANÇOISE: Oh! oui. Immédiatement après l'accident elle avait le pouls très faible, mais c'était l'effet de son évanouissement (*fainting*).

MARIE: Vous dites que vous allez maintenant à l'hôpital?

FRANÇOISE: Oui.

MARIE: Eh bien! je crois que je vais vous accompagner. Passons d'abord chez le fleuriste (*florist*) lui acheter des fleurs, voulez-vous?

FRANÇOISE: Oui, je veux bien. Que voulez-vous lui offrir, des roses?

MARIE: Oh! je ne sais pas. Ça dépend de ce qu'il aura.

FRANÇOISE: Hier, il avait des œillets (*carnations*), des chrysanthèmes et des orchidées (*orchids*).

MARIE: A quel prix?

FRANÇOISE: Je ne sais pas. Je n'ai pas osé (*dare*) demander. Mais nous voici. Entrons.

MARIE: Bonjour, monsieur. Je voudrais un bouquet de fleurs pour une malade. Avez-vous quelque chose à me suggérer?

LE FLEURISTE: Je vous conseille des roses. Elles sont d'un prix modéré et en ce moment j'en ai de toutes les couleurs: des jaunes, des roses, des rouges, des blanches. Les blanches sont en boutons (*buds*) et dureront plus longtemps. Combien en voudriez-vous, une douzaine et demie ou deux douzaines?

MARIE: Oh! une douzaine suffira. Voulez-vous y ajouter (*add*) quelques feuilles de fougères (*fern*)?

LE FLEURISTE: Certainement. Faut-il les envelopper dans du papier ou dans une boîte?

MARIE: Oh! dans du papier. Et attachez le tout (*tie the whole thing up*) avec un ruban (*ribbon*), s'il vous plaît.

LE FLEURISTE: Oui, mademoiselle. Un instant, s'il vous plaît. Je vais en chercher. Voici.

MARIE: Merci, monsieur. En route, Françoise.

QUESTIONS

1. Pourquoi Françoise va-t-elle à l'hôpital? 2. Comment Antoinette a-t-elle été blessée? 3. Quelle sorte de blessures a-t-elle reçues? 4. Pourquoi Antoinette a-t-elle demandé qu'on lui donne un autre lit? 5. Avant d'aller à l'hôpital, où Marie veut-elle s'arrêter? 6. Que veut-

elle offrir à Antoinette? 7. Que lui conseille le fleuriste? 8. Comment
le fleuriste enveloppe-t-il le bouquet?

COMPOSITION

Racontez la visite d'un médecin qui soigne un malade. Employez
autant des expressions suivantes que possible:

le cœur, l'hôpital, le médicament, le tabac, le rhume, l'estomac, la
langue, l'infirmière, la gorge, la toux, la cicatrice, la brûlure, la peau,
la santé, fumer, faites-moi voir, avoir soin de, avoir mal à, le front, le
poumon, le pouls, la pilule, tousser, enflé, dangereux, remuer, la pharmacie, à tout instant.

Lesson 28

Present indicative, past participle, and
imperfect of *convaincre*

Present indicative, past participle, and
imperfect of *joindre*

Formation of the passive

Use of the passive with *par* and *de*

Use of *on* with an active verb as a substitute
for the passive

Use of the reflexive as a substitute for the passive

Noun with *de* instead of noun used as
adjective in English

Use of *à* with noun to indicate purpose

Use of definite article with abstract and
generic nouns

CONVERSATION

Un Roman policier

FRÉDÉRIQUE: Qu'est-ce que vous lisez, Paul?

PAUL: Un roman policier, intitulé *Arsène Lupin,* et écrit par
Maurice Leblanc. C'est vraiment épatant.

FRÉDÉRIQUE: Vraiment? Est-ce aussi passionnant que notre *Dick
Tracy* ou *Sherlock Holmes?*

PAUL: Mais oui. Je suis arrivé au point où la maison de pierre où se sont réfugiés les voleurs est assiégée par les agents de police, dirigés par Arsène. Celui-ci, qui est soupçonné d'être lui-même un bandit, avait été arrêté auparavant par les agents. Mais il a finalement réussi à convaincre l'inspecteur de police, qui se laisse conduire à la maison des voleurs.

FRÉDÉRIQUE: Tout seul?

PAUL: Non; il est accompagné d'un grand nombre de ses hommes, et suivi à distance par un peloton de gendarmes. Il le faut, car les voleurs sont nombreux et bien armés.

FRÉDÉRIQUE: Et alors?

PAUL: Dès que l'édifice a été complètement entouré par les agents, Arsène y pénètre au moyen d'une échelle de corde. Il manque d'être tué par le chef de la bande, qui fait feu sur lui. Il se sauve et rejoint les agents, qui viennent à son secours. Puis on fait sauter la porte à la dynamite. Les agents et les gendarmes entrent. Il y a un échange de coups de feu entre les bandits et les agents. Le chef des voleurs et la plupart de ses copains sont tués. Les autres se rendent. Arsène Lupin et la loi triomphent encore une fois.

FRÉDÉRIQUE: Magnifique!

PAUL: Il faut le lire pour l'apprécier. Ça prouve, pour emprunter une phrase à nos romans policiers d'Amérique, que "le crime est toujours puni."

VOCABULAIRE ET EXPRESSIONS

le voleur the thief
la loi the law
le gendarme the trooper (similar to our State police)
le copain the pal
le secours the help, aid
la tasse the cup

le nombre the number (use **numéro** for a specific number, as "number 6")
l'échange (*masc.*) the exchange
la pierre the stone
l'échelle (*fem.*) the ladder
la corde the rope

vaincre   to win, conquer
convaincre   to convince
manquer   to miss
manquer de   + *inf.,* to fail to . . . ,
   to miss . . .

joindre   to join, unite
rejoindre   to join again
entourer   to surround
tuer   to kill

cependant   nevertheless, nonethe-
   less, however
au moyen de   by means of

contre   against
à distance   at a distance
auparavant   previously

se laisser conduire   to let oneself
   be led
faire sauter   to blow up
faire feu   to fire (shoot)

faire feu sur   to shoot at
au secours!   help!
au secours de   to the help of
mais oui   of course it is

VOCABULAIRE SUPPLÉMENTAIRE

le roman   the novel
le bandit   the bandit
l'inspecteur (*masc.*)   the inspector
le chef   the chief
la compagnie   the company
la bande   the band
la dynamite   the dynamite
le peloton   the platoon

le coup de feu   the shot
le crime   the crime
la machine   the machine
la machine à écrire   the typewriter
l'édifice (*masc.*)   the building, the
   structure
le thé   the tea

policier (*fem.* policière)   police,
   detective (as an adjective)
passionnant   exciting

nombreux (*fem.* nombreuse)   numerous
fidèle   faithful

intituler   to entitle
assiéger   to besiege (j'assiège, nous
   assiégeons)
soupçonner   to suspect
armer   to arm
se réfugier   to take shelter

arrêter   to arrest
pénétrer   to penetrate (je pénètre)
se sauver   to escape
apprécier   to appreciate
triompher   to triumph
diriger   to direct (nous dirigeons)

VERBES

Present Indicative of **convaincre** (to convince)

je convaincs	nous convainquons
tu convaincs	vous convainquez
il (elle) convainc	ils (elles) convainquent

Imperfect: **je convainquais**   Past participle: **convaincu.**
Like *convaincre,* conjugate *vaincre,* to win, conquer, overcome.

Present Indicative of **joindre** (to join, unite)

je joins	nous joignons
tu joins	vous joignez
il joint	ils joignent

Imperfect: **je joignais**   Past participle: **joint.**
Like *joindre,* conjugate *rejoindre,* to rejoin; *peindre,* to paint.

Passive voice of **inviter** (to invite)

je suis invité   I am invited
j'étais invité   I was invited
je serai invité   I shall be invited
je serais invité   I would be invited
j'ai été invité   I have been invited, I was invited
j'avais été invité   I had been invited
j'aurai été invité   I shall have been invited
j'aurais été invité   I would have been invited

→ The passive is formed in French, as in English, by using the auxiliary "to be" with the past participle. The latter agrees with the subject (*il a été invité, elle a été invitée, ils ont été invités, elles ont été invitées*).

le voleur a été arrêté par les agents   the thief was arrested by the police
le garçon sera puni par son père   the boy will be punished by his father
les enfants sont aimés de leurs parents   children are loved by their parents

→ The passive is used in French as in English. "By" is translated by *par* if the action is definite, special, or indicates an unusual relation; by *de* if the action is vague or habitual. *Par* is used in most cases.

la maison est entourée d'arbres   the house is surrounded by trees
la maison a été entourée par les agents   the house was surrounded by
    the police
il était suivi de (or par) ses hommes   he was followed by his men
il a été suivi par son père   he was followed by his father
il est accompagné de (or par) sa mère   he is accompanied by his mother
il sera accompagné par ses sœurs   he will be accompanied by his sisters

→ With some verbs, either preposition may be used; in these cases, *par* tends to indicate a true passive action, *de* a static condition or a description.

on m'a donné le livre   I was given the book
on m'a dit cela   I was told that

→ English often uses a passive construction such as "I was given," "I was told," when it is clear that the past participle (given, told) cannot logically qualify the subject (the logical construction being "the book was given to me," "that was told to me"). This is impossible in French and an *active* construction must be used with the subject *on* (one gave me, one told me). *On* may translate the English one, people, we, you, they used in a general sense.

le beurre se vendait quatre cents francs le kilo   butter was sold at four
    hundred francs a kilogram

→ The reflexive is also used frequently to replace the passive when "by" is not expressed. The reflexive construction is more frequently used when the subject is an inanimate object.

GRAMMAIRE

une maison de pierre, une maison en pierre   a stone house
une échelle de corde   a rope ladder
une montre d'or, une montre en or   a gold watch
une robe de soie   a silk dress

→ To indicate the material of which a thing is made, French never uses a noun as an adjective to modify another noun. The noun of material follows the other noun, with the preposition *de,* sometimes replaced by *en.* This same principle (*de + noun*) is extended to many adjective clauses such as *un jour d'été; un jour de pluie; un compagnon de voyage,* etc.

une tasse à thé	a teacup	**du papier à écrire**	writing paper
un verre à vin	a wine-glass	**une machine à écrire**	a typewriter

→ The preposition *à* indicates the purpose for which a noun is used. Where English uses the gerund, French uses the infinitive with *à.*

la liberté nous est chère liberty is dear to us
le crime est toujours puni crime is always punished

→ Abstract nouns must have the definite article in French.

j'aime les pommes I like apples
les chiens sont fidèles dogs are faithful

→ Nouns used in a general sense also require the article in French.

QUESTIONS

1. Que lit Paul? 2. A quoi peut-on comparer l'histoire d'Arsène Lupin? 3. Où se sont réfugiés les voleurs? 4. Que font les agents de police? 5. De quoi Arsène Lupin est-il soupçonné? 6. Est-ce que les voleurs sont bien armés? 7. Comment Arsène entre-t-il dans l'édifice? 8. Par qui est-il attaqué et par qui est-il sauvé? 9. Qui est obligé de se rendre? 10. Pourquoi faut-il lire ce roman de Maurice Leblanc?

EXERCICES

A. *Conjuguez:*
1. Je le convaincs de la nécessité de travailler. 2. Je l'ai convaincu de sa faute. 3. J'ai rejoint mon ami au coin de la rue. 4. Je me joins à eux pour finir ce travail. 5. J'ai été arrêté par la police hier soir. 6. Je

serais arrêté si je faisais une telle chose. 7. J'ai été arrêté par la sentinelle. 8. J'aurais été arrêté si j'avais fait cela.

B. *Faites une série de phrases au passif en employant les mots sui-*
vants:

1. le voleur, arrêter, les agents de police. 2. la petite fille, punir, sa
mère. 3. les bébés, aimer, leurs parents. 4. la maison, brûler, le feu.
5. le roi, accompagner, les soldats. 6. les enfants, aller à l'école, accompagner, leurs parents. 7. la ville, entourer, l'armée. 8. les voleurs,
suivre, l'homme.

C. *Traduisez:*

1. Eggs sell at fifty cents a dozen. 2. Did you buy a stone house?
3. She just bought a silk dress. 4. His brother gave him a gold watch.
5. There is a rope ladder near every window on the second floor. 6. We
want to buy a half-dozen teacups. 7. What a pretty wine-glass! 8.
Haven't you any more writing paper? 9. When I have my new typewriter, I shall write you a letter. 10. Freedom is desired by most men.

THÈME

Everyone was seated in the living room and talking. Suddenly
there was a rifle shot (*coup de fusil*) and Henry fell dead. His sister
ran to the telephone and called the police. The police questioned
everyone present (all those who were) in the building. They suspect a
thief who had been arrested a week before and freed without trial
(*procès*). He lived in a stone house in the mountains. They laid siege
to the house. The police and the thief exchanged several shots. The
inspector thought that the bandit was about to (*sur le point de*) surrender when the thief blew up (*a fait sauter*) the door with dynamite.
The inspector, sure that the bandit was dead, went into the house to
find him. When he entered he found that the thief had escaped by a
rope ladder which was attached to a window, back of the house.

LECTURE

MARGUERITE: Avez-vous lu les derniers romans de Simenon?

MADELEINE: De qui?

MARGUERITE: De Simenon. Il écrit des romans policiers très à la mode (*popular*).

MADELEINE: Non, je regrette. Je n'aime pas les romans policiers. En ce moment je lis les romans de Gide. Je lis *Les Caves du Vatican*. L'avez-vous lu?

MARGUERITE: Non, je n'ai rien lu de Gide non plus (*either*).

MADELEINE: Alors, que lisez-vous?

MARGUERITE: Pas grand'chose. Je préfère aller au théâtre.

MADELEINE: Qu'avez-vous vu récemment?

MARGUERITE: J'oublie le nom de la pièce, mais elle était jouée par un acteur très en vogue (*popular*). C'était l'histoire d'un homme, apparemment très aimé de tout le monde, qui semble avoir été tué par un mystérieux coup de fusil (*rifle shot*). Il était assis près de la fenêtre, dans son salon. On entend un bruit sec comme un coup de fusil, et il tombe. Il meurt quelques minutes après, entouré de toute sa famille. Il y a une enquête (*inquiry*) de police. On interroge (*questions*) toute la famille. Aucun succès. On réunit autant de ses amis qu'on peut en trouver. On les questionne. Même résultat. Personne n'a vu l'assassin; on ne soupçonne (*suspect*) personne. On interroge tous les voisins. Eux non plus n'ont rien vu. Par qui a-t-il pu être tué? La police, incapable de résoudre (*solve*) le mystère, était sur le point d'abandonner l'enquête quand une des sœurs du défunt (*dead man*) intervient dans l'affaire. Elle demande la permission de téléphoner à un médecin de ses amis. Il arrive, accompagné d'un cousin qui est détective. Tous les deux examinent le mort (*dead man*). Ils ne disent rien. Ils se mettent à examiner la direction que la balle a dû suivre. Ils examinent le mur, les volets, les vitres. Ils ne trouvent rien. Alors on leur dit que la fenêtre était ouverte. Le détective s'approche de la fenêtre, il l'ouvre et la laisse exactement comme elle était au moment de l'assassinat. Il se retourne. Encore une fois on entend un bruit sec comme un coup de fusil et la fenêtre se ferme d'elle-même. Au même moment le détective tombe mort sur le tapis. Le médecin court l'examiner.

Aucune blessure. Il annonce alors que le premier mort, lui non plus, n'avait aucune blessure. Comment sont-ils morts? Une crise cardiaque, disaient les uns. Mais alors, comment expliquer le bruit sec qui avait accompagné la mort dans chaque cas? C'était peut-être un nouvel instrument de guerre qui allait répandre (*spread*) la mort dans la prochaine guerre, disaient les autres. La pièce s'est terminée sans résoudre ce mystère.

MADELEINE: Était-ce bien joué?

MARGUERITE: Oh! très bien joué. Naturellement la conclusion est un peu fantaisiste, et il y a beaucoup de faiblesses (*weaknesses*) de composition, mais quand une pièce est bien présentée on ne remarque pas les défauts. Je vous conseille d'aller la voir, cela en vaut la peine, je vous assure.

QUESTIONS

1. Quelle sorte de romans Simenon écrit-il? 2. Pourquoi Marguerite n'a-t-elle rien lu de Gide? 3. Quel est le premier incident de la pièce? 4. Que fait la police? 5. A-t-on trouvé l'assassin? 6. Quand la police se trouve incapable de résoudre le problème, que fait une des sœurs du défunt? 7. Décrivez la seconde tragédie de la pièce. 8. Trouve-t-on l'assassin cette fois? 9. Qu'est-ce que le médecin découvre? 10. Quelle est la solution?

COMPOSITION

Écrivez un conte policier ou le résumé d'un conte policier que vous avez lu. (350-500 mots)

Review Lesson 7

EXAMEN

A. *DICTÉE*

Monsieur Dumont habite une villa près de la plage, avec sa femme et ses deux enfants, un garçon et une fille. Les parents de madame Dumont sont venus passer quelques jours avec leur fille. C'est l'heure du goûter; la famille et les invités sont dans le jardin. La vue est superbe; on voit des rochers, des oiseaux de mer, et au loin le port du Havre. De grands bateaux sont dans le port. On voit aussi de petits bateaux à voile. A cinq heures on pourra se baigner. Les parents de madame Dumont veulent apprendre à nager avant leur départ.

20 points

B. *TRADUCTION*

I. Le voyageur va au guichet et demande un billet aller et retour pour Amsterdam. Quand il a son billet il fait enregistrer ses bagages, passe sur le quai et cherche le compartiment de première où il a une place réservée. Il le trouve. Le porteur met ses valises dans le filet. "En voiture," crie le contrôleur. Le train part. Un garçon passe dans les couloirs, criant "Wagon-restaurant. Retenez vos places." "Une place, s'il vous plaît, pour le premier service."

II. C'est un train rapide qui ne s'arrête que rarement. On traverse des villes, des villages, la campagne verte et fertile. Les champs sont très beaux. Sur les collines il y a des vaches qui lèvent un œil étonné en voyant passer le train. Le voyageur consulte un indicateur pour voir si le train est à l'heure. Après deux heures de marche il n'a que dix minutes de retard. "Il les rattrapera avant l'arrivée à Amsterdam, s'il n'y a pas d'accidents," pense le voyageur. En effet, le train arrive en gare sans une minute de retard. Le voyageur en est bien content.

20 points

C. *THÈME*

GEORGE: There has been an auto accident. Let's call the doctor. He lives next door.

PETER: Oh! There he is now. Let's follow and see what has happened. There is a man who has been hurt. He seems to have pains in the back.

GEORGE: Yes. The doctor is examining him. He has a wound above the elbow. The doctor is asking the nurse for his bag. He is going to put on a dressing (*un bandage*).

PETER: Look, how his wrist is swollen! Now the doctor is looking at his knee. I hope (that) the poor man has not broken the bone of his leg. It must be serious. The doctor is going to take him to the hospital. He seems to have pains in his chest, too.

20 points

D. *COMPOSITION*

Écrivez une conversation qui se passe pendant une promenade en auto. (250 mots)

20 points

E. *VERBES*

Continuez la conjugaison:
1. Je ne conduis pas l'auto.
2. Je vis tout seul dans une petite maison.

10 points

F. *GRAMMAIRE*
Traduisez:

1. As soon as you have gone, I shall tell him what you asked me.
2. She is (in the act of) writing a charming and amusing story.
3. After hurrying he had to wait an hour.   4. I began to write the letter for (*car*) he refused to do it.   5. He was accompanied by his mother wearing a black silk dress.

10 points

Lesson 29

Present indicative, imperfect, and past
participle of *croire*

Present indicative, imperfect, and past
participle of *coudre*

Use of indicative or subjunctive with *penser*,
croire, and other verbs of thinking
and believing

Use of the subjunctive or infinitive with verbs of
wanting, desiring, etc.

Use of the subjunctive or infinitive with
verbs of emotion

Use of the interrogative pronouns
Lequel, laquelle, lesquels, lesquelles

Use of the interrogative adjectives
quel, quelle, quels, quelles

CONVERSATION

Un Jour d'Hiver

YVONNE: Croyez-vous qu'il pleuve, Caroline?

CAROLINE: Non, je crois plutôt qu'il va neiger. Il fait trop froid
pour qu'il pleuve.

YVONNE: Quel dommage! Hier soir, la lune et les étoiles brillaient dans le ciel. Aujourd'hui, le temps est couvert et très humide. Quel sale climat, n'est-ce pas? Il est regrettable qu'il y ait tant de brouillard, de glace, de boue et de neige, l'hiver.

CAROLINE: Vous allez sortir quand même?

YVONNE: Oui, il faut que j'aille à la poste.

CAROLINE: Il y a une boîte aux lettres ici dans l'hôtel. Vous pourriez envoyer vos lettres sans sortir.

YVONNE: Oui, mais il faut aussi que j'achète des timbres-poste, et il faut que je fasse des emplettes. J'ai besoin d'enveloppes, d'encre, et de papier à lettres. Puis, il faut que je me procure des allumettes, des épingles, des aiguilles, du fil, et une revue.

CAROLINE: Laquelle?

YVONNE: "La France Illustrée" ou "Le Monde Nouveau."

CAROLINE: Voulez-vous que je vous accompagne?

YVONNE: Non, je préfère que vous restiez ici, où il fait bien chaud, surtout s'il va neiger. Vous êtes restée très faible depuis votre maladie.

CAROLINE: C'est vrai, on est vraiment bien ici, et c'est agréable d'être à l'abri du mauvais temps. Il n'y a pas assez de lumière pour lire mais je vais regarder par la fenêtre. Quelle chaleur! Voulez-vous ouvrir la fenêtre un peu avant de sortir?

YVONNE: Avec plaisir. Et je suis bien contente que vous restiez ici. Je regrette que vous soyez sortie hier, malgré le mauvais temps qu'il faisait.

CAROLINE: Lequel de ces livres désirez-vous que je lise?

YVONNE: Celui que je vous ai prêté l'autre jour. Il vaut la peine d'être lu.

CAROLINE: Fort bien. Je vous attendrai donc ici.

VOCABULAIRE ET EXPRESSIONS

le ciel the sky, heaven	**le brouillard** the fog, mist
la pluie the rain	**la lune** the moon
la neige the snow	**l'étoile** (*fem.*) the star

la glace   the ice (note that this word also means "mirror" and "ice cream")
la boue   the mud
la lumière   the light
la poste   the post office
le fil   the thread
le timbre-poste (*pl.* timbres-poste)   the stamp
l'enveloppe (*fem.*)   the envelope

le papier à lettres   the writing-paper
la boîte aux lettres   the letter-box
l'encre (*fem.*)   the ink
l'allumette (*fem.*)   the match
l'aiguille (*fem.*)   the needle (pronounce the *u*)
l'épingle (*fem.*)   the pin
la revue   the magazine
l'emplette (*fem.*)   the purchase

clair   clear, bright
faible   weak, feeble
sale   nasty; dirty

agréable   pleasant, agreeable
désagréable   unpleasant, disagreeable

croire   to believe, to think
se procurer   to get
obtenir   to get, obtain (conjugate like tenir)

neiger   to snow (*impf.* il neigeait)
coudre   to sew

lequel (laquelle, lesquels, lesquelles)   which, which one, which ones

cela vaut la peine (de)   it's worth while (to)
faire des emplettes   to go shopping

à l'abri   under cover
quand même   just the same, all the same

VOCABULAIRE SUPPLÉMENTAIRE

la chaleur   the warmth, heat
couvert   cloudy

humide   damp
briller   to shine, gleam

VERBES

Present Indicative of croire (to believe, to think)

je crois
tu crois
il (elle) croit

nous croyons
vous croyez
ils (elles) croient

Imperfect: je croyais   Past participle: cru

Present Indicative of **coudre** (to sew)

je couds	nous cousons
tu couds	vous cousez
il (elle) coud	ils (elles) cousent

Imperfect: **je cousais**   Past participle: **cousu**

GRAMMAIRE

je crois qu'il viendra   I think he will come
je ne crois pas qu'il vienne   I don't think he will come
Croyez-vous qu'il vienne?   Do you think he will come?
Ne croyez-vous pas qu'il viendra?   Don't you think he will come?

→ After *croire, penser,* and other verbs of thinking or believing, as well as after *dire* and other verbs of saying, the subjunctive is used if the main verb is negative or interrogative; but the indicative appears if the main verb is affirmative, or both interrogative and negative.

je veux (désire, préfère) le faire   I want (wish, prefer) to do it
je veux (désire, préfère) que vous le fassiez   I want (wish, prefer) you to do it

→ Verbs of wanting, desiring, preferring, and the like, take the infinitive, just as in English, if the same person is involved. But if one person wants another person to do something, a subjunctive clause is used, with the construction literally translated: I want that you do it.

je suis content d'être ici   I am glad to be here; I am glad I am here
je suis content que vous soyez ici   I am glad you are here
je regrette de l'avoir fait   I am sorry I did it
je regrette que vous l'ayez fait   I am sorry you did it
je suis surpris de le voir   I am surprised to see him
je suis surpris qu'il m'ait vu   I am surprised that he saw me

→ With verbs and expressions of joy, sorrow, surprise, or other emotions, the infinitive is used if the identical person is involved. But if there are different subjects, a subjunctive clause is used.

Lequel de ces livres voulez-vous? Which (one) of these books do you want?

Laquelle des deux est arrivée? Which (one) of the two came?

Lesquels des frères sont partis? Which (ones) of the brothers left?

Avec lesquelles de vos sœurs allez-vous dîner? With which (ones) of your sisters are you going to dine?

→ **Lequel;** *fem.* **laquelle;** *masc. pl.* **lesquels;** *fem. pl.* **lesquelles** are interrogative pronouns, meaning: which, which one, which ones.

Quels livres avez-vous lus? Which books have you read?

Lesquels des livres avez-vous lus? Which of the books have you read?

Quels sont les livres que vous avez lus? Which are the books that you read?

→ **Quel, quelle, quels, quelles** are adjectives. **Lequel, laquelle, lesquels, lesquelles** are pronouns. Use **lequel,** etc., whenever "one" or "ones" can logically be added to English "which."

QUESTIONS

1. Qu'est-ce qu'Yvonne demande à Caroline? 2. Pourquoi Caroline croit-elle qu'il va neiger? 3. Quand il fait beau la nuit, que voit-on dans le ciel? 4. Qu'est-ce qu'Yvonne pense du temps? 5. Pourquoi n'aime-t-elle pas l'hiver? 6. Où Yvonne va-t-elle? 7. Comment peut-elle envoyer ses lettres de l'hôtel? 8. De quoi a-t-elle besoin? 9. Quelle revue veut-elle acheter?

EXERCICES

A. *Conjuguez, en faisant tous les changements que le sens exige:*

1. Je crois que vous êtes malade. 2. Je croyais qu'il était à la campagne. 3. J'ai cru être spirituel (*witty*). 4. Je croirais ce qu'il m'a dit, s'il ne m'avait pas si souvent menti. 5. Je ne crois pas qu'il soit arrivé.

B. *Traduisez:*

1. I sewed my dress today. 2. Mary and Joan are sewing. 3. What are you sewing, Mary? 4. I was sewing when she came in the room. 5. She would sew your coat if you would help her to study her French.

C. I. *Mettez l'infinitif en italique au temps qui convient:*

1. Georges croit qu'elle *venir*. 2. Croyez-vous qu'il *voir* sa mère? 3. Il ne croit pas que vous *être* sincère. 4. Ne croient-ils pas que leur ami *venir?* 5. Il préfère que vous *rester* assis. 6. Je veux que vous *venir* me voir. 7. Je suis content qu'ils vous *voir*. 8. Nous regrettons que vous ne *être* pas américain. 9. N'êtes-vous pas surpris qu'il *avoir* tant d'argent?

II. *Complétez par un verbe de votre choix:*

1. Nous sommes heureux que vous —————. 2. Je suis content qu'il —————. 3. Il est surpris de nous —————. 4. Est-ce que vous ne regrettez pas que je —————? 5. Il désire —————. 6. Nous préférons —————.

D. *Remplacez le tiret par la forme correcte d'un des mots suivants:* lequel, laquelle, lesquelles, quels, quelle, lesquels, quel.

1. ————— de ces machines à écrire voulez-vous? 2. ————— de vos amies vont rester? 3. Chez ————— de vos sœurs allez-vous dîner? 4. ————— chambre préférez-vous? 5. ————— sont les stylos que vous avez choisis? 6. ————— des professeurs est le plus intelligent? 7. A ————— professeur avez-vous parlé? 8. ————— des trois est arrivée? 9. ————— de vos frères sont en Europe? 10. ————— de ces réponses vous a surpris le plus?

THÈME

—What a nasty day! When it doesn't rain, it snows in this country. Ice, mud, and fog every day.

—Why! last night it was beautiful. There was a beautiful moon and the stars were shining.

—Yes, but today it is damp, cloudy, and cold. I don't like this weather at all. I want some sunlight.

—Well, you will have to be content with the weather that is given you, I am sorry (*I regret*) to say. Why have you put on your raincoat? Where are you going?

—I must buy some writing paper and envelopes, some ink and some stamps.

—When you go out, would you please get (buy) me some pins, needles, and cotton thread (*le fil de coton*)? And if you pass (before) a newspaper stand (*un kiosque*) get me a magazine, will you? And some matches, too.

—What's the matter? Aren't you going out today?

—No, I am sorry, I am not going out today. I am very tired. I went out yesterday. I am afraid that I am still pretty weak.

—Very well. Stay in and rest. What do you want me to bring you to read? Another book or only a magazine and a newspaper?

—Oh! bring me another book, too. The one I read last week was really very interesting. I want another.

LECTURE

Franches Lippées*

Comédie

Personnages
Lému　.
Lechapeau
Le Garçon de Café
Madame Lému
Madame Lechapeau
La Caissière

La scène se passe dans un café en face d'un grand théâtre.

Scène Première

La Caissière (*the Cashier*), Le Garçon.

On entend le bruit prolongé d'une sonnerie électrique (*electric bell*)

Le Garçon: (quand la sonnerie a cessé) Voilà la sortie du théâtre.
Encore près d'une heure à attendre. S'il n'y a plus personne à une

* D'après une comédie de Tristan Bernard. (Franches Lippées = Free Meals.)

heure, on ferme (*we'll close*), n'est-ce pas? Même si le gérant (*the manager*) vient.

LA CAISSIÈRE: Oui, mais s'il vient du monde (*if people come*) comme l'autre soir, et si on est obligé d'attendre deux heures?

LE GARÇON: Oh! moi, je partirai. Vous demeurez tout près d'ici. Moi, il faut que je me rende (*go*) derrière la Butte de Montmartre. A c't'heure-ci (cette heure-ci), tous les omnibus sont au garage. Parfois je trouve un fiacre (*cab*) qui va de ce côté-là, et qui m'emmène pour un verre (*a glass of wine*).

LA CAISSIÈRE: Moi, j'aime autant rester ici une heure de plus (*more*) et que le gérant ne se fâche pas (*does not get angry*). C'est honteux (*it's a shame*) la recette (*cash receipts*) qu'on fait ce soir.

LE GARÇON: Et la recette qu'on va faire maintenant! Drôle (*funny*) d'idée de donner à souper (*after-theatre supper*)! Quand on est café du théâtre on doit fermer avec le théâtre.

LA CAISSIÈRE: Vous changerez tout ça quand vous serez gérant.

LE GARÇON: Le jour où je serai gérant, il y en a qui n's'ront (ne seront) plus garçons et qui laisseront tranquillement le café ouvert en allant se coucher (*while they go to bed*).

LA CAISSIÈRE: Voilà des clients.

LE GARÇON: S'ils ne donnent pas un bon pourboire (*tip*), ils ne sortiront pas vivants!

SCÈNE II

Les Mêmes, Monsieur et Madame Lému, Monsieur et Madame Lechapeau.

LÉMU (s'approchant de la caisse [*cash register*]): Vous n'avez pas vu un grand monsieur noir, avec une barbe en pointe (*pointed beard*)?

LA CAISSIÈRE: Non, monsieur.

LÉMU (à sa femme): Bridonnier avait dit qu'il viendrait sur le coup de minuit (*exactly midnight*); il est minuit et demi.

LECHAPEAU: Votre ami Bridonnier?

LÉMU: Oui, mon ami Bridonnier. Ce n'est pas absolument sûr. Il m'avait donné un vague rendez-vous.

MADAME LÉMU: Il est embêtant (*annoying*) avec ses vagues rendez-vous.

LÉMU: J'aurais voulu l'attendre. Si on attendait un instant?

LECHAPEAU: Attendons. . . . Ces dames . . . ont peut-être faim?

MADAME LÉMU: J'ai soif.

LECHAPEAU: On pourrait s'asseoir un instant.

MADAME LECHAPEAU: Si on s'assoit, j'en profiterai (*I'll take advantage of it*) pour me passer un peu d'eau sur les mains. Venez-vous, petite amie (*my dear*)?

MADAME LÉMU: Non, merci, petite amie, je n'ai pas quitté mes gants.

LECHAPEAU (à sa femme): Tu viens, ma chérie?

(Exit le couple Lechapeau)

(A suivre)

QUESTIONS

1. Où se passe la pièce? 2. Qui sont les deux personnages sur la scène? 3. Qu'est-ce qu'on entend? 4. Pourquoi le garçon ne veut-il pas attendre? 5. Qu'est-ce qui est arrivé un autre soir? 6. Pourquoi la caissière est-elle prête à rester? 7. Qu'est-ce que le garçon trouve drôle? 8. Que fera-t-il quand il sera gérant? 9. Qui entre dans le café? 10. Qui Monsieur Lému cherche-t-il? 11. Pourquoi veut-il attendre? 12. Que fait Madame Lechapeau en attendant?

COMPOSITION

Écrivez trois petits paragraphes de cent mots chacun sur les sujets suivants:

1. Le temps.

2. Un dialogue dans un bureau de poste.

3. La description d'une devanture de mercerie (*dry-goods store show-window*).

Lesson 30

Present indicative, imperfect, present subjunctive, and past participle of *craindre*

Use of the subjunctive after some impersonal expressions

Expressions of probability and certainty with the subjunctive if negative or interrogative

Use of the subjunctive with *douter*

Use of the subjunctive wtih verbs of fearing

Use of redundant *ne*

Position and spelling of adjectives of religion and nationality

Use of article with feminine names of countries except after *en* and often *de*

Use of *à* and *de* plus the article with masculine names of countries and feminine plurals

Use of *dans* plus the article with modified names of countries

CONVERSATION

Un Interview

LE REPORTER: M. Richard, vous êtes revenu de l'Europe centrale il y a quelques jours. Voulez-vous nous donner vos impressions pour la presse franco-américaine?

M. Richard: Avec plaisir. Il me semble que la situation est en train de s'améliorer après cette longue guerre. Au moment où j'ai quitté le port de Trieste, j'ai voulu réfléchir sur tout ce que j'avais vu. Eh bien, il semble que la situation en Autriche et en Hongrie du moins ne se soit pas beaucoup améliorée. La Russie se remet assez lentement également. Comme toujours, plusieurs grands pays européens cherchent à dicter leur politique étrangère aux petits pays, mais c'est inévitable. Ça a toujours été ainsi.

Le Reporter: Vous ne craignez donc pas que l'Union Soviétique veuille réglementer les affaires de l'Europe continentale?

M. Richard: Si. Mais on peut craindre aussi qu'elle n'arrive à s'en désintéresser; et, dans ce cas, la situation pourrait être encore plus difficile.

Le Reporter: Et pour l'Europe occidentale, pensez-vous qu'il soit possible d'établir un bloc de puissances?

M. Richard: Au point de vue purement politique, je doute qu'on réussisse à réunir des pays aussi différents que la France, l'Espagne, l'Italie, la Suisse, le Portugal, la Belgique, la Hollande, la Suède, la Norvège, et le Danemark. Mais je ne doute pas qu'on puisse former un bloc économique.

Le Reporter: Craignez-vous qu'il y ait des difficultés permanentes dans les Balkans?

M. Richard: Il y existe certainement des difficultés d'ordre religieux aussi bien que politique. Il ne faut pas oublier qu'en Yougoslavie, par exemple, il y a des Croates catholiques, des Serbes orthodoxes et des Bosniens musulmans. Et toutes les églises se mêlent de politique dans tous ces états balkaniques.

Le Reporter: Alors, vous craignez. . . .

M. Richard: Je crains qu'il ne soit pas possible pour le moment de se débarrasser de toutes les questions gênantes créées par la guerre. Le progrès vers une paix permanente ne peut pas être très rapide. Pourtant, il est nécessaire avant tout qu'on ne soit ni timide ni peureux. Il faut, au contraire, être courageux, calme, et plein d'espoir. Il est possible qu'il y ait des difficultés au cours des années prochaines, mais il est évident aussi que toutes les nations ne désirent que la paix.

VOCABULAIRE ET EXPRESSIONS

le lieu (*pl.* lieux) the place, spot
l'église (*fem.*) the church
le reporter reporter
l'Autriche (*fem.*) Austria
la Hongrie Hungary
l'Union Soviétique the Soviet Union
la Russie Russia
la Yougoslavie Yugoslavia
l'Italie (*fem.*) Italy
la Hollande Holland
la Belgique Belgium

l'Espagne (*fem.*) Spain
la Suisse Switzerland
la Norvège Norway
la Suède Sweden
le Danemark Denmark
l'Angleterre (*fem.*) England
le Canada Canada
le Mexique Mexico
le Brésil Brazil
le Pérou Peru
le Japon Japan
la Chine China

pénible troublesome
gênant annoying
lâche cowardly

peureux (*fem.* peureuse) timid, fearful
inévitable inevitable

retourner (*être*) to return, go back
s'améliorer to improve
craindre to fear

se plaindre to complain
se débarrasser de to get rid of
douter de to doubt
tâcher de to try to

au point de vue from the point of view

à mon avis in my opinion

VOCABULAIRE SUPPLÉMENTAIRE

le port the port, the harbor
l'avis the opinion (not advice; use *conseil* for latter)
l'impression (*fem.*) the impression

le danger the danger
le cas the case
la presse the press
la politique the politics, the policy

le bloc   the block

le mouvement   the movement, the gesture, the motion

la puissance   the power

l'affaire (*fem.*)   the affair, the business

les Balkans (*masc.*)   the Balkans

le Portugal   Portugal

la Grèce   Greece

la Pologne   Poland

la Turquie   Turkey

la Roumanie   Romania

militaire   military

politique   political

naturel (*fem.* naturelle)   natural

économique   economic

probable   probable

certain   certain

possible   possible

divers   different, diverse

étranger (*fem.* étrangère)   foreign

permanent   permanent

brave   brave

calme   calm

rapide   rapid

courageux (*fem.* courageuse)   courageous

tranquille   tranquil, peaceful

religieux (*fem.* religieuse)   religious

catholique   Catholic

orthodoxe   Orthodox

protestant   Protestant

musulman   Mohammedan

serbe   Serb, Serbian

croate   Croat, Croatian

bosnien (*fem.* bosnienne)   Bosnian

balkanique   Balkan

s'emparer de   to take possession of

régler   to rule, regulate (**je règle**)

dicter   to dictate

s'intéresser à   to take interest in

se désintéresser de   to lose interest in

établir   to establish

créer   to create

se mêler de   to meddle with

VERBES

Present Indicative of **craindre** (to fear)

je crains

tu crains

il (elle) craint

nous craignons

vous craignez

ils (elles) craignent

Imperfect: **je craignais**   Present Subjunctive: **que je craigne**   Past Participle: **craint**

dre, conjugate *plaindre,* to bemoan, be sorry for; *se plain-*
n.

GRAMMAIRE

il est possible qu'il soit ici   it is possible that he is (or will be) here
il est naturel qu'il vienne   it is natural that he will come
il semble qu'il soit ici   it seems he is here
il est probable qu'il sera ici   it is probable that he will be here
il est certain qu'il viendra   it is certain that he will come
il me semble qu'il sera ici   it seems to me he will be here

→ Impersonal expressions are generally followed by the subjunctive, unless certainty or probability is implied. Note that "it seems" takes the subjunctive, but "it seems to me" takes the indicative.

est-il probable qu'il vienne?   is it probable that he will come?
il n'est pas certain qu'il vienne   it is not certain that he will come

→ Expressions of probability and certainty are naturally followed by the subjunctive if negative or interrogative, because uncertainty is then implied.

je doute qu'il vienne   I doubt that he will come

→ *Douter* regularly takes the subjunctive.

je crains qu'il (ne) vienne   I am afraid he is coming
je ne crains pas qu'il vienne   I am not afraid he is coming
je crains qu'il ne vienne pas   I am afraid he is not coming
je ne crains pas qu'il ne vienne pas   I am not afraid he is not coming

→ Verbs of fearing (*craindre, avoir peur*) always take the subjunctive. If both the verb of fearing and the following verb are affirmative, the second verb is preceded by *ne,* but only in literary usage.

une église protestante   a Protestant church
un bateau hollandais   a Dutch boat

→ Adjectives of religion and nationality are not capitalized. They always follow the noun.

j'ai visité la Belgique (la France)   I have visited Belgium (France)
il demeure en Belgique (en France)   he lives in Belgium (in France)
il est allé en Belgique (en France)   he went to Belgium (to France)
il est revenu de France   he came back from France
nous avons du vin de France   we have some wine from France (French
   wine)

→ With feminine names of countries, the article is used, save after
en ("in" or "to"). With *de* ("from") the article is often omitted, especially when *de* plus the country's name is equivalent to an adjective.

j'ai visité **le Japon (les États-Unis)**   I visited Japan (the United States)
il demeure **au Japon (aux États-Unis)**   he lives in Japan (in the United
   States)
il est rentré **du Japon (des États-Unis)**   he came back from Japan
   (from the United States)
nous avons du riz **du Japon**   we have some rice from Japan (Japanese
   rice)
nous venons **des Indes**   we come from India

→ With masculine names of countries and feminine plurals, the
article is always used, even after *à* ("in" or "to") and *de* ("of" or
"from").

il a visité l'Amérique centrale   he visited Central America
il demeure dans l'Amérique centrale   he lives in Central America
il est revenu de l'Amérique centrale   he came back from Central America
j'ai reçu des bananes de l'Amérique centrale   I got some bananas from
   Central America

→ If a feminine name of a country is modified, the article is always used. With a modified feminine name of a country, *dans* replaces
en in the sense of "to" or "in."

QUESTIONS

1. Que demande le reporter à M. Richard?   2. Que pense-t-il de la
situation en Autriche et en Hongrie?   3. Que font les grands pays?
4. Pense-t-il que la Russie se remette?   5. Quel rôle craint-on que la

Russie veuille jouer? 6. Quelles sont les difficultés qui se présentent pour les Balkans? 7. Comment ces questions gênantes se sont-elles développées? 8. Quel devrait être le but des nations? 9. Quelle sorte d'action faut-il éviter? 10. Quel est certainement le désir de toutes les nations?

EXERCICES

A. *Conjuguez*:

1. Je crains les chiens. 2. Je craignais la nuit, quand j'étais petit. 3. Je craindrai le froid. 4. J'ai craint de ne pas les voir. 5. Je plains ceux qui sont pauvres. 6. J'ai toujours plaint Marguerite. 7. S'il arrivait maintenant, je le plaindrais. 8. Je me suis plaint trop souvent.

B. *Continuez les expressions suivantes en employant les verbes en italique à la troisième personne du singulier:*

1. Il est possible *arriver*. 2. Il est naturel *rendre* le livre. 3. Il semble *comprendre*. 4. Il est possible *suivre ce cours*. 5. Il est naturel *venir me voir*. 6. Il semble *être la fin*. 7. Il est probable *venir*. 8. Il est certain *faire ses devoirs*. 9. Il me semble *avoir le temps* de le faire. 10. Il n'est pas certain *revenir cette semaine*. 11. Est-il probable *le bal être remis*? 12. Il n'est pas probable *être chez elle*.

C. *Finissez chaque phrase en mettant le verbe en italique à la troisième personne du pluriel:*

1. Je doute *descendre*. 2. Je doute *vouloir venir*. 3. Je crains *décider en sa faveur*. 4. Je ne crains pas *aller à la campagne*. 5. Il craint *ne pas partir trop tôt*. 6. Nous ne craignons pas *ne pas revenir*. 7. Avez-vous peur *tomber*? 8. Est-ce que vous craignez *s'endormir*?

D. *Complétez les phrases suivantes:*

1. Nous avons visité _____ Amérique du Sud et _____ Amérique centrale. 2. Mon père est allé _____ France. 3. Avez-vous jamais voyagé _____ Japon? 4. Il demeure _____ Canada. 5. Mon oncle n'est pas encore revenu _____ France. 6. Nous voulons du vin _____ France. 7. Nous n'avons plus de riz _____ Japon. 8. Quand reviendra-t-il _____ Suisse? 9.

Est-ce que votre ami demeure ——————— l'Amérique du Nord?
10. Est-ce que vous demeurez ——————— États-Unis?

E. *Complétez les phrases en employant à tour de rôle* (in turn)
   dix des noms de pays suivants:
   le Portugal, le Japon, le Mexique, le Pérou, le Brésil, le Canada, la
Belgique, la Suisse, la Norvège, l'Autriche, la Hongrie, l'Union Soviétique, l'Espagne, l'Italie, la Russie, la Hollande, la Suède, le Danemark,
la Chine, la Yougoslavie:
   1. Nous avons visité ———————. 2. Est-ce que vous allez ———————?
3. Nos amis demeurent ———————. 4. Est-ce que vous vendez des
tissus ———————? 5. Nos cousins ne sont pas encore rentrés ———————.
6. Ils ont tous quitté ———————. 7. Quand retournerez-vous ———————?
8. Je voudrais acheter des marchandises ———————.

THÈME

—I should like to have your impressions of Europe, Mr. Smith.
I have been told that you have visited the Balkans. What is the situa-
tion in Yugoslavia?
   —It is difficult to analyze, but most of the difficulties seem to come
from the great number of political and religious differences that exist
there.
   —Have you visited the rest of Europe? Russia, Austria, Hungary,
Norway, Holland, and Belgium? Have you traveled in the Latin countries like France, Spain, and Italy?
   —Yes, I have visited them all.
   —Do you think that a political block can be formed as after the
last war?
   —No, I do not believe so. There are too many embarrassing situations which have been created by the Second Great War. But if we
all remain courageous and calm and try to maintain (*maintenir*) peace,
we shall certainly succeed.

LECTURE

Scène III

Le Garçon, Monsieur et Madame Lému

(Madame et Monsieur Lému viennent s'asseoir à la table de gauche;
    Lému sur le côté, à gauche; Madame Lému face au public)

Madame Lému: Tu sais, Émile, je te défends (*forbid*) de payer.

Lému: Mais c'est pourtant (*however*) eux qui nous ont donné la loge
(*box*).

Madame Lému (ôtant [*taking off*] ses gants): C'est une loge de faveur (*complimentary*) qui ne leur a rien coûté. C'est vraiment trop
facile de faire une politesse avec des billets de faveur. Ça ne compte
pas (*it doesn't count*). C'est elle qui nous doit une politesse.

Lému: Que lui as-tu fait?

Madame Lému: Je lui ai prêté une malle quand elle est allée à Nancy.
C'est une chose que j'ai refusée à ma mère.

Lému: Parce que ta mère ne t'en aurait même pas remerciée.

Madame Lému: Une autre fois, je lui ai prêté Mélanie (*the maid*) parce
qu'ils avaient un grand dîner.

Lému: Ils lui ont donné trois francs.

Madame Lému: Comment le sais-tu?

Lému: C'est Mélanie qui me l'a dit.

Madame Lému: C'est curieux qu'elle te fasse ses confidences (*is con-
fidential with you*) et qu'elle ne me dise rien à moi.

      (Lému détourne [*turns away*] un peu la tête)

Lému: Moi, ça me gêne (*to embarrass*) de ne pas payer. C'est la première fois que nous sortons ensemble. Je suis plus âgé que lui.

Madame Lému: Oui, mais je suis plus jeune qu'elle.

Lému: Tu crois?

Madame Lému: J'en suis sûre. . . . Et puis ils ont les moyens (*means*).

Lému: Nous aussi, nous avons les moyens.

Madame Lému: Oui, et ils savent que nous avons les moyens. Il est
donc inutile de nous gêner (*to feel embarrassed*) avec eux.

Lému: C'est moi qui lui ai demandé d'attendre ici. Ça peut être con-
sidéré comme une invitation.

Madame Lému: Non, car on pouvait très bien attendre sans rien prendre. Et c'est lui qui a demandé si nous avions faim.

LÉMU (rapprochant sa chaise de la table) : Moi, j'ai une faim terrible.

MADAME LÉMU : Je regrette beaucoup pour toi. Mais tu ne mangeras pas.

LÉMU : Comment? Je ne mangerai pas?

MADAME LÉMU : Non. Comme ça, il sera forcé de payer. Car ils seront deux à manger et nous ne serons qu'un.

LÉMU (doucement) : Nous ne serons qu'une. . . . Mais j'ai une faim terrible.

MADAME LÉMU : Tu mangeras en rentrant (*at home*). Il doit y avoir des pommes de terre froides qui restent du dîner. Je te donnerai une grappe de raisin de Corinthe (*dried raisins*). J'en ai dans mon armoire (*cupboard*). (Le Garçon apporte la carte.) Non, tout à l'heure. (Le Garçon s'éloigne [*goes away*] et pose la carte sur la table.) Émile, ne laisse pas cette carte sur la table, mets-la sur la table à côté, le plus loin possible. (Lému prend la carte derrière son dos, et va la porter, sans en avoir l'air [*without seeming to*] sur une des tables du fond [*in the back*]. Il revient s'asseoir.) Bien!

(A suivre)

QUESTIONS

1. Où se placent les clients? 2. Qui a invité les Lému au théâtre? 3. Pourquoi Madame Lému n'est-elle pas reconnaissante (*grateful*)? 4. Qu'est-ce qu'elle avait prêté à Madame Lechapeau? 5. Qui est Mélanie? 6. Pourquoi Lému est-il prêt à payer? 7. Est-ce que les Lechapeau sont riches? 8. Pourquoi Lému rapproche-t-il sa chaise de la table? 9. Pourquoi ne mange-t-il pas? 10. Que va-t-il manger en rentrant?

COMPOSITION

Cherchez dans le journal un sujet de politique étrangère et discutez-le dans une composition de 200 à 300 mots:

1. Présentation du sujet.

2. Attitude du gouvernement.

3. Votre propre point de vue au sujet de la question.

Lesson 31

Past subjunctive of *parler* and *aller* as model for
all past subjunctives

Use of the past subjunctive

Use of the subjunctive as an imperative

Use of the subjunctive after the conjunctions:
*avant que, jusqu'à ce que, bien que,
quoique, pourvu que, afin que,
pour que, sans que*

Use of *à moins que* with *ne*

Use of *avant de, afin de, pour,* and *sans*
with the infinitive

CONVERSATION

Une Déclaration d'Amour

LOUIS: Voulez-vous que nous nous asseyions ici sur l'herbe, Charlotte?

CHARLOTTE: Non, Louis, j'ai peur des fourmis. Asseyons-nous plutôt sur cette belle pierre carrée et plate, là-bas.

LOUIS: Ce n'est pas très tendre, mais je suis prêt à tous les sacrifices pourvu que vous soyez satisfaite.

CHARLOTTE: Apportez le panier et ouvrez-le. Voyons ce qu'il y a dedans. Ah! Du sel, du poivre, du sucre. Puis du beurre, des petits pains. Ah! De la viande froide! Même un morceau du jambon d'hier soir dans ce sac de papier. Quelle idée ma-

314

gnifique vous avez eue de faire un pique-nique à la cam~~~g
Après avoir mangé, nous pourrions jouer à la balle, ou bien aller là-bas sur la plage tremper nos pieds dans l'eau. Mais qu'est-ce que vous avez? Vous ne mangez pas. Est-ce que la viande est trop salée ou le café trop amer?

Louis: Non, Charlotte. C'est que je suis un peu . . . comment dirais-je? un peu ému, et même bouleversé.

Charlotte: Par exemple! Et pourquoi?

Louis: Eh bien! Avant que vous soyez arrivée dans cette ville, j'étais tout à fait satisfait, bien que ma vie ait été bien vide pendant ces dernières années. Puis, un jour, vous êtes entrée dans mon existence et quelque chose de très doux a rempli mon âme.

Charlotte: Attendez, Louis! Vous ne vous moquez pas de moi?

Louis: Pourquoi est-ce que je me moquerais de vous? C'est plutôt vous qui avez le droit de rire de moi. J'ai attendu pour parler jusqu'à ce que je vous aie mieux connue. J'avais peur de me tromper.

Charlotte: Il est même possible que vous vous trompiez encore.

Louis: Non, je suis bien sûr de mes sentiments. Vous me permettez de continuer?

Charlotte: Pourvu que vous ne disiez pas de sottises.

Louis: Croyez-moi, Charlotte, ce que je désire vous dire n'est pas frivole; c'est profondément sincère. Je veux vous avouer tout simplement que je suis tombé amoureux de vous, et je voudrais vous demander si vous accepteriez de m'épouser. Est-ce que c'est drôle?

Charlotte: Non, pas du tout. Mais avant que je vous épouse. . . .

Louis: Quoi?

Charlotte: Il faudra faire des visites.

Louis: A qui?

Charlotte: A mes parents, pour qu'ils puissent vous connaître.

Louis: Alors, vous consentez?

Charlotte: Oui, je consens. Vous avez été franc. Je serai aussi franche que vous. Moi aussi, je vous aime.

Louis: Ah, chérie! (Il l'embrasse) Tu me rends le plus heureux des hommes!

Charlotte: Tu?

Louis: Nous sommes fiancés à présent, et ça me donne bien le droit de te tutoyer, en te disant que je t'aime!

VOCABULAIRE ET EXPRESSIONS

l'amour (*masc.*)   love
l'âme (*fem.*)   the soul
le fiancé, la fiancée   the sweetheart
le droit   the right
le panier   the basket
le sel   the salt
le poivre   the pepper

le sucre   the sugar
le petit pain   the roll
la viande   the meat
le beurre   the butter
le sac   the bag
la balle   the ball
la plage   the beach
le jambon   the ham

plat   flat
salé   salty
amer (*fem.* amère)   bitter
aigre   sour
mou (mol *before a vowel; fem.* molle; *masc. pl.* mous; *fem. pl.* molles)   soft

carré   square
vide   empty
ému   moved, upset
doux (*fem.* douce)   sweet
sot (*fem.* sotte)   foolish
drôle   funny
faux (*fem.* fausse)   false

embrasser   to kiss
se moquer de, se rire de   to laugh at, make fun of

épouser, se marier avec   to marry
tomber amoureux de (amoureuse de)   to fall in love with

avant que, avant de   before
jusqu'à, jusqu'à ce que   until
pourvu que   provided
pour, afin de   in order to

pour que, afin que   in order that, so that
bien que, quoique   although
à moins que   unless

disposé à   disposed to
ie suis sûr de mon affaire   I know what I'm talking about

faire une visite   to pay a visit

n'importe quoi   anything at all, no matter what
tout de même, quand même   just the same, all the same
à moi   mine (only after the verb *être;* likewise à toi, à lui, à elle, à nous,
   à vous, à eux, à elles   yours, his, hers, ours, yours, theirs; in this
   construction, *être* may be translated by "to belong to")

VOCABULAIRE SUPPLÉMENTAIRE

le pique-nique   the picnic
la fourmi   the ant
l'araignée (*fem.*)   the spider
la sottise   the foolishness

la déclaration   the declaration, proposal
la volonté   the will
franc (*fem.* franche)   frank

avouer   to confess
consentir à   to consent to (conjugate like *sentir*)

tutoyer   to address familiarly, to
   "thou and thee"
tremper   to dip, soak

VERBES

Past Subjunctive of parler and aller

que j'aie parlé
que tu aies parlé
qu'il ait parlé
qu'elle ait parlé

que nous ayons parlé
que vous ayez parlé
qu'ils aient parlé
qu'elles aient parlé

que je sois allé(e)
que tu sois allé(e)
qu'il soit allé
qu'elle soit allée

que nous soyons allés(es)
que vous soyez allé(e)(s)(es)
qu'ils soient allés
qu'elles soient allées

All past subjunctives are formed after this pattern.

GRAMMAIRE

je ne crois pas qu'il soit venu   I don't believe he came
je crains qu'il (ne) l'ait fait   I am afraid he did it
il est impossible qu'il ait fait cela   It's impossible that he did that

→ The past subjunctive is used when the action of the subordinate clause is past in relation to the action of the main clause.

Qu'on fasse cela immédiatement!   Let that be done at once!
Dieu vous bénisse!   God bless you!
Qu'il vienne me voir demain!   Let him come to see me tomorrow!

→ The subjunctive with *que* (which is occasionally omitted) expresses an indirect command (let him, let them), or a wish (may he, may they). As such, it is the third person form of the imperative.

avant que j'aie fait sa connaissance, il était à l'armée   before I met him, he was in the army
attendez (jusqu'à ce) qu'il soit parti   wait until he has left
bien qu'il ait écrit cette lettre, je l'excuse   although he wrote that letter, I excuse him
quoiqu'il ne soit pas venu, nous avons joué   although he did not come, we played
j'irai là-bas, **pourvu que vous m'y accompagniez**   I shall go there, provided you come with me
je lui ai prêté cet argent **afin qu'il puisse payer ses dettes**   I lent him that money so that he might pay his debts
faites tout ce que vous pourrez **pour qu'il vienne**   do anything you can in order that he may come
j'ai mis la lettre à la poste **sans qu'il s'en soit aperçu**   I mailed the letter without his noticing it

→ The subjunctive must be used in clauses introduced by the following conjunctions: *avant que* (before); *jusqu'à ce que* (until); *bien que, quoique* (although); *pourvu que* (provided); *afin que, pour que* (in order that, so that); *sans que* (without).

à moins que vous (ne) veniez, on ne pourra pas jouer   unless you come, we shall not be able to play

→ *A moins que* (unless) requires not only the subjunctive, but also a redundant *ne* in the affirmative (*ne . . . pas* in the negative); this use of *ne,* however, is literary.

avant de lui parler, je lui ai écrit   before I spoke to him, I wrote to him
j'ai attendu **afin de le voir**   I waited so that I might see him
j'ai fait de mon mieux **pour venir**   I did my best so that I could come
j'ai mis la lettre à la poste **sans sortir**   I mailed the letter without going
   out

→ If the subject of the subordinate clause is the same person as the subject of the main clause, some of the foregoing conjunctions with the subjunctive are replaced by prepositions with the infinitive. The replaceable ones are: *avant que* (*avant de*); *afin que* (*afin de*); *pour que* (*pour*); *sans que* (*sans*). The following conjunctions are not replaceable by prepositions, and must be used even if the subjects are the same: *bien que, quoique; pourvu que.*

QUESTIONS

1. Où Louis veut-il s'asseoir?   2. Pourquoi Charlotte ne veut-elle pas s'asseoir sur l'herbe?   3. Pourquoi Louis accepte-t-il de s'asseoir sur la pierre?   4. Qu'est-ce qu'ils ont apporté à manger?   5. Qu'est-ce que Charlotte veut faire après avoir mangé?   6. Pourquoi Louis ne veut-il pas manger?   7. Quel sentiment exprime-t-il à Charlotte?   8. Quelle déclaration finit-il par lui faire?   9. Quelle réponse obtient-il de Charlotte?   10. Comment sait-on qu'il est content de sa réponse?

EXERCICES

A. *Conjuguez le verbe au subjonctif:*
   1. Jusqu'à ce que j'aie chanté, je ne mangerai rien.   2. Georges n'est pas arrivé avant que je sois parti à la campagne.   3. Henri a mis la lettre à la poste sans que je m'en sois aperçu.   4. Bien que j'aie écrit la lettre, je ne l'ai pas envoyée.

B. *Traduisez:*
   1. Do you think we came early?   2. He is afraid that she wrote the letter.   3. Before we met him he had been in China.   4. Don't wait until she has left to give this to her son.   5. Although we wrote the letter together, he refuses to admit it.   6. Although you did not come

on time (*à temps*), we waited for you before starting.   7. I shall write
the letter now, provided that you mail it.   8. They lent him the money
in order that he might pay his debts.   9. He said he would do anything
(*n'importe quoi*) in order that he might see her again.   10. He came
into the room without anyone's noticing it.   11. Before writing to him,
I remembered everything that he had told me.   12. They waited until
ten o'clock so that they might see him once more.   13. Didn't he tell
you that I would do my best to come?   14. Don't you know that you
can mail your letter without leaving the hotel?

THÈME

—Let's sit down there on the grass near the river.

—Not there, please. There are ants there, and I am afraid of them.
Isn't there a flat rock near here, where we might put our basket and eat?

—Yes, over there. Let's see what is in the basket. Cold meat, ham,
butter and rolls. After lunch we can go swimming. We can perhaps
hire a boat this afternoon.

—May I prepare the lunch? I hope the ham is not too salty? What
is there in this paper bag? Oh! matches and coffee.

—Before we came here the weather was so hot. Now it is quite
cool. Why did you make fun of me when I said I wanted to come to
the river's bank for a picnic?

—I wasn't making fun of you. I was just being silly (*plaisanter*).
There have been a good many young ladies who have become engaged
here.

—Oh! don't be afraid. I don't intend (*avoir l'intention de*) to propose (*faire une déclaration*). Not today.

LECTURE

Scène IV

Les Mêmes, Monsieur et Madame Lechapeau

Madame Lechapeau (rentrant, bas): Tu as entendu ce que je t'ai dit,
Alfred. Je te défends de payer.

LECHAPEAU (de même): Tu n'as pas besoin d'avoir peur. Je n'ai jamais eu cette intention.

MADAME LECHAPEAU (de même): D'abord, ça n'est pas à nous à payer. C'est nous qui avons donné la loge. Pour plus de sûreté, je ne mangerai pas. D'ailleurs, je n'aime que le chocolat. Je m'en ferai (*I'll make myself some*) en rentrant. Ici, il doit être atroce (*atrocious*). (Ils viennent s'asseoir. Silence.)

LECHAPEAU: Comment avez-vous trouvé la pièce?

MADAME LÉMU: On rit. Mais c'est bête (*stupid*)!

LÉMU: Moi, je m'y suis amusé.

(Le Garçon apporte la carte à Lechapeau qui se met à causer [*chat*] et fait semblant [*pretends*] de ne pas le voir)

LECHAPEAU (avec volubilité): Il y a surtout cette scène du troisième acte que je trouve tout à fait amusante. Le vieux notaire (*notary*) et la bonne dame. C'est bien imaginé.

LE GARÇON: Si monsieur veut commander (*order*)?

LECHAPEAU (même jeu): Et ce qui n'est pas mal non plus, c'est quand les trois petits Anglais arrivent habillés d'une façon ridicule. C'est de la charge (*caricature*) si vous voulez, mais c'est bien drôle (*funny*). (Il rit fortement, ainsi que sa femme.)

LE GARÇON: Monsieur, voici la carte.

LECHAPEAU (prend timidement la carte et s'écrie comme s'il avait une idée subite): Et la petite chanson (*song*)? Voyons si je vais me la rappeler.

La la la la la la

La la la la la

LE GARÇON: Si monsieur veut commander?

LECHAPEAU: Elle est rigolote (*funny*) cette actrice (*actress*) quand elle se balance (*sways back and forth*). (Il met la carte sur la table voisine, pour imiter l'actrice.)

LE GARÇON (lui donnant la carte): Si monsieur veut commander?

LECHAPEAU (les yeux sur la carte, d'un air distrait [*absent-minded*]): On boit? . . . On mange? . . .

MADAME LÉMU: Volontiers (*willingly*).

LÉMU (après avoir regardé sa femme): Moi, je n'ai pas faim. J'ai une barre sur (*like a bar across*) l'estomac (*stomach*). Un morceau de sucre (*sugar*) ne passerait pas.

MADAME LECHAPEAU: Moi, je ne mange jamais rien le soir.

MADAME LÉMU : Comment, madame, vous ne mangez pas? C'est l'exemple de mon mari. Mais c'est un mauvais exemple à suivre. Lui, on comprend qu'il ne mange pas. Il souffre de douleurs (*pains*) terribles.

LECHAPEAU : Et ma femme, je l'ai soignée pendant deux ans! Nous avons vu tous les médecins. (Il repose la carte sur la table à côté) C'est le docteur Beau, un homéopathe, qui l'a guérie (*cure*). Oh! c'est un garçon très intelligent.

LE GARÇON : Ces messieurs désirent?

LECHAPEAU (reprenant la carte) : Eh bien? . . .

LE GARÇON : Nous avons des huîtres (*oysters*) excellentes.

LECHAPEAU (regardant Madame Lému) : Des huîtres?

MADAME LÉMU : Je veux bien.

LECHAPEAU : Eh bien! On pourrait apporter des huîtres pour madame. Moi, je n'en mange pas.

MADAME LÉMU : Je ne veux pas être seule à en manger.

LÉMU : Et puis, tu ne les digères (*digest*) pas très bien.

LE GARÇON : De la viande froide assortie (*cold cuts*)?

LECHAPEAU : Oui, vous nous donnerez . . . une viande froide assortie.

LE GARÇON : Et comme boisson (*drink*)?

LECHAPEAU (à Lému) : Vous ne buvez pas non plus?

LÉMU : Crois-tu que je pourrais boire?

MADAME LÉMU : Tu es fou (*crazy*)! Tu vas encore te dilater (*dilate*) l'estomac?

MADAME LECHAPEAU : Moi, je ne bois pas non plus.

LECHAPEAU : Et madame?

MADAME LÉMU : Un peu de bière (*beer*).

LECHAPEAU : Vous donnerez un quart (*a small glass*) pour madame.

LE GARÇON : Et pour vous?

LECHAPEAU : Je réfléchirai (*think it over*).

LE GARÇON (à la caisse) : Une viande froide assortie et un quart . . . un!

LA CAISSIÈRE : Tout ça?

LE GARÇON : C'est la grande académie des avares (*misers*) qui fait son banquet annuel.

(Silence)

(A suivre)

QUESTIONS

1. Que dit Madame Lechapeau à son mari? 2. Que lui donnera-t-elle en rentrant? 3. De quoi parle-t-on? 4. Décrivez quelques scènes de la pièce qu'ils ont vue. 5. Que faisait l'actrice principale? 6. Pourquoi Lému ne mange-t-il pas? 7. A-t-on consulté des médecins? 8. Qui ont-ils consulté? 9. Que commandent-ils? 10. Quelle boisson commandent-ils?

COMPOSITION

Préparez une petite conversation (250 à 300 mots) entre plusieurs personnes, en vous servant des expressions qui suivent: disposé à, tout de même, faire une visite, n'importe quoi, tomber amoureux de, la fiancée, le fiancé, se tromper, remplir, drôle, le morceau, carré, amer, vide, salé, le beurre, la viande, le petit pain, le sucre, le poivre, le sel.

Lesson 32

Present indicative, imperfect, future, and past participle of *courir*

Subjunctive after an indefinite antecedent

Subjunctive after *seul, premier, dernier,* *ne . . . que,* and a superlative

Contraction of *lequel, laquelle, lesquels,* and *lesquelles* with *de* and *à*

Uses of *lequel,* etc.

Use of *qui* after a preposition

Use of *dont*

Use of *duquel* to replace *dont*

CONVERSATION

Le Professeur de Chimie

ANDRÉ: Ne courez pas si vite, Antoine.

ANTOINE: Il faut courir si nous voulons arriver à l'université avant que le professeur ne s'en aille.

ANDRÉ: Auquel des professeurs est-ce que vous voulez parler?

ANTOINE: A M. Firmin, le professeur de chimie, dont je vous ai si souvent parlé. Je cherche de nouvelles méthodes pour extraire l'essence du pétrole. Je voudrais que ce professeur m'indique un procédé qui ne soit pas trop compliqué, et que je puisse appliquer dans le pays où je travaille. M. Firmin est le seul qui les connaisse tous. De plus, il n'y a que lui qui sache enseigner d'une façon parfaite les dernières méthodes d'extraction de l'argent, du cuivre et du plomb.

ANDRÉ: Vous le connaissez bien?

ANTOINE: Je lui ai fait visite, il y a un mois, dans sa maison de campagne. Il habite une vieille ferme. Il a une vache, des cochons, des moutons. Quand j'ai frappé, la bonne, qui ne m'attendait pas, ne voulait pas me laisser entrer, mais j'ai insisté. Elle l'a appelé. Il s'est levé de sa chaise où il lisait dans un coin de la cour, entouré de coqs et de poules. Je l'ai salué, il m'a reconnu et m'a reçu très cordialement. Nous avons causé un peu et il n'a pas eu de difficulté à me renseigner sur ce que je voulais savoir. Il m'a même emmené dans son laboratoire et il m'a fait voir son nouveau procédé pour la production de la laine artificielle. Il obtient une étoffe magnifique.

ANDRÉ: C'est sans doute une laine plus légère que la laine naturelle?

ANTOINE: Pas du tout. Il produit une étoffe épaisse, sèche et lourde, dans le fil de laquelle se trouve une matière grasse qui rend le drap imperméable.

ANDRÉ: Mais nous voici à l'université. Dans lequel des bâtiments se trouve votre professeur?

ANTOINE: Dans le bâtiment de l'École des Mines en face duquel se trouve la statue du Marteleur. Nous avons de la chance. M. Firmin est encore là. Je le vois à sa fenêtre avec sa haute taille et ses grosses lunettes. Mon Dieu, qu'il est mince! Je n'avais jamais remarqué cela. Il a dû maigrir.

ANDRÉ: Je vais vous attendre sous ces arbres, à l'ombre desquels je me reposerai de la course que vous m'avez fait faire.

ANTOINE: Entendu. Ce ne sera pas long. A tout à l'heure.

VOCABULAIRE ET EXPRESSIONS

le pétrole   petroleum oil
l'acier (*masc.*)   steel
l'argent (*masc.*)   the silver, money
le cuivre   copper
le fer-blanc   tin
l'essence (*fem.*)   gasoline
la vache   the cow
le mouton   the sheep
le cochon   the pig
le coq   the rooster

la poule   the hen
la cour   the courtyard
la bonne   the maid, the servant
le coin   the corner
l'étoffe (*fem.*)   the cloth
le drap   the cloth
le fil   the thread
la laine   the wool
la taille   the figure
les lunettes (*fem.*)   the eyeglasses

léger (*fem.* légère) light (in weight; use clair for color)
épais (*fem.* épaisse)   thick

gras (*fem.* grasse)   fat
mince   thin, slender
sec (*fem.* sèche)   dry

courir   to run
renseigner   to inform
mener   to lead, take (to a place)
emmener   to lead, take a person from a place, take out or away

amener   to lead, take a person to a place, to bring
saluer   to greet
enseigner   to teach

imperméable   waterproof
à l'ombre de   in the shade of

avoir de la chance   to be lucky
en face de   facing, opposite

VOCABULAIRE SUPPLÉMENTAIRE

le procédé   the process
le laboratoire   the laboratory
la méthode   the method
la matière   the matter
la chimie   chemistry
l'application (*fem.*)   the application

l'extraction (*fem.*)   the extraction
la mine   the mine
la philosophie   philosophy
la statue   the statue
le marteleur   the hammerer
la course   the run, the race, the errand

parfait perfect
naturel (*fem.* naturelle) natural
allemand German

russe Russian
chinois Chinese
japonais Japanese

extraire to extract
appliquer to apply

taper à la machine to type

VERBES

Present Indicative of courir (to run)

je cours	nous courons
tu cours	vous courez
il (elle) court	ils (elles) courent

Imperfect: **je courais**   Future: **je courrai**   Past participle: **couru**

GRAMMAIRE

je cherche un homme qui sache l'allemand I am looking for a man who knows German

je ne connais personne qui sache le russe I don't know anyone who knows Russian

Est-ce que vous connaissez une jeune fille qui sache bien le chinois? Do you know a girl who knows Chinese well?

→ The subjunctive is used in a relative adjective clause when the antecedent is not definitely known; that is, does not, or may not, exist.

je connais une dame qui sait le japonais I know a lady who knows Japanese

j'ai trouvé une jeune fille qui sait taper à la machine I have found a girl who knows how to type

→ But if the antecedent is definitely known (does exist), the indicative is used in the relative adjective clause.

c'est le seul qui la connaisse he is the only one who knows her

c'est la dernière chose que je fasse it is the last thing I'll (ever) do

il n'y a que lui qui sache cette langue there is no one but he who knows that language

c'est le plus beau cheval que j'aie jamais vu it's the finest horse I have ever seen

→ The subjunctive is often used in relative clauses following: (a) the expressions *seul, premier, dernier, ne . . . que;* (b) *a superlative.*
The subjunctive is used when it is felt that the statement is exaggerated, the indicative when it is literally true: **c'est la plus jolie jeune fille que j'ai vue dans cette classe** she is the prettiest girl I've seen in this class.

Auquel de ces hommes allez-vous parler? To which of these men are you going to speak?

De laquelle de ces femmes parlez-vous? Of which of these women are you talking?

→ The interrogative pronoun *lequel* combines with the prepositions *de* and *à* in the following forms:

duquel	**de laquelle**	**desquels**	**desquelles**
auquel	**à laquelle**	**auxquels**	**auxquelles**

voici le crayon avec lequel j'ai écrit la lettre here is the pencil with which I wrote the letter

voilà la table sous laquelle est tombée la serviette there is the table under which the napkin fell

l'homme pour lequel j'ai fait ce sacrifice the man for whom I made this sacrifice

→ *Lequel* is also used as a relative pronoun, after other prepositions.

voilà l'homme avec qui je suis sorti there is the man with whom I went out

→ *Qui* may be used as a relative pronoun after prepositions to refer to persons, when the antecedent is unmistakable.

voilà l'homme dont je parle there's the man I'm speaking of

voici le livre dont je parle here's the book I'm speaking of

voilà l'homme dont j'ai vu la fille hier there is the man whose daughter I saw yesterday

→ The relative "whose," "of whom," "of which" is usually translated by *dont*. Note (a) that English often omits "whom" and transfers "of" to the end of the clause (the man I'm speaking of—the man of whom I'm speaking); (b) after *dont* meaning "whose," the order of words is the normal order: subject, verb, object (*la femme dont j'ai vu le mari*). No inversion occurs as in English (the woman whose husband I saw), and the definite article is used before the noun connected with *dont* (*le mari*).

voilà la femme au fils de laquelle j'ai donné le livre   there is the woman to whose son I gave the book
ce sont les hommes aux filles desquels nous avons parlé   they are the men to whose daughters we spoke

→ *Dont* is replaced by *duquel,* etc., if the noun to which "whose" refers is the object of a preposition.

QUESTIONS

1. Où court Antoine? 2. Qui est son professeur de chimie? 3. Pourquoi Antoine veut-il voir le professeur de chimie? 4. Qu'est-ce qu'il a découvert? 5. Comment savez-vous qu'il est bon professeur? 6. Qu'est-ce qu'Antoine a vu quand il est allé à la maison de campagne de son professeur? 7. Que faisait-il dans son laboratoire? 8. Dans quel bâtiment de l'université fait-il ses cours? 9. Faites la description de M. Firmin. 10. Où André attend-il son ami?

EXERCICES

A. *Conjuguez:*
1. Si je cours, je me ferai mal. 2. Si je courais, je me ferais mal. 3. Quand Marie courra, je courrai après elle. 4. J'ai couru pour arriver à temps à la gare. 5. Il faut que je coure aussi vite que Georges.

B. *Traduisez:*
I. 1. Are you looking for a man who knows how to drive a car? 2. Well, I know a man who can drive very well. 3. Do you know a

professor who can teach Russian (*le russe*)? 4. Yes, I have a friend who knows Russian and can teach it very well. 5. Are you still looking for a girl who knows how to type? 6. No, I have found a young man who types very well.

II. 1. This is the best book that was ever published. 2. He is the only one who really knows Chinese (*le chinois*). 3. Pasteur is the first who made that discovery. 4. She is the only one who knows them. 5. It's the last book he has written.

III. 1. Is that the man to whom you gave the book? 2. Isn't that the girl from whom you received the letter? 3. Are those the friends (*fem.*) to whom you sent the flowers? 4. Why don't you give the money to the men from whom you received the auto? 5. To which of the men are you going to give gasoline? 6. Give me the pen with which I signed that check. 7. Do you know the girl with whom I went out? 8. There is the book under which I put the letter.

IV. 1. There is the woman I was speaking of yesterday. 2. Can't you find the pencil I was talking about? 3. The girl whose father you saw yesterday is leaving for Paris. 4. The man whose son you met at the station is a lawyer. 5. The professor whose students have passed their exams so well is a very modest (*modeste*) man. 6. The man to whose daughter you were speaking is my father's best friend. 7. Those are the men to whose daughters they gave the prizes (*les prix*). 8. The girl whose brother we saw in New York last week has returned home. 9. Those are the women to whose sons they are giving the medals (*les médailles*). 10. Don't you remember the man to whose daughter we talked at the baker's (*le boulanger*) yesterday?

THÈME

—Where are you running?

—I am late for (*à*) an appointment with my chemistry professor.

—What building is he in?

—His laboratory is in the Chemistry Building (*le bâtiment de Chimie*) but he lectures (*fait ses conférences*) at the School of Mines.

—Isn't that strange?

—Yes, they have a larger lecture hall (*salle de conférence*) at the

School of Mines, which used to be the Science Building (*le bâtiment des sciences*).

—Has your professor ever discovered anything important?

—Yes, the Firmin method for the production of artificial wool.

—Is that all?

—No, he works in his laboratory on the extraction of silver and copper from lead.

—He must be quite remarkable (*remarquable*). I should like very much to meet him.

—Wait here in the shade, and if he is not busy, I shall ask him if you can see him after my interview is over.

—Thank you, I shall be here on this bench.

LECTURE

MADAME LÉMU: Ça fait plaisir, de temps en temps, de faire une petite fête (*to have a little party*).

LECHAPEAU (sombre): Moi, il faut que je sois à mon bureau (*office*) demain à neuf heures.

MADAME LÉMU (à Madame Lechapeau): A quelle heure vous levez-vous?

MADAME LECHAPEAU: Ça dépend. Huit heures, huit heures et quart.

MADAME LÉMU: Moi, à sept heures et quart, debout.

LECHAPEAU: Même quand vous vous couchez à ces heures-ci?

MADAME LÉMU: Ah! non! Demain, je me lèverai tout de même un peu plus tard.

MADAME LECHAPEAU (à Lechapeau): As-tu un mouchoir de poche (*handkerchief*)? Je n'en ai pas pris en sortant.

LECHAPEAU: Dans la poche de mon pardessus (*overcoat*).

MADAME LECHAPEAU: Je vais le prendre.

LECHAPEAU: Non, je vais te le donner. (Ils se lèvent et vont tous deux au portemanteau [*coat rack*]).

MADAME LECHAPEAU (à Lechapeau): C'est dégoûtant (*disgusting*). Il ne mange rien non plus. Il a mal à l'estomac comme moi!

LECHAPEAU: Je vais être obligé de payer. . . .

MADAME LECHAPEAU: Mais pas du tout!

LECHAPEAU: Mais si, voyons, nous en avons à peine pour quarante sous. Et comme ça, ils nous devront une politesse.

(Le Garçon apporte la viande, le quart et le pain)

MADAME LÉMU (à Lemu): C'est lui qui a l'air de payer.

LÉMU: Oui, il paiera. Je pourrais peut-être manger quelque chose.

MADAME LÉMU: Pas du tout. Ce n'est pas sûr qu'il paie. Je te défends de rien prendre.

LÉMU: Je mangerai un peu de pain, sans en avoir l'air.

(Les Lechapeau reviennent à table)

LECHAPEAU (servant Madame Lému): Madame. . . .

MADAME LÉMU: Merci bien.

LECHAPEAU: Décidément, vous me donnerez un bock (*glass of beer*). J'ai trop soif.

MADAME LECHAPEAU: Je trouve que tu as tort. Alors moi je vais manger de cette viande froide.

MADAME LÉMU: On oublie les régimes (*diet*) alors? (A son mari) Tiens, voilà un morceau de viande. (Elle le lui tend au bout de sa fourchette)

LÉMU: Je ne peux pas manger ça sans pain. (Il se coupe [*cuts himself*] un énorme morceau de pain)

MADAME LECHAPEAU: Vous n'avez pas peur de vous faire mal à l'estomac avec tout ce pain?

LÉMU (la bouche pleine): Non, je supporte (*can stand*) très bien le pain.

MADAME LÉMU: Bois un peu. (Elle lui donne à boire dans son bock)

LE GARÇON: Du fromage?

LECHAPEAU (à Madame Lému): Pas de fromage?

MADAME LÉMU: Très peu.

LE GARÇON: Nous avons de l'excellent Camembert. . . . Et, après le fromage, ces messieurs, dames, prendront des liqueurs?

LECHAPEAU: Madame?

MADAME LÉMU: Oh! quelque chose de pas trop fort. Une chartreuse (*a popular French cordial*).

LE GARÇON: Et pour monsieur?

LECHAPEAU: Oh! pour moi rien.

MADAME LÉMU: Vous n'allez pas me laisser boire toute seule. Non, prenez aussi une liqueur!

LECHAPEAU (résigné): Deux chartreuses!

(A suivre)

QUESTIONS

1. Pourquoi M. Lechapeau veut-il partir? 2. A quelle heure Mme Lému se lève-t-elle? 3. Qu'est-ce que les Lechapeau vont chercher? 4. Racontez la conversation des deux Lechapeau quand ils sont seuls. 5. Racontez la conversation des deux Lému quand ils restent seuls. 6. Qu'est-ce que le groupe finit par manger? 7. Qu'est-ce que le groupe finit par boire? 8. Est-ce que le mal d'estomac de Lému est véritable (*real*)?

COMPOSITION

Écrivez une composition de 300 mots sur une visite au laboratoire d'un professeur.

Review Lesson 8

A. *Traduisez les expressions idiomatiques suivantes en anglais:*

1. être en train de 2. faire ses adieux à 3. prendre congé de 4. en voiture! 5. donnez-moi de vos nouvelles 6. aller à pied 7. aller en voiture 8. ayez la bonté de m'écrire 9. avez-vous fait la critique de ce poème? 10. aller en bateau 11. au cours de 12. ayez soin de mon chat 13. avez-vous mal à la tête? 14. il m'a fait mal hier 15. il a fait sauter la maison 16. au secours! 17. au dessous de ma maison 18. il se laisse conduire par sa femme 19. les soldats ont fait feu 20. une maison entourée de gendarmes

(20 points)

B. *Employez les expressions suivantes dans des phrases que vous traduirez ensuite:*

1. cela vaut la peine 2. être à l'abri 3. faire des emplettes 4. mettre à la poste 5. du papier à lettres 6. à mon avis 7. se débarasser de 8. se plaindre 9. au point de vue 10. être gênant 11. être disposé à 12. n'importe quoi 13. tout de même 14. se tromper 15. tomber amoureux de 16. à l'ombre de 17. avoir de la chance 18. renseigner 19. l'essence 20. le pétrole

(40 points)

C. *Remplacez l'infinitif en italique par la forme correcte du verbe:*

1. Tant qu'il *être* ici, je ne *partir* pas.
2. Elles sont *sortir* en *causer*.
3. Quand je la *voir*, je lui *dire* combien je la trouve charmante.
4. Après *manger*, elle est *partir* en ville.
5. Je ne crois pas qu'il *être* à la maison.
6. Je suis content qu'elle *avoir* une jolie auto.
7. Je regrette que nous *avoir* dit cela.
8. Il n'est pas naturel que vous *avoir* tant mangé au dîner.
9. Il est certain qu'elle *venir* demain.
10. Je ne crains pas qu'il *prendre* ce livre.
11. Je doute qu'il *savoir* la vérité.

334

12. Attendez jusqu'à ce qu'elle *être* arrivée.

13. Bien qu'il m'*avoir* rendu tous mes livres je ne lui en prêterai plus.

14. J'ai mis la lettre dans ma poche sans qu'elle s'en *être* aperçue.

15. Je cherche un domestique qui *savoir* le français.

(20 points)

D. *Remplacez le tiret par* de *ou* à:

1. Je suis fatigué _____ entendre parler de la sorte. 2. Êtes-vous enfin prêt _____ partir? 3. Il m'a permis _____ lire la lettre. 4. Il ne m'a pas demandé _____ ·le faire. 5. Elle m'a appris _____ lire. 6. Il nous ont aidé _____ le faire. 7. Je lui ai dit _____ le finir. 8. Il n'a pas cessé _____ manger. 9. Il est difficile _____ lire son écriture. 10. Ce livre est impossible _____ traduire. 11. Avez-vous une machine _____ écrire? 12. Il était accompagné _____ sa mère. 13. La maison est entourée _____ arbres. 14. C'est une grande maison _____ pierre. 15. Il est toujours suivi _____ ses hommes quand il sort. 16. Quelle jolie robe _____ soie! 17. Je veux du papier _____ lettres. 18. N'avez-vous pas mal _____ la tête? 19. Il s'est mis _____ lire. 20. Il m'a prié _____ lui écrire.

(20 points)

Lesson 33

Review of *faire* in imperfect, future, conditional, and past participle

· Idiomatic uses of *faire*

Use of *faire* followed by an infinitive

Direct and indirect objects with causative *faire*

Position of pronoun and noun objects with *faire*

Use of *voir* and *entendre* followed by an infinitive

Relative clause replacing infinitive in this construction

Il ne faut pas compared with *il n'est pas nécessaire*

CONVERSATION

Suzanne A Fait des Courses

RENÉE: Si nous faisions allumer le feu, Suzanne?

SUZANNE: C'est une bonne idée. Il fait froid. Je vais sonner le domestique, et je vais lui faire apporter du charbon et du bois. Puis, nous allumerons nous-mêmes.

LE DOMESTIQUE: Mademoiselle a sonné?

SUZANNE: Oui. Je voudrais que vous apportiez du bois et du charbon.

LE DOMESTIQUE: A l'instant, mademoiselle.

.Suzanne: Il faut que je te raconte. J'ai été aujourd'hui dans une banque pour faire changer en francs un de mes chèques sur une banque américaine. Quelle histoire! Il a fallu que je répète au moins cent fois mon nom et mon adresse; puis il a fallu que je donne le nom de tous mes amis français; on m'a posé un tas de questions; enfin, on m'a donné l'argent, mais je suis sûre qu'on m'a volé sur le change. De plus, je trouve qu'ils sont bien impolis dans ces bureaux de province. Ils parlent presque toutes les langues, c'est vrai, mais de quelle façon! N'importe! Ils font de leur mieux. Ah, voici le domestique. Avez-vous quelque chose à lui donner? Moi, je n'ai pas de petite monnaie.

Renée: Vous en trouverez dans mon porte-monnaie.

Le Domestique: Mademoiselle désire que j'allume le feu?

Suzanne: Non, laissez. Merci bien.

Le Domestique: Bien, Mademoiselle.

Renée: Et après être allée au bureau de change?

Suzanne: Ensuite, je suis allée à un magasin chercher des ciseaux et des chaussettes.

Renée: Des chaussettes?

Suzanne: Oui, des bas courts, qui dépassent à peine la cheville. Vous savez; ce qu'on appelle "bobby-sox" en Amérique. On n'avait que des chaussettes d'homme. Je les ai prises, quoique ça ait fait rire le vendeur. Mais enfin, j'avais besoin de chaussettes neuves, et cela m'a amusée autant que lui.

Renée: Et le prix?

Suzanne: Oh, c'était très raisonnable. Cent francs la paire. Et j'ai trouvé des ciseaux. A présent, pour notre collection d'articles intéressants, nous pourrons découper les journaux au lieu de les déchirer. Et je vous ai acheté une boîte de bonbons.

Renée: Ah, que vous êtes gentille!

Suzanne: Dites, voulez-vous que je fasse venir le médecin mercredi?

Renée: Non, ce n'est plus nécessaire. N'importe quel jour. Je me sens beaucoup mieux.

VOCABULAIRE ET EXPRESSIONS

le (la) domestique   the servant
le charbon   the coal
le bois   the wood
la course   the errand
l'histoire (*fem.*)   the history; story; fuss
la monnaie   the coin
la petite monnaie   the (small) change
le change   the exchange
le bureau de change   the exchange office
le porte-monnaie   the change purse

le nom   the name
la langue   the language, tongue
le prix (*pl.* prix)   the price; the prize
les ciseaux (*masc.*)   the scissors
la chaussette   the sock
la cheville   the ankle
le bas   the stocking
l'adresse (*fem.*)   the address
la boîte   the box
le bonbon   the piece of candy; (use plural, les bonbons, in the English collective sense)

court   short
gai   gay, merry, jolly
poli   polite
impoli   impolite

neuf (*fem.* neuve)   new
convenable   suitable
raisonnable   reasonable, fair, sensible

découper   to cut out, to cut up
changer   to change, exchange (*nous changeons*)

voler   to steal, rob
dépasser   to go beyond
sonner   to ring, ring for

à peine   barely, hardly, scarcely
n'importe quel ...   any ... whatsoever
à l'instant   at once

faire venir   to send for
je n'ai pas de petite monnaie   I have no change
de leur mieux   the best they can

VOCABULAIRE SUPPLÉMENTAIRE

le tas   the heap
nécessaire   necessary
allumer   to light

la province   the province; France outside of Paris
déchirer   to tear

VERBES

Review the Present Indicative of **faire** (Lesson 6)

Imperfect: **je faisais** Future: **je ferai** Conditional: **je ferais** P.p. **fait**

GRAMMAIRE

nous avons fait une promenade we took a walk
il a fait un voyage en France he took a trip to France
il fait beau (mauvais) it's fine (bad) weather
il fait chaud (froid) it's warm (cold)
faites attention! pay attention! be careful!
les soldats ont fait feu the soldiers fired
il a fait le sourd he acted like a deaf man
si nous faisions une partie de cartes? how about a game of cards?
ma femme a fait des emplettes my wife did some shopping (**aller faire
    des emplettes** to go shopping)
nous avons fait la bombe hier soir we had a grand time last night
ça me fait plaisir that pleases me
faites voir votre langue show your tongue
il leur a fait savoir qu'il ne pouvait pas venir he informed them that
    he could not come

→ Observe the above idiomatic uses of *faire* (which by no means
exhaust the list), and note how many English verbs are translated by
faire, with or without a following verb.

j'ai fait parler le garçon I made (had) the boy speak
j'ai fait écrire la lettre I had the letter written

→ *Faire* followed by an infinitive often means: (a) to have or make
someone do; (b) to have something done.

je l'ai fait parler I made (had) him speak (*l' = le garçon*)
je l'ai fait écrire I had it written (*l' = la lettre*)
faites-le écrire have him write (*le = le garçon*)
faites-la écrire have it written (*la = la lettre*)

→ If an object pronoun is used in this construction, it assumes the position of an object of *faire,* even if it is the object of the following verb. In compound tenses there is no agreement of the participle of *faire* with the preceding direct object.

j'ai fait comprendre la situation à mon frère I made my brother understand the situation.

j'ai fait lire le journal par les élèves I had the students read the paper

→ In the sense of "to have someone do something," "to make someone do something," "to have something done by somebody," the thing is a direct object, the person an indirect object or an object introduced by *par.*

je l'ai fait comprendre à mon frère I made my brother understand it

je lui ai fait comprendre la situation I made him understand the situation

je la lui ai fait comprendre I made him understand it

faites-lui passer l'examen make him take the examination

faites-le passer à l'élève make the pupil take it

faites-le-lui passer make him take it

→ If there are two objects, person and thing, pronoun objects go with *faire,* noun objects follow the second verb.

j'ai fait venir le médecin I had the doctor come

je l'ai fait venir I had him come

→ *Faire venir* means to cause to come, to have someone come.

je l'ai vue jouer Phèdre I saw her play Phaedra

je l'ai vu sortir I saw him go out

je l'ai entendu chanter I heard him sing

→ Similar constructions may be used with *voir* and *entendre* (to see someone do something, to hear someone do something). With these verbs the normal agreement of the past participle occurs.

je l'ai vu qui sortait I saw him go out

je l'ai entendu qui chantait I heard him sing

→ An alternative construction is formed with a relative clause.

il ne faut pas le faire   it must not be done
il n'est pas nécessaire de le faire   it is not necessary to do it

→ *Il ne faut pas* means "must not." For "it is not necessary" use *il n'est pas nécessaire.*

QUESTIONS

1. Qu'est-ce que Renée demande à Suzanne? 2. Pourquoi Suzanne sonne-t-elle le domestique? 3. Pourquoi est-elle allée au bureau de change? 4. Pourquoi se plaint-elle du bureau de change? 5. Où trouve-t-elle de la petite monnaie? 6. Est-ce que le domestique va allumer le feu? 7. Pourquoi est-elle allée à un magasin après être allée au bureau de change? 8. Est-elle contente du prix des chaussettes? 9. Pourquoi achète-t-elle des ciseaux? 10. Est-ce que Renée a encore besoin d'un médecin?

EXERCICES

A. *Conjuguez les verbes dans les phrases suivantes:*

1. Je fais une promenade tous les jours. 2. J'ai fait un voyage en France. 3. Si je faisais une partie de cartes, je n'aurais pas le temps d'aller en ville. 4. Je ferai mes devoirs ce soir. 5. Si j'en avais le droit, je ferais écrire cette lettre tout de suite.

B. *Remplacez le verbe en italique par la forme correcte du verbe* faire *suivi du même infinitif:*

1. Il va *write* la lettre. 2. Nous *speak* la jeune fille. 3. Je *dance* la jeune dame. 4. Ils *go out* le chien. 5. Ils *come* le médecin.

C. *Traduisez les phrases suivantes:*

1. We will make him come tomorrow. 2. They made the pupil go out. 3. He made the doctor come. 4. Have the letter written now. 5. Make him write. 6. Make her talk. 7. We made the boy speak. 8. We saw him go out. 9. I heard her singing this morning. 10. They made him study all afternoon.

D. *Remplacez tous les noms dans les phrases suivantes par des pronoms:*

1. Jean a fait comprendre la situation à sa sœur. 2. Marie a fait venir le médecin. 3. Georges a fait faire son complet hier. 4. Pourquoi ne pas faire passer l'examen aux élèves? 5. Le professeur fera passer l'examen à ses élèves. 6. Les parents espèrent faire apprendre l'allemand à leurs enfants. 7. Marie et sa mère ont entendu chanter Mlle Pons. 8. Il ne faut pas faire ce travail immédiatement. 9. Est-ce que Mme Dupont a vu sortir son fils? 10. Les parents ont fait lire ce roman à leurs enfants.

E. *Traduisez:*

1. They took a walk in the garden. 2. When I go shopping I always carry change in my purse. 3. I am happy to know that he gave you that box of candies. 4. She had her servant bring the stockings. 5. It was necessary to have some wood and coal to light the fire.

THÈME

—Aren't you cold?

—Yes, tell the servant to bring in some wood and coal, and to light a fire.

—Where is he?

—Ring (for) him. He will come at once.

—Did you go to the department stores today?

—Yes, I had to buy some socks and some scissors.

—Where did you get (*trouver*) the money? You had none this morning.

—I changed one of my checks at the bank (Bureau of Exchange).

—Did you have to answer many questions before receiving the money?

—Yes, and I think I was robbed on the exchange. The clerk was very impolite when I questioned him.

—What is the matter with your knee?

—I cut (*couper*) it a little. That is why I bought socks, they are shorter than stockings and reach just above the ankle.

—Must I get a doctor?

—Oh no! it is nothing. You would make him laugh if you called him for such a thing.

—Well! you know. He comes for anything at all.

LECTURE

Madame Lechapeau (vivement à Lechapeau): Alfred, mon soulier (*shoe*) s'est détaché (*unlace*). (Lechapeau se lève. Ils s'éloignent vers la droite. Elle pose son pied sur une chaise en tournant le dos aux Lému) Ça n'est plus quarante sous que tu auras à payer. C'est près de cinq francs. Eh bien, entends-tu, sur la vie de ma mère et de la tienne, je te défends de payer. Tu ne vois donc pas ce qu'ils font? Il fait semblant de ne rien prendre et il a bu tout le bock. Le voilà maintenant qui mange du fromage dans l'assiette de sa femme, comme s'il avait quatre ans. S'il n'a pas dévoré pour six sous de pain, il n'en a pas avalé (*swallowed*) pour un sou. Ça serait tout de même trop fort (*exaggerated*) d'emmener ces gens au théâtre, et que ça nous coûte cent sous! J'aime autant ne pas faire de gracieusetés (*extend courtesies*) à ce prix-là. Ça ferait trop plaisir à Madame Lému! (avec émotion) Tu entends: sur la vie de nos deux mères, je te défends de payer.

Madame Lému: Ce fromage est excellent.

Lechapeau (repoussant [*pushing away*] l'assiette): Merci (*no, thank you*).

(On sert les chartreuses. Madame Lému tend [*holds out*] son verre à son mari)

Madame Lému: Goûte (*taste*), Émile.

Le Garçon (à la Caissière): Ils ne vont pas bientôt aller se coucher! Je meurs de sommeil. Préparez-moi l'addition (*check*), pour que je n'aie plus qu'à la leur apporter, quand ils la demanderont.

La Caissière: Le fait est que pour ce qu'ils ont l'air en train (*I must say that for all the fun they seem to be getting out of it*), ils seraient mieux chez eux qu'ici. Ce sont des gens sans conversation. . . . Mais, je ne sais pas, l'homme aux favoris (*sideburns*) n'a pas l'air pressé (*in a hurry*) de demander l'addition.

Madame Lému: Je tombe de sommeil.

Lému: C'est qu'il est tard. (A Lechapeau) Il est déjà très tard.

Lechapeau: Non . . . pas très tard.

LÉMU: Et vous, qui devez vous lever de bonne heure demain?

LECHAPEAU: Oh! un quart d'heure de plus ou de moins!

MADAME LÉMU: Moi, je suis épuisée (*exhausted*). On ne me ferait pas aller d'ici à là. (Elle déplace le porte-allumettes [*match holder*] et fait du bruit sur la table.)

LE GARÇON: Ces messieurs ont appelé?

LÉMU: Mais non. . . . Mais non. . . . Personne n'a appelé.

LE GARÇON (à la Caissière): C'est fini, ils sont installés. . . . Ma foi, je vais leur dire que le café ferme à une heure. . . . (Aux consommateurs [*customers*]) Messieurs, dames, il est une heure, et nous fermons à cette heure-là.

(Silence)

LECHAPEAU: Il faut s'en aller.

(Silence)

LÉMU: Allons-nous-en. (Ils se lèvent)

LECHAPEAU (faiblement): L'addition. (A sa femme) Je n'ai pu faire autrement.

(Le Garçon apporte l'addition. Lechapeau paie)

LÉMU (qui vient de mettre son pardessus, revenant vers la table): Comment, vous avez payé?

LECHAPEAU: Oui, oui, ne vous occupez pas de ça.

LÉMU: Mais c'est une trahison (*treachery*)!

LECHAPEAU: Nous sommes de revue (*We'll be seeing each other*).

LÉMU: Je me rattraperai (*I'll make up for it*).

(A la porte du café)

MADAME LÉMU: Au revoir, madame, et mille fois merci de l'aimable soirée que vous nous avez fait passer.

MADAME LECHAPEAU: Je suis bien contente que vous vous soyez amusée.

LÉMU: Je vous ai dit que j'aurais prochainement (*very soon*) une loge pour l'Odéon. Je vous ferai signe (*I'll let you know*).

MADAME LECHAPEAU: Vous êtes trop aimable.

LÉMU: Mais, n'est-ce pas, pas tout de suite?

(Fin)

QUESTIONS

1. Pourquoi Mme Lechapeau pose-t-elle le pied sur une chaise? 2. Que dit-elle à M. Lechapeau? 3. Qu'est-ce que M. Lému a bu? 4. Qu'est-ce que M. Lému a mangé? 5. Pourquoi Mme Lechapeau se plaint-elle? 6. Qu'est-ce que le garçon leur apporte? 7. Comment savez-vous que le garçon est impatient? 8. Quelle observation la caissière fait-elle au sujet des clients? 9. Comment savez-vous que les deux couples commencent à être fatigués? 10. Qui finit par payer la note? 11. Est-ce que les Lému sont contents de leur soirée? 12. Que promettent-ils de faire prochainement?

COMPOSITION

Écrivez un dialogue de 300 mots basé sur une scène dans un bureau de change ou dans une banque entre le caissier (*cashier*), une demoiselle, et son amie.

Lesson 34

CONFÉRENCE HISTORIQUE—LA RÉSISTANCE EN FRANCE

A peine les troupes allemandes eurent-elles occupé la France du Nord qu'un mouvement de résistance se développa parmi les populations du pays occupé. C'étaient des actes de sabotage, des lignes de chemin de fer, des ponts, des gares, des usines qu'on faisait sauter au moyen d'explosifs qui arrivaient on ne savait jamais d'où, des sentinelles assassinées à leurs postes, des signaux qu'on donnait mystérieusement aux avions anglais qui venaient bombarder les usines qui travaillaient pour les Allemands. La Gestapo fit de son mieux pour découvrir les auteurs de ces "crimes." En vain. On fit prendre des otages, on les mit en prison, on les fusilla. Pour chaque saboteur qui mourait sous les balles allemandes, il en surgissait dix, cent, mille. Il y eut des cas où la population d'un village fut massacrée tout entière pour punir les habitants d'avoir abrité les saboteurs. La résistance continua dans tous les autres villages de France, dans chaque ville, dans chaque endroit, dans les campagnes et dans les fermes, dans les usines et dans les bureaux. Et les actes de sabotage continuèrent sans cesse.

Il se forma, à l'intérieur de la France, une armée secrète, qui combattait avec ses armes mystérieuses, qui donnait des renseignements précieux aux alliés, qui collaborait avec ce qui restait de l'armée française régulière dans l'Afrique du Nord, qui échappait à toutes les recherches des ennemis de la liberté. Sans canons, presque sans munitions et sans vivres, les soldats des F.F.I. (Forces Françaises de l'Intérieur), remportèrent des victoires qui, sans être éclatantes, étaient nombreuses et importantes.

Ainsi, le jour où les troupes américaines et anglaises débarquèrent sur les plages de Normandie, elles trouvèrent, derrière les lignes allemandes, une véritable armée française, prête à leur servir de guide, à les aider de toutes les façons possibles, à rendre plus brève cette bataille finale qui devait mener à la libération complète du pays.

VOCABULAIRE ET EXPRESSIONS

le poste the post
le signal (*pl.* **signaux**) the signal
le renseignement the piece of information (use the plural for "information")
la recherche the search, research, investigation

entier (*fem.* **entière**) entire, whole
secret (*fem.* **secrète**) secret

combattre to fight **(je combats, tu combats, il combat)**
échapper à to escape
s'échapper de to escape from
débarquer to land

l'allié (*masc.*) the ally
la ligne the line
l'arme (*fem.*) the arm, the weapon
l'usine (*fem.*) the factory
l'habitant (*masc.*) the inhabitant
la ferme the farm

bref (*fem.* **brève**) brief, short
nombreux (*fem.* **nombreuse**) numerous

servir to serve (like **dormir: je sers, tu sers, il sert**)
remporter to gain, win
punir to punish

en vain   in vain
sans cesse   unceasingly
à l'insu de   without the knowledge of

servir de guide à . . .   to serve . . . as a guide
il y eut, il y a eu   there was, there were

VOCABULAIRE SUPPLÉMENTAIRE

le mouvement   the movement
la résistance   the resistance
l'acte (*masc.*)   the act
l'intérieur (*masc.*)   the interior
le cas   the case
la sentinelle   the sentinel, the sentry
l'autorité (*fem.*)   the authority
l'auteur (*masc.*)   the author
le guide   the guide
l'otage (*masc.*)   the hostage
la prison   the prison, jail

la liberté   liberty, freedom
l'explosif (*masc.*)   the explosive
les munitions (*fem.*)   ammunition
le canon   the cannon
les vivres (*masc.*)   the food
le sabotage   sabotage
le saboteur   the saboteur
la victoire   the victory
la libération   the liberation
la bataille   the battle
la conférence   the lecture

mystérieux (-euse)   mysterious
important   important
complet (-ète)   complete
régulier (-ière)   regular

éclatant   brilliant
véritable   veritable
final (*masc. pl.* finaux)   final
précieux (-euse)   precious

faire sauter   to blow up
fusiller   to shoot (by military execution)
massacrer   to massacre, slaughter
assassiner   to murder, assassinate
surgir   to rise, arise

collaborer   to collaborate
occuper   to occupy
abriter   to shelter
former   to form
dessiner   to draw, outline

VERBES

Past Definite of parler, vendre, finir

je parlai
tu parlas
il parla

nous parlâmes
vous parlâtes
ils parlèrent

je vendis	nous vendîmes
tu vendis	vous vendîtes
il vendit	ils vendirent

je finis	nous finîmes
tu finis	vous finîtes
il finit	ils finirent

→ The endings of the past definite of -er verbs are: -ai, -as, -a, -âmes, -âtes, -èrent. Verbs ending in -cer change c to ç in the singular and first and second plural (je commençai, etc.). Verbs ending in -ger insert e in the singular and first and second plural (je mangeai, etc.).

The endings of the past definite of -re and -ir verbs are: -is, -is, -it, -îmes, -îtes, -irent.

faire: je fis, tu fis, il fit, nous fîmes, vous fîtes, ils firent
mettre: je mis, tu mis, il mit, nous mîmes, vous mîtes, ils mirent
prendre: je pris, tu pris, il prit, nous prîmes, vous prîtes, ils prirent
voir: je vis, tu vis, il vit, nous vîmes, vous vîtes, ils virent
écrire: j'écrivis, tu écrivis, il écrivit, nous écrivîmes, vous écrivîtes, ils écrivirent
craindre: je craignis, tu craignis, il craignit, nous craignîmes, vous craignîtes, ils craignirent
conduire: je conduisis, tu conduisis, il conduisit, nous conduisîmes, vous conduisîtes, ils conduisirent
dire: je dis, tu dis, il dit, nous dîmes, vous dîtes, ils dirent
rire: je ris, etc.
s'asseoir: je m'assis, etc.

→ Several irregular verbs use the same endings as -re and -ir verbs, but with changes in the stem.

boire: je bus, tu bus, il but, nous bûmes, vous bûtes, ils burent
avoir: j'eus, tu eus, il eut, nous eûmes, vous eûtes, ils eurent
être: je fus, tu fus, il fut, nous fûmes, vous fûtes, ils furent
lire: je lus, tu lus, il lut, nous lûmes, vous lûtes, ils lurent
courir: je courus, etc.
mourir: je mourus, etc.
connaître: je connus, etc.

croire: je crus, etc.
vivre: je vécus, etc.
devoir: je dus, etc.
recevoir: je reçus, etc.
falloir: il fallut
pleuvoir: il plut
pouvoir: je pus, etc.
savoir: je sus, etc.
vouloir: je voulus, etc.
valoir: je valus, etc.

→ Other irregular verbs make use of this set of endings: *-us, -us, -ut, -ûmes, -ûtes, -urent,* with or without a change in the stem.

venir: je vins, tu vins, il vint, nous vînmes, vous vîntes, ils vinrent
tenir: je tins, tu tins, il tint, nous tînmes, vous tîntes, ils tinrent

→ *Venir, tenir,* and their compounds are completely irregular.

Past Anterior of **parler** and **aller**

j'eus parlé	nous eûmes parlé
tu eus parlé	vous eûtes parlé
il eut parlé	ils eurent parlé
elle eut parlé	elles eurent parlé

je fus allé(e)	nous fûmes allés(es)
tu fus allé(e)	vous fûtes allé(e)(s)(es)
il fut allé	ils furent allés
elle fut allée	elles furent allées

The past anterior is formed by combining the past definite of the auxiliary (*avoir* or *être*) with the past participle.

GRAMMAIRE

les troupes prirent la ville   the troops seized the town
Louis XVI régna au dix-huitième siècle   Louis XVI reigned in the
18th century

→ The past definite is translated by the English past. It is not used in ordinary conversation, but only in books (occasionally in lectures of a historical nature) to narrate what took place.

le mouvement commença the movement began
le mouvement a commencé the movement began, has begun
le mouvement commençait the movement was beginning

→ The past definite is purely historical and narrative. The past indefinite is also narrative, but conversational. Both past definite and past indefinite are translated by the English past, but the past indefinite may also be translated by the English present perfect, which is never the case with the past definite. Both past definite and past indefinite state what happened at a given point of time. The imperfect is a descriptive tense, stating what was happening, continued to happen or to exist, happened regularly, repeatedly, or habitually.

j'écrivais quand il est entré I was writing when he came in
Napoléon écrivait quand Joséphine entra Napoleon was writing when Josephine came in

→ The imperfect may be used (to state what was happening) in connection with either past definite or past indefinite (both of which state what happened).

à peine fut-il entré que Louis le vit hardly had he come in when Louis saw him
dès que Napoléon fut rentré en France, la guerre recommença as soon as Napoleon had come back to France, the war began once more
quand il eut perdu cette bataille, il se retira jusqu'en France when he had lost that battle, he retreated to France

→ The past anterior is used to relate what happened immediately before something else took place. It generally appears in subordinate clauses of time, after *quand, lorsque, dès que, aussitôt que, à peine, après que.*

When *à peine* (hardly) begins the sentence an interrogative construction is used, and *que* translates the English "when" in the following clause.

il avait déjà fini son travail quand je l'ai vu he had already finished his work when I saw him

dès qu'il fut entré, je lui ai expliqué la difficulté as soon as he entered, I explained the difficulty to him

→ Note that the pluperfect (*avait fini*) is used in the first sentence to express something which happened some time (but not immediately) before something else took place (*je l'ai vu*).—But in the second sentence the past anterior is used because *fut entré* expresses an act which took place immediately before the next (*j'ai expliqué*).

QUESTIONS

1. Quand le mouvement de résistance commença-t-il en France? 2. Comment les Français résistèrent-ils? 3. Qui venait bombarder les usines qui travaillaient pour les Allemands? 4. Qui fit de son mieux pour découvrir les membres de la Résistance? 5. Qui fit prendre des otages? 6. Pourquoi? 7. Quelle sorte d'armée fut formée? 8. Avec qui travaillait-elle? 9. Qu'est-ce que les troupes américaines et anglaises trouvèrent quand elles débarquèrent? 10. Quel fut le résultat de cette collaboration?

EXERCICES

A. *Expliquez le temps de chaque verbe en italique et traduisez en anglais:*

Les guerres de religion *terminées,* et Henri de Navarre *étant devenu* roi de France, ses anciens ennemis *se sentirent* fort embarrassés. Qu'*allait-il* faire? L'un d'entre eux, le Duc de Mayenne, *alla* lui rendre visite. Il *trouva* Henri qui *se promenait* dans son parc. Il *adorait* la marche, car il *était* grand et maigre. Le duc, au contraire, *était* un homme fort gros. Celui-ci *prit* la parole: "Sire, je *voudrais* vous expliquer. . . ." Mais le souverain *l'interrompit* en *disant:* "Eh bien, Monsieur le duc, *accompagnez*-moi dans ma promenade. Vous *parlerez,* et je vous *écouterai.*" Et il *se mit* en marche.

Il *faisait* de longues enjambées, et le gros homme le *suivait* avec toute la difficulté du monde, et en même temps *parlait* pour justifier sa conduite passée; mais Henri ne *soufflait* mot. Le duc *continuait* de parler, et le roi *continuait* de marcher de plus en plus vite, à tel point que le pauvre Mayenne *était* presque obligé de courir à ses côtés. Il *était* tout rouge, et *tirait* la langue. Mais le roi, sans faire attention à lui, et toujours muet, *continuait* de trotter comme un cheval. Le duc *était devenu* terriblement inquiet.

Enfin le roi *s'arrêta,* et regardant son ancien ennemi à bout de souffle, *sourit* et *dit* en lui *tendant* la main: "Voilà toute ma vengeance. Le passé *est oublié, soyons* amis."

B. *Remplacez l'infinitif par la forme correcte du verbe dans les phrases suivantes:*

1. Les troupes allemandes *s'emparer* de la ville. 2. Le mouvement de résistance *commencer* immédiatement parmi les populations du pays occupé. 3. Les troupes américaines et anglaises *débarquer* sur les plages de Normandie. 4. Je *écrire* quand il me *dire* de le faire. 5. Quand Napoléon *perdre* la bataille de Waterloo, il *abdiquer.* 6. Louise *finir* de parler quand je la *voir.*

THÈME

Employez le passé simple (passé défini) :

The Resistance movement started as soon as the French prisoners (*prisonnier*) of war were freed. At first there was very little organization and only a few acts of sabotage, but when the German occupation became complete, bridges, railroad stations, factories working for the Germans were blown up. German officers (*officier*) and sentinels were assassinated. The Germans, unable to find the culprits (*coupable*), took hostages and in some cases burned whole villages. This did not discourage (*décourager*) the members of the Resistance movement. As the debarkation (*débarquement*) of American and British troops seemed more certain, a secret army was formed within (in the interior of) France. This army collaborated with the Americans and British by (*en*) preventing the sending of German reserves to points that were being attacked. The French also destroyed (*détruire*) ammunition centers and cleared the way for (*faciliter*) the rapid advance (*l'avance rapide*) of the American and British troops in Normandy and along the Rhone.

LECTURE

Le Parapluie

Mme Oreille était économe. Elle savait la valeur d'un sou. M. Oreille n'obtenait sa monnaie de poche (*pocket money*) qu'avec une extrême difficulté. Ils étaient à leur aise (*comfortable*) pourtant, et sans enfants; mais Mme Oreille éprouvait (*experienced*) une vraie douleur à voir les pièces d'argent sortir de chez elle. Chaque fois qu'il lui avait fallu faire une dépense de quelque importance, même indispensable, elle dormait fort mal la nuit suivante.

Oreille répétait sans cesse à sa femme:

—Tu devrais être plus généreuse, puisque nous ne dépensons jamais nos revenus.

Elle répondait:

—On ne sait jamais ce qui peut arriver. Il vaut mieux avoir plus que moins.

C'était une petite femme de quarante ans, vive (*lively*), ridée (*wrinkled*), propre et souvent irritée.

Son mari, à tout moment, se plaignait des privations qu'elle lui faisait endurer.

Il était commis (*clerk*) principal au Ministère de la Guerre, demeuré là uniquement pour obéir à sa femme, pour augmenter (*increase*) les revenus inutilisés de la maison.

Or, pendant deux ans, il vint au bureau (*office*) avec le même vieux parapluie qui faisait rire ses collègues. Enfin, un jour, il exigea (*insisted*) que Mme Oreille lui achetât un nouveau parapluie. Elle en prit un de huit francs cinquante, article de réclame (*bargain*) d'un grand magasin. Les employés, en apercevant cet objet jeté dans Paris par milliers, recommencèrent leurs plaisanteries, et Oreille en souffrit horriblement. Le parapluie ne valait rien. En trois mois, il fut hors de (*out of*) service, et la gaieté devint générale dans le Ministère. On fit même une chanson qu'on entendait du matin au soir, du haut en bas de l'immense bâtiment.

Oreille, exaspéré, ordonna à sa femme de lui choisir un nouveau parapluie, en soie fine, de vingt francs.

Elle en acheta un de dix-huit francs, et déclara:

—Tu en as là pour cinq ans au moins.

Oreille, triomphant, obtint un vrai succès au bureau.

Lorsqu'il rentra le soir, sa femme, jetant un regard inquiet sur le parapluie, lui dit:

—Tu ne devrais pas le laisser serré (*tightly rolled*) avec l'élastique, c'est le moyen de couper la soie.

Elle le prit et secoua les plis (*folds*). Mais elle demeura saisie d'émotion. Un trou (*hole*) rond, grand comme un centime, lui apparut au milieu du parapluie. C'était une brûlure (*burn*) de cigare!

Elle balbutia (*stammer*):

—Qu'est-ce qu'il a?

Son mari répondit tranquillement, sans regarder:

—Qui, quoi? Que veux-tu dire?

Sa femme pouvait à peine parler:

—Tu . . . tu . . . tu as brûlé . . . ton . . . ton . . . parapluie. Mais tu . . . tu . . . tu es donc fou. . . . Tu veux nous ruiner!

Il se retourna, se sentant pâlir:

—Tu dis?

—Je dis que tu as brûlé ton parapluie. Regarde!

Et, s'élançant vers lui comme pour le battre, elle lui mit violemment sous le nez la petite brûlure circulaire.

Il restait éperdu (*dismayed*), balbutiant:

—Ça, ça . . . qu'est-ce que c'est? Je ne sais pas, moi! Je n'ai rien fait, rien, je te le jure (*swear*). Je ne sais pas ce qu'il a, moi, ce parapluie.

Elle criait maintenant:

—Je parie (*bet*) que tu as fait des farces (*pranks*) avec lui dans ton bureau, que tu l'as ouvert pour le montrer.

Il répondit:

—Je l'ai ouvert une seule fois pour montrer comme il était beau. Voilà tout. Je te le jure.

(A suivre)

QUESTIONS

1. Quelle sorte de personne Mme Oreille est-elle? 2. Pourquoi M. Oreille se plaignait-il? 3. Où travaillait M. Oreille? 4. Pourquoi M. Oreille était-il le sujet des plaisanteries des employés du Ministère? 5. Enfin qu'est-ce qu'il exigea de sa femme? 6. Que trouva celle-ci

quand elle secoua les plis du parapluie le premier soir? 7. Quelle fut l'attitude de Mme Oreille? 8. Pourquoi M. Oreille avait-il ouvert le parapluie au bureau?

COMPOSITION

Écrivez une composition sur l'œuvre de la Résistance en France pendant l'occupation par les Allemands. Employez le passé simple autant que possible. (300 mots)

Lesson 35

LA BATAILLE FINALE (CONFÉRENCE)

Le commandant en chef des armées alliées, craignant que les Allemands n'eussent réussi à détruire toutes les lignes de communication par lesquelles il comptait avancer, fut obligé de déployer ses forces avec une prudence extrême, car il s'agissait du succès de tous ses plans d'invasion. Comme il ne croyait pas que l'ennemi pût s'échapper du côté de la Loire, il envoya trois de ses divisions motorisées vers la frontière belge. Leur mission était d'empêcher les renforts allemands de venir au secours de leurs camarades pris dans le piège de la péninsule normande. Mais la destinée en disposa autrement. Cinq divisions allemandes, doutant que les Américains fussent déjà arrivés jusqu'à la Seine, se plongèrent dans l'ouverture créée par le mouvement allié vers le nord. C'était la grande occasion inattendue et inespérée. Les Canadiens, tenus en réserve jusque là, furent lancés sur le flanc droit de l'armée allemande. Le piège se serra, puis se referma complètement. Les divisions motorisées firent un demi-tour à droite, brisèrent la résistance de quelques brigades allemandes restées sur leur chemin, puis se joignirent aux forces qui s'avançaient du sud.

VOCABULAIRE ET EXPRESSIONS

le camarade the comrad
le piège the trap
le roi the king
le palais the palace
la force the strength (*pl.* the forces)
la frontière the frontier, border

la destinée fate
normand Norman
canadien (*fem.* **canadienne**) Canadian
espéré hoped for
inespéré unhoped for
inattendu unexpected

détruire (conj. like **conduire**) to destroy
avancer to advance (**nous avançons**)
se joindre à to join
céder to yield (**je cède**)

compter to expect
lancer to hurl, throw (**nous lançons**)
refermer to close tight
s'agir de to be a matter of (**il s'agit de**, etc.)

VOCABULAIRE SUPPLÉMENTAIRE

le commandant the major (**le commandant en chef** the commander-in-chief)
le succès the success
les renforts (*masc.*) the reinforcements
le flanc the flank, the side
la communication the communication
la prudence prudence

le demi-tour the half-turn
faire demi-tour to turn around
l'ouverture (*fem.*) the opening
la réserve the reserve
la brigade the brigade
la péninsule the peninsula
l'occasion (*fem.*) the opportunity
le ministre the minister
l'invasion (*fem.*) the invasion

extrême extreme

motorisé motorized, mechanized

déployer to deploy (je déploie)
plonger to plunge (nous plon-
    geons)

se plonger to rush
disposer to dispose

VERBES

Imperfect Subjunctive of parler, vendre, finir

je parlasse
tu parlasses
il (elle) parlât

nous parlassions
vous parlassiez
ils (elles) parlassent

je vendisse
tu vendisses
il (elle) vendît

nous vendissions
vous vendissiez
ils (elles) vendissent

je finisse
tu finisses
il (elle) finît

nous finissions
vous finissiez
ils (elles) finissent

→ To form the imperfect subjunctive, drop the final *-i* of the past definite of *-er* verbs (*je parlai*), or the final *-s* of the past definite of all other verbs (*je vendis, je finis*); then add the following endings: *-sse, -sses, ^-t, -ssions, -ssiez, -ssent*.

Infinitive	Past Definite	Imperfect Subjunctive
faire:	je fis	je fisse
mettre:	je mis	je misse
prendre:	je pris	je prisse
voir:	je vis	je visse
dire:	je dis	je disse
boire:	je bus	je busse
être:	je fus	je fusse
avoir:	j'eus	j'eusse
vivre:	je vécus	je vécusse
pleuvoir:	il plut	il plût
venir:	je vins	je vinsse
tenir:	je tins	je tinsse

⟶ The rule given above for the formation of the imperfect subjunctive works for all irregular verbs without exception.

Pluperfect Subjunctive of parler, aller

j'eusse parlé	nous eussions parlé
tu eusses parlé	vous eussiez parlé
il eût parlé	ils eussent parlé
elle eût parlé	elles eussent parlé

je fusse allé(e)	nous fussions allés(-ées)
tu fusses allé(e)	vous fussiez allé (-ée, -és, -ées)
il fût allé	ils fussent allés
elle fût allée	elles fussent allées

⟶ The pluperfect subjunctive is formed by combining the imperfect subjunctive of the auxiliary (*avoir* or *être*) with the past participle.

GRAMMAIRE

Le roi craignit que son ministre ne voulût le faire assassiner. The king feared that his minister wanted to have him murdered.

C'était le seul qui pût réussir. He was the only one who might succeed.

⟶ The imperfect subjunctive is used chiefly in the historical style (books, lectures of a historical nature, etc.), seldom conversationally. It follows a past tense of the indicative in the main clause, and is usually translated by an English past.

Jeanne d'Arc douta que les Anglais eussent déjà traversé la Manche. Joan of Arc doubted that the English had already crossed the Channel.

Avant que le roi eût cédé le trône, son fils mourut. Before the king had given up his throne, his son died.

⟶ The pluperfect subjunctive is also used chiefly in the historical style (books, lectures, etc.). It follows a past tense of the indicative in the main clause, and is usually translated by an English past perfect.

Il a demandé que vous lui répondissiez (or **répondiez**) **le plus tôt possible.** He asked that you answer as soon as possible.

Il attendait que vous eussiez (or **ayez**) **fini.** He was waiting until you had finished.

Le roi ne croyait pas que son ministre fût dans le palais. The king did not think his minister was in the palace.

Je suis parti, avant qu'il n'eût eu le temps de me répondre. I left before he had the time to answer me. (literary form)

Je suis parti, avant qu'il n'ait eu le temps de me répondre. I left before he had the time to answer me. (conversational form)

→ The imperfect indicative, which is used both in conversation and in the historical style, and the past indefinite, which is commonly used in conversation, are followed by the present or past subjunctive if the style is historical. However, the present subjunctive can replace the imperfect subjunctive, and the perfect subjunctive can replace the pluperfect subjunctive, only when it is clear that the time of the subordinate clause is future to the time of the main clause.

Je ne croyais pas qu'il fût si malade. I did not think that he was so sick.

Je ne croyais pas qu'il était si malade. I did not think that he was so sick.

→ The imperfect indicative is sometimes used colloquially to replace the imperfect subjunctive when the time expressed by the verb in the subordinate clause is clearly past, happening at the same time in the past as the action of the verb in the main clause and not later.

QUESTIONS

1. Pourquoi le commandant en chef des armées alliées fut-il obligé de déployer ses forces avec prudence? 2. Pourquoi envoya-t-il ses divisions motorisées vers la frontière belge plutôt que du côté de la Loire? 3. Qui fut pris dans le piège de la péninsule normande? 4. Quelle erreur les Allemands firent-ils en voyant le mouvement des alliés vers le nord? 5. Pourquoi les Alliés furent-ils contents de l'action allemande? 6. Quelles troupes furent lancées sur le flanc droit de l'armée allemande? 7. Quelles sortes de troupes brisèrent la résistance allemande? 8. Quelle fut la conclusion de cette bataille?

EXERCICES DE RÉCAPITULATION

A. *Traduisez:*

1. New York is the largest city in the United States. 2. Few people are content with what they have. 3. He is very fond of books; his room is full of good books. 4. My friend fell and broke his right arm. 5. If you need money, ask your brother for some. 6. Write to them at once and tell them everything. 7. I have only two grammars; the one I am lending you is the most recent. 8. We were shown a beautiful car. 9. This car was bought and sold several times. 10. Is there nothing that can make you happy? 11. We ought to have written that letter yesterday. 12. If you had the money, would you buy that car? 13. Although they are very poor, they are really not unhappy. 14. You made only three mistakes but look at the mistakes that you made! 15. I shall see you when you return this afternoon.

B. *Remplacez l'infinitif en italique par la forme correcte du verbe:*

1. Jean craignait que son frère ne *vouloir* pas lui donner l'argent.
2. Son mari était le seul qui *pouvoir* la rendre heureuse.
3. Il doutait que son amie *être* arrivée en Europe.
4. Avant que Marie *avoir* le temps de répondre, il était parti.
5. Elle a demandé que nous *répondre* à sa lettre tout de suite.
6. Je désirais qu'il *partir* avant midi.
7. Nous ne pensions pas qu'il *être* si malade.
8. Nous n'aurions jamais cru qu'il *être* si riche.

THÈME

—Good morning, George. Where have you been? I haven't seen you for more than a week.

—I am sorry, Henry, but I have been ill. I fell from my car the other day and hurt my knee and ankle. I have been in bed since. What has been going on (*happened*)?

—We have been doing some research in the chemistry laboratory. The professor has given us a problem: extracting silver from lead. It was interesting but very difficult.

—Is that all that you have been doing?

—No, I went to the theatre with Jane and saw a very good play. Yesterday we all went to the station to say goodbye to Paul who left for San Francisco. He had a little trouble with his baggage. The porter did not join (*rejoindre*) him on the platform. He had carried his valises into the Pullman where he had reserved his berth.

—Have you heard anything from Renée? She must be in France now.

—No, Andrew is expecting a letter in a few days. Can I accompany you to your house? I am going in that direction.

—Yes, that would be very nice of you.

LECTURE

Le Parapluie (suite)

Elle lui fit une de ces scènes conjugales qui rendent le foyer familial (*home*) plus redoutable (*fearful*) pour un homme pacifique qu'un champ de bataille où pleuvent les balles.

Elle ajusta une pièce avec un morceau de soie de l'ancien parapluie, qui était de couleur différente; et le lendemain Oreille partit, d'un air humble, avec l'instrument raccommodé (*repaired*). Il le mit dans son armoire et n'y pensa plus que comme on pense à quelque mauvais souvenir (*memory*).

Mais, à peine fût-il rentré, le soir, que sa femme lui prit son parapluie des mains, l'ouvrit pour vérifier son état (*condition*), et demeura suffoquée. Il était criblé (*riddled*) de petits trous, comme si on avait vidé dessus la cendre (*ashes*) d'une pipe allumée (*lighted*). Il était perdu, perdu sans remède.

Elle contemplait cela sans dire un mot. Lui aussi, il regardait le dégât (*damage*) et il restait stupide, épouvanté (*terrorized*).

Puis ils se regardèrent; il baissa (*lowered*) les yeux et reçut dans la figure l'objet crevé (*burst, broken*) qu'elle lui jetait en criant:

—Ah! Tu l'as fait exprès (*on purpose*)! Eh bien! Tu n'en auras plus!...

Et la scène recommença. Après une heure de tempête, il put enfin s'expliquer, et jura qu'il n'y comprenait rien.

Un coup de sonnette (*the ringing of a bell*) le délivra (*saved*). C'était un ami qui devait dîner chez eux.

Mme Oreille lui soumit (*submitted*) le cas. Quant à acheter un nouveau parapluie, c'était fini, son mari n'en aurait plus.

L'ami argumenta avec raison:

—Alors, madame, il perdra ses habits, qui valent davantage.

La petite femme, toujours furieuse, répondit:

—Alors il prendra un parapluie de coton, je ne lui en donnerai pas un nouveau en soie.

A cette pensée, Oreille se révolta:

—Alors je donnerai ma démission (*resign*), moi! Mais je n'irai pas au Ministère avec un parapluie de coton.

L'ami reprit:

—Faites recouvrir celui-là, ça ne coûte pas très cher.

Mme Oreille, exaspérée, balbutiait:

—Il faut au moins huit francs pour le faire recouvrir. Huit francs et dix-huit, cela fait vingt-six! Vingt-six francs pour un parapluie, mais c'est de la folie!

L'ami, bourgeois pauvre, eut une inspiration:

—Faites-le payer par votre compagnie d'assurances (*insurance company*). Les compagnies payent les objets brûlés, le dégât a eu lieu dans votre domicile.

A ce conseil, la petite femme se calma; puis, après une minute de réflexion, elle dit à son mari:

—Demain, avant de te rendre à ton Ministère, tu iras dans les bureaux de la compagnie d'assurances faire constater (*to let them verify*) l'état de ton parapluie et réclamer (*demand*) le payement.

—Jamais de la vie je n'oserai (*dare*)! C'est dix-huit francs de perdus, voilà tout. Nous n'en mourrons pas.

Et il sortit le lendemain avec une canne. Il faisait beau, heureusement.

Restée seule à la maison, Mme Oreille ne pouvait se consoler de la perte (*loss*) de ses dix-huit francs. Elle avait le parapluie sur la table de la salle à manger, et elle tournait autour, sans parvenir (*succeeding*) à prendre une résolution.

La pensée de l'assurance lui revenait à tout instant, mais elle n'osait pas non plus affronter les regards des messieurs qui la recevraient, car elle était timide devant le monde, embarrassée dès qu'il lui fallait parler à des inconnus (*strangers*).

Cependant le regret des dix-huit francs la faisait souffrir comme une blessure. Les heures passaient; elle ne se décidait pas. Puis, tout à coup, elle prit sa résolution:

—J'irai, et nous verrons bien!

(A suivre)

QUESTIONS

1. Comment Mme Oreille raccommoda-t-elle le parapluie? 2. Quand M. Oreille rentra le soir, que trouva-t-elle en examinant le parapluie? 3. De quoi Mme Oreille accusa-t-elle son mari? 4. Quelle sorte de parapluie veut-elle donner à son mari? 5. Pourquoi ne le lui donne-t-elle pas? 6. Quelle inspiration l'ami a-t-il? 7. Avec quoi M. Oreille sortit-il le lendemain? 8. Restée seule à la maison, à quoi pensait Mme Oreille?

COMPOSITION

Imaginez que vous êtes un reporter et préparez un article sur un événement du jour. Consultez votre journal quotidien favori. (300 mots)

Lesson 36

Le Parapluie (suite)

Mais il lui fallait d'abord préparer le parapluie pour que le désastre fût complet et la cause (*case*) facile à soutenir (*defend*). Elle prit une allumette (*match*) sur la cheminée et fit une grande brûlure, large comme la main; puis elle roula délicatement ce qui restait de la soie, la fixa avec la corde élastique, mit son châle (*shawl*) et son chapeau, et partit pour la rue de Rivoli où se trouvait la compagnie d'assurances.

Mais, à mesure qu'elle approchait, elle ralentissait (*slow down*) le pas. Qu'allait-elle dire? Qu'allait-on lui répondre?

Elle regardait les numéros des maisons. Elle en avait encore vingt-huit. Très bien! elle pouvait réfléchir. Elle allait de moins en moins vite. Soudain elle tressaillit (*was startled*). Voici la porte, sur laquelle brille (*shine*) en lettres d'or: "La Maternelle, Compagnie d'Assurances contre l'incendie." Déjà! Elle s'arrêta une seconde, anxieuse, puis passa, puis revint, puis passa de nouveau, puis revint encore.

Elle se dit enfin:

—Il faut y aller, pourtant. Mieux vaut plus tôt que plus tard.

Mais, en pénétrant dans la maison, elle s'aperçut que son coeur battait.

Elle entra dans une vaste pièce avec des guichets (*small windows*) tout autour; et, par chaque guichet, on apercevait une tête d'homme.

Un monsieur parut, portant des papiers. Elle l'arrêta et, d'une petite voix timide:

—Pardon, monsieur, pourriez-vous me dire où il faut s'adresser pour se faire rembourser (*reimburse*) les objets brûlés?

Il répondit:

—Premier étage à gauche. Au bureau des sinistres (*losses, disasters*). Ce mot l'intimida encore; et elle eut envie de se sauver (*run away*), de ne rien dire, de sacrifier ses dix-huit francs. Mais à la pensée de cette somme, un peu de courage lui revint, et elle monta.

Au premier étage, elle aperçut une porte, elle frappa. Une voix claire cria:

—Entrez!

Elle entra, et se vit dans une grande pièce où trois messieurs causaient.

Un d'eux lui demanda:

—Que désirez-vous, madame?

Elle ne trouvait plus ses mots; elle balbutia (*stammered*):

—Je viens . . . je viens . . . pour . . . pour un sinistre.

Le monsieur, poli, montra un siège (*seat*).

—Donnez-vous la peine de vous asseoir, je suis à vous (*I'll be with you*) dans une minute.

Et, se retournant vers les deux autres, il continua la conversation:

—La Compagnie, messieurs, ne se croit pas engagée (*involved*) envers vous pour plus de quatre cent mille francs. Nous ne pouvons admettre vos revendications (*claims*) pour les cent mille francs que vous voulez nous faire payer en plus (*in addition*). L'estimation d'ailleurs. . . .

Un des deux autres l'interrompit:

—Cela suffit, monsieur, les tribunaux (*courts*) décideront. Nous n'avons plus qu'à nous retirer.

Et ils sortirent après plusieurs saluts (*bows*) cérémonieux.

Oh! si elle avait osé partir avec eux, elle l'aurait fait; elle aurait fui (*fled*), abandonnant tout! Mais le pouvait-elle? Le monsieur revint et, s'inclinant:

—Qu'y a-t-il pour votre service, madame?

Elle dit péniblement:

—Je viens pour . . . pour ceci.

Le directeur baissa les yeux, avec un étonnement naïf, vers l'objet qu'elle lui montrait.

Elle essayait, d'une main tremblante, de détacher l'élastique. Elle y parvint après quelques efforts, et ouvrit brusquement le squelette (*skeleton*) du parapluie.

L'homme dit, d'un ton compatissant (*sympathetic*):

—Il me paraît bien malade.

Elle déclara avec hésitation:

—Il m'a coûté vingt francs.

Il s'étonna:

—Vraiment! Tant que ça!

—Oui, il était excellent. Je voulais vous faire vérifier son état.

—Fort bien; je vois. Fort bien. Mais je ne saisis pas en quoi (*I do not understand how*) cela peut me concerner.

Une inquiétude la saisit. Peut-être cette compagnie-là ne payait-elle pas les menus (*little*) objets, et elle dit:

—Mais . . . il est brûlé. . . .

Le monsieur ne nia (*deny*) pas:

—Je le vois bien.

Elle restait bouche béante (*mouth wide open*), ne sachant plus que dire; puis, soudain, comprenant son oubli, elle prononça rapidement:

—Je suis Mme Oreille. Nous sommes assurés à la Maternelle; et je viens vous réclamer le prix de ce dégât.

Elle se hâta d'ajouter dans la crainte d'un refus positif:

—Je demande seulement que vous le fassiez recouvrir.

(A suivre)

QUESTIONS

1. Comment Mme Oreille prépara-t-elle le parapluie pour le montrer à la Compagnie d'Assurances? 2. En pénétrant dans la maison, de quoi est-ce qu'elle s'aperçut? 3. Où entra-t-elle? 4. Pourquoi avait-elle peur? 5. De quoi parlait le directeur quand elle est entrée dans le bureau? 6. Quand elle montra le parapluie au directeur, que dit-il? 7. Est-ce que le directeur comprend la visite de Mme Oreille? 8. Qu'est-ce que Mme Oreille finit par lui dire?

EXAMEN DE RÉCAPITULATION

A. *VERSION*

Lentement, la Quatrième République s'organise. Les rouages (*wheels*) se mettent peu à peu en mouvement. Les grands rôles se distribuent. Il semble à l'homme de la rue qu'avec un peu de bonne volonté rien n'empêcherait plus la machine de fonctionner et rien, par conséquent, n'entraverait plus le relèvement de la France et le retour à une situation normale. Même à une norme (*standard*) bien différente de celle des temps révolus (*former*). Chacun d'ailleurs est prêt à s'en accommoder, tant est grande la lassitude du peuple et fort l'espoir ancré (*anchored*) au coeur de l'homme.

Le démarrage (*start*), cependant, est encore pénible. La nouvelle constitution a prévu tant de barrières; elle a voulu prémunir le régime contre tant d'attaques et de faiblesses et, surtout, elle a tant désiré consolider les avantages conquis par des minorités, qu'elle n'a réussi qu'à compliquer les institutions au point d'en empêcher le libre jeu.

(25 points)

B. *THÈME*

The French scholar (*savant*), Louis Pasteur, observed that not all microbes were harmful (*dangereux*), but that some of them (*certains d'entre eux*) could probably be used to fight the others. At that time this remark created something of a (*une sorte de*) sensation. Most people who knew what a microbe was thought it was bad. For that matter (*D'ailleurs*) most people believe it now. The story of penicillin shows how untrue this is. It shows how men have put good microbes to work killing (to kill) bad ones. It shows that Louis Pasteur's prediction was true.

(25 points)

C. *COMPOSITION*

Écrivez une composition de 300 mots sur un des sujets suivants:

1. Une visite chez un médecin.
2. Un déjeuner dans un restaurant.
3. Une après-midi dans un grand magasin.

(25 points)

D. *Remplacez l'infinitif en italique par la forme correcte du verbe:*

1. Quand je *aller* au marché j'achèterai des légumes. 2. Si nous *prendre* nos bicyclettes, nous pourrions aller plus vite. 3. L'hiver passé, je me *lever* tous les jours à six heures. 4. Si vous ne vous dépêchez pas, nous n'*arriver* jamais à la gare. 5. Il est possible qu'il *être* malade. 6. En *rentrer* chez moi, j'y ai trouvé ma sœur et son mari. 7. Comment voulez-vous que je *savoir* cela? 8. Je regrette que vous n'*avoir* pas vu ma mère. 8. Je *connaître* l'homme qui *écrire* ce roman. 10. Après *dîner* nous sommes allés au cinéma.

(10 points)

E. *Employez les expressions suivantes dans des phrases et tradui-sez-les en anglais:*

1. par conséquent 2. rester debout 3. prendre congé de 4. à voix basse 5. à plusieurs reprises.

(10 points)

F. *Remplacez le tiret selon le sens par un des mots suivants:* ce dont, dont, celui, ceux, qui:

1. Le garçon —————— est venu est mon frère. 2. —————— vous parlez m'intéresse beaucoup. 3. —————— qui n'étudie pas sa leçon échouera (*fail*) à l'examen. 4. La femme —————— vous m'avez donné le nom n'habite plus Paris. 5. —————— qui travaillent réus-sissent presque toujours.

(5 points)

Review Lesson 9

LECTURE

Le Parapluie (fin)

Le directeur, embarrassé, déclara:

—Mais . . . madame . . . nous ne sommes pas marchands de parapluies. Nous ne pouvons nous charger de ces genres (*type*) de réparations.

La petite femme sentait l'aplomb (*poise*) lui revenir. Il fallait lutter (*fight*). Elle lutterait donc! Elle n'avait plus peur; elle dit:

—Je demande seulement le prix de la réparation. Je la ferai bien faire moi-même.

Le monsieur semblait confus (*abashed*):

—Vraiment, madame, c'est très peu. On ne nous demande jamais d'indemnité pour des accidents d'une si minime importance.

Elle devint rouge et s'écria:

—Mais, monsieur, nous avons eu, au mois de décembre dernier, un feu de cheminée qui nous a causé au moins pour cinq cents francs de dégâts; M. Oreille n'a rien réclamé à la compagnie; il est donc bien juste aujourd'hui qu'elle me paye mon parapluie!

Le directeur, devinant le mensonge (*lie*), dit en souriant:

—Vous avouerez (*admit*), madame, qu'il est bien étonnant que M. Oreille, n'ayant rien demandé pour un dégât de cinq cents francs, vienne réclamer une indemnité de cinq ou six francs pour un parapluie.

Mais Mme Oreille répliqua:

—Pardon, monsieur, le dégât de cinq cents francs concernait la bourse (*pocketbook*) de M. Oreille, tandis que le dégât de dix-huit francs concerne la bourse de Mme Oreille, ce qui n'est pas la même chose.

Il vit qu'il ne s'en débarrasserait pas et qu'il allait perdre sa journée, et il demanda avec résignation:

—Veuillez me dire alors comment l'accident est arrivé.

Elle sentit la victoire et se mit à raconter:

—Voilà, monsieur: J'ai dans mon vestibule une espèce de chose en bronze où on pose les parapluies et les cannes. L'autre jour donc, en

371

rentrant, je plaçai dedans celui-là. Il faut vous dire qu'il y a juste au-dessus une planchette (*shelf*) pour mettre les bougies (*candles*) et les allumettes. J'allonge (*stretch*) le bras et je prends quatre allumettes. J'en frotte (*scratch*) une; elle rate (*miss*). J'en frotte une autre; elle s'allume et s'éteint (*go out*) aussitôt. J'en frotte une troisième; elle en fait autant.

Le directeur l'interrompit pour placer un mot d'esprit (*witticism*) :

—C'étaient donc des allumettes du gouvernement ?*

Elle ne comprit pas, et continua :

—C'est possible. Le fait est que la quatrième prit feu et j'allumai ma bougie; puis je rentrai dans ma chambre pour me coucher. Mais au bout d'un quart d'heure, il me sembla qu'on sentait le brûlé (*I smelled something burning*). Moi, j'ai toujours peur du feu (*fire*). Surtout depuis le feu de cheminée dont je vous ai parlé, je ne vis pas. Je me relève donc, je sors, je cherche, et je m'aperçois enfin que mon parapluie brûle. C'est probablement une allumette qui était tombée dedans. Vous voyez dans quel état ça l'a mis. . . .

Le directeur en avait pris son parti (*made up his mind about it*); il demanda :

—A combien estimez-vous le dégât ?

Elle demeura sans parole (*speechless*), n'osant pas fixer un chiffre (*figure*). Puis elle dit, voulant être généreuse :

—Faites-le réparer vous-même.

Il refusa :

—Non, madame, je ne peux pas. Dites-moi combien vous de-mandez.

—Mais il me semble que. . . . Tenez, monsieur, nous allons faire une chose. Je porterai mon parapluie chez un fabricant (*manufacturer*) qui le recouvrira en bonne soie, en soie durable, et je vous apporterai la facture (*bill*). Ça vous va-t-il ?

—Parfaitement, madame; c'est entendu. Voici un mot pour la caisse, qui remboursera votre dépense.

Et il tendit une carte à Mme Oreille, qui la saisit, puis se leva et sortit en le remerciant.

Elle allait maintenant d'un pas gai par la rue, cherchant un mar-chand de parapluies. Quand elle eut trouvé une boutique d'apparence riche, elle entra et dit, d'une voix assurée :

* In France, the manufacturing of matches is a monopoly of the state.

—Voici un parapluie à recouvrir en soie, en très bonne soie. Mettez-y ce que vous avez de meilleur. Je ne regarde pas au prix. (*I don't care about the price.*)

(D'après Maupassant)

QUESTIONS

1. Quelle réponse le directeur fit-il? 2. Que lui propose Mme Oreille? 3. Quel mensonge fait-elle au directeur? 4. Quand elle voit le scepticisme du directeur, quelle explication Mme Oreille offre-t-elle? 5. Comment Mme Oreille explique-t-elle l'accident arrivé au parapluie? 6. Par qui et comment va-t-elle faire réparer le parapluie? 7. Comment sera-t-elle remboursée? 8. En quittant le bureau où va-t-elle et que demande-t-elle au marchand?

EXAMEN DE RÉCAPITULATION

A. *VERSION* La scène se passe dans un café-restaurant.

ROBERT (souriant) : Bonsoir, mademoiselle.

ANDRÉE (le regardant) : Bonsoir, monsieur.

ROBERT : Vous me permettez de m'asseoir à côté de vous?

ANDRÉE : Pas trop longtemps.

ROBERT (s'assied) : Merci.

ANDRÉE : Et pas si près.

ROBERT : Pardon. (Il s'éloigne un peu) Je commençais à avoir peur . . .

ANDREÉ : De quoi?

ROBERT : Que vous n'ôtiez pas vos gants. Comment pouviez-vous manger, avec vos gants?

ANDRÉE : Assez mal. Aussi les ai-je enlevés (*take off*).

ROBERT : Vous vouliez aussi que je vienne?

ANDRÉE : Aussi, oui.

ROBERT : Ça, c'est gentil.

ANDRÉE : Non, vous vous moquiez de moi. J'ai voulu savoir pourquoi.

ROBERT (protestant) : Moi, je . . .

ANDRÉE : Mais oui, avec votre ami. Rassurez-vous, je n'ai rien entendu. Vous pouvez mentir.

ROBERT: Je ne mens pas souvent.

ANDRÉE: Qu'est-ce que vous disiez?

ROBERT: J'ai dit: "Il faudrait la voir sans chapeau." Vous ne voulez pas enlever votre chapeau?

ANDRÉE: Non . . . et puis?

ROBERT: Vous insistez?

ANDRÉE: Oui.

ROBERT: Mon camarade m'a demandé si on s'en allait. Je lui ai répondu: "Non, je veux voir comment elle mange."

ANDRÉE: Je ne vous ai rien caché.

ROBERT: Non. Vous avez de jolies dents.

ANDRÉE: Vous aussi. Nous sommes quittes (*even*).

ROBERT: Ce n'est pas tout. Mon ami voulait encore partir.

ANDRÉE: Et vous?

ROBERT: Je lui ai répondu: "Il y a ses gants. Il faut qu'elle les enlève."

ANDRÉE: Il a compris, votre ami?

ROBERT: Je lui dis tout.

ANDRÉE: Pourquoi n'êtes-vous pas venu seul?

ROBERT: Vous ne me l'avez pas demandé.

ANDRÉE: C'est vrai.

(D'après Jacques Deval) (25 points)

B. *THÈME*

(Peter and Mary are getting into an auto.)

PETER: Do you want to drive, Mary?

MARY: No, (you) take the wheel. I prefer to look at the scenery.

PETER: Would you like to go to (*dans*) the mountains or to the seashore? Both are about ten miles from here.

MARY: Let's go to the mountains. I like to see the trees and the lakes, and it is usually cool.

PETER: That's true, but it rains heavily (*à verse*) in the mountains, especially in summer.

MARY: Isn't the weather ever bad at the seashore?

PETER: Not often. Sometimes it is windy and it is damp but it is usually sunny.

(25 points)

C. *Répondez en français aux questions suivantes:*

1. Où aimeriez-vous passer vos grandes vacances et pourquoi?
2. Quel bon film avez-vous vu récemment et pourquoi vous a-t-il plu?
3. A quel restaurant me conseillez-vous d'inviter mon meilleur ami?
Pourquoi? 4. Que voudriez-vous faire, cette fin de semaine, si vous
étiez libre?

(20 points)

D. *Remplacez le tiret par le mot qui convient:* quel, dont, laquelle,
que, qui, cet, cette, celle, ce que, en:

1. La femme ——————— je parlais n'est pas encore arrivée. 2.
C'est lui ——————— est malade. 3. ——————— homme-là est mon
cousin. 4. ——————— qui m'a parlé ce matin n'est pas venue en classe.
5. Le livre ——————— Jean m'a donné est un chef d'œuvre. 6.
——————— de ces jeunes filles est votre sœur? 7. ——————— livre
voulez-vous que je vous donne? 8. ——————— femme n'est certainement pas sa cousine? 9. ——————— je vous dis là, c'est la vérité. 10.
J'avais déjà trois sous. Il me ——————— a donné deux autres.

(25 points)

E. *Traduisez le verbe en italique en français:*

1. Après *having read* le livre, *she went out.* 2. Si *you arrive* à
l'heure, *he will leave* pour New York cette après-midi. 3. Il faut que
you take le tramway pour *to go* chez lui. 4. Si *we had not had* assez
d'argent, *we should not have bought* ce livre. 5. *Go to bed* de bonne
heure, *said* mon père tous les jours.

(5 points)

F. *Faites des phrases avec les expressions suivantes:*

1. en haut 2. en bas 3. au secours 4. faire sauter 5. avoir mal
à la gorge 6. faire mal à quelqu'un 7. aller à pied 8. le plus tôt possible 9. à tout à l'heure 10. fermer à clé

(10 points)

Supplementary Reading

LE GRAND MICHU*

I

Une après-midi, à la récréation de quatre heures, le grand Michu me prit à part, dans un coin de la cour. Il avait un air grave qui me frappa d'une certaine crainte; car le grand Michu était un grand gaillard (*fellow*) que, pour rien au monde, je n'aurais voulu avoir pour ennemi.

—Écoute, me dit-il de sa voix grasse de paysan, écoute, veux-tu en être (*be one of us*)?

Je répondis: "Oui!" flatté d'être avec le grand Michu. Alors, il m'expliqua qu'il s'agissait d'un complot. Les confidences qu'il me fit me causèrent une sensation délicieuse, que je n'ai jamais peut-être éprouvée (*felt*) depuis. Enfin, j'entrais dans les folles aventures de la vie, j'allais avoir un secret à garder.

Aussi, pendant que le grand Michu parlait, étais-je en admiration devant lui. Il m'initia d'un ton un peu rude, comme un conscrit (*recruit*) dans l'énergie duquel on a une médiocre confiance.

Comme la cloche sonnait le second coup, en allant tous deux prendre nos rangs (*fall in line*) pour rentrer à l'étude (*study hall*):

—C'est entendu, n'est-ce pas? me dit-il à voix basse. Tu es des nôtres (*one of us*). . . . Tu n'auras pas peur, au moins; tu ne trahiras pas?

—Oh! non, tu verras. . . . C'est juré.

Il me regarda de ses yeux gris, bien en face, avec une vraie dignité d'homme mûr, et me dit encore:

—Autrement, tu sais, je ne te battrai pas, mais je dirai partout que tu es un traître, et personne ne te parlera plus.

Je me souviens encore du singulier effet que cette menace me produisit. Elle me donna un courage énorme. "Bast! me disais-je, ils peuvent bien me donner deux mille vers à copier; du diable si je trahis

* From Émile Zola's *Nouveaux Contes à Ninon*. Courtesy of Bibliothèque Charpentier, Eugene Fasquelle, éditeur, Paris.

Michu!" J'attendis avec une impatience fébrile l'heure du dîner. La révolte devait éclater au réfectoire.

II

Le grand Michu était du Var (*a region in southern France*). Son père, un paysan qui possédait quelques bouts de terre, avait fait le coup de feu (*done some fighting*) en '51, lors de l'insurrection.* Laissé pour mort, il avait réussi à se cacher. Quand il reparut, on ne l'inquiéta pas. Seulement, les autorités du pays, les notables, ne l'appelèrent plus que ce brigand de Michu.

Ce brigand, cet honnête homme illettré, envoya son fils au collège d'A. . . . Sans doute il le voulait savant pour le triomphe de la cause qu'il n'avait pu défendre, lui, que les armes à la main. Nous savions vaguement cette histoire, au collège, ce qui (*a circumstance which*) nous faisait regarder notre camarade comme un personnage très redoutable.

Le grand Michu était, d'ailleurs, beaucoup plus âgé que nous. Il avait près de dix-huit ans, bien qu'il ne se trouvât encore qu'en quatrième (*ninth grade*). Mais on n'osait pas le plaisanter. C'était un de ces esprits droits (*one-track*), qui apprennent difficilement, qui ne devinent rien; seulement, quand il savait une chose, il la savait à fond (*thoroughly*) et pour toujours. Fort, il régnait en maître pendant les récréations. Avec cela, d'une douceur extrême. Je ne l'ai jamais vu qu'une fois en colère; il voulait étrangler un pion qui nous enseignait que tous les républicains étaient des voleurs et des assassins.

Ce n'est que plus tard, lorsque j'ai revu mon ancien (*former*) camarade dans mes souvenirs, que j'ai pu comprendre son attitude douce et forte. De bonne heure, son père avait dû en faire un homme.

III

Le grand Michu se plaisait au collège, ce qui (*a fact which*) n'était pas le moindre de nos étonnements. Il n'y éprouvait qu'un supplice dont il n'osait pas parler: la faim. Le grand Michu avait toujours faim.

* This refers to the revolt of French republicans against the *coup d'état* of Napoleon III in 1851.

Je ne me souviens pas d'avoir vu un pareil appétit. Lui qui était très fier, il jouait parfois des comédies humiliantes pour nous escroquer un morceau de pain. Élevé en plein air, au pied de la chaîne des Maures (*mountains in Southern France*), il souffrait encore plus cruellement que nous de la maigre cuisine du collège.

C'était là un de nos grands sujets de conversation. Nous autres (*emphatic "We"*) nous étions des délicats. Je me rappelle surtout une certaine morue à la sauce rousse et certains haricots à la sauce blanche qui étaient devenus le sujet d'une malédiction générale. Le grand Michu, par respect humain, criait avec nous, bien qu'il eût avalé volontiers les six portions de sa table.

Le grand Michu ne se plaignait que de la quantité des vivres. Le hasard l'avait placé au bout de la table, à côté du pion. La règle était que les maîtres d'étude (*proctors*) avaient droit (*were entitled*) à deux portions. Aussi, quand on servait des saucisses, fallait-il voir (*you should have seen*) le grand Michu lorgner les deux saucisses qui s'allongeaient côte à côte sur l'assiette du petit pion.

—Je suis deux fois plus gros que lui, me dit-il un jour, et c'est lui qui a deux fois plus à manger que moi. Il ne laisse rien, va (*I assure you*); il n'en a pas de trop!

IV

Or, les meneurs avaient résolu que nous devions à la fin nous révolter contre la morue à la sauce rousse et les haricots à la sauce blanche.

Naturellement, les conspirateurs offrirent au grand Michu d'être leur chef. Le plan de ces messieurs était d'une simplicité héroïque: il suffirait, pensaient-ils, de refuser toute nourriture, jusqu'à ce que le proviseur déclarât solennellement que l'ordinaire (*daily fare*) serait amélioré. L'approbation que le grand Michu donna à ce plan, est un des plus beaux traits d'abnégation et de courage que je connaisse. Il accepta d'être le chef du mouvement.

Songez donc! lui ne désirait certainement pas voir disparaître la morue et les haricots; il ne souhaitait qu'une chose, en avoir davantage, à discrétion! Et, pour comble (*to cap the climax*), on lui demandait de jeûner (*to fast*). Il m'a avoué depuis que jamais cette vertu républicaine que son père lui avait enseignée, la solidarité, le dévouement de l'individu aux intérêts de la communauté, n'avait été mise en lui à une plus rude épreuve.

Le soir, au réfectoire—c'était le jour de la morue à la sauce rousse—la grève commença avec un ensemble vraiment beau. Le pain seul était permis. Les plats arrivent, nous n'y touchons pas, nous mangeons notre pain sec. Et cela gravement, sans causer à voix basse, comme nous en avions l'habitude. Il n'y avait que les petits (*boys in the lower grades*) qui riaient.

Le grand Michu fut superbe. Il alla, ce premier soir, jusqu'à (*so far as*) ne pas même manger de pain. Il avait mis les deux coudes sur la table, il regardait dédaigneusement le petit pion qui dévorait.

Cependant, le surveillant fit appeler le proviseur qui entra dans le réfectoire comme une tempête. Il nous apostropha rudement, nous demandant ce que nous pouvions reprocher à ce dîner, auquel il goûta et qu'il déclara exquis.

Alors le grand Michu se leva.

—Monsieur, dit-il, c'est la morue qui est pourrie, nous ne parvenons pas à la digérer.

—Ah! bien, cria le pion, sans laisser au proviseur le temps de répondre, les autres soirs, vous avez pourtant mangé presque tout le plat à vous seul (*all by yourself*).

Le grand Michu rougit extrêmement. Ce soir-là, on nous envoya simplement coucher, en nous disant que, le lendemain, nous aurions sans doute réfléchi.

V

Le lendemain et le surlendemain, le grand Michu fut terrible. Les paroles du maître d'étude l'avaient frappé au cœur. Il nous dit que nous serions des lâches si nous cédions. Maintenant, il mettait tout son orgueil à montrer que, lorsqu'il le voulait, il ne mangeait pas.

Ce fut un vrai martyr. Nous autres, nous cachions tous dans nos pupitres du chocolat, des pots de confiture, même de la charcuterie, qui nous aidèrent à ne pas manger tout à fait sec le pain dont nous emplissions nos poches. Lui s'en tint (*limited himself*) strictement aux quelques croûtes qu'il put trouver.

Le surlendemain, le proviseur ayant déclaré que, puisque les élèves s'entêtaient à ne pas toucher aux plats, il allait cesser de faire distribuer du pain, la révolte éclata, au déjeuner. C'était le jour des haricots à la sauce blanche.

Le grand Michu se leva brusquement. Il prit l'assiette du pion, la jeta au milieu de la salle, puis commença à chanter la Marseillaise d'une voix forte. Ce fut comme un grand souffle qui nous souleva tous. Les assiettes, les verres, les bouteilles, dansèrent, dansèrent une jolie danse. Et le pion se hâta de nous abandonner le réfectoire. Dans sa fuite, il reçut sur les épaules un plat de haricots, dont la sauce lui fit une large collerette blanche.

Cependant, il s'agissait de fortifier la place. Le grand Michu fut nommé général. Il fit porter les tables devant les portes. Je me souviens que nous avions tous pris nos couteaux à la main. Et la Marseillaise tonnait toujours. La révolte tournait à la révolution. Heureusement, on nous laissa à nous-mêmes pendant trois grandes heures. Il paraît qu'on était allé chercher la police. Ces trois heures de tapage suffirent pour nous calmer.

Il y avait au fond du réfectoire deux larges fenêtres qui donnaient (*opened*) sur la cour. Les plus timides ouvrirent doucement une des fenêtres et disparurent. Ils furent peu à peu suivis par les autres élèves. Bientôt le grand Michu n'eut plus qu'une dizaine d'insurgés autour de lui. Il leur dit alors d'une voix rude:

—Allez retrouver les autres, il suffit qu'il y ait un coupable.

Puis s'adressant à moi qui hésitais, il ajouta:

—Je te rends (*I release you from*) ta parole, entends-tu!

Lorsque la police eut enfoncé une des portes, elle trouva le grand Michu tout seul, assis tranquillement sur le bout d'une table, au milieu de la vaisselle cassée. Le soir même, il fut renvoyé à son père. Quant à nous, nous profitâmes peu de cette révolte. On évita pendant quelques semaines de nous servir de la morue et des haricots. Puis, ils reparurent; seulement la morue était à la sauce blanche, et les haricots, à la sauce rousse.

VI

Longtemps après, j'ai revu le grand Michu. Il n'avait pu continuer ses études. Il cultivait à son tour les quelques bouts de terre que son père lui avait laissés en mourant.

—J'aurais fait, m'a-t-il dit, un mauvais avocat ou un mauvais médecin, car j'avais la tête bien dure. Il vaut mieux que je sois un paysan. C'est mon affaire. . . . N'importe (*just the same*), vous m'avez joliment lâché (*abandoned, dropped*). Et moi qui justement adorais la morue et les haricots!

L'INFIRME*

Cette aventure m'est arrivée vers 1882.

Je venais de m'installer dans le coin d'un wagon vide, et j'avais refermé la portière, avec l'espérance de rester seul, quand elle se rouvrit brusquement, et j'entendis une voix qui disait:

—Prenez garde, monsieur, le marchepied est très haut.

Une autre voix répondit:

—Ne crains rien, Laurent, je vais prendre les poignées.

Puis une tête apparut, et deux mains, s'accrochant aux poignées de cuir suspendues des deux côtés de la portière, hissèrent lentement un gros corps, dont les pieds firent sur le marchepied un bruit de canne frappant le sol.

Or, quand l'homme fut entré dans le compartiment, je vis, dans l'étoffe du pantalon, le bout peint en noir d'une jambe de bois.

Une tête se montra derrière ce voyageur, et demanda:

—Vous êtes bien (*comfortable*), monsieur?

—Oui, mon garçon.

—Alors, voilà vos paquets et vos béquilles.

Et un domestique, qui avait l'air d'un vieux soldat, monta à son tour, portant un tas de choses, enveloppées en des papiers noirs et jaunes, et les déposa, l'une après l'autre, dans le filet au-dessus de la tête de son maître. Puis il dit:

—Voilà, monsieur, c'est tout. Il y en a cinq. Les bonbons, la poupée, le tambour, le fusil et le pâté de foie gras.

—C'est bien, mon garçon.

—Bon voyage, monsieur.

—Merci, Laurent; bonne santé!

L'homme s'en alla, et je regardai mon voisin.

Il pouvait avoir trente-cinq ans, bien que ses cheveux fussent presque blancs; il était décoré, moustachu, fort gros.

Il s'essuya le front, et me regardent bien en face:

—La fumée vous gêne-t-elle, monsieur?

—Non, monsieur.

Cet œil, cette voix, ce visage, je les connaissais. Mais d'où, de quand? Certes, j'avais rencontré ce garçon-là, je lui avais parlé, je lui avais serré la main. Cela datait de loin, de très loin.

* Adapted from Maupassant.

Lui aussi, maintenant, me regardait avec la ténacité et la fixité d'un homme qui se rappelle un peu, mais pas tout à fait.

Nos yeux, gênés de ce contact obstiné des regards, se détournèrent; puis, au bout de quelques secondes, attirés de nouveau par la volonté de la mémoire, ils se rencontrèrent encore, et je dis:

—Monsieur, au lieu de nous observer pendant une heure, ne vaudrait-il pas mieux chercher ensemble où nous nous sommes connus?

Le voisin répondit avec bonne grâce:

—Vous avez tout à fait raison, monsieur.

Je me nommai:

—Je m'appelle Henri Bonclair, magistrat.

Il hésita quelques secondes; puis, avec ce vague de l'œil et de la voix qui accompagne les grandes tensions d'esprit:

—Ah! parfaitement, je vous ai rencontré chez les Poincel, autrefois, avant la guerre, il y a douze ans de cela!

—Oui, monsieur . . . Ah! . . . ah! . . . vous êtes le lieutenant Revalière?

—Oui . . . Je fus même le capitaine Revalière jusqu'au jour où j'ai perdu mes pieds . . . tous les deux d'un seul coup, sur le passage d'un boulet.

Et nous nous regardâmes de nouveau, maintenant que nous nous connaissions.

Je me rappelais parfaitement avoir vu ce beau garçon mince qui conduisait les cotillons avec une furie agile et gracieuse et qu'on avait surnommé, je crois, "la Trombe" (*Whirlwind*). Mais derrière cette image, nettement évoquée, flottait encore quelque chose d'insaisissable, une histoire que j'avais sue et oubliée, une de ces histoires auxquelles on prête une attention bienveillante et courte, et qui ne laissent dans l'esprit qu'une marque presque imperceptible.

Il y avait de l'amour là-dedans (*in this story*). J'en retrouvais la sensation particulière au fond de ma mémoire, mais rien de plus.

Peu à peu, cependant, les ombres s'éclaircirent et une figure de jeune fille surgit devant mes yeux. Puis son nom éclata dans ma tête: Mlle de Mandal. Je me rappelais tout, maintenant. C'était, en effet, une histoire d'amour. Cette jeune fille aimait ce jeune homme, lorsque je l'avais rencontré, et on parlait de leur prochain mariage. Il paraissait lui-même très épris, très heureux.

Je levai les yeux vers le filet où tous les paquets, apportés par le domestique de mon voisin, tremblotaient aux secousses du train, et la voix du serviteur me revint comme s'il finissait à peine de parler.

Il avait dit:

—Voilà, monsieur, c'est tout. Il y en a cinq: les bonbons, la poupée, le tambour, le fusil et le pâté de foie gras.

Alors, en une seconde, un roman se composa dans ma tête. Il ressemblait d'ailleurs à tous ceux que j'avais lus où, tantôt (*now*) le jeune homme, tantôt la jeune fille, épouse son fiancé ou sa fiancée après la catastrophe soit (*either*) corporelle, soit (*or*) financière. Donc, cet officier mutilé pendant la guerre avait retrouvé, après la campagne, la jeune fille qui s'était promise à lui; et, tenant son engagement, elle s'était donnée.

Je jugeais cela beau, mais simple, comme on juge simples tous les dévouements et tous les dénouements des livres et du théâtre.

Puis, soudain, une autre supposition, moins poétique et plus réaliste, se substitua à la première. Peut-être s'était-il marié avant la guerre, avant l'épouvantable accident de ce boulet lui coupant les jambes, et avait-elle dû, désolée et résignée, recevoir, soigner, consoler, soutenir ce mari, parti fort et beau, revenu avec les pieds fauchés.

Était-il heureux ou torturé? Une envie, légère d'abord, puis grandissante, puis irrésistible, me saisit de connaître son histoire, d'en savoir au moins les points principaux, qui me permettraient de deviner ce qu'il ne pourrait pas ou ne voudrait pas me dire.

Je lui parlais, tout en songeant. Nous avions échangé quelques paroles banales; et moi, les yeux levés vers le filet, je pensais:

"Il a donc trois enfants: les bonbons sont pour sa femme, la poupée pour sa petite fille, le tambour et le fusil pour ses fils, ce pâté de foie gras pour lui."

Soudain, je lui demandai:

—Vous êtes père, monsieur?

Il répondit:

—Non, monsieur.

Je me sentis soudain confus comme si j'avais commis une grosse inconvenance (*impropriety*), et je repris:

—Je vous demande pardon. Je l'avais pensé en entendant votre domestique parler de jouets. On entend sans écouter, et on conclut malgré soi.

Il sourit, puis murmura:

—Non, je ne suis même pas marié. J'en suis resté aux (*I didn't go beyond*) préliminaires.

J'eus l'air de me souvenir tout à coup.

—Ah! . . . c'est vrai, vous étiez fiancé, quand je vous ai connu, fiancé avec Mlle de Mandal, je crois.

—Oui, monsieur, votre mémoire est excellente.

J'eus une audace excessive, et j'ajoutai:

—Oui, je crois me rappeler aussi avoir entendu dire que Mlle de Mandal avait épousé monsieur . . . monsieur . . .

Il prononça tranquillement ce nom:

—M. de Fleurel.

—Oui, c'est cela! Oui . . . je me rappelle même, à ce propos (*in connection with that*), avoir entendu parler de votre blessure.

Je le regardais bien en face; et il rougit.

Puis, il répondit avec vivacité, avec l'ardeur soudaine d'un homme qui plaide une cause perdue d'avance, perdue dans son esprit et dans son cœur, mais qu'il veut gagner devant l'opinion (*public opinion*).

—On a tort, monsieur, de prononcer à côté du mien le nom de Mme de Fleurel. Quand je suis revenu de la guerre, sans mes pieds, hélas! je n'aurais jamais accepté, jamais, qu'elle devînt ma femme. Est-ce que c'était possible? Quand on se marie, monsieur, ce n'est pas pour faire parade de générosité: c'est pour vivre, tous les jours, toutes les heures, toutes les minutes, toutes les secondes, à côté d'un homme; et, si cet homme est difforme, comme moi, on se condamne en l'épousant, à une souffrance qui durera jusqu'à la mort. Oh! je comprends, j'admire tous les sacrifices, tous les dévouements, mais je n'admets pas le renoncement d'une femme à toute une vie qu'elle espère heureuse, à toutes les joies, à tous les rêves, pour satisfaire l'admiration de la galerie (*the public*). Quand j'entends sur le plancher de ma chambre le battement de mes pilons et celui de mes béquilles, je suis exaspéré. Croyez-vous qu'on puisse accepter d'une femme de tolérer ce qu'on ne supporte pas soi-même?

Il se tut. Que lui dire? Je trouvais qu'il avait raison! Pouvais-je la blâmer, la mépriser, même lui donner tort, à elle (*think she was wrong*)? Non. Cependant? Ce dénouement conforme à la règle, à la moyenne, à la vérité, à la vraisemblance, ne satisfaisait pas mon appétit poétique.

Je lui demandai tout à coup:

—Mme de Fleurel a des enfants?

—Oui, une fille et deux garçons. C'est pour eux que je porte ces jouets. Son mari et elle ont été très bons pour moi.

Le train montait la rampe de Saint-Germain. Il passa les tunnels, entra en gare, s'arrêta.

J'allais offrir mon bras pour aider la descente de l'officier mutilé quand deux mains se tendirent vers lui, par la portière ouverte:

—Bonjour! mon cher Revalière.

—Ah! bonjour, Fleurel.

Derrière l'homme, la femme souriait, radieuse, encore jolie, envoyant des "bonjour!" de ses doigts gantés. Une petite fille, à côté d'elle, sautillait de joie, et deux garçonnets regardaient avec des yeux avides le tambour et le fusil passant du filet du wagon entre les mains de leur père.

Quand l'infirme fut sur le quai, tous les enfants l'embrassèrent. Puis on se mit en route, et la fillette, par amitié, tenait dans sa petite main la traverse vernie d'une béquille, comme elle aurait pu tenir, en marchant à son côté, le pouce de son grand ami.

L'ENLÈVEMENT DE LA REDOUTE*

Un militaire de mes amis, qui est mort de la fièvre en Grèce il y a quelques années, me conta un jour la première affaire (*engagement*) à laquelle il avait assisté. Son récit me frappa tellement, que je l'écrivis aussitôt que j'en eus le loisir. Le voici:

Je rejoignis le régiment le 4 septembre au soir. J'y trouvai le colonel. Il me reçut d'abord assez brusquement; mais, après avoir lu la lettre de recommandation du général B***, il changea de manières, et m'adressa quelques paroles obligeantes.

Je fus présenté par lui à mon capitaine, qui revenait à l'instant même. Ce capitaine, que je n'eus guère le temps de connaître, était un grand homme brun, d'une physionomie dure. Il avait été simple soldat (*private*) et avait gagné ses épaulettes et sa croix sur les champs de bataille. Sa voix, qui était enrouée et faible, contrastait singulièrement avec sa stature presque gigantesque. On me dit qu'il devait (*owed*) cette voix étrange à une balle qui l'avait percé à la bataille d'Iéna.

En apprenant que je sortais de l'école de Fontainebleau, il fit la grimace et dit:

—Mon lieutenant est mort hier. . . .

Je compris qu'il voulait dire: "C'est vous qui devez le remplacer, et vous n'en êtes pas capable." Un mot piquant me vint sur les lèvres, mais je me contins.

La lune se leva derrière la redoute de Cheverino, située à quelque distance de notre bivouac. Elle était large et rouge comme cela est ordinaire à son lever (*rising*). Mais, ce soir-là, elle me parut d'une grandeur extraordinaire. Pendant un instant, la redoute se détacha (*stood out*) en noir sur le disque de la lune.

Un vieux soldat, auprès duquel je me trouvais, remarqua la couleur de la lune.

—Elle est bien rouge, dit-il; c'est signe qu'il en coûtera bon (*it will be very costly*) pour l'avoir, cette fameuse redoute!

J'ai toujours été superstitieux, et cet augure m'affecta. Je me couchai, mais je ne pus dormir. Je me levai, et je marchai quelque temps, regardant l'immense ligne de feux qui couvrait les hauteurs au delà du village de Cheverino.

Lorsque je crus que l'air frais et piquant de la nuit avait assez ra-

---

* Adapted from Prosper Mérimée.

fraîchi mon sang, je revins auprès du feu; je m'enveloppai soigneusement dans mon manteau, et je fermai les yeux, espérant ne pas les
ouvrir avant le jour. Mais je ne pus pas dormir. Insensiblement mes
pensées prenaient une teinte lugubre. Je me disais que je n'avais pas un
ami parmi les cent mille hommes qui couvraient cette plaine. Si j'étais
blessé, je serais dans un hôpital, traité par des chirurgiens ignorants. Ce
que j'avais entendu dire des opérations me revint à la mémoire. Mon
cœur battait avec violence, et machinalement je disposais, comme une
espèce de cuirasse, le mouchoir et le portefeuille que j'avais sur la
poitrine. La fatigue m'accablait, je m'assoupissais à chaque instant.

Quand on battit la diane j'étais tout à fait endormi. On fit l'appel
(*roll call*), puis on remit les armes en faisceaux et tout annonçait que
nous allions passer une journée tranquille.

Vers trois heures, un aide de camp arriva, apportant un ordre. On
nous fit reprendre les armes; nos tirailleurs se répandirent dans la
plaine; nous les suivîmes lentement, et, au bout de vingt minutes, nous
vîmes tous les avant-postes des Russes se replier et rentrer dans la redoute.

Une batterie d'artillerie vint s'établir à notre droite, une autre à
notre gauche, mais toutes les deux bien en avant (*ahead*) de nous. Elles
commencèrent un feu très vif sur l'ennemi, qui riposta énergiquement,
et bientôt la redoute de Cheverino disparut sous des nuages épais de
fumée.

Notre régiment était presque à couvert (*protected*) du feu des
Russes par un pli (*elevation*) de terrain. Leurs boulets passaient au-
dessus de nos têtes, ou tout au plus nous envoyaient de la terre et de
petites pierres.

Aussitôt que l'ordre de marcher en avant nous eut été donné, mon
capitaine me regarda avec une attention qui m'obligea à passer deux
ou trois fois la main sur ma jeune moustache d'un air aussi dégagé
qu'il me fut possible. Au reste (*besides*), je n'avais pas peur. Ces boulets
inoffensifs contribuèrent encore à me maintenir dans mon calme héroïque. Mon amour-propre me disait que je courais un danger réel,
puisque enfin j'étais sous le feu d'une batterie. J'étais enchanté d'être
si à mon aise, et je songeai au plaisir de raconter la prise de la redoute
de Cheverino, dans le salon de madame de B***, rue de Provence.

Le colonel passa devant notre compagnie; il m'adressa la parole:

"Eh bien, vous allez en voir de grises (*to have a hot time*) pour votre début."

Je souris en brossant la manche de mon habit, sur laquelle un boulet, tombé à trente pas de moi, avait envoyé un peu de poussière.

Il parut que les Russes s'aperçurent du mauvais succès de leurs boulets; car ils les remplacèrent par des obus qui pouvaient plus facilement nous atteindre dans le creux où nous étions postés. Un assez gros éclat m'enleva mon schako et tua un homme auprès de moi.

—Je vous fais mon compliment, me dit le capitaine, comme je venais de ramasser mon schako, vous en voilà quitte (*you will be free from trouble*) pour la journée. Je remis fièrement mon schako.

—C'est faire saluer les gens sans cérémonie (*It's a very informal way of making people take their hats off*), dis-je aussi gaiement que je pus. Cette mauvaise plaisanterie, vu (*in view of*) la circonstance, parut excellente.

—Je vous félicite, reprit le capitaine, vous n'aurez rien de plus, et vous commanderez une compagnie ce soir; car je sens bien que le four chauffe pour moi (*things are getting very hot for me*). Toutes les fois que j'ai été blessé, l'officier auprès de moi a reçu quelque balle morte (*spent bullet*) et, ajouta-t-il d'un ton plus bas et presque honteux, leurs noms commençaient toujours par un P. (*The name of the narrator begins with P.*)

Au bout d'une demi-heure, le feu des Russes diminua sensiblement; alors nous sortîmes de notre couvert (*hidden place*) pour marcher sur la redoute.

Notre régiment était composé de trois bataillons. Le deuxième fut chargé de tourner la redoute; les deux autres devaient donner l'assaut. J'étais dans le troisième bataillon.

En sortant de derrière l'espèce d'épaulement (*hillock, elevation*) qui nous avait protégés, nous fûmes reçus par plusieurs décharges de mousqueterie qui ne firent que peu de mal dans nos rangs. Le sifflement des balles me surprit: souvent je tournais la tête, et je m'attirai ainsi quelques plaisanteries de la part de mes camarades plus familiarisés avec ce bruit.

—A tout prendre (*everything considered*), me dis-je, une bataille n'est pas une chose si terrible.

Nous avancions au pas de course (*double time*), précédés de tirailleurs: tout à coup les Russes poussèrent trois hourras, trois hourras distincts, puis demeurèrent silencieux et sans tirer.

—Je n'aime pas ce silence, dit mon capitaine; cela ne nous présage rien de bon.

Je trouvai que nos gens étaient un peu trop bruyants, et je ne pus m'empêcher de faire intérieurement la comparaison de leurs clameurs tumultueuses avec le silence imposant de l'ennemi.

Nous parvînmes rapidement au pied de la redoute. Les palissades avaient été brisées et la terre bouleversée par nos boulets. Les soldats s'élancèrent sur ces ruines nouvelles avec des cris de "Vive l'empereur!" plus fort qu'on ne l'aurait attendu de gens qui avaient déjà tant crié.

Je levai les yeux, et jamais je n'oublierai le spectacle que je vis. La plus grande partie de la fumée s'était élevée et restait suspendue comme un dais à vingt pieds au-dessus de la redoute. Au travers d'une vapeur bleuâtre, on apercevait, derrière leur parapet à demi détruit, les grenadiers russes, l'arme haute, immobiles comme des statues. Je crois voir encore chaque soldat, l'œil gauche attaché sur nous, le droit caché par son fusil élevé. Dans une embrasure à quelques pieds de nous, un homme tenant une lance à feu (*slow-match*) était auprès d'un canon.

Je frissonnai et je crus que ma dernière heure était venue.

—Voilà la danse qui va commencer, s'écria mon capitaine. Bonsoir!

Ce furent les dernières paroles que je l'entendis prononcer.

Un roulement de tambours retentit dans la redoute. Je vis se baisser tous les fusils. Je fermai les yeux, et j'entendis un fracas épouvantable, suivi de cris et de gémissements. J'ouvris les yeux, surpris de me trouver encore au monde. La redoute était de nouveau enveloppée de fumée. J'étais entouré de blessés et de morts. Mon capitaine était étendu à mes pieds: sa tête avait été broyée par un boulet, et j'étais couvert de sa cervelle et de son sang. De toute ma compagnie, il ne restait debout que six hommes et moi.

A ce carnage succéda un moment de stupeur. Le colonel, mettant son chapeau au bout de son épée, gravit le premier le parapet en criant: "Vive l'empereur!" Il fut suivi aussitôt de tous les survivants. Je n'ai presque plus de souvenir net de ce qui suivit. Nous entrâmes dans la redoute, je ne sais comment. On se battit corps à corps au milieu d'une fumée si épaisse que l'on ne pouvait se voir. Je crois que je frappai, car mon sabre se trouva tout sanglant. Enfin j'entendis crier: "Victoire!" et la fumée diminuant, j'aperçus du sang et des morts sous lesquels disparaissait la terre de la redoute. Les canons surtout étaient enterrés sous des tas de cadavres. Environ deux cents hommes debout, en uniforme français, étaient groupés sans ordre, les uns chargeant leurs fusils, les autres essuyant leurs baïonnettes. Onze prisonniers russes étaient avec eux.

Le colonel était renversé tout sanglant sur un caisson brisé. Quelques soldats s'empressaient autour de lui: je m'approchai.

—Où est le plus ancien (*senior*) capitaine? demandait-il à un sergent.

Le sergent haussa les épaules d'une manière très expressive.

—Et le plus ancien lieutenant?

—Voici monsieur qui est arrivé hier, dit le sergent d'un ton tout à fait calme.

Le colonel sourit amèrement.

—Allons, monsieur, me dit-il, vous commandez en chef; faites promptement fortifier la gorge de la redoute avec ces chariots, car l'ennemi est en force; mais le général C*** va vous faire soutenir.

—Colonel, lui-dis-je, vous êtes grièvement blessé?

—F . . . (*Done for*), mon cher, mais la redoute est prise!

L'ONCLE ET LE NEVEU*

I

Je suis sûr que vous avez passé vingt fois devant la maison du docteur Auvray, sans deviner qu'il s'y fait des miracles. C'est une habitation modeste et presque cachée; on ne lit pas même sur la porte cette inscription banale: *"Maison de santé"* (*sanitarium*). Elle est située vers l'extrémité de l'avenue Montaigne. M. Auvray s'est créé une spécialité: il traite la monomanie. C'est un excellent homme, plein de savoir et d'esprit.

Il y a quinze jours environ (c'était, je crois, le jeudi 13 décembre), un coupé s'arrêta devant la grille de M. Auvray. La voiture s'avança jusqu'au pavillon habité par le docteur, et deux hommes entrèrent vivement dans son cabinet. La servante les pria de s'asseoir et d'attendre que la visite fût terminée. Il était dix heures du matin.

L'un des deux étrangers était un homme de cinquante ans, grand, brun, passablement laid, les mains épaisses, les pouces énormes. Figurez-vous un ouvrier revêtu des habits de son patron; voilà M. Morlot.

Son neveu, François Thomas, est un jeune homme de vingt-trois ans, difficile à décrire, parce qu'il ressemble à tout le monde. Il n'est ni grand ni petit, ni beau ni laid. Lorsqu'il entra chez M. Auvray, il semblait fort agité: il se promenait avec une sorte de rage, il regardait vingt choses à la fois, et il aurait touché à tout s'il n'avait pas eu les mains liées.

—Calme-toi, lui disait son oncle; ce que je fais, c'est pour ton bien (*own good*). Tu seras heureux ici, et le docteur va te guérir.

—Je ne suis pas malade. Pourquoi m'avez-vous attaché?

—Parce que tu m'aurais jeté par la portière (*cab door*). Tu n'as pas ta raison, mon pauvre François; M. Auvray te la rendra.

—Je raisonne aussi bien que vous, mon oncle, et je ne sais pas ce que vous voulez dire. J'ai l'esprit sain et la mémoire excellente. Voulez-vous que je vous récite des vers? Faut-il expliquer du latin? Voici justement un Tacite dans cette bibliothèque. . . . Si vous préférez une autre expérience (*experiment*), je vais résoudre un problème d'arithmétique ou de géométrie. . . . Vous ne voulez pas? . . . Eh bien! écoutez ce que nous avons fait ce matin. . . . Vous êtes venu à huit heures, non pas m'éveiller, puisque je ne dormais pas, mais me tirer de mon lit.

* Adapted from Edmond About.

J'ai fait ma toilette (*washed and dressed*) moi-même, sans l'aide de Germain; vous m'avez prié de vous suivre chez le docteur Auvray, j'ai refusé; vous avez insisté, je me suis mis en colère. Germain vous a aidé à me lier les mains, je le chasserai ce soir. Je lui dois (*owe*) treize jours de gages, c'est-à-dire treize francs. Vous lui devrez une indemnité, vous êtes cause qu'il perd ses étrennes. Est-ce raisonner, cela? et comptez-vous encore me faire passer pour fou? . . . Ah! mon cher oncle, souvenez-vous que ma mère était votre sœur! Que dirait-elle, ma pauvre mère, si elle me voyait ici? . . . Je ne vous en veux pas (*I am not angry at you*), et tout peut s'arranger à l'aimable. Vous avez une fille, Mlle Claire Morlot . . .

—Ah! je t'y prends (*catch you at it*)! tu vois bien que tu n'as plus ta tête. J'ai une fille, moi? Mais je suis garçon (*bachelor*), et très garçon!

—Vous avez une fille, reprit machinalement François.

—Mon pauvre neveu! . . . Voyons, écoute-moi bien. As-tu une cousine?

—Une cousine? Non, je n'ai pas de cousine. Je n'ai ni cousins ni cousines.

—Je suis ton oncle, n'est-il pas vrai?

—Oui, vous êtes mon oncle, quoique vous l'ayez oublié ce matin.

—Si j'avais une fille, elle serait ta cousine; or, tu n'as pas de cousine, donc je n'ai pas de fille.

—Vous avez raison. . . . J'ai eu le bonheur de la voir cet été à Ems avec sa mère. Je l'aime; j'ai lieu (*reason*) de croire que je ne lui suis pas indifférent, et j'ai l'honneur de vous demander sa main.

—La main de qui?

—La main de Mlle votre fille.

—Allons! pensa l'oncle Morlot, M. Auvray sera bien habile s'il le guérit! Je payerai six mille francs de pension sur (*taken out of*) les revenus de mon neveu. Qui de (*out of*) trente paye six, reste vingt-quatre. Me voilà riche. Pauvre François!

Il s'assit et ouvrit un livre au hasard. —Mets-toi là, dit-il au jeune homme, je vais te lire quelque chose. Tâche d'écouter, cela te calmera.

Pendant la lecture, François parut se calmer et s'assoupir: il faisait chaud dans le cabinet du docteur. "Bravo! pensa M. Morlot; voici déjà un prodige de la médecine: elle endort un homme qui n'avait pas sommeil." François ne dormait pas, mais il jouait (*simulated*) le sommeil dans la perfection. L'oncle Morlot y fut pris (*taken in*): il poursuivit sa lecture à voix basse, puis il bâilla, puis il cessa de lire, puis il laissa glisser son livre, puis il ferma les yeux, puis il s'endormit, à la grande satisfaction de son neveu, qui le lorgnait du coin de l'œil.

François commença par remuer sa chaise; M. Morlot ne bougea pas plus qu'un arbre; il se mit à ronfler. Alors le fou s'approche du bureau, trouve un couteau, le pousse dans un angle et coupe la corde qui attachait ses bras. En deux minutes M. Morlot fut garrotté solidement, mais avec tant de délicatesse, que son sommeil n'en fut pas même troublé.

François admira son ouvrage et ramassa le livre, qui avait glissé jusqu'à terre. C'était la dernière édition de la "Monomanie raisonnante," œuvre remarquable du docteur Auvray. Il l'emporta dans un coin et se mit à lire en attendant l'arrivée du docteur.

II

Il faut pourtant que je raconte les antécédents de François et de son oncle. François était le fils unique d'un ancien tabletier, appelé M. Thomas. Depuis la mort de son père, François avait trente mille francs de rente.

Ses goûts étaient extrêmement simples. Il avait une préférence innée pour ce qui ne brille pas.

Sa timidité l'empêcha de prendre une carrière; il vécut de ses rentes.

Comme il n'avait pas gagné son argent lui-même, il prêtait volontiers. En retour d'une vertu si rare, le ciel lui donna beaucoup d'amis. Il les aimait tous sincèrement, et faisait leurs volontés (*heeded all their whims*) de très bonne grâce. Lorsqu'il en rencontrait un sur le boulevard, c'était toujours lui qui cheminait où l'on voulait le conduire. Notez qu'il n'était ni sot ni ignorant. Il savait trois ou quatre langues vivantes; il possédait le latin, le grec et tout ce qu'on apprend au collège; il avait quelques notions de commerce, d'industrie, d'agriculture et de littérature, et il jugeait sainement un livre nouveau, lorsque personne n'était là pour l'écouter.

Mais c'est avec les femmes que sa faiblesse se montrait dans toute sa force. Lorsqu'il assistait à (*was present at*) un concert ou à un spectacle, il commençait à chercher dans la salle un visage qui lui plût, et il s'en éprenait (*fell in love with it*) jusqu'au soir. S'il avait trouvé, le spectacle était beau, le concert délicieux; sinon, tout le monde parlait mal ou chantait faux. Il aimait toutes les femmes sans le leur dire, parce qu'il n'avait jamais osé parler à aucune.

Lorsqu'il aimait, il rédigeait en lui-même des déclarations qui s'arrêtaient régulièrement sur ses lèvres.

Cependant, au mois d'août de cette année, quatre mois avant de lier les bras de son oncle, François avait osé aimer en face (*openly*). Il avait rencontré à Ems une jeune fille presque aussi farouche que lui, et dont la timidité lui avait donné du courage: c'était une Parisienne frêle et délicate. Elle tenait compagnie à sa mère. François leur fut présenté par un de ses amis qui se rendait en Italie par l'Allemagne. Il les vit assidûment pendant un mois, et il fut, pour ainsi dire, leur unique compagnie. La jeune Parisienne et sa mère entrèrent de plain-pied (*easily*) dans le cœur de François, et s'y trouvèrent bien. Elles y découvraient tous les jours de nouveaux trésors. Elles ne s'enquirent jamais s'il était riche ou pauvre: il leur suffisait de le savoir bon, et nulle trouvaille ne pouvait leur être plus précieuse que celle de ce coeur d'or. De son côté, François fut ravi de sa métamorphose. Sa froideur et sa gêne furent emportées comme les glaçons dans une débâcle. Je ne sais qui prononça d'abord le mot de mariage, mais qu'importe? il est toujours sous-entendu lorsque deux cœurs honnêtes parlent d'amour.

François était majeur (*of age*) et maître de sa personne, mais celle qu'il aimait dépendait d'un père dont il fallait obtenir le consentement. C'est ici que la timidité du malheureux jeune homme reprit le dessus (*took control*). Claire avait beau lui dire (*No matter how often Claire told him*): "Écrivez hardiment; mon père est averti; vous recevrez son consentement par retour du courrier." Il fit et refit sa lettre plus de cent fois, sans se décider à l'envoyer. Cependant la tâche était facile, et l'esprit le plus vulgaire s'en fût tiré (*would have managed*) glorieuse-ment. François connaissait le nom, la position, la fortune et même l'humeur de son futur beau-père. On l'avait initié à tous les secrets de la famille. Que lui restait-il à faire? A indiquer en quelques mots ce qu'il était et ce qu'il avait; la réponse n'était pas douteuse. Il hésita si longtemps, qu'au bout d'un mois Claire et sa mère furent réduites à douter de (*lose confidence in*) lui. Je crois qu'elles auraient encore pris quinze jours de patience, mais la sagesse paternelle ne le leur permit pas. Si Claire aimait, si le jeune homme ne se décidait pas à déclarer officiellement ses intentions, il fallait, sans perdre de temps, mettre la jeune·fille en lieu sûr (*safe place*), à Paris. Peut-être alors M. François Thomas prendrait-il le parti (*decision*) de venir la demander en mariage: il savait où la trouver.

Un matin que François allait prendre ces dames pour la promenade, le maître d'hôtel lui annonça qu'elles étaient parties pour Paris. Il sortit comme un fou, et se mit à chercher Claire dans tous les endroits où il avait l'habitude de la conduire. Puis, il part pour la France; il arrive à Paris, saute hors du wagon, oublie ses bagages, monte dans un fiacre, et crie au cocher:

—Chez Elle, et au galop!

—Où cela, monsieur?

—Chez monsieur . . . , rue . . . —je ne sais plus!

Il avait oublié le nom et l'adresse de celle qu'il aimait. "Allons chez moi, pensa-t-il; je retrouverai. . . ." Il tendit sa carte au cocher qui le conduisit chez lui.

Son concierge était un vieillard sans enfants, appelé Emmanuel. En arrivant devant lui, François le salua profondément et lui dit:

—Monsieur, vous avez une fille, Mlle Claire Emmanuel. Je voulais vous écrire pour vous demander sa main; mais j'ai pensé qu'il serait plus convenable (*proper*) de faire cette démarche (*present my request*) en personne.

On reconnut qu'il était fou, et l'on courut chercher son oncle Morlot.

L'oncle Morlot était le plus honnête homme de la rue de Charonne, qui est une des plus longues de Paris. Il fabriquait des meubles anciens avec un talent ordinaire et une conscience extraordinaire.

Après trente ans de ce commerce, il était à peu près aussi riche qu'en sortant d'apprentissage; il avait gagné sa vie comme le plus humble de ses ouvriers, et il se demandait avec un peu de jalousie comment M. Thomas avait fait pour amasser des rentes.

Cet excellent M. Morlot, dont l'honnêteté méticuleuse amusait tout le quartier, sentit au fond du cœur comme un chatouillement agréable lorsqu'on vint lui annoncer la maladie de son neveu. Il entendit une petite voix insinuante qui lui disait tout bas: "Si François est fou, tu deviens son tuteur."

La probité se hâta de répondre: "Nous ne serons pas plus riches." Mais la voix répondit: "La pension d'un aliéné ne coûte pas trente mille francs par an. D'ailleurs, nous devrons négliger nos affaires; nous méritons une compensation."—"Après tout," dit la probité, "François guérira en deux jours." Mais la voix obstinée répondit: "Peut-être que la maladie tuera son malade, et nous hériterons de toute sa fortune."

L'oncle Morlot se boucha les oreilles; mais ses oreilles étaient si larges que la petite voix obstinée y pénétrait toujours malgré lui.

La maison de la rue de Charonne fut confiée aux soins du contre-maître (*foreman*); l'oncle s'installa (*settled down*) dans le bel appartement de son neveu. Il dormit dans un bon lit, et s'en trouva bien. Il s'assit à une table excellente. Il fut servi, rasé par Germain, et il en prit l'habitude. Peu à peu il se consola de voir son neveu malade; il se fit à (*got used to*) l'idée que François ne guérirait peut-être jamais.

Au bout de trois mois, il s'ennuya d'avoir un fou au logis, car il croyait être chez lui: il résolut de faire enfermer le malade chez M. Auvray. "Après tout, se disait-il, mon neveu sera mieux soigné et je serai plus tranquille. La science a reconnu qu'il était bon de dépayser les fous pour les distraire: je fais mon devoir."

C'est dans ces pensées qu'il s'était endormi et que François s'avisa de lui lier les mains: quel réveil!

III

Le docteur entra en s'excusant. François se leva, remit son livre sur le bureau, et exposa l'affaire en se promenant à grands pas.

—Monsieur, dit-il, c'est mon oncle maternel que je viens confier à vos soins. Vous voyez un homme de quarante-cinq ans, endurci au travail manuel et aux privations d'une vie laborieuse; du reste, né de parents sains. Vous n'aurez donc pas à lutter contre une maladie héréditaire. Son mal est une des monomanies les plus curieuses que vous ayez eu l'occasion d'observer: il passe avec une incroyable rapidité de l'extrême gaieté à l'extrême tristesse, c'est un mélange singulier de monomanie et de mélancolie.

—Il n'a pas complètement perdu la raison?

—Non, monsieur, il ne déraisonne que sur un point; et il appartient bien à votre spécialité.

—Quel est le caractère de sa maladie?

—Hélas! monsieur, le caractère de notre siècle, la cupidité! Après avoir travaillé depuis l'enfance, il se trouve sans fortune. Mon père,

parti du même point que lui, m'a laissé un bien (*a fortune*) assez considérable. Le cher oncle a commencé par être jaloux; puis il a songé
qu'étant mon seul parent, il deviendrait mon héritier en cas de mort,
et mon tuteur en cas de folie, et comme un esprit faible croit aisément
ce qu'il désire, le malheureux s'est persuadé que j'avais perdu la tête.
Il l'a dit à tout le monde, il vous le dira à vous-même. Dans la voiture,
quoiqu'il eût les mains liées, il croyait que c'était lui qui m'amenait
chez vous.

—A quelle époque remonte le premier accès?

—A trois mois environ. Il est descendu chez mon concierge et lui
a dit d'un air effaré: "Monsieur Emmanuel, vous avez une fille . . .
laissez-la dans votre loge et venez m'aider à lier mon neveu."

—Sait-il qu'il est malade?

—Non, monsieur, et je crois que c'est bon signe. Je vous dirai, de
plus, qu'il a perdu complètement l'appétit, et qu'il est sujet à de longues
insomnies.

—Tant mieux! un aliéné qui dort et qui mange régulièrement est
à peu près incurable. Permettez-moi de le réveiller.

M. Auvray secoua doucement l'épaule du dormeur. Son premier
mouvement fut de se frotter les yeux. Lorsqu'il vit ses mains liées, il
devina ce qui s'était passé durant son sommeil, et il partit d'un grand
éclat de rire.

—La bonne plaisanterie! dit-il.

François tira le docteur à part.

—Vous voyez! Eh bien, dans cinq minutes, il sera furieux.

—Laissez-moi faire (*Leave this to me*). Je sais comment il faut les
prendre.

Il sourit au malade comme à un enfant qu'on veut amuser.

—Mon ami, lui dit-il, vous vous éveillez de bonne heure; avez-vous
fait de bons rêves?

—Moi! je n'ai pas rêvé. Je ris de me voir lié. On dirait que c'est moi
qui suis le fou.

—Là! dit François.

—Ayez la bonté de me débarrasser (*free me*), docteur; je m'expli-
querai mieux quand je serai à mon aise.

—Mon ami, je vais vous délier; mais vous promettez d'être bien
sage?

—Ah çà (*look here!*) monsieur, est-ce que vous me prenez pour un fou?

—Non, mon ami, mais vous êtes malade. Nous vous soignerons, nous vous guérirons. Tenez! vos mains sont libres, n'en abusez pas (*don't take advantage of this*).

—Que diable voulez-vous que j'en fasse? Je vous amenais mon neveu. . . .

—Bien! dit M. Auvray; nous parlerons de cela tout à l'heure. Je vous ai trouvé endormi; vous arrive-t-il souvent de dormir le jour?

—Jamais! c'est ce livre idiot. . . .

—Oh! oh! fit l'auteur, le cas est grave. Ainsi vous croyez que votre neveu est fou?

—A lier, monsieur; et la preuve, c'est que j'ai dû lui attacher les mains avec cette corde.

—Mais c'est vous qui aviez les mains attachées. Vous ne vous souvenez pas que je viens de vous délivrer?

—C'était moi, c'était lui. Laissez-moi vous expliquer toute l'affaire!

—Chut! mon ami, vous vous exaltez (*excite*), vous êtes très rouge: je ne veux pas que vous vous fatiguiez. Contentez-vous de répondre à mes questions. Vous dites que votre neveu est malade?

—Fou! fou! fou!

—Et vous êtes content de le voir fou?

—Moi?

—Répondez-moi franchement. Vous ne voulez point qu'il guérisse, n'est-ce pas?

—Pourquoi?

—Pour que sa fortune reste entre vos mains. Vous voulez être riche? Vous êtes irrité d'avoir travaillé si longtemps sans faire fortune? Vous pensez que votre tour est venu?

M. Morlot ne répondait pas. Il se demandait s'il ne faisait pas un mauvais rêve, et il cherchait à démêler (*distinguish*) ce qu'il y avait de réel dans cette histoire de mains liées, cet interrogatoire, et les questions de cet inconnu qui lisait si bien dans sa conscience.

—Entend-il des voix? demanda M. Auvray.

Le pauvre oncle sentit ses cheveux se dresser sur sa tête. Il se souvint de cette voix obstinée qui lui parlait à l'oreille, et il répondit machinalement:—Quelquefois.

—Ah! il est halluciné.

—Mais non! je ne suis pas malade! Laissez-moi sortir! Je perdrais la tête ici. Demandez à tous mes amis, ils vous diront que j'ai tout mon bons sens. Tâtez-moi le pouls, vous verrez que je n'ai pas la fièvre.

—Pauvre oncle! dit François. Il ne sait pas que la folie est un délire sans fièvre.

—Monsieur, ajouta le docteur, si nous pouvions donner la fièvre à nos malades, nous les guéririons tous.

M. Morlot se jeta sur son fauteuil. Son neveu continuait à se promener dans le cabinet du docteur.

—Monsieur, dit François, je suis profondément affligé du malheur de mon oncle, mais c'est une grande consolation pour moi de pouvoir le confier à un homme tel que vous. J'ai lu votre admirable livre sur la "Monomanie raisonnante": c'est ce qu'on a écrit de plus remarquable en ce genre depuis le "Traité des maladies mentales" du grand Esquirol. Je sais, du reste, que vous êtes un père pour vos malades, je ne vous ferai donc pas l'injure (the insult) de vous recommander M. Morlot. Quant au prix de sa pension, je m'en rapporte (I leave it) absolument à vous.

Il tira de son portefeuille un billet de mille francs qu'il posa sur la cheminée.

—J'aurai l'honneur de me présenter ici un jour de la semaine prochaine. A quel moment est-il permis de visiter les malades?

—De midi à deux heures. Quant à moi, je suis toujours à la maison. Adieu, monsieur.

—Arrêtez-le, cria l'oncle Morlot, ne le laissez pas partir! C'est lui qui est fou; je vais vous expliquer sa folie.

—Du calme, mon cher oncle! dit François en se retirant. Je vous laisse aux mains de M. Auvray; il aura bien soin de vous.

M. Morlot voulut courir après son neveu, le docteur le retint:

—Quelle fatalité! cria le pauvre oncle; il ne dira pas une sottise! S'il pouvait seulement déraisonner un peu, vous verriez bien que ce n'est pas moi qui suis fou.

François tenait déjà le bouton de la porte. Il revint sur ses pas comme s'il avait oublié quelque chose, alla au docteur et lui dit:

—Monsieur, la maladie de mon oncle n'est pas le seul motif qui m'amène.

—Ah! ah! murmura M. Morlot, qui eut alors un moment d'espérance.

Le jeune homme poursuivit:

—Vous avez une fille.

—Enfin! cria le pauvre oncle. Vous êtes témoin qu'il a dit: "Vous avez une fille!"

Le docteur répondit à François:—Oui, monsieur. Expliquez-moi. . . .

—Vous avez une fille, Mlle Claire Auvray.

—Écoutez-le! Vous voyez bien qu'il est fou, cria Morlot.

—Oui, monsieur, dit le docteur.

—Elle était, il y a trois mois, à Ems avec sa mère.

—Bravo! bravo! hurla M. Morlot.

—Oui, monsieur, répondit M. Auvray.

M. Morlot courut au docteur et lui dit:

—Vous n'êtes pas le médecin; vous êtes un pensionnaire (*patient*) de la maison!

—Mon ami, répondit le docteur, si vous n'êtes pas sage, nous vous donnerons une douche.

M. Morlot recula d'épouvante. Son neveu poursuivit:

—Monsieur, j'aime mademoiselle votre fille, j'ai quelque espoir d'en être aimé, et pourvu que ses sentiments n'aient pas changé depuis le mois de septembre, j'ai l'honneur de vous demander sa main.

Le docteur répondit:

—C'est donc à monsieur François Thomas que j'ai l'honneur de parler?

—A lui-même, monsieur, et j'aurais dû commencer par vous apprendre mon nom.

—Monsieur, permettez-moi de vous dire que vous avez attendu bien longtemps.

A ce moment, l'attention du docteur fut attirée par M. Morlot, qui se frottait les mains avec rage.

—Qu'avez-vous, mon ami? lui demanda-t-il de sa voix douce et paternelle.

—Rien, rien; je me frotte les mains.

—Et pourquoi?

—J'ai quelque chose qui me gêne.

—Montrez; je ne vois rien.

—Vous ne voyez pas? Là, là, entre les doigts. Je le vois bien, moi.

—Que voyez-vous?

—L'argent de mon neveu. Ôtez-le, docteur! Je suis un honnête homme; je ne veux rien prendre à personne.

Tandis que le médecin écoutait attentivement les premières divagations de M. Morlot, quelque chose d'étrange se passait dans la personne de François. Il pâlissait, il avait froid, ses dents claquaient avec violence. M. Auvray se retourna vers lui pour lui demander ce qu'il éprouvait.

—Rien, répondit-il; elle vient, je l'entends; c'est la joie . . . mais j'en suis accablé. . . . Le bonheur tombe sur moi comme de la neige. Docteur, regardez donc ce que j'ai dans la tête.

Le docteur était fort embarrassé entre ses deux malades, lorsqu'une porte s'ouvrit, et Claire vint annoncer à son père que le déjeuner était sur la table.

François se leva, mais sa volonté seule courut vers Mlle Auvray. Son corps retomba lourdement sur le fauteuil. Il put à peine dire quelques mots.

—Claire! c'est moi. Je vous aime. Voulez-vous. . . .

Il passa la main sur son front. Sa face pâle se colora d'un rouge vif. Claire prit ses deux mains dans les siennes; il avait la peau sèche et le pouls si dur que la pauvre fille en fut épouvantée. Ce n'est pas ainsi qu'elle espérait le revoir.

Monsieur Auvray reconnut vite les symptômes d'une fièvre bilieuse. Il sonna; la servante accourut; puis Mme Auvray, que François reconnut à peine. Il fallut coucher le malade sans retard.

Pendant qu'on donnait les premiers soins à François, son oncle marchait dans la chambre, arrêtant le docteur, embrassant le malade, saisissant la main de Mme Auvray, et criant: "Sauvez-le vite, vite! Je ne veux pas qu'il meure. Si vous ne le guérissez pas, on dira que c'est moi qui l'ai tué. Vous êtes témoins que je ne demande pas sa succession. Je donne tous ses biens (*his property*) aux pauvres. Un verre d'eau, s'il vous plaît, pour laver mes mains!"

On le transféra dans la maison de santé.

Mme Auvray et sa fille soignèrent François avec amour. Assises nuit et jour dans cette chambre pleine de fièvre, la mère et la fille employaient leurs moments de repos à causer de leurs souvenirs et de leurs espérances. Elles ne s'expliquaient pas la conduite de François. S'il aimait Claire, pourquoi avait-il attendu trois mois? Avait-il donc besoin, pour s'introduire chez M. Auvray, de la maladie de son oncle?

S'il avait oublié son amour, pourquoi n'avait-il pas conduit son oncle chez un autre médecin? On en trouve assez dans Paris.

A toutes ces questions, ce fut François qui répondit dans son délire. Pour le docteur, les rêvasseries d'un fiévreux étaient un langage intelligible, et le délire le plus confus n'était pas sans lumières. On sut bientôt qu'il avait perdu la raison et dans quelles circonstances; on s'expliqua même comment il avait causé innocemment la maladie de son oncle.

Alors commença pour Mlle Auvray une nouvelle série de craintes. François avait été fou. Le docteur assurait que la fièvre a le privilège de terminer la folie: cependant il n'y a pas de règle sans exception, en médecine surtout. S'il guérissait, n'aurait-on pas à craindre les rechutes? M. Auvray voudrait-il donner sa fille à un de ses malades?

—Pour moi, disait Claire en souriant tristement, je n'ai peur de rien: je me risquerais. Je suis la cause de tous ses maux; ne dois-je pas le consoler? Après tout, sa folie consistait à demander ma main: il n'aura plus rien à demander le jour où je serai sa femme; nous n'aurons donc rien à craindre.

—Nous verrons, répondit M. Auvray. Attends que la fièvre soit passée. S'il est honteux d'avoir été malade, si je le vois triste ou mélancolique après la guérison, je ne garantis rien. Si, au contraire, il se souvient de sa maladie sans honte et sans regrets, s'il en parle avec résignation, s'il revoit sans répugnance (*aversion*) les personnes qui l'ont soigné, je ne crains pas les rechutes!

—Eh! mon père, dit Claire, pourquoi serait-il honteux d'avoir aimé à l'excès? C'est une noble et généreuse folie, qui n'entrera jamais dans les petites âmes.

Après six jours de délire, le malade entra en convalescence. Lorsqu'il se vit dans une chambre inconnue, entre Mme et Mlle Auvray, sa première idée fut qu'il était encore à Ems. Sa faiblesse, sa maigreur et la présence du médecin lui donnèrent d'autres pensées: il se souvint, mais vaguement. Le docteur lui vint en aide. Il lui dit la vérité avec prudence. François commença par écouter son histoire comme un roman où il ne jouait aucun rôle. Son cerveau était plein de cases vides qui se remplirent une à une, sans secousse. Bientôt il fut maître de son esprit; il rentra en possession du passé. Cette cure fut une œuvre de science et surtout de patience. C'est là qu'on admira les ménagements paternels de M. Auvray. L'excellent homme avait le génie de la douceur. Le 25 décembre, François, assis sur son lit, raconta sans interruption, sans honte, sans regrets, l'histoire des trois mois qui venaient de passer. Claire et Mme Auvray pleuraient en l'écoutant. Quand le récit fut achevé, le convalescent ajouta en forme de conclusion:

—Aujourd'hui, 25 décembre, à trois heures, j'ai dit à mon excellent docteur, M. Auvray, dont je n'oublierai plus ni la rue, ni le numéro: "Monsieur, vous avez une fille, Mlle Claire Auvray; je l'ai vue cet été à Ems, avec sa mère; je l'aime; elle m'a bien assez prouvé qu'elle m'aimait, et, si vous ne craignez pas que je retombe malade, j'ai l'honneur de vous demander sa main."

Le docteur ne fit qu'un petit signe de tête, mais Claire passa ses bras autour du cou du malade et le baisa sur le front.

Le même jour, M. Morlot, plus calme, se leva à huit heures du matin. En sortant du lit, il prit ses pantoufles, les tourna, les retourna, et les passa à l'infirmier (*attendant*) en le suppliant de voir si elles ne contenaient pas trente mille livres de rente. Il secoua chacun de ses vêtements par la fenêtre, après les avoir fouillés soigneusement. Habillé, il demanda un crayon et écrivit sur les murs de sa chambre:

BIEN D'AUTRUI NE DÉSIRERAS
(*Thou shalt not covet thy neighbor's goods.*)

M. Auvray lui fit sa visite quotidienne; Morlot se crut en présence d'un juge d'instruction (*examining judge*) et demanda à être fouillé. Le docteur lui apprit que François était guéri. Le pauvre homme demanda si l'argent était retrouvé. "Puisque mon neveu va sortir d'ici, disait-il, il lui faut son argent: où est-il? Je ne l'ai pas. A moins qu'il ne soit dans mon lit!" Et il culbuta son lit si lestement qu'on n'eut pas le temps de l'en empêcher. On lui apporta son déjeuner; il commença par explorer sa serviette, son verre, son couteau, son assiette, en répétant qu'il ne voulait pas manger la fortune de son neveu. Le repas fini, il se lava les mains. "La fourchette est en argent, disait-il; il ne faut pas qu'il me reste de l'argent sur les mains.

M. Auvray ne désespère pas de le sauver, mais il faudra du temps. C'est surtout en été et en automne que les médecins guérissent la folie.

THE VERB

REGULAR VERBS

INFINITIVE MOOD

PRESENT	PRESENT	PRESENT
donn **er**, *to give*	fin **ir**, *to finish*	vend **re**, *to sell*

PARTICIPLES

PRESENT	PRESENT	PRESENT
donn **ant**, *giving*	fin **iss ant**, *finishing*	vend **ant**, *selling*

PAST	PAST	PAST
donn **é**, *given*	fin **i**, *finished*	vend **u**, *sold*

INDICATIVE MOOD

PRESENT	PRESENT	PRESENT
I give, am giving,	*I finish, am finishing,*	*I sell, am selling,*
do give, etc.	*do finish, etc.*	*do sell, etc.*
je donn **e**	je fin **is**	je vend **s**
tu donn **es**	tu fin **is**	tu vend **s**
il donn **e**	il fin **it**	il vend
nous donn **ons**	nous fin **iss ons**	nous vend **ons**
vous donn **ez**	vous fin **iss ez**	vous vend **ez**
ils donn **ent**	ils fin **iss ent**	ils vend **ent**

IMPERFECT	IMPERFECT	IMPERFECT
I was giving, used	*I was finishing, used*	*I was selling, used*
to give, etc.	*to finish, etc.*	*to sell, etc.*
je donn **ais**	je fin **iss ais**	je vend **ais**
tu donn **ais**	tu fin **iss ais**	tu vend **ais**
il donn **ait**	il fin **iss ait**	il vend **ait**
nous donn **ions**	nous fin **iss ions**	nous vend **ions**
vous donn **iez**	vous fin **iss iez**	vous vend **iez**
ils donn **aient**	ils fin **iss aient**	ils vend **aient**

405

PAST DEFINITE	PAST DEFINITE	PAST DEFINITE
I gave, etc.	*I finished, etc.*	*I sold, etc.*
je donn **ai**	je fin **is**	je vend **is**
tu donn **as**	tu fin **is**	tu vend **is**
il donn **a**	il fin **it**	il vend **it**
nous donn **âmes**	nous fin **îmes**	nous vend **îmes**
vous donn **âtes**	vous fin **îtes**	vous vend **îtes**
ils donn **èrent**	ils fin **irent**	ils vend **irent**

FUTURE	FUTURE	FUTURE
I shall give, etc.	*I shall finish, etc.*	*I shall sell, etc.*
je donner **ai**	je finir **ai**	je vendr **ai**
tu donner **as**	tu finir **as**	tu vendr **as**
il donner **a**	il finir **a**	il vendr **a**
nous donner **ons**	nous finir **ons**	nous vendr **ons**
vous donner **ez**	vous finir **ez**	vous vendr **ez**
ils donner **ont**	ils finir **ont**	ils vendr **ont**

CONDITIONAL	CONDITIONAL	CONDITIONAL
I should give, etc.	*I should finish, etc.*	*I should sell, etc.*
je donner **ais**	je finir **ais**	je vendr **ais**
tu donner **ais**	tu finir **ais**	tu vendr **ais**
il donner **ait**	il finir **ait**	il vendr **ait**
nous donner **ions**	nous finir **ions**	nous vendr **ions**
vous donner **iez**	vous finir **iez**	vous vendr **iez**
ils donner **aient**	ils finir **aient**	ils vendr **aient**

IMPERATIVE MOOD

PRESENT	PRESENT	PRESENT
Give, etc.	*Finish, etc.*	*Sell, etc.*
donn **e**	fin **is**	vend **s**
(qu'il donn **e**)	(qu'il fin **iss e**)	(qu'il vend **e**)
donn **ons**	fin **iss ons**	vend **ons**
donn **ez**	fin **iss ez**	vend **ez**
(qu'ils donn **ent**)	(qu'ils fin **iss ent**)	(qu'ils vend **ent**)

SUBJUNCTIVE MOOD

PRESENT	PRESENT	PRESENT
That I may give, etc.	*That I may finish, etc.*	*That I may sell, etc.*
que je donn **e**	que je fin **iss e**	que je vend **e**
que tu donn **es**	que tu fin **iss es**	que tu vend **es**
qu'il donn **e**	qu'il fin **iss e**	qu'il vend **e**
que nous donn **ions**	que nous fin **iss ions**	que nous vend **ions**
que vous donn **iez**	que vous fin **iss iez**	que vous vend **iez**
qu'ils donn **ent**	qu'ils fin **iss ent**	qu'ils vend **ent**

IMPERFECT	IMPERFECT	IMPERFECT
That I might give, etc.	*That I might finish, etc.*	*That I might sell, etc.*
que je donn **asse**	que je fin **isse**	que je vend **isse**
que tu donn **asses**	que tu fin **isses**	que tu vend **isses**
qu'il donn **ât**	qu'il fin **ît**	qu'il vend **ît**
que nous donn **assions**	que nous fin **issions**	que nous vend **issions**
que vous donn **assiez**	que vous fin **issiez**	que vous vend **issiez**
qu'ils donn **assent**	qu'ils fin **issent**	qu'ils vend **issent**

AUXILIARY VERBS

INFINITIVE MOOD

PRES. avoir, *to have*   PRES. être, *to be*

PARTICIPLES

PRES. ayant, *having*   PRES. étant, *being*
PAST eu, *had*   PAST été, *been*

INDICATIVE MOOD

PRESENT		PRESENT	
I have, am having, do have, etc.		*I am, am being, etc.*	
j'ai	nous avons	je suis	nous sommes
tu as	vous avez	tu es	vous êtes
il a	ils ont	il est	ils sont

<table>
<tr><td colspan="2" align="center">IMPERFECT
I had, used to have, was
having, etc.</td><td colspan="2" align="center">IMPERFECT
I was, used to be, was
being, etc.</td></tr>
<tr><td>j'avais</td><td>nous avions</td><td>j'étais</td><td>nous étions</td></tr>
<tr><td>tu avais</td><td>vous aviez</td><td>tu étais</td><td>vous étiez</td></tr>
<tr><td>il avait</td><td>ils avaient</td><td>il était</td><td>ils étaient</td></tr>
</table>

<table>
<tr><td colspan="2" align="center">PAST DEFINITE
I had, etc.</td><td colspan="2" align="center">PAST DEFINITE
I was, etc.</td></tr>
<tr><td>j'eus</td><td>nous eûmes</td><td>je fus</td><td>nous fûmes</td></tr>
<tr><td>tu eus</td><td>vous eûtes</td><td>tu fus</td><td>vous fûtes</td></tr>
<tr><td>il eut</td><td>ils eurent</td><td>il fut</td><td>ils furent</td></tr>
</table>

<table>
<tr><td colspan="2" align="center">FUTURE
I shall have, etc.</td><td colspan="2" align="center">FUTURE
I shall be, etc.</td></tr>
<tr><td>j'aurai</td><td>nous aurons</td><td>je serai</td><td>nous serons</td></tr>
<tr><td>tu auras</td><td>vous aurez</td><td>tu seras</td><td>vous serez</td></tr>
<tr><td>il aura</td><td>ils auront</td><td>il sera</td><td>ils seront</td></tr>
</table>

<table>
<tr><td colspan="2" align="center">CONDITIONAL
I should have, etc.</td><td colspan="2" align="center">CONDITIONAL
I should be, etc.</td></tr>
<tr><td>j'aurais</td><td>nous aurions</td><td>je serais</td><td>nous serions</td></tr>
<tr><td>tu aurais</td><td>vous auriez</td><td>tu serais</td><td>vous seriez</td></tr>
<tr><td>il aurait</td><td>ils auraient</td><td>il serait</td><td>ils seraient</td></tr>
</table>

IMPERATIVE MOOD

<table>
<tr><td colspan="2" align="center">PRESENT
Have, etc.</td><td colspan="2" align="center">PRESENT
Be, etc.</td></tr>
<tr><td></td><td>ayons</td><td></td><td>soyons</td></tr>
<tr><td>aie</td><td>ayez</td><td>sois</td><td>soyez</td></tr>
<tr><td>(qu'il ait)</td><td>(qu'ils aient)</td><td>(qu'il soit)</td><td>(qu'ils soient)</td></tr>
</table>

SUBJUNCTIVE MOOD

<table>
<tr><td colspan="2" align="center">PRESENT
That I may have, etc.</td><td colspan="2" align="center">PRESENT
That I may be, etc.</td></tr>
<tr><td>que j'aie</td><td>que nous ayons</td><td>que je sois</td><td>que nous soyons</td></tr>
<tr><td>que tu aies</td><td>que vous ayez</td><td>que tu sois</td><td>que vous soyez</td></tr>
<tr><td>qu'il ait</td><td>qu'ils aient</td><td>qu'il soit</td><td>qu'ils soient</td></tr>
</table>

<table>
<tr><td>

IMPERFECT

That I might have, etc.

que j'eusse	que nous eussions
que tu eusses	que vous eussiez
qu'il eût	qu'ils eussent

</td><td>

IMPERFECT

That I might be, etc.

que je fusse	que nous fussions
que tu fusses	que vous fussiez
qu'il fût	qu'ils fussent

</td></tr>
</table>

COMPOUND TENSES

Compound tenses are formed by combining the past participle of the principal verb with an auxiliary verb.

Avoir   or   **Être**

INFINITIVE MOOD

PERFECT	PERFECT
To have given, sold, finished	*To have arrived*
avoir donné, vendu, fini	être arrivé(e) (s) (es)

PARTICIPLES

PERFECT	PERFECT
Having given, sold, finished	*Having arrived*
ayant donné, vendu, fini	étant arrivé(e) (s) (es)

INDICATIVE MOOD

PAST INDEFINITE	PAST INDEFINITE
I have given, did give, gave, etc.	*I have arrived, did arrive, arrived, etc.*
j'ai donné, vendu, fini	je suis arrivé(e)
tu as donné, vendu, fini	tu es arrivé(e)
etc.	etc.
PLUPERFECT	PLUPERFECT
I had given, etc.	*I had arrived, etc.*
j'avais donné, vendu, fini	j'étais arrivé(e)
etc.	etc.
PAST ANTERIOR	PAST ANTERIOR
I had given, etc.	*I had arrived, etc.*
j'eus donné, vendu, fini	je fus arrivé(e)
etc.	etc.

FUTURE PERFECT	FUTURE PERFECT
I shall have given, etc.	*I shall have arrived, etc.*
j'aurai donné, vendu, fini	je serai arrivé(e)
etc.	etc.

CONDITIONAL PAST	CONDITIONAL PAST
I should have given, etc.	*I should have arrived, etc.*
j'aurais donné, vendu, fini	je serais arrivé(e)
etc.	etc.

SUBJUNCTIVE MOOD

PERFECT	PERFECT
That I may have given, etc.	*That I may have arrived, etc.*
que j'aie donné, vendu, fini	que je sois arrivé(e)
etc.	etc.

PLUPERFECT	PLUPERFECT
That I might have given, etc.	*That I might have arrived, etc.*
que j'eusse donné, vendu, fini	que je fusse arrivé(e)
etc.	etc.

ORTHOGRAPHIC CHANGES IN SOME VERBS

Verbs in –cer and –ger

1. Verbs in –cer, e.g., **avancer**, *to advance,* require the s-sound of **c** throughout their conjugation, and hence **c** becomes **ç** before **a** or **o** of an ending:

Pres. Part.	*Pres. Indic.*	*Impf. Indic.*	*Past Def.*	*Impf. Subj.*
avançant	avance	avançais	avançai	avançasse
	avances	avançais	avanças	avançasses
	avance	avançait	avança	avançât
	avançons	avancions	avançâmes	avançassions
	avancez	avanciez	avançâtes	avançassiez
	avancent	avançaient	avancèrent	avançassent

2. Verbs in –ger, e.g., **manger**, *to eat,* require the sound of **g** soft throughout their conjugation, and hence **g** becomes **ge** before **a** or **o**:

Pres. Part.	Pres. Indic.	Impf. Indic.	Past Def.	Impf. Subj.
mangeant	mange	mangeais	mangeai	mangeasse
	manges	mangeais	mangeas	mangeasses
	mange	mangeait	mangea	mangeât
	mangeons	mangions	mangeâmes	mangeassions
	mangez	mangiez	mangeâtes	mangeassiez
	mangent	mangeaient	mangèrent	mangeassent

Verbs in –yer

Verbs in –oyer and –uyer change y to i whenever it comes before e mute in conjugation, but not elsewhere; verbs in –ayer may either retain y throughout, or change it to i before e mute:

Pres. Indic.	Pres. Subj.	Fut.	Condl.
ennuie, etc.	ennuie, etc.	ennuierai, etc.	ennuierais, etc.
paye, ⎱ etc.	paye, ⎱ etc.	payerai ⎱ etc.	payerais, ⎱ etc.
paie, ⎰	paie, ⎰	paierai, ⎰	paierais, ⎰

Verbs with Stem-Vowel e or é

Verbs with stem-vowel e require the sound of è whenever, in conjugation, the next syllable contains e mute; so also verbs with the stem-vowel é, shown orthographically as follows:

1. By changing e or é to è, e.g., mener, to lead; préférer, to prefer:

Pres. Indic.	Pres. Subj.	Fut.	Condl.
mène	mène	mènerai	mènerais
mènes	mènes	mèneras	mènerais
mène	mène	mènera	mènerait
menons	menions	mènerons	mènerions
menez	meniez	mènerez	mèneriez
mènent	mènent	mèneront	mèneraient

But préférer with the stem-vowel é:

préfère, etc.	préfère, etc.	préférerai, etc.	préférerais, etc.

Like mener: Verbs with stem-vowel e (for exceptions in –eler and –eter, see below).

Like préférer: Verbs with stem-vowel é + consonant, e.g., espérer, to hope, etc.

2. Most verbs in –eler, –eter, however, indicate the è-sound by doubling l or t, e.g., **appeler,** *to call;* **jeter,** *to throw:*

Pres. Indic.	*Pres. Subj.*	*Fut.*	*Condl.*
appelle	appelle	appellerai	appellerais
appelles	appelles	appelleras	appellerais
appelle	appelle	appellera	appellerait
appelons	appelions	appellerons	appellerions
appelez	appeliez	appellerez	appelleriez
appellent	appellent	appelleront	appelleraient

So also **jeter:**

| jette, etc. | jette, etc. | jetterai, etc. | jetterais, etc. |

A few verbs in –eler, –eter take the grave accent precisely like **mener,** e.g., **acheter,** *to buy:*

| achète, etc. | achète, etc. | achèterai, etc. | achèterais, etc. |

PRINCIPAL IRREGULAR VERBS IN –ER

Aller, *to go*

1. *Infinitive* **aller;** *fut.* irai, iras, ira, etc.; *condl.* irais, etc.
2. *Pres. Part.* **allant;** *impf. indic.* allais, etc.; *pres. subj.* aille, ailles, aille, allions, alliez, aillent.
3. *Past Part.* **allé;** *past indef.* je suis allé, etc.
4. *Pres. Indic.* **vais,** vas, va, allons, allez, vont; *impve.* va, allons, allez.
5. *Past Def.* **allai,** allas, alla, allâmes, allâtes, allèrent; *impf. subj.* allasse, allasses, allât, allassions, allassiez, allassent.

Like **aller:**

  s'en aller, *to go away.*

Envoyer, *to send*

1. *Infinitive* **envoyer;** *fut.* enverrai, etc.; *condl.* enverrais, etc.
2. *Pres. Part.* **envoyant;** *impf. indic.* envoyais, envoyais, envoyait; envoyions, envoyiez, envoyaient; *pres. subj.* envoie, envoies, envoie; envoyions, envoyiez, envoient.
3. *Past Part.* **envoyé;** *past indef.* j'ai envoyé, etc.
4. *Pres. Indic.* **envoie,** envoies, envoie, envoyons, envoyez, envoient; *impve.* envoie, envoyons, envoyez.
5. *Past Def.* **envoyai,** envoyas, envoya, envoyâmes, envoyâtes, envoyèrent;

impf. subj. envoyasse, envoyasses, envoyât, envoyassions, envoyassiez, envoyassent.

Like **envoyer:**

> **renvoyer,** *to send away, dismiss.*

PRINCIPAL IRREGULAR VERBS IN –IR

Acquérir, *to acquire*

1. *Infinitive* **acquérir;** *fut.* acquerrai, acquerras, etc.; *condl.* acquerrais, etc.
2. *Pres. Part.* **acquérant;** *impf. indic.* acquérais, etc.; *pres. subj.* acquière, acquières, acquière, acquérions, acquériez, acquièrent.
3. *Past Part.* **acquis;** *past indef.* j'ai acquis, etc.
4. *Pres. Indic.* **acquiers,** acquiers, acquiert, acquérons, acquérez, acquièrent; *impve.* acquiers, acquérons, acquérez.
5. *Past Def.* **acquis,** acquis, acquit, acquîmes, acquîtes, acquirent; *impf. subj.* acquisse, acquisses, acquît, acquissions, acquissiez, acquissent.

Like **acquérir:**

> **conquérir,** *to conquer.*

Courir, *to run*

1. *Infinitive* **courir;** *fut.* courrai, courras, etc.; *condl.* courrais, etc.
2. *Pres. Part.* **courant;** *impf. indic.* courais, etc.; *pres. subj.* coure, coures, coure, courions, couriez, courent.
3. *Past Part.* **couru;** *past indef.* j'ai couru, etc.
4. *Pres. Indic.* **cours,** cours, court, courons, courez, courent; *impve.* cours, courons, courez.
5. *Past Def.* **courus,** courus, courut, courûmes, courûtes, coururent; *impf. subj.* courusse, courusses, courût, courussions, courussiez, courussent.

Like **courir** are its compounds:

> **accourir,** *to run up, hasten*   **parcourir,** *to run over, pass*
> **secourir,** *to succor, help*   *through, glance over*

Cueillir, *to gather, pick*

1. *Infinitive* **cueillir;** *fut.* cueillerai, etc.; *condl.* cueillerais, etc.
2. *Pres. Part.* **cueillant;** *impf. indic.* cueillais, etc.; *pres. subj.* cueille, cueilles, cueille, cueillions, cueilliez, cueillent.
3. *Past Part.* **cueilli;** *past indef.* j'ai cueilli, etc.
4. *Pres. Indic.* **cueille,** cueilles, cueille, cueillons, cueillez, cueillent; *impve.* cueille, cueillons, cueillez.

5. *Past Def.* **cueillis,** cueillis, cueillit, cueillîmes, cueillîtes, cueillirent; *impf. subj.* cueillisse, cueillisses, cueillît, cueillissions, cueillissiez, cueillissent.

Like **cueillir:**

accueillir, *to welcome*	**recueillir,** *to gather, collect*
assaillir, *to assail (regular in future and conditional)*	**se recueillir,** *to collect one's thoughts, reflect*

Dormir, *to sleep*

1. *Infinitive* **dormir;** *fut.* dormirai, etc.; *condl.* dormirais, etc.
2. *Pres. Part.* **dormant;** *impf. indic.* dormais, etc.; *pres. subj.* dorme, dormes, dorme, dormions, dormiez, dorment.
3. *Past Part.* **dormi;** *past indef.* j'ai dormi, etc.
4. *Pres. Indic.* **dors,** dors, dort, dormons, dormez, dorment; *impve.* dors, dormons, dormez.
5. *Past Def.* **dormis,** dormis, dormit, dormîmes, dormîtes, dormirent; *impf. subj.* dormisse, dormisses, dormît, dormissions, dormissiez, dormissent.

Like **dormir:**

endormir, *to put to sleep*	**sentir,** *to feel, smell*
s'endormir, *to fall asleep*	**se sentir** + *adj.* or *adv., to feel*
mentir, *to lie*	**consentir à,** *to consent*
démentir, *to contradict, belie*	**servir,** *to serve*
partir, *to set out, leave, go away*	**se servir de,** *to make use of*
repartir, *to set out again, reply*	**desservir,** *to clear the table*
se repentir de, *to repent*	**sortir,** *to go out, come out*

Observe the present indicative of the following types, which are represented in the above list:

mentir: mens, mens, ment, mentons, mentez, mentent
partir: pars, pars, part, partons, partez, partent
se repentir: repens, repens, repent, repentons, repentez, repentent
sentir: sens, sens, sent, sentons, sentez, sentent
servir: sers, sers, sert, servons, servez, servent
sortir: sors, sors, sort, sortons, sortez, sortent
bouillir: bous, bous, bout, bouillons, bouillez, bouillent

Fuir, *to flee, fly*

1. *Infinitive* **fuir;** *fut.* fuirai, etc.; *condl.* fuirais, etc.
2. *Pres. Part.* **fuyant;** *impf. indic.* fuyais, etc.; *pres. subj.* fuie, fuies, fuie, fuyions fuyiez, fuient.
3. *Past Part.* **fui;** *past indef.* j'ai fui, etc.

4. *Pres. Indic.* **fuis,** fuis, fuit, fuyons, fuyez, fuient; *impve.* fuis, fuyons, fuyez.

5. *Past Def.* **fuis,** fuis, fuit, fuîmes, fuîtes, fuirent; *impf. subj.* fuisse, fuisses, fuît, fuissions, fuissiez, fuissent.

Mourir, *to die*

1. *Infinitive* **mourir;** *fut.* mourrai, mourras, etc.; *condl.* mourrais, etc.

2. *Pres. Part.* **mourant;** *impf. indic.* mourais, etc.; *pres. subj.* meure, meures, meure, mourions, mouriez, meurent.

3. *Past Part.* **mort;** *past indef.* je suis mort, etc.

4. *Pres. Indic.* **meurs,** meurs, meurt, mourons, mourez, meurent; *impve.* meurs, mourons, mourez.

5. *Past Def.* **mourus,** mourus, mourut, mourûmes, mourûtes, moururent; *impf. subj.* mourusse, mourusses, mourût, mourussions, mourussiez, mourussent.

Ouvrir, *to open*

1. *Infinitive* **ouvrir;** *fut.* ouvrirai, etc.; *condl.* ouvrirais, etc.

2. *Pres. Part.* **ouvrant;** *impf. indic.* ouvrais, etc.; *pres. subj.* ouvre, ouvres, ouvre, ouvrions, ouvriez, ouvrent.

3. *Past Part.* **ouvert;** *past indef.* j'ai ouvert, etc

4. *Pres. Indic.* **ouvre,** ouvres, ouvre, ouvrons, ouvrez, ouvrent; *impve.* ouvre, ouvrons, ouvrez.

5. *Past Def.* **ouvris,** ouvris, ouvrit, ouvrîmes, ouvrîtes, ouvrirent; *impf. subj.* ouvrisse, ouvrisses, ouvrît, ouvrissions, ouvrissiez, ouvrissent.

Like **ouvrir:**

entr'ouvrir, *to open slightly*	**découvrir,** *to discover, uncover*
couvrir, *to cover*	**offrir,** *to offer*
	souffrir, *to suffer*

Tenir, *to hold*

1. *Infinitive* **tenir;** *fut.* tiendrai, tiendras, etc.; *condl.* tiendrais, etc.

2. *Pres. Part.* **tenant;** *impf. indic.* tenais, etc.; *pres. subj.* tienne, tiennes, tienne, tenions, teniez, tiennent.

3. *Past Part.* **tenu;** *past indef.* j'ai tenu, etc.

4. *Pres. Indic.* **tiens,** tiens, tient, tenons, tenez, tiennent; *impve.* tiens, tenons, tenez.

5. *Past Def.* **tins,** tins, tint, tînmes, tîntes, tinrent; *impf. subj.* tinsse, tinsses, tînt, tinssions, tinssiez, tinssent.

Like **tenir** are its compounds:

appartenir à, *to belong to*	**obtenir,** *to obtain*
contenir, *to restrain*	**retenir,** *to detain, engage, keep back*
maintenir, *to maintain*	**soutenir,** *to sustain*

Venir, *to come*

1. *Infinitive* **venir;** *fut.* viendrai, viendras, etc.; *condl.* viendrais, etc.
2. *Pres. Part.* **venant;** *impf. indic.* venais, etc.; *pres. subj.* vienne, viennes, vienne, venions, veniez, viennent.
3. *Past Part.* **venu;** *past indef.* je suis venu, etc.
4. *Pres. Indic.* **viens,** viens, vient, venons, venez, viennent; *impve.* viens, venons, venez.
5. *Past Def.* **vins,** vins, vint, vînmes, vîntes, vinrent; *impf. subj.* vinsse, vinsses, vînt, vinssions, vinssiez, vinssent.

Like **venir** are its compounds:

convenir, *to agree, suit* (conjugated with **avoir** or **être**)	**prévenir** (conjugated with **avoir**), *to notify, warn*
devenir, *to become*	**revenir,** *to come back, return*
parvenir, *to attain, reach*	**se souvenir de,** *to recollect, remember*

Vêtir, *to clothe*

1. *Infinitive* **vêtir;** *fut.* vêtirai, etc.; *condl.* vêtirais, etc.
2. *Pres. Part.* **vêtant;** *impf. indic.* vêtais, etc.; *pres. subj.* vête, vêtes, vête, vêtions, vêtiez, vêtent.
3. *Past Part.* **vêtu;** *past indef.* j'ai vêtu, etc.
4. *Pres. Indic.* **vêts,** vêts, vêt, vêtons, vêtez, vêtent; *impve.* vêts, vêtons, vêtez.
5. *Past Def.* **vêtis,** vêtis, vêtit, vêtîmes, vêtîtes, vêtirent; *impf. subj.* vêtisse, vêtisses, vêtît, vêtissions, vêtissiez, vêtissent.

PRINCIPAL IRREGULAR VERBS IN –RE

Battre, *to beat*

Loses one **t** in the present indicative singular: **bats, bats, bat.**

Like **battre:**

se battre, *to fight*	**débattre,** *to debate*
abattre, *to fell*	**se débattre,** *to struggle*
combattre, *to fight, oppose*	**rabattre,** *to beat down*

Boire, *to drink*

1. *Infinitive* **boire;** *fut.* boirai, etc.; *condl.* boirais, etc.
2. *Pres. Part.* **buvant;** *impf. indic.* buvais, etc.; *pres. subj.* boive, boives, boive, buvions, buviez, boivent.
3. *Past Part.* **bu;** *past indef.* j'ai bu, etc.
4. *Pres. Indic.* **bois,** bois, boit, buvons, buvez, boivent; *impve.* bois, buvons, buvez.
5. *Past Def.* **bus,** bus, but, bûmes, bûtes, burent; *impf. subj.* busse, busses, bût, bussions, bussiez, bussent.

Conclure, *to conclude*

1. *Infinitive* **conclure;** *fut.* conclurai, etc.; *condl.* conclurais, etc.
2. *Pres. Part.* **concluant;** *impf. indic.* concluais, etc.; *pres. subj.* conclue, conclues, conclue, concluions, concluiez, concluent.
3. *Past Part.* **conclu;** *past indef.* j'ai conclu, etc.
4. *Pres. Indic.* **conclus,** conclus, conclut, concluons, concluez, concluent; *impve.* conclus, concluons, concluez.
5. *Past Def.* **conclus,** conclus, conclut, conclûmes, conclûtes, conclurent; *impf. subj.* conclusse, conclusses, conclût, conclussions, conclussiez, conclussent.

Conduire, *to conduct, take, lead, etc.*

1. *Infinitive* **conduire;** *fut.* conduirai, etc.; *condl.* conduirais, etc.
2. *Pres. Part.* **conduisant;** *impf. indic.* conduisais, etc.; *pres. subj.* conduise, conduises, conduise, conduisions, conduisiez, conduisent.
3. *Past Part.* **conduit;** *past indef.* j'ai conduit, etc.
4. *Pres. Indic.* **conduis,** conduis, conduit, conduisons, conduisez, conduisent; *impve.* conduis, conduisons, conduisez.
5. *Past Def.* **conduisis,** conduisis, conduisit, conduisîmes, conduisîtes, conduisirent; *impf. subj.* conduisisse, conduisisses, conduisît, conduisissions, conduisissiez, conduisissent.

Like **conduire:**

se conduire, *to conduct oneself, behave*	**construire,** *to construct*
introduire, *to introduce, bring into*	**instruire,** *to instruct*
produire, *to produce*	**détruire,** *to destroy*
réduire, *to reduce*	**cuire,** *to cook*
reproduire, *to reproduce*	**luire,**[1] *to shine*
séduire, *to charm, seduce*	**reluire,**[1] *to glisten*
traduire, *to translate*	

[1] *Past part.* **lui** and **relui** respectively. No past def. or impf. subj.

Connaître, *to know, etc.*

1. *Infinitive* **connaître;** *fut.* connaîtrai, etc.; *condl.* connaîtrais, etc.
2. *Pres. Part.* **connaissant;** *impf. indic.* connaissais, etc.; *pres. subj.* connaisse, connaisses, connaisse, connaissions, connaissiez, connaissent.
3. *Past Part.* **connu;** *past indef.* j'ai connu, etc.
4. *Pres. Indic.* **connais,** connais, connaît, connaissons, connaissez, connaissent; *impve.* connais, connaissons, connaissez.
5. *Past Def.* **connus,** connus, connut, connûmes, connûtes, connurent; *impf. subj.* connusse, connusses, connût, connussions, connussiez, connussent.

Like **connaître:**

reconnaître, *to recognize*	**apparaître,** *to appear*
paraître, *to appear*	**disparaître,** *to disappear*

Coudre, *to sew*

1. *Infinitive* **coudre;** *fut.* coudrai, etc.; *condl.* coudrais, etc.
2. *Pres. Part.* **cousant;** *impf. indic.* cousais, etc.; *pres. subj.* couse, couses, couse, cousions, cousiez, cousent.
3. *Past Part.* **cousu;** *past indef.* j'ai cousu, etc.
4. *Pres. Indic.* **couds,** couds, coud, cousons, cousez, cousent; *impve.* couds, cousons, cousez.
5. *Past Def.* **cousis,** cousis, cousit, cousîmes, cousîtes, cousirent; *impf. subj.* cousisse, cousisses, cousît, cousissions, cousissiez, cousissent.

Craindre, *to fear*

1. *Infinitive* **craindre;** *fut.* craindrai, etc.; *condl.* craindrais, etc.
2. *Pres. Part.* **craignant;** *impf. indic.* craignais, etc.; *pres. subj.* craigne, craignes, craigne, craignions, craigniez, craignent.
3. *Past Part.* **craint;** *past indef.* j'ai craint, etc.
4. *Pres. Indic.* **crains,** crains, craint, craignons, craignez, craignent; *impve.* crains, craignons, craignez.
5. *Past Def.* **craignis,** craignis, craignit, craignîmes, craignîtes, craignirent; *impf. subj.* craignisse, craignisses, craignît, craignissions, craignissiez, craignissent.

Like **craindre:**

in –aindre:	in –eindre:	in –oindre:
contraindre, *to constrain*	**atteindre,** *to attain*	**se joindre à,** *to join*
plaindre, *to pity*	**éteindre,** *to extinguish*	**rejoindre,** *to rejoin,*
se plaindre de, *to complain*	**peindre,** *to paint*	*overtake*
	teindre, *to dye*	

Croire, *to believe*

1. *Infinitive* **croire;** *fut.* croirai, etc.; *condl.* croirais, etc.
2. *Pres. Part.* **croyant;** *impf. indic.* croyais, etc.; *pres. subj.* croie, croies, croie, croyions, croyiez, croient.
3. *Past Part.* **cru:** *past indef.* j'ai cru, etc.
4. *Pres. Indic.* **crois,** crois, croit, croyons, croyez, croient; *impve.* crois, croyons, croyez.
5. *Past Def.* **crus,** crus, crut, crûmes, crûtes, crurent; *impf. subj.* crusse, crusses, crût, crussions, crussiez, crussent.

Croître, *to grow*

1. *Infinitive* **croître;** *fut.* croîtrai, etc.; *condl.* croîtrais, etc.
2. *Pres. Part.* **croissant;** *impf. indic.* croissais, etc.; *pres. subj.* croisse, croisses, croisse, croissions, croissiez, croissent.
3. *Past Part.* **crû** (*f.* crue); *past indef.* j'ai crû, etc.
4. *Pres. Indic.* **croîs,** croîs, croît, croissons, croissez, croissent; *impve.* croîs, croissons, croissez.
5. *Past Def.* **crûs,** crûs, crût, crûmes, crûtes, crûrent; *impf. subj.* crûsse, crûsses, crût, crûssions, crûssiez, crûssent.

Dire, *to say, tell*

1. *Infinitive* **dire;** *fut.* dirai, etc.; *condl.* dirais, etc.
2. *Pres. Part.* **disant;** *impf. indic.* disais, etc.; *pres. subj.* dise, dises, dise, disions, disiez, disent.
3. *Past Part.* **dit;** *past indef.* j'ai dit, etc.
4. *Pres. Indic.* **dis,** dis, dit, disons, dites, disent; *impve.* dis, disons, dites.
5. *Past Def.* **dis,** dis, dit, dîmes, dîtes, dirent; *impf. subj.* disse, disses, dît, dissions, dissiez, dissent.

Like **dire:**

contredire, *to contradict*	**médire (de),** *to slander*
se dédire, *to retract, deny*	**prédire,** *to predict*
interdire, *to forbid*	**redire,** *to say again*

NOTE. The 2nd plur. pres. indic. and impve. is: **Contredisez, dédisez, interdisez, médisez, prédisez.** But: **redites.**

Écrire, *to write*

1. *Infinitive* **écrire;** *fut.* écrirai, etc.; *condl.* écrirais, etc.
2. *Pres. Part.* **écrivant;** *impf. indic.* écrivais, etc.; *pres. subj.* écrive, écrives, écrive, écrivions, écriviez, écrivent.

3. *Past Part.* **écrit;** *past indef.* j'ai écrit, etc.

4. *Pres. Indic.* **écris,** écris, écrit, écrivons, écrivez, écrivent; *impve.* écris, écrivons, écrivez.

5. *Past Def.* **écrivis,** écrivis, écrivit, écrivîmes, écrivîtes, écrivirent; *impf. subj.* écrivisse, écrivisses, écrivît, écrivissions, écrivissiez, écrivissent.

Like **écrire** are all verbs in –(s)crire:

décrire, *to describe*   **prescrire,** *to prescribe*
inscrire, *to inscribe, enroll, register*   **récrire,** *to rewrite*—

Faire, *to do, make*

1. *Infinitive* **faire;** *fut.* ferai, etc.; *condl.* ferais, etc.

2. *Pres. Part.* **faisant;** *impf. indic.* faisais, etc.; *pres. subj.* fasse, fasses, fasse, fassions, fassiez, fassent.

3. *Past Part.* **fait;** *past indef.* j'ai fait, etc.

4. *Pres. Indic.* **fais,** fais, fait, faisons, faites, font; *impve.* fais, faisons, faites.

5. *Past Def.* **fis,** fis, fit, fîmes, fîtes, firent; *impf. subj.* fisse, fisses, fît, fissions, fissiez, fissent.

Like **faire:**

défaire, *to undo, untie*
se défaire de, *to get rid of*
satisfaire, *to satisfy*

Lire, *to read*

1. *Infinitive* **lire;** *fut.* lirai, etc.; *condl.* lirais, etc.

2. *Pres. Part.* **lisant;** *impf. indic.* lisais, etc.; *pres. subj.* lise, lises, lise, lisions, lisiez, lisent.

3. *Past Part.* **lu;** *past indef.* j'ai lu, etc.

4. *Pres. Indic.* **lis,** lis, lit, lisons, lisez, lisent; *impve.* lis, lisons, lisez.

5. *Past Def.* **lus,** lus, lut, lûmes, lûtes, lurent; *impf. subj.* lusse, lusses, lût, lussions, lussiez, lussent.

Like **lire:**

élire, *to elect*   **relire,** *to re-read*

Mettre, *to place, put*

1. *Infinitive* **mettre;** *fut.* mettrai, etc.; *condl.* mettrais, etc.

2. *Pres. Part.* **mettant;** *impf. indic.* mettais, etc.; *pres. subj.* mette, mettes, mette, mettions, mettiez, mettent.

3. *Past Part.* **mis;** *past indef.* j'ai mis, etc.

4. *Pres. Indic.* **mets,** mets, met, mettons, mettez, mettent; *impve.* **mets,** mettons, mettez.

5. *Past Def.* **mis,** mis, mit, mîmes, mîtes, mirent; *impf. subj.* misse, misses, mît, missions, missiez, missent.

Like **mettre:**

se mettre à, *to begin*	promettre, *to promise*
admettre, *to admit*	remettre, *to put back, hand to, defer*
commettre, *to commit*	soumettre, *to submit*
omettre, *to omit*	transmettre, *to transmit*
permettre, *to permit*	

Naître, *to be born, spring forth, etc.*

1. *Infinitive* **naître;** *fut.* naîtrai, etc.; *condl.* naîtrais, etc.

2. *Pres. Part.* **naissant;** *impf. indic.* naissais, etc.; *pres. subj.* naisse, naisses, naisse, naissions, naissiez, naissent.

3. *Past Part.* **né;** *past indef.* je suis né, etc.

4. *Pres. Indic.* **nais,** nais, naît, naissons, naissez, naissent; *impve.* nais, naissons, naissez.

5. *Past Def.* **naquis,** naquis, naquit, naquîmes, naquîtes, naquirent; *impf. subj.* naquisse, naquisses, naquît, naquissions, naquissiez, naquissent.

Like **naître:**

renaître, *to be born again, spring forth again.*

Plaire, *to please*

1. *Infinitive* **plaire;** *fut.* plairai, etc.; *condl.* plairais, etc.

2. *Pres. Part.* **plaisant;** *impf. indic.* plaisais, etc.; *pres. subj.* plaise, plaises, plaise, plaisions, plaisiez, plaisent.

3. *Past Part.* **plu;** *past indef.* j'ai plu, etc.

4. *Pres. Indic.* **plais,** plais, plaît, plaisons, plaisez, plaisent; *impve.* plais, plaisons, plaisez.

5. *Past Def.* **plus,** plus, plut, plûmes, plûtes, plurent; *impf. subj.* plusse, plusses, plût, plussions, plussiez, plussent.

Like **plaire:**

se taire, *to be silent, become silent*	se plaire à, *to like, enjoy*
(**Il se tait** has no circumflex.)	

Prendre, *to take*

1. *Infinitive* **prendre;** *fut.* prendrai, etc.; *condl.* prendrais, etc.

2. *Pres. Part.* **prenant;** *impf. indic.* prenais, etc.; *pres. subj.* prenne, prennes, prenne, prenions, preniez, prennent.

3. *Past Part.* **pris;** *past indef.* j'ai pris, etc.
4. *Pres. Indic.* **prends,** prends, prend, prenons, prenez, prennent; *impve.* prends, prenons, prenez.
5. *Past Def.* **pris,** pris, prit, prîmes, prîtes, prirent; *impf. subj.* prisse, prisses, prît, prissions, prissiez, prissent.

Like **prendre** are its compounds:

apprendre, *to learn*	**entreprendre,** *to undertake*
comprendre, *to understand,*	**reprendre,** *to take back*
to include	**surprendre,** *to surprise*

Résoudre, *to resolve*

1. *Infinitive* **résoudre;** *fut.* résoudrai, etc.; *condl.* résoudrais, etc.
2. *Pres. Part.* **résolvant;** *impf. indic.* résolvais, etc.; *pres. subj.* résolve, résolves, résolve, résolvions, résolviez, résolvent.
3. *Past Part.* **résolu;** *past indef.* j'ai résolu, etc.
4. *Pres. Indic.* **résous,** résous, résout, résolvons, résolvez, résolvent; *impve.* résous, résolvons, résolvez.
5. *Past. Def.* **résolus,** résolus, résolut, résolûmes, résolûtes, résolurent; *impf. subj.* résolusse, résolusses, résolût, résolussions, résolussiez, résolussent.

Rire, *to laugh*

1. *Infinitive* **rire;** *fut.* rirai, etc.; *condl.* rirais, etc.
2. *Pres. Part.* **riant;** *impf. indic.* riais, etc.; *pres. subj.* rie, ries, rie, riions, riiez, rient.
3. *Past Part.* **ri;** *past indef.* j'ai ri, etc.
4. *Pres. Indic.* **ris,** ris, rit, rions, riez, rient; *impve.* ris, rions, riez.
5. *Past Def.* **ris,** ris, rit, rîmes, rîtes, rirent; *impf. subj.* risse, risses, rît, rissions, rissiez, rissent.

Like **rire:**

se rire de, *to make sport of*	**sourire,** *to smile*

Soustraire, *to subtract*

1. *Infinitive* **soustraire;** *fut.* soustrairai, etc.; *condl.* soustrairais, etc.
2. *Pres. Part.* **soustrayant;** *impf. indic.* soustrayais, etc.; *pres. subj.* soustraie, soustraies, soustraie, soustrayions, soustrayiez, soustraient.
3. *Past Part.* **soustrait;** *past indef.* j'ai soustrait, etc.
4. *Pres. Indic.* **soustrais,** soustrais, soustrait, soustrayons, soustrayez, soustraient; *impve.* soustrais, soustrayons, soustrayez.
5. *No Past Def. or impf. subj.*

Suivre, *to follow*

1. *Infinitive* **suivre;** *fut.* suivrai, etc.; *condl.* suivrais, etc.
2. *Pres. Part.* **suivant;** *impf. indic.* suivais, etc.; *pres. subj.* suive, suives, suive, suivions, suiviez, suivent.
3. *Past Part.* **suivi;** *past indef.* j'ai suivi, etc.
4. *Pres. Indic.* **suis,** suis, suit, suivons, suivez, suivent; *impve.* suis, suivons, suivez.
5. *Past Def.* **suivis,** suivis, suivit, suivîmes, suivîtes, suivirent; *impf. subj.* suivisse, suivisses, suivît, suivissions, suivissiez, suivissent.

Like **suivre:**

poursuivre, *to pursue, chase*

Vaincre, *to conquer*

1. *Infinitive* **vaincre;** *fut.* vaincrai, etc.; *condl.* vaincrais, etc.
2. *Pres. Part.* **vainquant;** *impf. indic.* vainquais, etc.; *pres. subj.* vainque, vainques, vainque, vainquions, vainquiez, vainquent.
3. *Past Part.* **vaincu;** *past indef.* j'ai vaincu, etc.
4. *Pres. Indic.* **vaincs,** vaincs, vainc, vainquons, vainquez, vainquent; *impve.* vaincs, vainquons, vainquez.
5. *Past Def.* **vainquis,** vainquis, vainquit, vainquîmes, vainquîtes, vainquirent; *impf. subj.* vainquisse, vainquisses, vainquît, vainquissions, vainquissiez, vainquissent.

NOTE: Stem **c** becomes **qu** before any vowel except **u.**

Like **vaincre:**

convaincre, *to convince*

Vivre, *to live*

1. *Infinitive* **vivre;** *fut.* vivrai, etc.; *condl.* vivrais, etc.
2. *Pres. Part.* **vivant;** *impf. indic.* vivais, etc.; *pres. subj.* vive, vives, vive, vivions, viviez, vivent.
3. *Past Part.* **vécu;** *past indef.* j'ai vécu, etc.
4. *Pres. Indic.* **vis,** vis, vit, vivons, vivez, vivent; *impve.* vis, vivons, vivez.
5. *Past Def.* **vécus,** vécus, vécut, vécûmes, vécûtes, vécurent; *impf. subj.* vécusse, vécusses, vécût, vécussions, vécussiez, vécussent.

Like **vivre:**

survivre, *to survive*

PRINCIPAL IRREGULAR VERBS IN –OIR

Asseoir, *to seat*

1. *Infinitive* **asseoir;** *fut.* assiérai, etc., *or* asseyerai, etc., *or* assoirai, etc.; *condl.* assiérais, etc., *or* asseyerais, etc., *or* assoirais, etc.
2. *Pres. Part.* **asseyant** *or* **assoyant;** *impf. indic.* asseyais, etc., *or* assoyais, etc.; *pres. subj.* asseye, asseyes, asseye, asseyions, asseyiez, asseyent, *or* asssoie, assoies, assoie, assoyions, assoyiez, assoient.
3. *Past Part.* **assis;** *past indef.* j'ai assis, etc.
4. *Pres. Indic.* **assieds,** assieds, assied, asseyons, asseyez, asseyent, *or* **assois,** assois, assoit, assoyons, assoyez, assoient; *impve.* assieds, asseyons, asseyez, *or* assois, assoyons, assoyez.
5. *Past Def.* **assis,** assis, assit, assîmes, assîtes, assirent; *impf. subj.* assisse, assisses, assît, assissions, assissiez, assissent.

Like **asseoir:**

s'asseoir, *to sit down*

Devoir, *to owe, have to, must*

1. *Infinitive* **devoir;** *fut.* devrai, etc.; *condl.* devrais, etc.
2. *Pres. Part.* **devant;** *impf. indic.* devais, etc.; *pres. subj.* doive, doives, doive, devions, deviez, doivent.
3. *Past Part.* **dû** (*f.* due, *pl.* du(e)s); *past indef.* j'ai dû, etc.
4. *Pres. Indic.* **dois,** dois, doit, devons, devez, doivent; *no impve.*
5. *Past Def.* **dus,** dus, dut, dûmes, dûtes, durent; *impf. subj.* dusse, dusses, dût, dussions, dussiez, dussent.

Falloir, *must, etc.* (impers.)

1. *Infinitive* **falloir;** *fut.* il faudra; *condl.* il faudrait.
2. *No Pres. Part.; impf. indic.* il fallait; *pres. subj.* il faille.
3. *Past Part.* **fallu;** *past indef.* il a fallu.
4. *Pres. Indic.* il **faut;** *no impve.*
5. *Past Def.* il **fallut;** *impf. subj.* il fallût.

Pleuvoir, *to rain* (impers.)

1. *Infinitive* **pleuvoir;** *fut.* il pleuvra; *condl.* il pleuvrait.
2. *Pres. Part.* **pleuvant;** *impf. indic.* il pleuvait; *pres. subj.* il pleuve.
3. *Past Part.* **plu;** *past indef.* il a plu.
4. *Pres. Indic.* il **pleut;** *no impve.*
5. *Past Def.* il **plut;** *impf. subj.* il plût.

Pouvoir, *to be able, etc.*

1. *Infinitive* **pouvoir;** *fut.* pourrai, etc.; *condl.* pourrais, etc.
2. *Pres. Part.* **pouvant;** *impf. indic.* pouvais, etc.; *pres. subj.* puisse, puisses, puisse, puissions, puissiez, puissent.
3. *Past Part.* **pu;** *past indef.* j'ai pu.
4. *Pres. Indic.* **puis** *or* **peux,** peux, peut, pouvons, pouvez, peuvent; *no impve.*
5. *Past Def.* **pus,** pus, put, pûmes, pûtes, purent; *impf. subj.* pusse, pusses, pût, pussions, pussiez, pussent.

NOTE: The first sing. pres. indic. in negation is usually **je ne peux pas** *or* **je ne puis;** in questions, only **puis-je?**; otherwise **puis** *or* **peux.**

Recevoir, *to receive*

1. *Infinitive* **recevoir;** *fut.* recevrai, etc.; *condl.* recevrais, etc.
2. *Pres. Part.* **recevant;** *impf. indic.* recevais, etc.; *pres. subj.* reçoive, reçoives, reçoive, recevions, receviez, reçoivent.
3. *Past Part.* **reçu;** *past indef.* j'ai reçu, etc.
4. *Pres. Indic.* **reçois,** reçois, reçoit, recevons, recevez, reçoivent; *impve.* reçois, recevons, recevez.
5. *Past Def.* **reçus,** reçus, reçut, reçûmes, reçûtes, reçurent; *impf. subj.* reçusse, reçusses, reçût, reçussions, reçussiez, reçussent.

Like **recevoir:**

s'apercevoir de, *to realize,*   **concevoir,** *to conceive*
    become aware of   **décevoir,** *to disappoint, to deceive*
apercevoir, *to perceive*   **percevoir,** *to collect* (*taxes, etc.*)

Savoir, *to know, etc.*

1. *Infinitive* **savoir;** *fut.* saurai, etc.; *condl.* saurais, etc.
2. *Past Part.* **sachant;** *impf. indic.* savais, etc.; *pres. subj.* sache, saches, sache, sachions, sachiez, sachent.
3. *Past Part.* **su;** *past indef.* j'ai su, etc.
4. *Pres. Indic.* **sais,** sais, sait, savons, savez, savent; *impve.* sache, sachons, sachez.
5. *Past Def.* **sus,** sus sut, sûmes, sûtes, surent; *impf. subj.* susse, susses, sût, sussions, sussiez, sussent.

Valoir, *to be worth, bring upon*

1. *Infinitive* **valoir;** *fut.* vaudrai, etc.; *condl.* vaudrais, etc.
2. *Pres. Part.* **valant;** *impf. indic.* valais, etc.; *pres. subj.* vaille, vailles, vaille, valions, valiez, vaillent.

3. *Past Part.* **valu;** *past indef.* j'ai valu, etc.
4. *Pres. Indic.* **vaux,** vaux, vaut, valons, valez, valent; *impve.* vaux, valons, valez.
5. *Past Def.* **valus,** valus, valut, valûmes, valûtes, valurent; *impf. subj.* valusse, valusses, valût, valussions, valussiez, valussent.

Voir, *to see*

1. *Infinitive* **voir;** *fut.* verrai, etc.; *condl.* verrais, etc.
2. *Pres. Part.* **voyant** *impf. indic.* voyais, etc.; *pres. subj.* voie, voies, voie, voyions, voyiez, voient.
3. *Past Part.* **vu;** *past indef.* j'ai vu, etc.
4. *Pres. Indic.* **vois,** vois, voit, voyons, voyez, voient; *impve.* vois, voyons, voyez.
5. *Past Def.* **vis,** vis, vit, vîmes, vîtes, virent; *impf. subj.* visse, visses, vît, vissions, vissiez, vissent.

Like **voir:**

entrevoir, *to catch a glimpse of*   **revoir,** *to see again*

Vouloir, *to will, etc.*

1. *Infinitive* **vouloir;** *fut.* voudrai, etc.; *condl.* voudrais, etc.
2. *Pres. Part.* **voulant;** *impf. indic.* voulais, etc.; *pres. subj.* veuille, veuilles, veuille, voulions, vouliez, veuillent.
3. *Past Part.* **voulu;** *past indef.* j'ai voulu, etc.
4. *Pres. Indic.* **veux,** veux, veut, voulons, voulez, veulent; *impve.* veux, voulons, voulez.
5. *Past Def.* **voulus,** voulus, voulut, voulûmes, voulûtes, voulurent; *impf. subj.* voulusse, voulusses, voulût, voulussions, voulussiez, voulussent.

NOTE: The regular imperative **veux, voulons, voulez** is rare; **veuille, veuillons, veuillez** generally serve as imperatives.

REFERENCE LIST OF VERBS REQUIRING THE INFINITIVE WITH DE

s'absenter, *absent o. s. (from)*
s'absoudre, *absolve o. s. (from)*
s'abstenir, *abstain (from)*
accorder, *grant*
accuser (s'), *accuse (of)*
achever, *finish*
admirer, *wonder (at)*
affecter, *affect*
s'affliger, *grieve (at, over)*
ambitionner, *aspire*

s'apercevoir, *perceive*
s'applaudir, *congratulate o. s. (on)*
appréhender, *fear*
arrêter, *prevent (from), determine*
s'attrister, *become sad (at)*
avertir, *notify, warn*
s'aviser, *think (of)*
blâmer, *blame (for)*
brûler, *be eager to*
censurer, *censure (for)*

cesser, *cease*

se chagriner, *grieve (at, over)*

charger, *charge*

se charger, *undertake*

choisir, *choose*

commander, *command*

commencer,[1] *begin*

conjurer, *beseech*

conseiller, *advise*

consoler, *console (for)*

se contenter, *be satisfied*

continuer,[1] *continue*

contraindre,[1] *constrain*

convaincre, *convict (of)*

convenir, *agree*

craindre, *fear*

crier, *cry*

décider,[3] *decide, resolve*

décourager (se), *discourage (from)*

dédaigner, *disdain*

défendre, *forbid*

se défendre, *forbear, excuse o. s.*

défier, *defy*

se défier, *distrust*

dégoûter, *disgust (with)*

délibérer, *deliberate (about)*

demander,[1] *ask*

se dépêcher, *make haste*

désaccoutumer (se), *disaccustom (from)*

désespérer, *despair (of)*

déshabituer (se), *disaccustom (from)*

déterminer,[3] *resolve*

détester, *detest*

détourner, *dissuade (from)*

dire,[4] *tell*

discontinuer, *cease*

disconvenir, *deny*

se disculper, *excuse o. s. (for)*

dispenser, *dispense (from)*

dissuader, *dissuade (from)*

douter, *hesitate*

se douter, *suspect*

écrire, *write*

s'efforcer,[1] *try*

s'effrayer, *be afraid*

empêcher, *prevent*

s'empêcher, *abstain (from)*

s'empresser,[3] *hasten*

s'empresser,[1] *be eager*

enjoindre, *enjoin*

s'ennuyer, [2, 3] *be tired (of)*

s'enorgueillir, *be proud*

enrager, *be enraged (at)*

entreprendre, *undertake*

épargner, *spare*

essayer,[1] *try*

s'étonner, *be astonished*

être à …,[2, 3] *be duty (or office) (of)*

éviter, *avoid*

excuser (s'), *excuse (from)*

exempter, *exempt (from)*

faire bien, *do well*

se fatiguer,[3] *be tired (of)*

feindre, *feign*

féliciter (se), *congratulate (on)*

finir,[3] *finish*

se flatter, *flatter o. s.*

forcer,[1] *force*

frémir, *shudder*

gager, *wager*

garder (se), *forbear*

gémir, *groan*

gêner, *incommode*

se glorifier, *boast (of)*

gronder, *scold (for)*

hasarder, *venture*

se hâter, *hasten*

imaginer, *imagine*

s'impatienter, *be impatient*

imputer, *impute*

s'indigner, *be indignant*

s'ingérer, *meddle (with)*

[1] Or à.

[2] Sometimes à.

[3] See also list of verbs requiring à.

[4] See also list of verbs requiring direct infinitive.

inspirer, *inspire*
interdire, *interdict* (*from*)
jouir, *enjoy*
juger bon, *think fit*
jurer,[4] *promise* (*on oath*)
ne pas laisser,[3, 4] *not to cease*
se lasser,[3] *be weary* (*of*)
louer, *praise* (*for*)
mander, *bid*
manquer,[3] *fail, be on point of*
méditer, *meditate*
se mêler, *meddle* (*with*)
menacer, *threaten*
mériter, *deserve*
se moquer, *make sport* (*of*)
mourir, *die, long*
négliger, *neglect*
notifier, *notify*
obliger,[1] *oblige, force*
obliger,[3] *do favor*
obtenir, *obtain*
s'occuper,[3] *be intent* (*on*)
offrir, *offer*
omettre, *omit*
ordonner, *order*
oublier,[2] *forget*
pardonner, *forgive*
parier, *bet*
parler, *speak*
se passer, *do without*
permettre (se), *permit*
persuader, *persuade*
se piquer, *pride o. s.* (*on*)
plaindre, *pity*
se plaindre, *complain* (*of*)
prendre garde,[3] *take care not, beware* (*of*)
prendre soin, *take care*
prescrire, *prescribe*
presser, *urge*

se presser, *hasten*
présumer, *presume*
prier,[3] *beg, pray*
priver (se), *deprive* (*of*)
projeter, *intend*
promettre (se), *promise*
proposer, *propose*
se proposer, *intend*
protester, *protest*
punir, *punish* (*for*)
recommander, *recommend*
recommencer,[1] *begin again*
refuser,[3] *refuse*
regretter, *regret*
se réjouir, *rejoice*
remercier, *thank* (*for*)
se repentir, *repent* (*of*)
reprendre, *reprove* (*for*)
réprimander, *reprimand* (*for*)
reprocher (se), *reproach* (*with*)
résoudre,[3] *resolve*
se ressouvenir, *remember*
rire (se), *laugh*
risquer, *risk*
rougir, *blush*
sommer, *summon*
se soucier, *care*
souffrir,[1] *suffer*
soupçonner, *suspect*
sourire, *smile*
se souvenir, *recollect*
suggérer, *suggest*
supplier, *beseech*
tâcher,[2] *try*
tenter,[2] *attempt*
trembler,[3] *tremble, fear*
trouver bon, *think fit*
se vanter, *boast* (*of*)
venir,[3, 4] *have just*

[1] Or à.
[2] Sometimes à.
[3] See also list of verbs requiring à.
[4] See also list of verbs requiring direct infinitive.

Reference List of Verbs Requiring the Infinitive without any Preposition

accourir, *hasten*
affirmer, *affirm*
aimer (condl.),[3] *should like*
aimer autant, *like as well*
aimer mieux, *prefer*
aller, *go*
apercevoir, *perceive*
assurer, *assure*
avoir beau, *no matter how . . .*
avouer, *avow*
compter,[1] *intend*
confesser, *confess*
courir, *run*
croire, *think*
daigner, *deign*
déclarer, *declare*
déposer, *testify*
descendre,[3] *come (go) down*
désirer,[1] *desire, wish*
devoir, *ought, to be, etc.*
dire,[4] *say*
écouter, *listen to*
entendre, *hear, intend*
envoyer, *send*
espérer,[1] *hope*
être, *be*
être censé, *be supposed*
faillir,[2] *be on the point of, nearly to do something*
faire, *make, cause*
il fait (impers.), *it is*
falloir, *be necessary*
se figurer, *imagine*
s'imaginer, *fancy*
juger, *consider*

jurer,[4] *swear, attest by oath*
justifier, *justify*
laisser,[3, 4] *let, allow*
mener, *lead, bring*
mettre, *set, put at*
monter, *go up*
nier,[1] *deny*
oser, *dare*
ouïr, *hear*
paraître, *appear*
penser,[3] *intend, be near*
pouvoir, *can, may*
préférer, *prefer*
prétendre,[3] *assert, claim*
se rappeler,[1] *recollect*
reconnaître, *acknowledge*
regarder, *look at*
rentrer, *go in again, return home*
retourner, *go back*
revenir, *come back*
savoir, *know how to, can*
sembler, *seem*
sentir, *hear, feel*
souhaiter,[1] *wish*
soutenir, *maintain*
supposer, *suppose*
être supposé, *be supposed*
témoigner, *testify*
se trouver, *be*
valoir autant, *be as good*
valoir mieux, *be better*
venir,[3, 4] *come*
voir, *see*
voler, *fly*
vouloir, *will, wish*

[1] Sometimes takes **de.**
[2] Sometimes takes **à** or **de.**
[3] See also list of verbs requiring **à.**
[4] See also list of verbs requiring **de.**

REFERENCE LIST OF VERBS REQUIRING THE INFINITIVE WITH À

s'abaisser, *stoop*
abandonner (s'), *give up*
aboutir, *end (in), tend*
s'abuser, *be mistaken (in)*
s'accorder,[2] *agree (in)*
être d'accord, *agree (in)*
accoutumer (s'),[2] *accustom*
s'acharner, *be bent (on)*
admettre, *admit*
s'adonner, *become addicted to*
aguerrir (s'), *inure*
aider, *help*
aimer,[2, 4] *like*
amener, *lead*
amuser (s'), *amuse (in, by)*
animer (s'), *excite*
appeler, *call*
appliquer (s'), *apply*
apprendre, *learn, teach*
apprêter (s'), *get ready*
s'arrêter, *stop*
aspirer, *aspire*
assujettir (s'), *subject*
astreindre, *compel*
s'astreindre, *bind o. s.*
attacher, *attach*
s'attacher, *be intent (on)*
attendre (s'), *expect*
autoriser, *authorize*
s'avilir, *stoop*
avoir, *have, must*
avoir (de la) peine, *have difficulty (in)*
balancer, *hesitate*
se borner, *limit o. s.*
chercher, *seek, try*
commencer,[2] *begin*
se complaire, *take pleasure (in)*
concourir, *coöperate (in)*

condamner (se), *condemn*
condescendre, *condescend*
conduire, *lead*
consacrer (se), *devote*
consentir,[2] *consent*
consister, *consist (in)*
conspirer, *conspire*
consumer (se), *consume (in)*
continuer,[1] *continue*
contraindre,[1] *constrain*
contribuer, *contribute*
convier,[2] *invite*
coûter, *cost*
décider,[3] *induce*
se décider, *resolve*
défier,[3] *challenge, incite*
demander,[1] *ask*
demeurer, *remain*
dépenser, *spend (in)*
désapprendre, *forget*
descendre,[4] *stoop, abase o. s.*
destiner, *destine*
déterminer,[3] *induce*
se déterminer, *resolve*
dévouer (se), *devote*
différer,[2] *delay*
disposer (se), *dispose*
divertir (se), *amuse*
donner, *give*
dresser, *train*
s'efforcer,[1] *try*
s'égayer, *divert o. s. (by)*
employer (s'), *employ (in)*
s'empresser,[1, 3] *be eager*
encourager, *encourage*
engager (s'),[2] *engage, advise*
enhardir,[2] *embolden*
s'enhardir,[2] *venture*
s'ennuyer,[2, 3] *tire o. s. (in)*

[1] Or **de.**
[2] Sometimes takes **de.**
[3] See also list of verbs requiring **de.**
[4] See also list of verbs requiring direct infinitive.

enseigner, *teach*
s'entendre, *know well how*
entrainer, *allure*
essayer,[1] *try*
s'essayer, *try o. s.* (*in*)
être,[3] *to be occupied* (*in, at*)
être à,[3] *be one's turn*
s'étudier, *apply o. s.*
s'évertuer, *exert o. s., try*
exceller, *excel* (*in*)
exciter (s'), *excite*
exercer (s'), *exercise* (*in*)
exhorter, *exhort*
exposer (s'), *expose*
se fatiguer,[3] *tire o. s.* (*in, at*)
finir (neg.),[3] *have done*
forcer,[1] *force*
gagner, *gain* (*by*)
habituer,[2] *accustom*
s'habituer, *accustom o. s.*
haïr, *hate*
se hasarder,[2] *venture*
hésiter,[2] *hesitate*
inciter, *incite*
incliner, *incline*
induire, *induce*
instruire, *instruct*
intéresser (s'), *interest* (*in*)
inviter, *invite*
jouer, *play* (*at*)
laisser,[3, 4] *leave*
se lasser,[3] *tire o. s.* (*in*)
manquer,[3] *be remiss* (*in*)
mettre, *put, set*
se mettre, *set about*
montrer, *show how*
obliger,[1, 3] *oblige, force*
s'obliger,[2] *bind o. s.*
s'obstiner, *persist* (*in*)
occuper (s'),[3] *employ* (*in*)
s'offrir,[2] *offer*

s'opiniâtrer, *persist* (*in*)
parvenir, *succeed* (*in*)
passer, *spend* (*in*)
pencher, *incline*
penser,[4] *think* (*of*)
perdre, *lose* (*in, by*)
persévérer, *persevere* (*in*)
persister, *persist* (*in*)
se plaire, *delight* (*in*)
se plier, *submit*
porter, *induce*
pousser, *urge, incite*
prendre garde,[3] *take care*
prendre plaisir, *delight* (*in*)
se prendre, *begin*
préparer (se), *prepare*
prétendre,[4] *aspire*
prier,[3] *invite* (*formally*)
procéder, *proceed*
provoquer, *incite*
recommencer,[1] *begin again*
réduire, *reduce*
se réduire, *confine o. s.*
refuser,[3] *refuse to give*
se refuser, *refuse*
renoncer, *renounce*
répugner, *be reluctant*
se résigner, *resign o. s.*
résoudre,[3] *induce*
se résoudre, *resolve*
rester, *remain*
réussir *succeed* (*in*)
servir, *serve*
songer, *think* (*of*)
souffrir,[1] *suffer*
suffire, *suffice*
surprendre, *discover*
tarder, *be long, delay* (*in*)
tendre, *tend*
tenir, *be anxious*
travailler, *work*

[1] Or **de**.
[2] Sometimes takes **de**.
[3] See also list of verbs requiring **de**.
[4] See also list of verbs requiring direct infinitive.

trembler,[3] *tremble* (*at, on*)   **viser,** *aim*
trouver, *find*   **vouer** (**se**), *devote*
venir,[3, 4] *happen*

CARDINAL NUMBERS

1 un, une	16 seize	71 soixante et onze
2 deux	17 dix-sept	72 soixante-douze
3 trois	18 dix-huit	73 soixante-treize
4 quatre	19 dix-neuf	74 soixante-quatorze
5 cinq	20 vingt	75 soixante-quinze
6 six	21 vingt et un	76 soixante-seize
7 sept	22 vingt-deux	77 soixante-dix-sept
8 huit	23 vingt-trois	78 soixante-dix-huit
9 neuf	30 trente	79 soixante-dix-neuf
10 dix	31 trente et un	80 quatre-vingts
11 onze	32 trente-deux	81 quatre-vingt-un
12 douze	40 quarante	82 quatre-vingt-deux
13 treize	50 cinquante	90 quatre-vingt-dix
14 quatorze	60 soixante	91 quatre-vingt-onze
15 quinze	70 soixante-dix	

92 quatre-vingt-douze	1000 mille
93 quatre-vingt-treize	1001 mille un
99 quatre-vingt-dix-neuf	1500 mille cinq cents *or*
100 cent	quinze cents
101 cent un	2000 deux mille
102 cent deux	40,350 quarante mille trois
200 deux cents	cent cinquante
210 deux cent dix	1,000,000 un million

Note 1: All compound numbers under 100 are connected by a hyphen, except when **et** occurs (in 21, 31, 41, 51, 61, 71).

Note 2: Vingt and **cent** take s in the plural when multiplied, *if not followed by another number.* **Mille** *never* takes s.

     trois cents, 300   quatre-vingts, 80
     trois cent trente, 330   quatre-vingt-dix, 90
           quatre mille, 4000

Note 3: Un million and **un milliard,** *a billion,* are nouns of quantity, and take **de** when immediately followed by a noun.
     deux millions d'hommes, *two million men*

     But: deux millions deux cent mille hommes, *two million two hundred thousand men.*

Note 4: The indefinite article may never be used with **cent** and **mille**.

cent hommes, *a hundred men*
mille hommes, *a thousand men*

Note 5: Pronunciation of Numerals. The final consonants of 5, 6, 7, 8, 9, 10, 17, 18, 19, are pronounced except before a word *multiplied* by them, beginning with a consonant or **h** aspirate. The **t** of **vingt** is pronounced from 21 to 29, but is silent from 81 to 99. The **t** of **cent** is silent in **cent un**. There is no elision before **huit** and **onze**. (le huit, le onze)

VOCABULAIRE FRANÇAIS-ANGLAIS

The following abbreviations have been used in this vocabulary: *abbrev.* abbreviation; *adj.* adjective; *adv.* adverb; *art.* article; *conj.* conjunction; *conjug.* conjugated; *dem.* demonstrative; *exclam.* exclamatory; *f.* feminine; *fam.* familiar; *fut.* future; *imperf.* imperfect; *infin.* infinitive; *interr.* interrogative; *m.* masculine; *neg.* negative; *obj.* object; *pl.* plural; *p.p.* past participle; *prep.* preposition; *pron.* pronoun; *rel.* relative; *s.* singular; *subj.* subjunctive.

A

à to, at, in, for, with, of

abnégation *f.* self-sacrifice

abord: d'—, first, at first, in the first place

abri *m.* shelter; **à l'— de** free from

abriter to shelter

absolument absolutely

acompte *m.* down payment

accabler to overwhelm, overcome

accepter to accept

accès *m.* attack, fit, paroxysm

accident *m.* accident

accomoder (s'en) to agree, come to terms

accompagner to accompany, come with, go with

accord *m.* agreement; **d'—** agreed; **se mettre d'—** to come to an agreement

accorder to grant; **s'—** to agree

accourir to rush in

accrocher to catch (*as of automobile motor*); **s'—** hang on to

achat *m.* purchase

acheter to buy, purchase

achever to finish, achieve

acier *m.* steel

acte *m.* act

acteur *m.* actor

actrice *f.* actress

adieu farewell; **faire ses —x à** to say goodbye to

adjectif *m.* adjective

admettre to admit

admirable admirable

admiration *f.* admiration

admirer to admire

adorer to adore

adresse *f.* address

adresser to address; **s'— à** speak to

adverbe *m.* adverb

aérodrome *m.* airport

affaire *f.* affair; **je suis sûr de mon —** I know what I'm talking about; (*pl.*) **les —s** business

affecter to affect

affiche *f.* notice, timetable

affligé afflicted

affronter to face

afin de in order to

afin que in order that, so that

âge *m.* age

âgé old

agent *m.* agent; **— de police** policeman, officer

agile agile

agir to act; **s'— de** be a matter of

agité nervous, upset

agréable agreeable, pleasant

agriculture *f.* agriculture

aide *f.* help, aid, assistance

aide de camp *m.* aide, aide-de-camp

aider to help, assist, aid

aigre sour

aiguille *f.* needle

ailleurs elsewhere; **d'—** besides, on the other hand

aimable kind; **— pour** kind to, friendly to

aimer to like, love; **— mieux** prefer

ainsi so, that way, thus; **— que** as well as

air *m.* air, appearance; **avoir l'— de** to look like, appear, seem; **en plein —** outdoors, in the open air

aise *f.* ease

aisément easily

ajouter to add

ajuster to adjust

Albert Albert
alcool *m.* alcohol
alcoolique alcoholic
aliéné *m.* demented person
Allemagne *f.* Germany
allemand German
aller to go, be going to, fit, suit, be becoming; — (**par le train, à pied, à cheval, en auto, en bateau, en voiture**) go (by train, on foot, on horseback, by car, by boat, by carriage); — **à merveille** (*of clothing*) be extremely becoming; — **mieux** be better (*in health*); **s'en** — go away; **allons (donc)!** come, come! come now!
allié *m.* ally
allô! hello! (*telephone*)
allonger to stretch; **s'**— lie, stretch out
allumer to light
allumette *f.* match
alors then
amabilité *f.* kindness
amasser to amass
âme *f.* soul
améliorer to improve
amener to lead, take a person to a place, bring
amer (*f.* **amère**) bitter
amèrement bitterly
américain American; **je suis** — I'm an American
Amérique *f.* America; **en** — in, to America
ami *m.*, **amie** *f.* friend, dear
amicalement cordially; **bien** — cordially yours
amitié *f.* friendship; **faire ses** —**s à** to give one's regards to
amour *m.* love
amoureux, (*f.* -**se**) loving; **tomber** — **de** to fall in love with
amour-propre *m.* pride, self-respect
amuser to amuse; **s'** — have a good time, enjoy oneself
an *m.* year; **avoir (dix)** —**s** to be (ten) years old
ancien (*f.* -**ne**) former
ancre *f.* anchor
André Andrew

anesthésier to anesthetize
anglais English
angle *m.* angle
Angleterre *f.* England
animal *m.* (*pl.* **animaux**) animal
année *f.* year; **Nouvelle Année** New Year
Annette Annie, Annette
anniversaire *m.* anniversary; — **de naissance** birthday; **souhaiter un heureux** — to wish a happy birthday
annoncer to announce
annonceur *m.* announcer
antécédent *m.* precedent; *pl.* previous history
antécédent previous
antenne *f.* antenna
août *m.* August
apercevoir to see, perceive; **s'**— notice
apéritif *m.* drink before meals, cocktail
aplomb *m.* poise
apostropher to address
apparaître to appear
appareil *m.* outfit, apparatus
apparemment apparently
apparence *f.* appearance
appartement *m.* apartment
appartenir to belong to
appel *m.* roll call
appeler to call, name; **s'**— call oneself, be called, be named; **je m'appelle** my name is
appétit *m.* appetite
application *f.* application
appliquer to apply
apporter to bring
apprécier to appreciate
apprendre (à) to learn (to), teach (to)
apprentissage *m.* apprenticeship
approbation *f.* approval, assent
approcher (s') to approach, draw near
après after; **d'**— according to, taken from; — **que** after
après-demain day after tomorrow
après-midi *m., f.* afternoon; **l'**— in the afternoon

aquarelle *f.* water-color
araignée *f.* spider
arbre *m.* tree
ardeur *f.* ardor
argent *m.* silver, money
argot *m.* slang
argumenter to argue
arithmétique *f.* arithmetic
arme *f.* arm, weapon
armer to arm
armoire *f.* closet, cabinet, cupboard;
  — **à glace** *f.* wardrobe with mirror
arracher to pull out
arranger (s') to be arranged
arrêt *m.* arrest, stopping
arrêter to arrest; **s'—** halt, stop
arrière *f.* back, rear
arrivée *f.* arrival
arriver to arrive, get to, happen
art *m.* art
Arthur Arthur
artichaut *m.* artichoke
artificiel artificial
artillerie *f.* artillery
asperges *f. pl.* asparagus
assassin *m.* assassin, murderer
assassiner to assassinate, murder
assaut *m.* assault
asseoir (s'), (*p. p.* **assis**) to sit
  down
assez (de) quite, rather, enough; —
  bien well enough, fairly well
assidûment assiduously
assiéger to besiege
assiette *f.* plate; — **à soupe** soup-
  plate
assis seated, sitting
assister à to attend, be present at
assorti assorted
assoupir (s') to doze off
assurance *f.* insurance
assuré insured
assurer to assure
assurément certainly, surely
atroce atrocious
attacher to attach, tie up
atteindre to reach, attain
attendant: en — meanwhile
attendre to wait, wait for, await, expect; **s'— à** expect

attente *f.* waiting, wait; **salle d'—**
  waiting room
attention! careful! attention! look
  out!
attention *f.* attention, care; **— à**
  careful with
attentivement attentively
atterrir to land
attirer to attract, draw
attitude *f.* attitude
attraper to catch
aubergine *f.* egg-plant
aucun (*f.* **-e**) any, anyone; no, none,
  not one, not any
audace *f.* daring
augmenter to increase
augure *m.* augury, prophecy
aujourd'hui today; — **même** this
  very day
auparavant previously
auquel to which, to whom
auprès (de) near
aussi also, too, and so, therefore;
  — **que** as . . . as
aussitôt immediately, at once; —
  que as soon as
autant as much; — **de** as many, as
  much; — **que** as much as
auteur *m.* author
auto, automobile *f.* automobile, car;
  canot- — *m.* motor-boat; **en —**
  in an automobile, by car
autobus *m.* bus
automne *m.* Fall
autorité *f.* authority
autour (de) around
autre other; **c'est — chose** it's a
  different story; **nous —s** we (*emphatic*)
autrefois formerly
autrement otherwise
Autriche *f.* Austria
autrui others
auxiliaire *f.* auxiliary
auxquelles *see* **auquel**
avaler to swallow
avance *f.* advance; **à l'—** before-
  hand, in advance; **d'—** in advance;
  en — ahead of time
avancer to advance
avant before; **à l'—** in front; **en —**

ahead; — **de** before; — **que** before; — **-hier** day before yesterday

avant-poste *m.* outpost

avare *m.* miser

avec with

aventure *f.* adventure

avenue *f.* avenue

avertir to warn

aviation *f.* aviation

avide avid, greedy

avion *m.* airplane

avis *m.* opinion; **à mon —** in my opinion; **— au public** public notice; **être d'—** to be of the opinion; **être de votre —** agree with you

aviser (s') (de) to decide (to)

avocat *m.* lawyer

avoir to have; **il y a** there is, there are; ago; **— (dix) ans** be (ten) years old; **— besoin de** need; **— chaud** be warm; **— de la chance** be lucky; **— des nouvelles de** have heard from; have had news of; **— envie de** feel like; **— faim** be hungry; **— froid** be cold; **— honte** be ashamed; **— l'air de** look like, appear, seem; **— mal à** have a . . . ache; **— peur** be afraid; **— raison** be right; **— soif** be thirsty; **— soin de** take care of; **— sommeil** be sleepy; **— tort** be wrong

avouer to avow, confess

avril *m.* April

B

baccalauréat *m.* B. A. degree

bagages *m. pl.* baggage; **bulletin de —s** *m.* baggage check

bague *f.* ring

baigner (se) to bathe

baignoire *f.* bath tub

bâiller to yawn

bain *m.* bath; **caleçon de —** bathing trunks; **prendre un —** to bathe; **salle de —** *f.* bathroom

baïonnette *f.* bayonet

baiser to kiss

baisser (se) to lower oneself; be lowered

bal *m.* dance, ball

balancer to tilt, sway

balbutier to stammer

balkanique Balkan

Balkans *m. pl.* Balkans

balle *f.* ball, bullet

banal banal, trifling

banc *m.* bench

bande *f.* band

bandit *m.* bandit

banlieue *f.* suburbs

banque *f.* bank; **billet de —** *m.* bank note

banquette *f.* bench, seat

banquier *m.* banker

barbe *f.* beard; **— en pointe** pointed beard; **savon à —** shaving soap

barre *f.* bar

bas *m.* stocking

bas (*f.* **basse**) low; **à voix basse** in a low voice; **en —** below, down, downstairs; **là- —** over there

baser to base

Bast! Booh! Nonsense!

bataille *f.* battle

bataillon *m.* batallion

bateau *m.* boat; **— à voile** sail boat

bâtiment *m.* building

bâton *m.* stick; **— de rouge pour les lèvres** lipstick

battement *m.* beating, thumping

batterie *f.* battery

battre to beat; **se —** fight; **— la diane** to sound reveille

bavarder to chat, "chew the rag"

béant wide open

beau (*change to* **bel** *before vowel or mute h;* *f. sing.* **belle**; *m. pl.* **beaux**; *f. pl.* **belles**) handsome, beautiful, fine; **faire —** be fine weather

beaucoup (de) much, many, lots of, a great deal

beau-fils *m.* son-in-law

beau-frère *m.* brother-in-law

beau-père *m.* father-in-law

beauté *f.* beauty; **c'est de toute —** it's very beautiful

Belgique *f.* Belgium

belle-fille *f.* daughter-in-law

belle-mère *f.* mother-in-law
belle-sœur *f.* sister-in-law
béquille *f.* crutch
besoin *m.* need; **avoir — de** to need
bête stupid
beurre *m.* butter
bibliothèque *f.* library
bicoque *f.* shack
bicyclette *f.* bicycle
bien *m.* welfare, well-being; property, fortune
bien *adv.* well, very, quite; **— à vous** sincerely yours; **— amicalement** cordially yours; **— entendu** of course; **— que** although; **assez —** well enough, fairly well; **c'est —** all right, O.K.; **eh —** well!; **merci —** thank you very much; **ou —** or else; **votre — cordialement dévoué** cordially yours; **vouloir —** to be willing
bientôt soon; **à —** I'll see you later, so long
bienveillant kind, polite, benevolent
bière *f.* beer
bifteck *m.* beefsteak
bijou *m.* jewel
bilieux (*f.* **-se**) bilious
billet *m.* ticket; **— de banque** bank note
biologie *f.* biology
bivouac *m.* bivouac, camp
blaguer to joke
blâmer to blame
blanc (*f.* **blanche**) white
blessé *m.* a wounded man
blesser to wound
blessure *f.* wound, injury
bleu blue; **— foncé** dark blue
bleuâtre bluish, blue-tinged
bloc *m.* block
bock *m.* small glass of beer
boire (*p. p.* **bu**) to drink
bois *m.* wood
boisson *f.* beverage, drink
boîte *f.* box; **— aux lettres** letter box
bombardement *m.* bombardment
"bombe" *f.* "fling"
bon (*f.* **bonne**) good, kind; **—**

marché cheap; **—ne nuit** good night (*used only on retiring*); **— pour** kind to; **— voyage!** have a good trip!; **à — marché** cheaply; **à quoi —** what's the use (of); **de —ne heure** early
bonbon *m.* piece of candy
bonheur *m.* happiness, good fortune
bonjour good day, good morning, good afternoon
bonsoir good night, good evening
bonté *f.* kindness; **ayez la — de** please, have the kindness to
bord *m.* edge, shore, bank; **à — de** on board; **au — de** on the shore of; **— de la mer** *m.* seashore
bordé edged, bordered
bosnien (*f.* **-ne**) Bosnian
bouche *f.* mouth
boucher (se) to stop up, be stopped up
boue *f.* mud
bouger to move, budge
bougie *f.* candle
boulet *m.* cannon ball
boulevard *m.* boulevard
bouleverser to overthrow, overwhelm
bouleversé upset
bouquiner to book-hunt
bourgeois *m.* bourgeois, member of the middle class, (*slang*) "boss"
bourse *f.* pocketbook
bousculer to push, shove
bout *m.* end, piece; **au bout de** at the end of
bouteille *f.* bottle
boutique *f.* shop
bouton *m.* button, door knob; (*of a flower*) bud; **— de manchette** cuff link
braisé braised
bras *m.* arm
brave brave, fine
Bravo! Bravo!
brebis *f.* sheep
bref (*f.* **brève**) brief, short
Brésil *m.* Brazil
brigade *f.* brigade
brigand *m.* brigand, bandit

briller to gleam, shine, be outstanding

briser to break

brosse *f.* brush; — **à dents** toothbrush

brosser to brush

brouillard *m.* fog, mist

broyer to smash

bruit *m.* noise

brûlé *m.* something burning

brûler to burn

brûlure *f.* burn

brun brown, dark, brunette

brusquement brusquely, abruptly

bruyant noisy

buanderie *f.* laundry

buffet *m.* buffet

bulletin *m.* bulletin, circular; — **de bagages** baggage check

bureau (*pl.* **bureaux**) office, desk; — **de change** exchange office

C

ça *abbrev. of* **cela**; —, **c'est chic!** I like that! (*ironical*); — **m'est égal** it's all the same to me; — **n'en vaut pas la peine** it's not worth while; — **suffit** that's enough; — **se fait** that (it) is done; — **va?** all right? O.K.?; — **y est?** ready? O.K.?

cabine *f.* stateroom, cabin

cabinet *m.* office

cacher to hide, conceal

cadavre *m.* corpse

cadeau *m.* (*pl.* **cadeaux**) present, gift

café *m.* coffee, coffee-shop

cahier *m.* notebook

caisse *f.* cash register

caisson *m.* caisson, ammunition wagon *or* truck

caleçon *m.* shorts; — **de bain** bathing trunks

calme calm

calme *m.* calm, calmness

calmer to calm

calorifère *m.* heating plant

camarade *m.* comrade

camionette *f.* hand-truck

campagne *f.* country, campaign

Canada *m.* Canada

canadien (*f.* **-ne**) Canadian

canard *m.* duck

canne *f.* cane

canon *m.* cannon

canot-automobile *m.* motor-boat

caoutchouc *m.* rubber

capable capable

capitaine *m.* captain

car for, because

caractère *m.* nature, character

carafe *f.* bottle, decanter, pitcher

cardiaque: crise —, *f.* heart attack

carie *f.* decay

carié decayed

carnage *m.* carnage, mass murder

carnet *m.* notebook

carré square

carrefour *m.* intersection

carrière *f.* career

carte *f.* card, map, menu; — **postale** postcard; — **d'identité** identification card

cas *m.* case, matter; **en tout —** at any rate, in any case

case *f.* compartment

casser to break

catastrophe *f.* catastrophe

catholique Catholic

cause *f.* case, cause; **à — de** because of, on account of

causer to talk, chat, cause

cave *f.* cellar

cavité *f.* cavity

ce (*m. s.;* **cet** *before vowel or h; f. s.* **cette**; *m. pl.* **ces**; *f. pl.* **ces**) this, that; — **que** (*obj.*) what; — **qui** (*subj.*) what; **c'est que** the fact is that, the reason is

ceci this

céder to yield

ceinture *f.* belt

cela (*contracted form* **ça**) that; — **me fait grand plaisir** that gives me great pleasure; — **ne fait rien** it makes no difference; — **vaut la peine (de)** it's worth while (to)

celle *see* **celui**

celui (**celle, ceux, celles**) he, she,

the one, the ones; — -ci the latter; — -là the former

cendre *f.* ashes

cent one hundred

centaine *f.* about a hundred

centime *m.* centime ($\frac{1}{100}$ of a franc)

cependant nevertheless

cérémonie *f.* ceremony; sans — informal, informally

cerise *f.* cherry

certain certain

certainement certainly, surely

certes certainly

cerveau *m.* brain

cervelle *f.* brain

ces these, those

cesse: sans — unceasingly, constantly

cesser (de) to stop (*doing something*); cease

ceux they, those; — -ci the latter; — -là the former

chacun (*f.* chacune) each one; — son goût everyone to his taste

chaîne *f.* chain

chaise *f.* chair; — longue lounging chair

châle *m.* shawl

chaleur *f.* heat, warmth

chambre *f.* chamber, room; — à coucher bedroom; robe de — *f.* dressing gown

champ *m.* field

champignon *m.* mushroom

chance *f.* luck; avoir de la — to be lucky

change *m.* exchange; bureau de — *m.* exchange office

changer (de) to change, exchange

chanson *f.* song

chanter to sing

chanteur *m.* singer

chapeau *m.* hat

chaque each; — fois each time

charbon *m.* coal

charcuterie *f.* cold cuts

charette *f.* wagon

charge *f.* caricature

chargé de given job of, commissioned, charged with

charger to load (*of a gun*); se — de to take charge of, take care of

chariot *m.* wagon

Charles Charles

charmant charming

charme *m.* charm

chasser to dismiss

chat *m.* cat

châteaubriant *m.* fillet steak, thick steak

chatouillement *m.* tickling

chaud warm, hot; avoir — to be warm; faire — be warm (*weather*)

chauffer to warm up, heat

chauffeur *m.* chauffeur, driver

chausser to fit

chaussette *f.* sock

chaussure *f.* shoe

chef *m.* chief, head (*of an office*); commandant en — *m.* commander in chief

chemin *m.* road, way; — de fer railroad

cheminée *f.* mantel, fireplace

cheminer to travel, go along

chemise *f.* shirt; — de nuit nightgown; en manches de — in shirt sleeves

chèque *m.* check; faire un — to make out a check

cher (*f.* chère) dear, expensive; la vie coûte — the cost of living is high

chercher to look for

chéri darling, dear, beloved

cheval *m.* (*pl.* chevaux) horse; à — on horseback

cheveux *m. pl.* hair

cheville *f.* ankle

chez to (at) home, office, place of business of; — moi (at) my house

chic elegant, stylish; ça, c'est —! I like that! (*ironical*)

chien *m.* dog

chiffre *m.* number

chimie *f.* chemistry

Chine *f.* China

chinois Chinese

chirurgien *m.* surgeon

chocolat *m.* chocolate

choisir to choose
choix *m.* choice, selection, variety
chose *f.* thing; **c'est autre —** it's something else, it's a different story; **ne ... pas grande —** not much
chou *m.* (*pl.* **choux**) cabbage
chou-fleur *m.* cauliflower
Chut! Shh! Hush!
cicatrice *f.* scar
ciel *m.* heaven, sky
cigare *m.* cigar
cigarette *f.* cigarette
cinéma *m.* movie-house
cinq five
cinquante fifty
cinquième fifth
cirage *m.* wax, polish
circonstance *f.* circumstance
cirer to wax, polish
ciseaux *m. pl.* scissors
clair clear, bright; **un ton —** a light color
clair de lune *m.* moonlight
clameur *f.* noise, clamor
claquer to clatter
classe *f.* class; **en —** in class; **salle de —** classroom
clé, clef *f.* key; **fermer à —** to lock
client *m.* customer (*m.*)
cliente *f.* customer (*f.*)
cloche *f.* bell
cocher *m.* coachman, driver
cochon *m.* pig
cœur *m.* heart
cognac *m.* cognac
coin *m.* corner
coincé wedged
colère *f.* anger; **se mettre en —** to become (get) angry
colis *m.* piece of baggage, parcel; **(postal)** parcel post package
collaborer to collaborate
collège *m.* boarding school
collègue *m.* colleague
collerette *f.* little collar
colline *f.* hill
collision *f.* collision
colonel *m.* colonel
colonne (vertébrale) *f.* back, spinal cord

colorer (se) to flush
combattre to fight.
combien (de) how much, how many; **— de temps** how long
combinaison *f.* suit of underwear
comédie *f.* comedy
comique comic
commandant *m.* major; **— en chef** commander-in-chief
commande *f.* order
commander to order, command
comme as, like
comme ci comme ça so so
commencer to begin; **— par** to begin with
comment how; **— allez-vous?** how are you? how do you do?; **— ça va?** how are you? how are things? how goes it?; **— dit-on en français?** how do you say ... in French?; **— s'appelle ceci en français?** what do you call this in French?; **— écrit-on cela?** how is that spelled?; **— vous appelez-vous?** what's your name?; **— vous portez-vous?** how are you? how do you do?
commerce *m.* business, trade, commerce
commettre to commit
commis *m.* clerk
commis *p. p. of* **commettre**
commissaire (de police) *m.* police commissioner
commode comfortable·
commode *f.* chest of drawers.
communauté *f.* community
communication *f.* communication
compagnie *f.* company; **en — de** in the company of; **tenir — à** to accompany, stay with
comparaison *f.* comparison
compartiment *m.* compartment
compatissant sympathetic
compensation *f.* compensation
compétiteur *m.* competitor
complément *m.* object (grammatical)
complet (*f.* **complète**) complete
complètement completely
compléter to complete

compliment *m.* compliment
compliquer to complicate
complot *m.* plot
composé: passé — *m.* past indefinite (*tense*)
composer to compose; se — be composed
composition *f.* composition
comprendre to understand; se — understand each other
compris *p. p. of* comprendre
comptant: payer — to pay cash
compte *m.* account; se rendre — de to realize
compter to count, expect
concerner to concern; en ce qui concerne for what concerns, as for
concert *m.* concert
concierge *m.* doorman
conclure to conclude
conclusion *f.* conclusion
concombre *m.* cucumber
condamner to condemn
conditionnel *m.* conditional (*tense*)
conducteur *m.* driver
conduire to drive, lead; se laisser — let oneself be led; permis de — *m.* driving permit
conduite *f.* conduct
conférence *f.* lecture
confiance *f.* confidence, trust
confidence *f.* confidence
confier to entrust
confiture *f.* preserve, jam
conformer to conform
confus confused, mixed up, abashed
congé *m.* leave, departure; donner — to dismiss; prendre — de take leave of
conjugaison *f.* conjugation
conjugal marital
conjuguer to conjugate
connaissance *f.* acquaintance; faire la — de to make the acquaintance of
connaître to know, be acquainted with
conquis conquered
conscience *f.* conscience
conscrit *m.* recruit
conseil *m.* advice

conseiller to advise
consentement *m.* consent
consentir (à) to consent (to)
conséquent: par — consequently, therefore
conservé preserved
considérable considerable
considérer to consider
consister to consist
consolation *f.* consolation
consoler to console
consolider to consolidate
consommateur *m.* customer
consommé *m.* consommé, broth
conspirateur *m.* conspirator, plotter
constater to verify
consultation *f.* appointment
contact *m.* contact
conte *m.* tale, story
contempler to contemplate
contenir to contain; se — to restrain oneself
content (de) glad, happy, pleased, satisfied with
contenter (se) to be contented
contenu *m.* contents
conter to relate, to tell about
continuer to continue, to go on
contraire contrary, opposite
contraster to contrast
contre against; par — on the other hand
contre-maître *m.* foreman
contribuer to contribute
contrôler to check
contrôleur *m.* conductor
convaincre to convince
convalescence *f.* convalescence
convalescent *m.* convalescent
convenable suitable, proper
convenir to be appropriate
conversation *f.* conversation
copain *m.* pal
coq *m.* rooster
coquin *m.* rascal; Ah, coquin! You rascal!
cor *m.* corn
corde *f.* rope
cordial (*m. pl.* cordiaux) cordial, heartfelt

cordialement　cordially; **votre bien
— dévoué**　cordially yours
cordonnier　*m.* shoemaker
corporel　bodily
corps　*m.* body; **— à —**　hand to
hand, man to man; **— professoral**
faculty
correct　correct
correctement　correctly
correspondre　to correspond
côte: **— à —**　side by side
côté　*m.* side, direction; **à — de**　beside, next to, next door; **de ce —**
on this side, this way; **de l'autre —**
on the other side of; **de mon —**　in
my direction; **de quel —**　on which
side, which way; **du — de**　from the
direction of
côtelette　*f.* cutlet, chop
cotillon　*m.* cotillion
coton　*m.* cotton
cou　*m.* neck
coucher　to put to bed; **se —**　go to
bed, lie down; **chambre à —**　bed
room
couchette　*f.* berth
coude　*m.* elbow
coudre　to sew
couler　to run (*as water*)
couleur　*f.* color
couloir　*m.* aisle
coup　*m.* stroke; **— de feu**　shot;
— de soleil　sun burn; **tenir le —**
to hold out; **tout à —**　suddenly
coupable　guilty
coupé　*m.* coupé, carriage
couper　to cut
couple　*m.* couple
cour　*f.* courtyard
courage　*m.* courage
courageux　(*f.* **-se**) courageous
courant　*m.* current
courir　to run
courrier　*m.* mail
cours　*m.* course; **au — de**　during
course　*f.* run, race, errand, running
court　short
cousin　*m.* cousin (*m.*)
cousine　*f.* cousin (*f.*)
couteau　*m.* knife

coûter　to cost; **la vie coûte cher**
the cost of living is high
couvert　*m.* (*table*) place setting,
cover
couvert　covered, cloudy, overcast;
— de　covered with
couverture　*f.* blanket
couvrir　to cover (*p. p.* **couvert**)
craindre　to fear
crainte　*f.* fear; **de — de**　for fear
of; **de — que**　for fear that
cravate　*f.* tie
crayon　*m.* pencil
créancier　*m.* creditor
créer　to create
crème　*f.* cream; **gâteau à la —**
cream cake, cream pie, cream tart
crétin　*m.* idiot, dunce
creux　*m.* hollow
crevaison　*f.* blow-out
crevé　burst, broken
cri　*m.* cry
criblé　riddled
crier　to cry, shout
crime　*m.* crime
crise　*f.* crisis, fit; **— cardiaque**
heart attack
critiquer　to criticize
croate　Croat, Croatian
croire　to believe, think
croisé　double-breasted
croix　*f.* cross
croûte　*f.* crust
cruellement　cruelly
cuiller　*f.* spoon
cuir　*m.* leather
cuirasse　*f.* armor
cuisine　*f.* cooking, kitchen; **faire
une excellente —**　to prepare excellent food, cook extremely well
cuisinière　*f.* cook
cuivre　*m.* copper
culbuter　to overturn
cultiver　to cultivate
cupidité　*f.* covetousness
cure　*f.* cure
curieux　(*f.* **-se**) curious

D

dais　*m.* platform, dais
dame　*f.* lady

Danemark *m.* Denmark
danger *m.* danger
dangereux (*f.* -se) dangerous
dans in, into, within; — **le fond** to the rear
danse *f.* dance
danser to dance
date *f.* date
dater to date
davantage more
de (d') of, from, by, with, in, to, for, than, concerning, during, on; **d'abord** first, at first; **d'accord** agreed; **d'ailleurs** besides, on the other hand; **d'après** according to, taken from; **d'avance** in advance; **de bonne heure** early; **de ce côté** on this side, this way; **de cette façon** in this fashion, this way; **de la part de** from; **de l'autre côté de** on the other side of; **de leur mieux** the best they can; **de mon côté** in my direction; **de nouveau** again; **d'ordinaire** usually; **de plus** more, furthermore, in addition, besides; **de quel côté?** on which side? which way?; **de quoi (manger)** something (to eat); **de temps en temps** from time to time, now and then, occasionally; **du côté de** from the direction of; **d'une façon magnifique** in grand fashion; **du reste** besides, moreover; **du tout** at all
débâcle *f.* break-up, thaw, downfall, crash
débarrasser to free; **se — de** to get rid of
débarquer to land
débordé overwhelmed
debout standing; **se tenir —** to stand
débrayer to start the car
début *m.* debut, introduction
décembre *m.* December
décharge *f.* discharge
déchirer to tear
décidément decidedly
décider to decide
déclaration *f.* declaration, proposal
déclarer to declare

décoller to take off (*as an airplane*)
décorer to decorate
découper to cut out, cut up
découvrir to discover
décrire to describe
dédaigneusement disdainfully, contemptuously
dedans inside
défendre to defend; **— de** to forbid to
défense: — d'entrer no admittance; **— de fumer** no smoking
défini: passé — past definite (*tense*)
défunt *m.* dead man
dégagé unembarrassed
dégât *m.* damage
dégoûtant disgusting
dégoûter (s'en) to get disgusted with
déjà already
déjeuner *m.* lunch
déjeuner to have lunch
delà: au — (de) beyond, yonder
délicat *m.* delicate person, dainty person
délicatement delicately, carefully
délicatesse *f.* delicacy
délicieux (*f.* -se) delicious, delightful
délier to untie
délire *m.* delirium
délivrer to free, to save
demain tomorrow; **à —** see you tomorrow
demander to ask, to ask for; **se —** to wonder
démarche *f.* step
démarrage *m.* start
démarreur *m.* clutch (*of auto*)
démêler to distinguish
demeurer (dans *or* **à)** to live (in), remain
demi *m.* large glass of beer
demi half; **à —** halfway
demi-douzaine *f.* half-dozen
demi-heure *f.* half-hour
demi-tour *m.* half-turn; **faire —** to turn around
démission *f.* resignation
demoiselle *f.* young lady
démonstratif demonstrative

dénouement *m.* outcome, ending, conclusion

dent *f.* tooth; **brosse à —s** *f.* tooth brush

dentelle *f.* lace

dentifrice dentifrice; **pâte —** *f.* toothpaste

dentiste *m.* dentist

denture *f.* set of teeth

départ *m.* departure

dépasser to go beyond

dépayser to put in new surroundings

dépêche *f.* wire, telegram

dépêcher (se) to hurry

dépendre to depend

dépense *f.* expenditure

dépenser to spend

déplacer to move, displace; **se —** to go out of one's way, change one's abode

déployer to deploy

déposer to place

depuis since; **— quand (combien de temps) êtes-vous ici?** How long have you been here?

député *m.* deputy, representative

déraisonner to be out of one's mind; be unbalanced

déranger to trouble, disturb, bother

déraper to skid

dernier (*f.* **dernière**) last

derrière back of, behind

dès que as soon as

désagréable unpleasant, disagreeable

descendre to put up (*as at a hotel*), go down, come down (*usually with* **être**)

descente *f.* down-slope, descent

désintéresser (se . . . de) to lose interest in

désirer to desire, wish

désolé desolated; **j'en suis —** I'm very sorry

dessert *m.* dessert

desservir to clear the table

dessiner to draw, outline

dessous: au — de below, beneath; **au — de tout** beyond words, completely despicable

dessus over, above; **au — de** above

destinataire *m.* addressee

destinée *f.* fate

détacher to unfasten; **se —** detach oneself, stand out clearly

détourner (se) to turn aside

détraqué out of order

détruire to destroy

dette *f.* debt

deux two; **— fois** twice; **les — both; tous les — both; tous — both**

deuxième second

devant *m.* the front

devant in front of

devenir to become (*p. p.* **devenu**)

deviner to guess, divine

devoir *m.* duty

devoir to owe, have to, be to, ought, must

dévorer to eat with relish, devour

dévoué devoted

dévouement *m.* devotion

diable *m.* devil; **du —** the devil of

dialogue *m.* dialogue

diane *f.* reveille; **battre la —** to sound reveille

dictée *f.* dictation

dicter to dictate

Dieu *m.* God; **mon —!** good heavens!

difficile difficult, hard

difficilement with difficulty

difficulté *f.* difficulty

difforme deformed

digérer to digest

dignité *f.* dignity

dilater to dilate

dimanche *m.* Sunday

diminuer to diminish, to lessen, to decrease

dîner *m.* dinner

dîner to have dinner, to dine

dire to say, to tell (*p. p.* **dit**); **c'est à —** that is to say; **dites!** say!; **dites donc** listen, look here, say!; **on m'a dit** I have been told; **vouloir —** to mean

direct direct

directement directly

directeur *m.* director

direction *f.* direction

diriger to direct

discrétion: à — as much as desired
discuter to discuss
disparaître to disappear
disposer to dispose, to place; disposé à disposed to
disque m. disc, record, recording
distance: à — at a distance
distinct distinct, clear
distraire to distract
distrait absent-minded
distribuer to distribute
divagation f. rambling
divan m. divan, sofa
divers different, diverse
divertissement m. diversion
dix ten
dix-huit eighteen
dix-neuf nineteen
dix-sept seventeen
dizaine f. about ten
docteur m. doctor
doigt m. finger; — de pied toe
dollar m. dollar
domestique m., f. servant
dommage m. damage, harm, injury; c'est — it's too bad
donc so, then, therefore; dites — listen, look here, say; allons — come now!, come, come!
donner to give; — à souper to take to supper; — sur to face on, to open out on; donnant sur overlooking; se — rendez-vous to set a date; — tort à to put in the wrong, to consider wrong; donnez-moi de vos nouvelles let me hear from you
dont whose, of whom, of which
dormeur m. sleeper
dormir to sleep
dos m. back
douane f. customs
doublé lined
doucement softly, gently, sweetly
douceur f. gentleness
douche f. shower
douleur f. pain
doute m. doubt; sans — no doubt, to be sure, probably
douter (de) to doubt; se — to suspect

douteux (f. -se) doubtful, in doubt
doux (f. douce) sweet
douzaine (de) f. dozen
douze twelve
drap m. bed sheet, cloth
dresser (se) to stand upright
droit m. law, law studies; faire son — to study law
droit right, straight, straight forward; tout — straight ahead
droite f. right (hand); à — to the right; tenir la — to keep to the right
drôle funny
dû p. p. of devoir
duquel of whom, of which, whose
dur hard
durant during
durer to last, endure
dynamite f. dynamite

E

eau f. water; — de quinine quinine hair tonic
échange m. exchange
échangé exchanged
échapper (à) to escape
échelle f. ladder
échouer to fail
éclaircir (s') to lighten, brighten
éclat m. fragment, burst; — de rire burst of laughter
éclatant brilliant
éclater to burst out
école f. school
économe economical
économie f. economy, thrift, saving
économique economic
écouter to listen, to listen to
écrevisse f. crayfish
écrier (s') to cry, to cry out
écrire to write (p. p. écrit); comment écrit-on cela how is that spelled; machine à — typewriter
édifice m. building
édition f. edition
Edouard Edward
effaré frightened
effectivement indeed, as a matter of fact, that's a fact, in fact

effet *m.* effect; **en —** indeed, in fact, as a matter of fact, that's right

effroyable frightful

égal (*m. pl.* **égaux**) equal; **ça m'est —** it's all the same to me

église *f.* church

égratignure *f.* scratch

eh bien! well!

élancer (s') to throw oneself

élastique *f.* elastic

électrique electric; **sonnerie —** electric bell

élève *m., f.,* pupil

élevé reared, brought up

élever to lift, to raise; **s'—** to rise

elle she, it, her; **à —** hers; **—-même** herself

elles they; **à —** theirs; **—-mêmes** themselves

éloigner (s') to go away

emballage *m.* packing

embarrasser to embarrass

embêtant exasperating, maddening

embrasser to kiss, hug, embrace

embrasure *f.* recess

émission: poste d'— *m.* radio station

emmener to lead, take a person from a place, take out or away

emparer (s'— de) to take possession of

empêcher (de) to hinder, to prevent; **ne pas pouvoir s'— de** to be unable (cannot) help

emplette *f.* purchase; **faire des —-s** to go shopping

emplir to fill, to pile

emploi *m.* use

employé *m.* clerk

employer to use, to employ

emporter to carry off, to carry away

empresser (s') to hasten, to hurry

emprunt *m.* loan

emprunter (à) to borrow from

Ems watering place

ému moved, upset

en (*pron.*) some, any, of it, of them, from it, from them

en (*prep.*) in, by, within, to, into, while, when at,

enchanté (de faire votre connais-

sance) delighted (pleased) (to meet you)

encombrement *m.* jam, crowd

encombrer to encumber, to fill up

encore still, yet, again; **— un** another; **— une fois** once again

encre *f.* ink

encrier *m.* inkwell

endormi asleep

endormir to go to sleep, put to sleep; **s'—** to fall asleep

endosser to endorse

endroit *m.* place, spot

endurci hardened

endurer to endure

énergiquement energetically

énerver (s') to be (become) nervous

enfance *f.* childhood

enfant *m., f.* child

enfermer to lock up, shut in

enfin at last, after all, in short, finally

enflé swollen

enfoncer to smash in

engagé involved, obligated

engagement *m.* engagement

enlèvement *m.* taking away, carrying away, elopement, capture

enlever to carry away

ennemi *m.* enemy, foe

ennuyer (s') to become tired, become bored

énorme enormous

énormément enormously

enquête *f.* inquiry

enregistrer to check

enroué hoarse

enseigner to teach

ensemble *m.* unity, conformity, harmonious combination

ensemble together

ensuite following, afterward

entendre to hear; **— dire** to hear; **— parler de** to hear about

entendu! agreed! O.K.!; **bien —** of course

enterrer to bury

entêter (s') to persist

entier (*f.* **entière**) entire, whole

entourer to surround

entraîné trained

entraver to hinder

entre between, among
entrecôte *f.* steak
entrée *f.* entrance
entrer (dans) to enter, go in (*conjugated with* être)
enveloppe *f.* envelope
envelopper to wrap
envers toward
envie *f.* desire, envy; avoir — de
to feel like
environ about
environs *m. pl.* neighborhood
envisager to envisage
envoyer to send
épais (*f.* épaisse) thick
éparpiller (s') to scatter
épatant wonderful, "swell"
épaule *f.* shoulder; large des —s
wide in the shoulders
épaulement *m.* breastwork
épaulette *f.* epaulette, shoulder strap
épée *f.* sword
éperdu dismayed
épingle *f.* pin
époque *f.* period, time
épouser to marry
épouvantable frightful
épouvante *f.* fright, terror
épouvanté terrified
éprendre (s'— de) to fall in love
(with)
épreuve *f.* test
épris in love
éprouver to feel, to experience
épuisé worn out
épuiser (s') to get exhausted
équivalent *m.* equivalent
Ernestine Ernestine
escalier *m.* staircase
escroc *m.* thief
escroquer to steal
Espagne *f.* Spain
espagnol Spanish
espèce *f.* kind, sort
espérance *f.* hope
espérer to hope; espéré hoped for
espoir *m.* hope
esprit *m.* mind, spirit, wit
Esquirol French alienist (1772-
1840)
essayer (de) to try (to), try on

essence *f.* gasoline
essuyer to wipe
est *m.* east
estimer to estimate
estomac *m.* stomach
et and
établir to establish, set down
étage *m.* floor, story; le premier —
one flight up, second floor
état *m.* state, condition
États-Unis *m. pl.* United States;
aux — to, in the United States
été *m.* summer
été *p. p. of* être
éteindre (s') to go out, be extin-
guished
Étienne Stephen
étiquette *f.* baggage label
étoffe *f.* cloth, material
étoile *f.* star
étonnant astonishing
étonnement *m.* astonishment
étonner (s') to be astonished
étrange strange, odd
étranger *m.* stranger, foreigner
étranger (*f.* étrangère) foreign
étrangler to strangle
être to be; où en suis-je de?
where have I got with?; n'est-ce
pas? isn't he, didn't they?, *etc.*
(*use where English repeats the
verb*); en — de même to be the
same
étrenne *f.* New Year's gift
étroit narrow, tight
étudiant *m.* student
étudiante *f.* student, co-ed; Maison
des É—s girls' dormitory
eu *p. p. of* avoir
Europe *f.* Europe
eux them, they; à — theirs; —
-mêmes themselves
évanouir (s') to faint
évanouissement *m.* fainting spell
éveiller to waken, wake up, awaken
événement *m.* event
évier *m.* sink
éviter to avoid
évoquer to call forth, to evoke
exalter (s') to become excited
examen *m.* examination

exaspéré exasperated
excellent excellent
exception *f.* exception
excès *m.* excess
excessif (*f.* -ve) extreme, excessive
excuse *f.* excuse, apology
excuser to excuse; excusez-moi excuse me
exemple *m.* example; par — for instance; par — ! indeed! the idea! upon my word!
exercice *m.* exercise
exiger to demand, require, insist
expédier to send
expérience *f.* experience
expliquer to explain
explorer to explore, to search
explosif *m.* explosive
exposer to explain
exprès on purpose
expressif (*f.* -ve) expressive
expression *f.* expression
exquis delicious, exquisite
extraction *f.* extraction
extraire to extract
extraordinaire extraordinary
extrême extreme
extrêmement extremely
extrémité *f.* end, extremity

F

fabricant *m.* manufacturer
fabriquer to make, build, manufacture
face *f.* front, face; en — de opposite; d'en — across the way; faire — à to face
fâcher (se) to get angry
facile easy
facilement easily
façon *f.* fashion, way; de cette — in this fashion, this way; d'une — magnifique in grand fashion
facture *f.* bill
faible weak, feeble
faiblement feebly, weakly
faiblesse *f.* weakness
faim *f.* hunger; avoir — to be hungry
faire to do, make; — beau be fine

(*weather*); — chaud be warm (*weather*); — des emplettes go shopping; — du soleil be sunny; — du vent be windy; — face à face; — faire have (*someone*) do, have (*something*) done; — feu fire, shoot; — feu sur shoot at; — froid be cold (*weather*); — honneur honor; — la connaissance de make the acquaintance of; — la queue stand in line; — la toilette wash and dress; — sa valise pack a bag (suitcase); — mal à hurt; — mauvais (temps) be bad (*weather*); — plaisir please (cela me fait grand plaisir that gives me great pleasure); — (notre) possible do (our) best; — semblant *de* pretend to; — ses adieux à say goodbye to; — ses amitiés à give one's regards to; — sauter blow up; — signe à signal, motion to; — un chèque make out a check; — un petit tour take a short walk; — une promenade take a walk; — une visite pay a visit; — un voyage take a trip; — venir send for; — visite à visit, — voir show (faites-moi voir show me); ça se fait that (it) is done; cela ne fait rien it makes no difference
faisceau *m.* stack
fait *m.* fact
fait *p. p. of* faire; tout à — quite, altogether
falloir must, should, to be necessary
fameux (*f.* -se) famous, (*ironical*) precious
familial home, domestic
familiarisé accustomed, familiar
famille *f.* family; pension de — *f.* boarding house
farce *f.* prank, practical joke
farci stuffed
fardé made up
farder (se) to make up
farouche timid
fatalité *f.* fatal mistake
fatigue *f.* fatigue
fatigué tired, weary

fatiguer to tire
fauché cut off
faute *f.* fault, mistake, error; — **de** for lack of
fauteuil *m.* armchair, easy chair
faux (*f.* **fausse**) false, off key
favori *m.* whisker; —**s** (*pl.*) sideburns
favori (*f.* **-te**) favorite
fébrile feverish
féliciter to congratulate
féminin feminine
femme *f.* woman, wife
fenêtre *f.* window
fer *m.* iron; **chemin de** — *m.* railroad
fer-blanc *m.* tin
ferme *f.* farm
fermer to close; —**à clé** lock
fête *f.* celebration, feast
fêter to celebrate
feu *m.* fire, firing (*guns*); **coup de** — *m.* shot; **faire** — to fire, shoot
feuille *f.* leaf, sheet of paper
février *m.* February
fiacre *m.* cab
fiancé *m.* betrothed, sweetheart
fiancé engaged
fiancée *f.* betrothed, sweetheart
fiche *f.* blank
fidèle faithful
fier (**se** — **à**) to have confidence in, trust
fier (*f.* **fière**) proud
fièrement proudly
fièvre *f.* fever
fiévreux *m.* fever victim
figure *f.* face
figurer to imagine, consider
fil *m.* thread
filet *m.* rack
fille *f.* daughter; **jeune** — young girl
fillette *f.* little girl
film *m.* film, motion picture, movie
fils *m.* son
fin *f.* end; —**de semaine** week-end
fin fine
final (*m. pl.* **finaux**) final
financier (*f.* **-ière**) financial

finir to finish; — **par** end up by
fixer to fasten
fixité *f.* stubbornness
flan *m.* custard
flanc *m.* flank, side
flanelle *f.* flannel
flatter to flatter
fleur *f.* flower
fleuriste *m.* florist
fleuve *m.* river
flotter to float
foi *f.* faith; **ma** — ! goodness! my word!
foie *m.* liver; **pâté de** — **gras** *m.* goose liver paste
foin *m.* hay
fois *f.* time, occasion (*repetition*); **à la** — at the same time; **chaque** — each time; **encore une** — once again; **une** — **par semaine** once a week
folie *f.* madness, insanity
foncé deep; **bleu** — dark blue
fonctionner to work, function
fond *m.* back, background; **à** — thoroughly; **dans le** — to the rear
force *f.* strength, (*pl.*) forces; **en** — in full force, strong
forêt *f.* wood, forest
forme *f.* form
former to form
fort strong (*as adverb*—quite, very); **c'est un peu** — that's going too far
fortement strongly
fortifier to fortify, reinforce
fortune *f.* fortune
fou *m.* lunatic
fou (**fol** *before vowel*, *f.* **folle**) mad, foolish, crazy
fougère *f.* fern
fouiller to search
foule *f.* crowd
four *m.* oven
fourchette *f.* fork
fourmi *f.* ant
fourneau *m.* stove
fournir to furnish
fourrure *f.* fur
foyer *m.* hearth, fireside
fracas *m.* crash, noise, din

fragment *m.* fragment, splinter
frais *m. pl.* expense, expenses
frais (*f.* **fraîche**) cool
franc *m.* franc
franc (*f.* **franche**) frank
français French; **à la française** French style
France *f.* France; **en —** in, to France
franchement frankly
François Francis, Frank
frapper to knock, strike
frein *m.* brake
frêle frail, fragile
frère *m.* brother
frigidaire *m.* frigidaire, ice-box
frissonner to shudder
frit fried; **les frites** *f. pl.* French fried potatoes
froid cold; **faire —** to be cold (*weather*); **avoir —** to be cold (*physical sensation*)
froideur *f.* coldness
fromage *m.* cheese
front *m.* forehead
frontière *f.* frontier, border, boundary
frotter (se) to rub, scratch
frousse *f.* fear, fright
fruit *m.* fruit
fuir to flee
fuite *f.* flight
fumée *f.* smoke
fumer to smoke
fumeur *m.* smoker
furie *f.* fury, enthusiasm, ardor
furieux (*f.* **-se**) furious
fusil *m.* gun
fusiller to shoot (*by military execution*)
futur future

G

gages *m. pl.* wages
gagner to earn, gain, win
gai gay, merry
gaiement gaily
gaieté *f.* gaiety
gaillard *m.* fellow
galerie *f.* gallery

galop *m.* gallop
gant *m.* glove
ganté gloved
garage *m.* garage
garantir to guarantee
garçon *m.* boy, waiter, bachelor
garçonnet *m.* little boy
garde *f.* guard; **prenez —!** look out! watch out!
garder to keep
gare *f.* station
garer to park, garage
garrotter to tie up
gâteau *m.* cake (*pl.* **gâteaux**); **— à la crème** cream cake, cream pie, cream tart
gauche *f.* left (hand); **à —** to the left; **tenir la —** to keep to the left
gauche left, clumsy, awkward
gémissement *m.* groan
gênant annoying
gencive *f.* gum
gendarme *m.* trooper (*similar to our State police*)
gendre *m.* son-in-law
gêne *f.* distress, embarrassment, awkwardness
gêner to disturb, embarrass
général general; **en —** in general
général *m.* (*pl.* **généraux**) general
généreux (*f.* **-se**) generous
générosité *f.* generosity
génie *m.* genius
genou *m.* (*pl.* **genoux**) knee
genre *m.* sort, kind
gens *m. pl.* people; **jeunes —** young people, young men
gentil (*f.* **-le**) nice, kind; **— comme tout** nice as anything; **c'est très — de (votre) part** it's very kind of (you)
gentillesse *f.* kindness
géographie *f.* geography
géométrie *f.* geometry
Georges George
gérant *m.* manager
Germaine Germaine
gigantesque gigantic
gigot *m.* leg of lamb; **— de pré-salé** choice leg of lamb
gilet *m.* vest

glace f. ice, ice cream, mirror; **armoire à —** f. wardrobe with mirror
glaçon m. icicle, piece of ice
glisser to slip
glorieusement gloriously
gonflé inflated, full of air
gonfler to swell
gorge f. throat, gorge
gourmand m. glutton
goût m. taste; **chacun son —** everyone to his taste
goûter m. snack, light afternoon meal
goûter to taste
grâce f. grace
gracieuseté f. courtesy, favor
gracieux (f. **-se**) graceful
grade m. rank
grammaire f. grammar
grand tall, great, large, big
grandeur f. largeness, grandeur
grandir to grow, become larger
grandissant growing
grand'maman f. grandma
grand'mère f. grandmother
grand-papa m. grandpa
grand-père m. grandfather
grappe f. bunch
gras (f. **grasse**) fat, thick; **pâté de foie —** m. goose liver paste
grave serious, grave
gravement seriously
gravir to climb, clamber up
grec (f. **grecque**) Greek
Grèce f. Greece
grenadier m. grenadier
grève f. strike
grièvement gravely, seriously
grille f. iron gate
grillé burnt out
grimace f. grimace, wry face
gris gray
gros (f. **grosse**) big, large
grossier (f. **grossière**) rude
groupe m. group
grouper to group
guère: ne … — hardly, scarcely
guérir to cure; **se —** to recover one's health
guérison f. cure

guerre f. war
guichet m. (ticket) window
guide m. guide; **servir de — à** to serve one as a guide
guider to steer
guidon m. handle bars, steering gear
guigne f. bad luck
Guillaume William

H

('h indicates aspirate h)

habile skillful, clever
habiller (s') to dress
habit m. coat; (pl.) clothes
habitant m. inhabitant
habitation f. habitation, dwelling
habiter to live in
habitude f. habit, custom
halluciné mad, suffering from hallucinations
'hardiment boldly
'haricots m. pl. beans
'hasard m. chance, accident; **au —** at random
'hâte f. haste; **en —** in haste
'hâter (se) to hasten, hurry
'hausser to shrug
'haut high; **en —** above, upstairs; **à haute voix** out loud
'hauteur f. height
hélas alas
Hélène Helen
Henri Henry
Henriette Henrietta
herbe f. grass
héréditaire hereditary
'hérisson m. porcupine
hériter to inherit
héritier m. heir
héroïque heroic
hésiter to hesitate
heure f. hour; **à l'—** on time; **à quelle —** at what time?; **à tout à l'—** I'll see you presently; **de bonne —** early; **tout à l'—** presently
heureusement luckily, happily, fortunately
heureux (f. **-se**) glad, happy; **en être —** to be glad (of it)

hier yesterday; — matin yesterday morning; — soir last night
'hisser to hoist
histoire f. story, history, fuss
hiver m. winter
'Hollande f. Holland
'homard m. lobster
homéopathe m. homeopath
hommage m. respect, homage; les
—s regards, respects (used in
plural when referring to a lady);
mes —s les plus respecteueux
my kindest regards (usually from
man to woman); présenter ses
—s à to pay one's respects to;
offer one's regards to
homme m. man
'Hongrie f. Hungary
honnête honest
honnêteté f. honesty
honneur m. honor; faire — to
honor
'honte f. shame; avoir — to be
ashamed
'honteux (f. -se) ashamed, shameful
hôpital m. hospital
horaire (des trains) m. time-table
horriblement horribly
'hors (de) out of
'hors d'oeuvre m. pl. appetizers
hospitalité f. hospitality
hôte m. host, guest
hôtel m. hotel; maître d'— stew-
ard, major-domo
'hourra m. hurrah, hurray
huile f. oil
'huit eight; (jeudi) en — a week
from (Thursday)
huître f. oyster
humain human
humanité f. humanity
humble humble, lowly
humeur f. humor, disposition
humide damp
humiliant humiliating
'hurler to howl

I

ici here; jusqu'— until now; par
— this way
idée f. idea

identité: carte d'— f. identification
card
idiomatique idiomatic
Iéna Jena
ignorant ignorant
ignorer to know nothing about
il he, it
illettré without education, illiterate
illusion f. illusion
ils they
image f. image
imaginer: bien to imagine
imaginé clever
immense immense
immobile motionless
imparfait m. imperfect (verb tense)
impatience f. impatience
impatienter (s') to get impatient
impératif m. imperative (verb
mood)
imperceptible imperceptible
imperméable m. waterproof, raincoat
impoli impolite
important important
importer to be important or necessary, matter; n'importe it doesn't
matter, never mind; n'importe quel
any whatsoever; n'importe quoi
anything at all, no matter what;
qu'importe? what does it matter?
imposant imposing
impossible impossible
impression f. impression
imprimé printed
inattendu unexpected
incendie m. fire
incliner (s') to bow
inconnu m. stranger, unknown one
inconnu unknown
inconvenance f. impropriety
incroyable unbelievable
incurable incurable
indéfini indefinite
indemnité f. indemnity
indicateur m. time-table
indifférent indifferent
indiquer to indicate, show
individu m. individual
industrie f. industry
inespéré unhoped for

infatigable tireless

infiniment infinitely; **merci —** a million thanks

infinitif *m.* infinitive

infirme *m.* invalid

infirmier *m.* hospital attendant, male nurse

infirmière *f.* nurse

initier to initiate

injure *f.* insult

inné innate, inherent, inner

innocemment innocently

inoffensif inoffensive, harmless

inquiet worried, anxious

inquiéter to disturb, to bother; **s'—** to worry

inquiétude *f.* anxiety

insaisissable intangible

inscription *f.* inscription

inscrire to enroll

insensiblement unconsciously

insinuant insinuating

insister to insist

insolation *f.* sunstroke

inspecteur *m.* inspector

installé settled (*firmly*)

installer (s') to install oneself, settle oneself

instant *m.* instant; **à l'—** at once; **un —** just a moment

instruction *f.* instruction, education

insu: **à l'— de** without the knowledge of

insurgé *m.* insurgent

insurrection *f.* insurrection

intelligent intelligent, bright, smart, clever

intelligible intelligible, understandable

intention *f.* intention

interdit forbidden

intéresser (s') à to take an interest in

interêt *m.* interest

intérieur *m.* inside, interior

intérieurement internally

international (*pl.* **internationaux**) international

interrogatoire *m.* interrogation

interroger to question

interrompre to interrupt

interruption *f.* interruption

intituler to entitle

introduire to introduce, usher in; **s'—** to get in, present oneself

inutilisé unused

invasion *f.* invasion

invitation *f.* invitation

invité *m.* invited guest

inviter to invite

irrésistible irresistible

irriter to irritate, annoy

Italie *f.* Italy

italien (*f.* **italienne**) Italian

J

Jacques James

jalousie *f.* jealousy

jaloux (*f.* **-se**) jealous

jamais ever, never; (*with* **ne** *before verb*) never

jambe *f.* leg

jambon *m.* ham; **œufs au —** ham and eggs

janvier *m.* January

Japon *m.* Japan

japonais Japanese

jaquette *f.* coat, jacket

jardin *m.* garden; **Jardin des Plantes** Botanical Gardens

jaune yellow

je, j' I

jeter to throw

jeu *m.* play, game

jeudi *m.* Thursday

jeune young; **— fille** *f.* girl; **—s gens** *m. pl.* young men, young people

jeûner to fast

joie *f.* joy

joindre to join, unite; **se — à** to join

joli pretty

Joseph Joseph

joue *f.* cheek

jouer to play; **— à** (*a game*); **— de** (*an instrument*)

jouet *m.* toy

jouir de to enjoy

jour *m.* day; **en plein —** in broad

daylight; **tous les —s** every day; **quinze —s** fortnight
journal *m.* (*pl.* -aux) newspaper
journée *f.* day
juge *m.* judge
juger to judge
juillet *m.* July
juin *m.* June
jupon *m.* skirt, petticoat
juré sworn
jurer to swear
jus *m.* juice
jusqu'à as far as, up to, until; **jusqu'ici** until now; **jusqu'à ce que** until
juste just, right, correct
justement just, precisely, simply

K

kilomètre *m.* kilometer
klaxon *m.* horn (*automobile*)

L

là there (*pointing out*); **par —** that way
là-bas over there, down there
là-dedans therein
là-haut up there
laboratoire *m.* laboratory
laborieux (*f.* -se) industrious, hard-working
lac *m.* lake
lâche *m.* coward
lâche cowardly
laid ugly
laine *f.* wool
laisser to leave (*behind*); **se — conduire** to let oneself be led
laissez-passer *m.* permit
laissez passer! gangway!
lait *m.* milk
laitue *f.* lettuce
lame *f.* blade; **— de rasoir** razor blade
lampe *f.* lamp, tube (*of radio*)
lance à feu *f.* slow match
lancer to hurl, to throw
langage *m.* language
langue *f.* language, tongue

laquelle *see* **lequel**
lard *m.* bacon
large wide (*not* large); **— des épaules** wide in the shoulders
lassitude *f.* lassitude
latin *m.* Latin
lavabo *m.* lavatory, wash-basin
laver to wash; **se —** to wash
Laurent Lawrence
le (l', la, les) the
le him, it
lecture *f.* reading
léger (*f.* **légère**) light (*weight*)
légume *m.* vegetable
lendemain *m.* next day
lent slow
lentement slowly
lequel (laquelle, lesquels, lesquelles) which, which one, which ones, who, whom
lestement quickly
lettre *f.* letter; **boîte aux —s** *f.* letter-box; **papier à —s** *m.* writing-paper
leur (s) their
leur to them
lever *m.* rising
lever to lift, raise; **se —** to get up
lèvre *f.* lip; **bâton de rouge pour les —s** *m.* lipstick
libération *f.* liberation
liberté *f.* freedom, liberty
libre free
lier to tie
lieu *m.* (*pl.* **lieux**) place, spot; **au — de** instead of
lieutenant *m.* lieutenant
ligne *f.* line
liqueur *f.* liquor, liqueur, cordial
lire (*p. p.* **lu**) to read
lit *m.* bed
litre *m.* liter (about 1 quart)
littérature *f.* literature
livraison *f.* delivery
livre *m.* book
livrer to deliver
loge *m.* apartment, box (*at theater*)
logis *m.* lodging
loi *f.* law
loin far, far away; **— de** far from; **plus —** farther on

loisir *m.* leisure
Londres London
long : le — de along
long (*f.* longue) long ; chaise-
longue *f.* lounging-chair
longtemps a long time
lorgner to eye
lors de at the time of
lorsque when
louer to hire, rent
lourdement heavily
lu *p. p. of* lire
lugubre dismal, gloomy, pessimistic
lui him, he, himself ; à — his
lui-même (he) himself
lumière *f.* light
lundi *m.* Monday ; on Monday
lune *f.* moon ; clair de — *m.* moonlight
lunettes *f. pl.* eye-glasses
lutter to struggle, combat

M

machinalement mechanically
machine *f.* machine ; — à écrire
typewriter ; taper à la — to type
Madame Madam, Ma'am, Mrs. ;
(*abbrev.* Mme, *no period*)
Madeleine Madeleine
mademoiselle *f.* Miss (*abbrev.*
Mlle, *no period*)
magasin *m.* store
magistrat *m.* magistrate
magnifique magnificent
mai *m.* May
maigre meager, slim
maigreur *f.* leanness
main *f.* hand ; sac à — *m.* handbag ;
se serrer la — to shake hands
maintenant now
maintenir to maintain
mais but, why ! (*exclam.*)
maison *f.* house ; Maison des Étudiantes Girls' Dormitory
maison de santé *f.* sanitarium
maître *m.* master ; — d'hôtel stew-
ard, major-domo
majeur of age
mal (*pl.* maux) ; *m.* harm, evil, trouble, illness ; avoir — à — to have
a — ache ; faire — à to hurt

mal badly, poorly, ill
malade *m., f.* patient
malade sick, ill
maladie *f.* illness
malédiction *f.* curse
malentendu *m.* misunderstanding
malgré in spite of
malheur *m.* misfortune
malheureux *m.* unfortunate one
malheureux (*f.* -se) unfortunate
malheureusement unfortunately
malle *f.* trunk
manche *f.* sleeve ; en —s de chemise
in shirt sleeves
manchette *f.* cuff ; bouton de —
cuff-link
mandat-poste (*pl.* mandats-poste)
m. money-order
manger to eat ; salle à — dining
room
manquer to lack, be lacking, miss,
be missing ; — de + *infin.* to fail
to do, miss doing, almost + *verb*
manteau *m.* woman's coat, man's
cloak
manuel (*f.* -le) manual
maquillage *m.* make-up
maquiller (se) to paint, to make-up
marchand *m.* merchant
marche *f.* walking
marché *m.* marketing ; bon — cheap ;
à bon — cheaply
marchepied *m.* step, running-board
marcher to go, to walk
mardi *m.* Tuesday
Marguerite Marguerite, Margaret
mari *m.* husband
mariage *m.* marriage
Marie Mary, Marie
marier to marry ; se — avec to
marry
marin *m.* sailor
marque *f.* trade-mark, style
marron brown
mars *m.* March
Marseillaise *f.* Marseillaise ·
marteleur *m.* hammerer
martyr *m.* martyr
masculin masculine
massacrer to massacre, slaughter
matelas *m.* mattress

matelot *m.* seaman
maternel (*f.* -le) maternal
matière *f.* matter
matin *m.* morning; le — in the morning; du — in the morning
matinée *f.* morning
mauvais bad; faire — (temps) to be bad (weather)
mayonnaise *f.* mayonnaise
mécanicien *m.* mechanic
médecin *m.* physician, doctor
médecine *f.* medicine
médicament *m.* medicine
médiocre mediocre
meilleur better, best
mélancolie *f.* melancholy
mélancolique melancholy
mélange *m.* mixture, combination
mêler (se) de to meddle with
même (*adj.*) same, self; (*adv.*) even; aujourd'hui — this very day; en être de — to be the same; quand — just the same; tout de — just the same, all the same
mémoire *f.* memory
menace *f.* threat, menace
ménagement *m.* care, consideration
mener to lead, take (*a person*)
meneur *m.* leader
mensonge *m.* lie
mental mental
menthe *f.* mint
mentir to lie, tell a lie
menton *m.* chin
menu *m.* menu; (*adj.*) little
mépriser to despise
mer *f.* sea; bord de la — *m.* seashore
merci thanks, thank you; — bien thank you very much; — infiniment a million thanks
mercredi *m.* Wednesday
mère *f.* mother
mériter to deserve
merveille *f.* wonder, marvel; à — wonderfully; aller à — to be extremely becoming
merveilleusement marvelously, wonderfully
messe *f.* mass
messieurs *m. pl.* gentlemen

mesure *f.* measure; à — que in proportion as
métamorphose *f.* metamorphosis
méthode *f.* method
méticuleux (*f.* -se) meticulous, scrupulous
Métro *m.* Paris subway
mettre (*p. p.* mis) to put, place, put on; — à la porte put out; — à la poste mail; — quelque temps à + *infinitive* take some time to; se — put, begin; se — à begin to, start to; se — d'accord come to an understanding; se — en colère get angry; se — en route start out, set out
meublé furnished
meubles *m. pl.* furniture
Mexique *m.* Mexico
midi *m.* 12 o'clock, noon
Midi *m.* south (*of France*)
mien (*f.* -ne) mine
mieux (*adv.*) better; best; aimer — to prefer; aller — to be better (*in health*); de leur — to the best of their ability; tant — so much the better; valoir — to be better
milieu: au — de in the middle of
militaire *m.* military man
militaire military
mille (mil *in dates*) thousand
milliard (de) *m.* billion
millier (de) *m.* thousand
million (de) *m.* million
mince slender, thin
mine *f.* mine
minime minimum
ministère *m.* ministry, Department
ministre *m.* minister
minuit *m.* midnight, 12 o'clock
minute *f.* minute
miroir *m.* mirror
mis *p. p. of* mettre
mission *f.* mission
mitrailleuse *f.* machine gun
mocha *m.* coffee sauce
mode *f.* style; à la — stylish, popular
moi me, I; à — mine; c'est — it is I; chez — (at) my house
moi-même I, myself

moindre least

moins less, least; — de less than; — que less than; à — que unless; au — at least; du — at least

mois *m.* month; au — de (février) in (February)

moitié *f.* half

molaire *f.* molar

moment *m.* moment

mon (ma, mes) my; — vieux old man, my friend

monde *m.* people, world; du — in the world; tout le — everybody

monnaie *f.* change (*money*), coin; la petite — small change

monomanie *f.* monomania

monsieur (*abbrev.* M.) sir, gentleman, Mr.

montagne *f.* mountain

monter (*conjug. with* être) to go up, climb, get in, mount

montre *f.* watch

montrer to show; se — to appear

moquer (se) de to laugh at, to make fun of

morceau (*pl.* -x) piece

mort *m.* a dead person

mort *f.* death

mort *p. p. of* mourir

morue *f.* codfish

mot *m.* word

moteur *m.* motor

motif *m.* motive, reason

moto *f.* motorcycle

motocyclette *f.* motorcycle

motorisé motorized, mechanized

mou (mol *before a vowel, f.* molle, *m. pl.* mous, *f. pl.* molles) soft

mouchoir *m.* handkerchief

mouillé wet

mouiller to anchor, wet

mourant *pres. p.* mourir

mourir to die

mousqueterie *f.* musketry

moustache *f.* mustache

moustachu with a mustache

mouton *m.* mutton

mouvement *m.* gesture, motion, movement

moyen *m.* way, means; au — de by means of

moyenne *f.* average

munitions *f. pl.* ammunition

mur *m.* wall

mûr mature, ripe

murmurer to murmur

musée *m.* museum

Musulman Mohammedan

mutilé mutilated

mystère *m.* mystery

mystérieux (*f.* -se) mysterious

N

nage: être en — to be dripping with perspiration

nager to swim

naïf (*f.* naïve) simple, guileless

naissance *f.* birth; anniversaire de — birthday

naître to be born

nappe *f.* table cloth

natation *f.* swimming

nation *f.* nation

national (*m. pl.* -aux) national

nature *f.* nature

naturel (*f.* -le) natural

naturellement naturally, of course

né (*p. p. of* naître) born

ne no, not; — . . . jamais never, not ever; — . . . ni . . . ni neither —nor, not—either—or; — (n') . . . pas not; — . . . pas grande chose not much; — . . . personne no one, nobody, not anyone, not anybody; — . . . point not (*emphatic*), not at all; — . . . que not—but, not— except, only; — . . . rien nothing, not anything

néanmoins nevertheless

nécessaire necessary

négatif *m.* negative

négliger to neglect

neige *f.* snow

neiger to snow

nerf *m.* nerve

net (*f.* nette) clear

nettement clearly

neuf (*f.* neuve) new

neuf nine
neveu *m.* nephew
New-York New York
nez *m.* nose
ni neither, nor
nièce *f.* niece
nier to deny
noble noble
Noël *f. or m.* Christmas
noir dark, black
noix *f.* nut, walnut, kernel
nom *m.* name, noun
nombre *m.* number
nombreux (*f.* -se) numerous
nommer to name
non no
non plus either, neither
nord *m.* north
normand Norman
Normandie *f.* Normandy
norme *f.* standard
Norvège *f.* Norway
notable *m.* prominent citizen
notaire *m.* notary
note *f.* note; **une — suffisante** passing mark; **prendre — de** to make a note of
noter to notice
notion *f.* notion
notre (*pl.* **nos**) our
nôtre ours
nourriture *f.* nourishment, food
nous we, us, (to) us, (to) ourselves; **— autres** we (*emphatic*); **— -mêmes** (we) ourselves
nouvelle *f.* a piece of news; **nou-velles,** *f. pl.* news; **avoir des — de** to have heard from, have news of; **donnez-moi de vos —s** let me hear from you
nouveau (**nouvel** *before a vowel,* *f.* **nouvelle,** *m. pl.* **nouveaux**) new; **de —** again; **c'est du —** that's new
Nouvelle Année *f.* New Year
novembre *m.* November
noyer *m.* walnut
nuage *m.* cloud
nuit *f.* night; **bonne —** good night; **chemise de —** *f.* nightgown; **la —**
at night; **tombée de la —** *f.* nightfall
nul (*f.* **nulle**) no, none at all

O

obéir (à) to obey
objet *m.* object
obligeant obliging, agreeable
obliger to oblige, force, compel
obscur dark
observer to observe, look at
obstiné obstinate, stubborn
obtenir to get, to obtain
obus *m.* shell (*cannon*)
occasion *f.* opportunity
occident *m.* west
occidental (*m. pl.* **occidentaux**) western
occupé busy
occuper to occupy; **s'— de** to be busy with
octobre *m.* October
œil *m.* (*pl.* **yeux**) eye
œillet *m.* carnation
œuf *m.* egg; **des —s au jambon** ham and eggs
œuvre *f.* work, piece of work
offert *p. p. of* **offrir**
officiellement officially
officier *m.* officer
offrir to offer, "treat"
oie *f.* goose
oignon *m.* onion
oiseau (*pl.* **oiseaux**) *m.* bird
ombre *f.* shadow, shade; **à l'— de** in the shade of
omnibus *m.* local (*train*)
on one, they, people, we, you, they (*indefinite*); **— m'a dit** somebody told me, I have been told
oncle *m.* uncle
onde *f.* wave
ongle *m.* nail (*finger*)
onze eleven
opéra *m.* opera
opinion *f.* opinion (*public*)
or *m.* gold
or now
orchidée *f.* orchid

ordinaire ordinary, usual; d'— usually

ordonnance f. prescription

ordonner to order, command

ordre m. order, command

oreille f. ear

oreiller m. pillow

organiser (s') to organize

orgueil m. pride

orient m. east

orthodoxe Orthodox

os m. bone

oser to dare

otage m. hostage

ôter to take off

où where; — en suis-je de where have I got with?; par — which way?

ou or; —...— either ... or; — bien or else

oubli m. omission, forgetfulness

oublier to forget

ouest m. west

oui yes; mais — why, yes

ouvert open, opened (p. p. of ouvrir)

ouverture f. opening

ouvrage m. work

ouvrier m. laborer, workman

ouvrir to open

P

pacifique peaceful

pain m. bread

paire f. pair

paix f. peace

palais m. palace

pâle pale

pâlir to grow pale

palissade f. palisade

panier m. basket

panne f. breakdown (auto)

pansement m. bandage

pantalon m. pants, trousers

pantoufle m. slipper

papeterie f. stationery store

papier m. paper; — à lettres writing-paper

paquet m. package

par by, by means of, through, via, across, per, each, in, on, around, with, for, during, at, about, out of; — conséquent consequently; — exemple for instance; — exemple! the very idea! I declare!; — ici this way; — jour per day; — là that way; — où? which way?; — terre on the (ground) floor; — tous les temps in all sorts of weather; commencer — to begin with

parade f. parade

paragraphe m. paragraph

paraître to appear, seem

parapet m. parapet

parapluie m. umbrella

parc m. park

parce que (qu') because

pardessus m. overcoat

pardon m. pardon; pardon! pardon me!

pardonner to pardon; pardonnez-moi pardon me

pareil (f. -le) such, similar

parent m. relative; pl. parents, relatives

parfait perfect; parfait! that's perfect!

parfaitement perfectly

parfois at times

parfum m. perfume

parier to bet

parisien (f. -ne) Parisian

parler to speak

parmi among

part f. part; à — aside; c'est très gentil de (votre) — it's very kind of (you); de la — de from; quelque — somewhere

parti m. resolution, side, match; prendre son — to make up one's mind

participe m. participle

particulier particular, peculiar, private (room)

partie f. part

partir to leave, depart; — en tournée go on the road

partout everywhere

parvenir to succeed

pas m. step, pace

pas no, not any, not; **ne** . . . **—** not; **— du tout** not at all; **— encore** not yet; **— possible!** impossible! you don't say so!

passablement passably

passage *m.* passage

passé *m.* past; **— composé** past indefinite (*tense*); **— défini** past definite (*tense*)

passeport *m.* passport

passer to spend (*time*), to pass; **se — ** to happen

passerelle *f.* gang-plank

passionnant exciting

pâte *f.* paste, dough; **— dentifrice** toothpaste

pâté de foie gras *m.* goose liver paste

paternel (*f.* -**le**) paternal

patience *f.* patience

patron *m.* boss

Paul Paul

Paulette Paulette

Pauline Pauline

pauvre poor

pavé *m.* pavement

pavillon *m.* wing

payer to pay, pay for; **— comptant** to pay cash

pays *m.* country, countryside

paysage *m.* landscape

paysan *m.* peasant

peau *f.* skin

pêche *f.* peach

peigne *m.* comb

peine *f.* trouble, sorrow, difficulty; **à —** barely, hardly, scarcely; **ça n'en vaut pas la —** it is not worth while; **valoir la —** to be worth while

peint (*p. p. of* **peindre**) painted

peloton *m.* platoon

pelouse *f.* lawn

pendant during

pendant que while

pendule *f.* clock

pénétrer to penetrate

pénible troublesome, painful

péniblement painfully

péninsule *f.* peninsula

pensée *f.* thought

penser to think; **— à** think of; **— de** have an opinion about

pension *f.* board; **— de famille** boarding-house

pensionnaire *m.* boarder, patient

percer to pierce, show, appear

perdre to lose

père *m.* father

perfection *f.* perfection

permanent permanent

permettre (de) to permit, allow to

permis *p. p. of* **permettre**

permis *m.* permit, license; **— de conduire** driving permit

Pérou *m.* Peru

persil *m.* parsley

persister to persist

personnage *m.* personage, character

personne *f.* person, nobody; **—** (*with* **ne**) nobody

personnel (*f.* -**le**) personal

persuader to persuade

perte *f.* loss

petit *m.* little one

petit little, small; **— à —** little by little

petit-fils *m.* grandson

petit-four *m.* small cake

petit pain *m.* roll

petite-fille *f.* granddaughter

petits pois *m. pl.* peas

pétrole *m.* petroleum oil

peu *m.* a little, a while; **— à —** little by little

peu (de) (*adv.*) little, few; **à — près** more or less

peur *f.* fear; **avoir —** to be afraid; **de — de** for fear of; **de — que** for fear that

peureux (*f.* -**se**) timid, fearful

peut-être maybe, perhaps

phare *m.* headlight

pharmacie *f.* drug store

Philippe Philip

phrase *f.* sentence

physionomie *f.* facial features, physiognomy

piano *m.* piano

pièce *f.* room, piece, play (*theatrical*)

pied *m.* foot; **à —** on foot; **doigt de —** *m.* toe
piège *m.* trap
pierre *f.* stone
Pierre Peter
pilon *m.* stump
pilote *m.* pilot
pilule *f.* pill
pin *m.* pine
pion *m.* monitor
piquant sharp
pique-nique *m.* picnic
pipe *f.* pipe
pire (*adj.*) worse, worst
pis (*adv.*) worse, worst; **tant —** so much the worse
piscine *f.* pool
pittoresque picturesque
placard *m.* closet
place *f.* place, square
placer to place, put, set
plage *f.* beach
plaider to plead
plaindre (se) to complain
plaine *f.* plain
plaire to please; **se —** like, enjoy oneself; **s'il vous plaît** please, if you please
plaisanter to joke, make fun of
plaisanterie *f.* joke
plaisir *m.* pleasure; **faire —** to please; **cela me fait grand —** that gives me great pleasure
plan *m.* plan
plancher *m.* floor
planchette *f.* shelf
Plantes: Jardin des — *m.* Botanical Gardens
plat *m.* dish
plat flat; **être à —** to have a flat
plein (de) full (of), filled (with); **en — air** outdoors, in the open air; **en — jour** in broad daylight
pleurer to weep, cry
pleuvoir to rain; **— à verse** to pour (rain)
pli *m.* hollow, fold
plombage *m.* filling
plomber to fill
plongeon *m.* dive
plonger to plunge, dive; **se —** rush

plu *p. p. of* **plaire**
pluie *f.* rain
plume *f.* pen
plupart: la — *f.* the most, majority
pluriel *m.* plural
plus (de) more; **— loin** further on; **— que** (*or* **de**) more than; **au — tôt** as soon as possible; **de —** more, furthermore, in addition, besides; **tout au —** at the very most
plusieurs several; **à — reprises** repeatedly
plutôt rather
pneu *m.* tire; **— de rechange** spare tire
pneumonie *f.* pneumonia
poche *f.* pocket
poétique poetic
poignée *f.* handle
poignet *f.* wrist
point: ne — not at all
point *m.* point; **au — de vue** from the point of view
pointe *f.:* **barbe en —** *f.* pointed beard
pointure *f.* size
poire *f.* pear
pois *m. pl.* (**petits**) peas; **— de senteur** sweet peas
poisson *m.* fish
poitrine *f.* breast, chest
poivre *m.* pepper
poli polite
police *f.* police; **commissaire de —** *m.* police commissioner
policier (*f.* **policière**) police, detective (*as adjective*); **roman —** *m.* detective story
politesse *f.* politeness, courtesy, favor
politique *f.* politics, policy
politique political
Pologne *f.* Poland
pomme *f.* apple; **— de terre** potato
pont *m.* bridge, deck
population *f.* population
porcelaine *f.* porcelain
port *m.* port, harbor
porte *f.* door; **mettre à la —** to put out
porte-allumette *f.* match holder

portée *f.* range, shot (*of weapon*)
portefeuille *m.* wallet
portemanteau *m.* coat-rack
porte-mine *m.* automatic pencil
porte-monnaie *m.* change purse
porter to carry, to wear; **se —** to be (*health*)
porteur *m.* porter
portière *f.* compartment door, cab door
portion *f.* portion
Portugal *m.* Portugal
poser to place; **— une question** to ask a question
position *f.* position
posséder to own, to possess
possessif (*f.* **-ve**) possessive
possession *f.* possession
possible possible; **faire (son) —** to do (his) best; **le plus tôt —** as soon as possible
postal postal; **carte —e** *f.* postcard
poste *m.* post; **— de radio** radio set; **— d'émission** radio station
poste *f.* post-office; **— restante** general delivery; **mettre à la —** to mail
poster to post
posté posted
pot *m.* pot, jar
potage *m.* soup
poteau indicateur *m.* signpost
pouce *m.* thumb
poudre *f.* powder
poule *f.* hen
poulet *m.* chicken
pouls *m.* pulse; **tâter le —** to feel the pulse
poumon *m.* lung
poupée *f.* doll
pour for, in order to, to; **bon —** kind to; **— que** in order that, so that
pourboire *m.* tip
pourquoi? why?
pourri rotten
poursuivre to pursue
pourtant however, nevertheless
pourvu que provided
pousser to grow, push, utter

poussière *f.* dust
pouvoir can, be able; **cela se peut** that may be; **puis-je?** may I?
précéder to precede
précieux (*f.* **-se**) precious
précisément precisely, just
préférence *f.* preference
préférer to prefer
préliminaire preliminary
premier first (*f.* **première**); **le — étage** one flight up, second floor
prémunir to forewarn, secure, fortify
prendre to take; **s'y —** to go about it; **y être pris** to be taken in; **— congé de** to take leave of; **— note de** to make a note of; **— son parti** to make up one's mind; **— un bain** to bathe; **— un billet** to buy a ticket; **prenez garde!** watch out!; **je le prends** I'll take it
préoccuper (se) to worry
préparer to prepare
près de near; **à peu —** more or less; **tout —** very near, very close
présager to bode
pré-salé: gigot de — *m.* choice leg of lamb
présence *f.* presence
présent *m.* present
présentation *f.* introduction
présenter to introduce; **— ses hommages à** to pay one's respects to, offer one's regards to; **se —** to appear, present oneself
presque almost, nearly
presse *f.* press, publicity in the newspapers
pressé hurried, in haste, in a hurry
pression *f.* pressure (*air pressure of tires*)
prêt ready
prétendre to claim
prêter to lend
preuve *f.* proof
prévoir to foresee
prier (de) to beg (to)
principal (*m. pl.* **principaux**) chief, principal
printemps *m.* spring; **au —** in the spring

pris (*p. p. of* **prendre**) taken, taken up, busy
prise *f.* capture, taking
prison *f.* prison, jail
prisonnier *m.* prisoner
privation *f.* privation, want
privilège *m.* privilege, power, possibility
prix *m.* price, prize
probable probable
probité *f.* honesty
problème *m.* problem
procédé *m.* process
prochain next, coming, approaching
prochainement very soon
procurer (se) to get, obtain
prodige *m.* miracle
production *f.* production
produire to produce
professeur *m.* professor
professoral: corps — *m.* faculty
profiter to gain, to profit; **— de** to make use of, take advantage of
profond deep
profondément profoundly, solemnly, deeply
profusion *f.* profusion; **à —** in profusion
programme *m.* program
progrès *m.* progress
projet *m.* plan
prolongé prolonged
promenade *f.* walk, pleasure trip; **faire une —** to take a walk
promener to take for a walk or ride; **se —** to walk about, take a walk
promesse *f.* promise
promettre (**de** + *infin.*), (**à** *with person*) to promise
promptement promptly
pronom *m.* pronoun
prononcer to pronounce
propos *m.* conversation, line of talk; **à — de** concerning; **à —** by the way, opportunely; **à ce —** in this connection
proposer to propose
propre neat, clean, own, proper
protéger to protect
protestant Protestant
prouver to prove

province *f.* province, France outside of Paris
proviseur *m.* director
prudence *f.* prudence
pu *p. p. of* **pouvoir**
public *m.* public; **avis au —** public notice
public (*f.* **publique**) (*adj.*) public
puis then, afterwards, after that
puis-je *see* **pouvoir**
puisque since
puissance *f.* power
punir to punish
pupitre *m.* desk
pyjama *m.* pajamas

Q

quai *m.* quay, wharf, station platform
quand when; **— même** (all) just the same
quant à as for
quantité *f.* quantity, amount
quarante forty
quart *m.* quarter, fourth, small glass
quartier *m.* quarter
quartier-maître *m.* petty officer
quatorze fourteen
quatre four
quatre-vingt-dix ninety
quatre-vingts eighty
quatrième fourth
que (*conj.*) that, when, as, than, but, except, in order that; **ne —** only; **bien —** although; **tant —** as long as; **c'est —** the fact is that
que (*exclam.*) how, why; **— de** how many!; **— c'est gentil à vous!** how kind it is of you!
que (*pro.*) (**qu'** before vowel) which, what, that, whom; **ce —** what; **— est-ce —?** what?; **— est-ce — c'est que?** what is?; **— est-ce — c'est que cela?** what is that?; **— est-ce — cela veut dire?** what does that mean?; **— est-ce qu'il y a?** what's the matter?; **— est-ce qui?** what? (*subject*); **— avez-vous?** what is the matter with you?; **— importe?** what does it matter?; **— sais-je** I don't know

what all; — **voulez-vous?** what would you expect? — **y a-t-il?** what's the matter?

quel (f. **quelle,** m. pl. **quels,** f. pl. **quelles**) what? which?; — **âge avez-vous?** how old are you?; — **dommage!** what a pity!; — ... **que** whatever; — **temps fait-il?** how is the weather?

quelconque any whatsoever; some — or other

quelque some, any, a few; — **chose (de)** something; — ... **que** however

quelquefois sometimes

quelqu'un (une) someone, anyone; pl. **quelques-uns (unes)** some, any

question f. question; **poser une —** to ask a question

queue f. line, tail; **faire la —** to stand in line

qui who, which, that; **ce —** what; **— est-ce que?** whom?; **— est-ce — who?**

quinine f. quinine; **eau de — f.** quinine hair tonic

quinze fifteen; **— jours** two weeks, a fortnight

quitte even

quitter to leave (a person or place)

quoi what; **à — bon** what's the use?; **de — (manger)** something (to eat); **il n'y a pas de —** don't mention it

quoique although

quotidien (f. -ne) daily

R

raccommoder to repair

raconter to tell, relate

radiateur m. radiator

radieux (f. -se) radiant

radio: poste de — m. radio set

radiographier to X-ray

rafraîchir to cool

rafraîchissement m. refreshment

rage f. rage

raisin m. grape, grapes

raison f. sanity, reason; **avoir —** to be right

raisonnable reasonable, fair

raisonnant reasoning

raisonner to reason, think

ralentir to slow down

ramasser to pick up

rampe f. slope

rang m. place, rank

Raoul Ralph

rapide rapid

rapidement rapidly

rapidité f. rapidity, speed

rappeler (se) to remember, recall to mind

rapporter (s'en) à to leave it to, refer it to

rapprocher to draw near

rare rare

rarement seldom

raser to shave; **se —** to shave (oneself)

rasoir m. razor; **lame de —** f. razor-blade

rater to miss fire, to miscarry

rattraper to catch up, regain

ravi overjoyed, delighted

rayé striped

rayure f. stripe

réaliste realistic

récapitulation f. review

récemment recently

récepteur m. receiver

recette f. cash receipt

recevoir (p. p. **reçu**) to receive

rechange: pneu de — m. spare tire

recherche f. search, research, investigation

rechute f. relapse

récit m. recital, tale

réciter to recite

réclame: article de — m. bargain

réclamer to demand, claim

recommandation f. recommendation

recommander to recommend

recommencer to begin again

reconnaissant grateful

reconnaître to recognize

recouvrir to recover

récréation f. recess

reçu p. p. of **recevoir**

recueil *m.* collection, selection, miscellany

reculer to recoil

rédiger to draw up, write

redoutable formidable

redoute *f.* redoubt

réduire to reduce

réel (*f.* -le) real

refaire to do over

réfectoire *m.* dining hall

refermer to close again

réfléchir to reflect, think over

réfugier (se) to take shelter

refus *m.* refusal

refuser to refuse

regard *m.* glance

regarder to look at

régime *m.* regime, diet

régiment *m.* regiment

réglage *m.* (adjusting of) wave length

règle *f.* rule, regulation; **en —** in order

régler to regulate, rule

régner to rule, reign

regret *m.* regret

regretter to regret

régulier (*f.* **régulière**) regular

régulièrement regularly

rejeter to throw back

rejoindre to join again

relèvement *m.* arising, raising

religieux (*f.* -se) religious

remarquable remarkable

remarquer to notice

rembourser to reimburse

remède *m.* remedy

remercier (de) to thank (for)

remettre to put off, postpone, put again, put on again; **se —** to recover

remonter to go back; **— à date from**

remplacer to replace

remplir to fill

remporter to gain, win

remuer to move, to stir

rencontrer to meet

rendez-vous *m.* appointment, date; **se donner —** to set a date, arrange to meet

rendre to return, give back; **se —** to surrender, betake oneself, go; **se — compte de** to realize

rendu (*p. p. of* **rendre**)

René René

renfermer to close tight

renforts *m. pl.* reinforcements

renoncement *m.* renunciation

renoncer (à) to give up

renseignement *m.* piece of information; **renseignements** *m. pl.* information

renseigner to inform

rente *f.* income, yearly income

rentrer to come back, come home, go home

renverser to upset, overturn

renvoyer to send back

répandre to scatter, spread about

reparaître to reappear

réparation *f.* reparation, damage, repair

réparer to repair

repas *m.* meal

répéter to repeat

replier (se) to withdraw

répondre (à) to answer

réponse *f.* answer, response

reportage *m.* reporting

repos *m.* repose, rest

reposé well-rested

reposer (se) to rest

repousser to repulse, push back

reprendre to resume, retake; **— le dessus** to take control

reprise *f.*: **à plusieurs —s,** several times, repeatedly

reprocher to reproach, find fault with

républicain Republican, republican

répugnance *f.* repugnance, dislike

réputation *f.* reputation

réserver to reserve

resignation *f.* resignation

resigné resigned

résistance *f.* resistance

résolu determined

résoudre to solve

respect *m.* decency, respect; **les —s** regards, respects

respectueux (*f.* -se) respectful

respirer to breathe
ressembler to resemble
ressemeler to resole
restante: poste — *f.* general delivery
restaurant *m.* restaurant
reste: au — besides; **du —** besides, moreover
rester to stay, remain
résultat *m.* result
résumé *m.* summary
retard *m.* delay; **en —** late
retenir to reserve, restrain, hold back
retentir to resound
retirer (se) to withdraw
retomber to fall back (again)
retour *m.* return; **être de —** to be back
retourner to go back, to return; **se —** to turn around
retrouver to find again
réussir (à) to succeed (in)
rêvasserie *f.* unconnected, broken dreams
rêve *m.* dream
réveil *m.* awakening
réveiller to awaken; **se —** to wake up
révéler to reveal
révendication *f.* claim
revenir to come back, get back
revenu *m.* income
rêver to dream
revêtir to dress, clothe
revoir to see again; **au —** goodbye
révolte *f.* revolt
révolter to revolt
révolu former
revu *p. p. of* **revoir**
revue *f.* magazine
rez-de-chaussée *m.* ground floor
rhum *m.* rum
rhume *m.* cold (*disease*)
riche rich
ridé wrinkled
rideau *m.* curtain
ridicule ridiculous
rien (ne) nothing; **cela ne fait —** it makes no difference; **— d'autre?** anything else?; nothing else?; **ce n'est —** that's nothing; **servir à —**

to do no good; **— que** nothing but
rigolo (*f.* **rigolote**) funny
riposter to reply
rire to laugh; **c'était pour —** I was joking; **éclat de —** *m.* burst of laughter; **— de** to laugh at, make fun of
risquer to risk
rivière *f.* stream, (*small*) river
riz *m.* rice
robe *f.* dress, gown; **— de chambre** dressing gown
Robert Robert
rocher *m.* rock
roi *m.* king
rôle *m.* role
roman *m.* novel; **— policier** detective story
romancier *m.* novelist
rompre to break
rond round
ronfler to snore
Rose Rose
rôti *m.* roast, roast meat
rôti roasted
rôtir to roast
rouage *m.* wheelwork, wheels, machinery
roue *f.* wheel
rouge *m.* rouge; **bâton de — pour les lèvres** lipstick
rouge red
rougir to blush
roulement *m.* rolling
rouler to roll
rousse *see* **roux**
route *f.* way, road, highway; **en —** let's go, on the way; **se mettre en —** to start out, set out
rouvrir to reopen
roux (*f.* **rousse**) reddish
ruban *m.* ribbon
rude harsh, stern, rough
rudement harshly, sternly
rue *f.* street
ruine *f.* ruin
ruiner to ruin
ruisseau *m.* brook
Russe *m.* Russian
russe Russian
Russie *f.* Russia

S

sa his, her, its
sable *m.* sand
sabotage *m.* sabotage
saboteur *m.* saboteur
sabre *m.* saber
sac *m.* bag, woman's bag; — à main handbag
sacré confounded, darned
sacrifice *m.* sacrifice
sage *m.* well-balanced person, wise person
sage good, well-behaved
sagesse *f.* wisdom
sain sane, healthy, sound
sainement intelligently
saisir to seize
saison *f.* season
salade *f.* salad
salé salty
sale dirty
salissant easy to soil
salle *f.* room (*large*), hall; — à manger dining room; — d'attente waiting room; — de bain bathroom; — de classe classroom
salon *m.* parlor, drawing room, living room
saluer to greet, to bow
salut *m.* bow, greeting
samedi *m.* Saturday
sandwich *m.* sandwich
sang *m.* blood
sanglant bloody, covered with blood
sans without; — que without
santé *f.* health; à votre — ! to your health!; maison de — *f.* sanitarium
satisfaction *f.* satisfaction
satisfaire to satisfy
saucisse *f.* sausage
saucisson *m.* smoked sausage
saumon *m.* salmon
sauter to jump; faire — to blow up
sautiller to jump about, frisk
sauver to save; se — to escape
savant learned
savoir *m.* knowledge, wisdom
savoir to know, know how to

savon *m.* soap; — à barbe shaving soap
scène *f.* scene, stage
schako *m.* cap (*military*)
science *f.* science
scientifique scientific
se oneself (himself, herself, itself, themselves)
sec (*f.* sèche) dry
second second
seconde *f.* second
secoué shaken
secouer to shake
secours *m.* aid, help; au — ! help!; au — de to the help of
secousse *f.* jolt, shock
secret *m.* secret
secret (*f.* secrète) secret
seize sixteen
sel *m.* salt
selon according to
semaine *f.* week; la — dernière last week; la — prochaine next week; fin de semaine *f.* week-end
semblable similar
semblant: faire — de to pretend to
sembler to seem
sens *m.* sense, meaning
sensation *f.* feeling, sensation
sensiblement appreciably
senteur: pois de — *m. pl.* sweet peas
sentiment *m.* feeling, sentiment
sentinelle *f.* sentinel
sentir to feel, to sense; se — to feel
sept seven
septembre *m.* September
serbe Serb, Serbian
sergent *m.* sergeant
série *f.* series
sérieux (*f.* -se) serious
serré pressed together, tightly rolled
serrer to press, to grasp; se — la main to shake hands
servante *f.* maid
serveuse *f.* waitress
servi served
service *m.* set of dishes
serviette *f.* brief case, napkin; — de toilette towel

servir to serve; — à rien to do no good; — de guide à to serve one as a guide; se — de to use, to make use of
serviteur *m.* servant
ses his, her, its
seul alone
seulement only
si if; s'il vous plaît please, if you please
si . . . que so . . . as
si yes (*in reply to a neg. statement or question*)
siècle *m.* century, age
siège *m.* seat
sien, sienne (*with article*) his, hers, its
sifflement *m.* whistling
siffler to whistle
signal (*pl.* signaux) *m.* signal
signe *m.* omen, sign; faire — à to signal somebody, let someone know
silence *m.* silence
simple simple
simplement simply
simplicité *f.* simplicity
sincèrement sincerely
singulier (*f.* singulière) odd, singular
singulièrement oddly
sinistre *m.* loss, disaster
sinistre (*adj.*) drab, ugly, sinister
sinon if not, otherwise
situation *f.* situation
situé situated
six six
sœur *f.* sister
soi oneself; — -même oneself
soie *f.* silk
soif *f.* thirst; avoir — to be thirsty
soigner to care for, look after, take care of
soigneusement carefully
soigneux (*f.* -se) careful, attentive
soin *m.* care; avoir — de to take care of
soir *m.* evening; hier — last night; ce — this evening, tonight; le — in the evening; à ce — see you tonight
soirée *f.* evening

soit so be it, all right (*subjunctive of* être)
soixante sixty
soixante-dix seventy
sol *m.* ground
soldat *m.* soldier
soleil *m.* sun; coup de — *m.* sunburn, sunstroke; faire du — to be sunny
solennellement solemnly
solidarité *f.* solidarity
sombre grave, serious
somme *f.* nap
sommeil *m.* sleep, sleepiness; avoir — to be sleepy
son, sa, ses his, her, its
sonate *f.* sonata
songer (à) to think (of)
sonner to ring, ring for
sonnerie (électrique) *f.* electric bell
sonnette *f.* bell
sort *m.* fate
sorte *f.* sort, kind
sortie *f.* exit
sortir to go out, take out
sot (*f.* sotte) foolish, stupid
sottise *f.* foolishness, piece of foolishness
sou *m.* penny
souci *m.* care
soudain sudden, suddenly
souffle *m.* breath
souffler to breathe, whisper, blow
souffrance *f.* suffering
souffrir to suffer
souhait *m.* wish (*to a person*)
souhaiter to wish (*someone something*); — un heureux anniversaire to wish a happy birthday
soulever to lift, bring to one's feet
soulier *m.* shoe
souligner to underline
soumettre to submit
soupçonner to suspect
soupe *f.* soup; assiette à — *f.* soup plate
souper *m.* supper; donner à — to take to supper
sourire to smile
sous beneath, under
sous-entendu understood

soutenir to support, sustain, defend
souterrain *m.* underpass
souvenir *m.* memory, regards
souvenir (se) (de) to remember
souvent often
spécialité *f.* specialty
spectacle *m.* sight, show, spectacle
squelette *m.* skeleton
station *f.* station
stationner to park
statue *f.* statue
stature *f.* stature
stupeur *f.* stupor
style *m.* style, manner
stylo *m.* fountain pen
su *p. p. of* savoir
subit sudden
subjonctif *m.* subjunctive
substituer to substitute
succéder to follow
succès *m.* success
succession *f.* inheritance
sucre *m.* sugar
sud *m.* south
Suède *f.* Sweden
suffire to suffice, to be enough
suffisant sufficient; **une note —e**
a passing mark
suffoqué suffocated
suggérer to suggest
Suisse *f.* Switzerland
suite *f.* continuation; **tout de —** at
once, immediately
suivant following
suivre to follow; take (*a course*)
sujet *m.* subject; **au — de** on the
subject of, concerning
superbe superb
supérieur *m.* superior
superlatif (*f.* -ve) superlative
superstitieux (*f.* -se) superstitious
supplémentaire supplementary
supplice *m.* torture
supplier to beg
supporter to bear, support
supposition *f.* supposition
sûr sure, certain; **je suis — de
mon affaire** I know what I'm talking about
sur on, upon, with (*have money

with one); **deux jours — trois**
two days out of three
sûreté *f.* safety
surgir to rise, arise
surlendemain *m.* two days later
surnommé nicknamed
surprendre to surprise
surpris *p. p. of* surprendre
surtout especially, above all
surveillant *m.* supervisor, monitor
survivant *m.* survivor
survivre to survive
suspendre to suspend
Sylvie Sylvia
symptôme *m.* symptom

T

tabac *m.* tobacco
table *f.* table; **— de toilette** dressing table; **à —** at the table
tableau *m.* picture
tabletier *m.* toy-dealer
tabulateur *m.* dial
tâche *f.* task
tâcher (de) to try (to)
Tacite Tacitus
taille *f.* figure
taire (se) to be silent
talent *m.* talent
talon *m.* heel
tambour *m.* drum
tamponner to hit, stamp
tandis que while
tant (de) so many, so much, so
greatly; **— mieux** so much the
better; **— pis** so much the worse,
too bad; **— que** as long as
tante *f.* aunt
tantôt now
tapage *m.* noise
taper (à la machine) to type
tapis *m.* carpet
tard late
tarif *m.* rate
tas *m.* heap
tasse *f.* cup
tâter to feel, try, taste; **— le pouls**
feel the pulse
taxi *m.* taxi
teinte *f.* tinge, tint

tel (*f.* **telle**) such; **un —** such a

télégramme *m.* telegram

téléphone *m.* telephone, phone

téléphoner to telephone

tellement so, so much, to such an extent

témoin *m.* witness

tempête *f.* storm, tempest

temps *m.* time, weather, tense (*verb*); **de — en —** from time to time; **mettre quelque — à** to take some time to; **par tous les —** in all sorts of weather

ténacité *f.* tenacity

tendre to extend

tenir to hold; **— le coup** hold out; **— compagnie** accompany; **s'en — à** limit oneself to, restrict oneself to; **se — debout** stand; **tenez (tiens)** here! (*when handing someone something*); **tenez la droite (gauche)** keep to the right (left)

tension *f.* tension

terme *m.* term

terminer to end, terminate

terrain *m.* terrain, ground

terrasse *f.* terrace; **à la — de** in front of

terre *f.* land, earth, ground; **par —** on the ground, floor; **pomme de —** *f.* potato

terrible terrible

tête *f.* head

thé *m.* tea

théâtre *m.* theatre

thème *m.* theme, translation

Thérèse Theresa

thermomètre *m.* thermometer

thon *m.* tuna fish

tiens! why! look! here!

timbre-poste *m.* (*pl.* **les timbres-poste**) stamp, postage stamp

timide timid

timidement timidly

timidité *f.* timidity

tirailleur *m.* sharpshooter

tirer to fire, pull, draw; **se — d'affaire** get out of a difficulty

tiret *m.* dash

tiroir *m.* drawer

toi you; **— -même** you, yourself; **à —** yours

toile *f.* canvas

toilette: faire la — to wash and dress; **serviette de —** towel; **table de —** dressing table

toit *m.* roof

tolérer to tolerate

tomate *f.* tomato

tombée *f.* fall; **— de la nuit** nightfall

tomber to fall; **— amoureux de** fall in love with

ton *m.* tone, shade, color; **un — clair** a light color

ton (**ta, tes**) your (*familiar*)

tonner to resound, thunder

tort: avoir — to be wrong; **donner — à** put in the wrong, consider wrong

torturé tortured

tôt soon; **au plus —** as soon as possible; **le plus — possible** as soon as possible

toucher to touch, cash (*a check*)

toujours always, still

tour *m.* turn; **faire un petit —** to take a short walk

tournée *f.* road, tour; **partir en —** to go on the road

tourner to turn

tousser to cough

tout (*pro.*) everything, all, whole, every, any; **gentil comme —** nice as anything; **pas du —** not at all

tout (**toute, tous, toutes**) all, whole; **— à coup** suddenly; **— à fait** altogether, quite; **— à l'heure** presently, just now; **— au plus** at the very most; **— de même** all the same; just the same; **— de suite** at once, immediately; **— droit** straight ahead; **—e l'après-midi** the whole afternoon; **—e la journée** the whole day; **—e la matinée** the whole morning; **—e la soirée** the whole evening; **— le monde** everybody; **— simplement** simply; **tous deux** both; **tous les deux** both; **tous les jours** every day; **tous les lundis** every Monday; à — à l'heure I'll see you presently; à — instant every moment; au-dessous de — beyond words; du — at all; en — cas at any rate; c'est — that's all

toux *f.* cough

traduction *f.* translation

traduire to translate

tragique tragic

trahir to betray

trahison *f.* treachery

train *m.* train; être en — de to be in the act of

trait *m.* trait, act

traité *m.* treatise

traiter to treat

traître *m.* traitor

trajet *m.* journey, trip

tramway *m.* streetcar

tranche *f.* slice

tranchée *f.* trench

tranquille peaceful, tranquil

tranquillement calmly, tranquilly

transférer to transfer

transpirer to perspire

transporter to carry, transport

travail *m.* (*pl.* travaux) work

travailler to work

travers: à — across, through

traverse *f.* crossbar

traversée *f.* crossing

traverser to cross, pierce

treize thirteen

trembloter to tremble

tremper to dip, soak

trente thirty

très very

trésor *m.* treasure

tressaillir to be startled

tribunal *m.* court

triomphant triumphant

triomphe *m.* triumph

triompher to triumph

triste sad

tristement sadly

tristesse *f.* sadness

trois three

troisième third

trombe *f.* whirlwind

tromper (se) to make a mistake, be mistaken

trop (de) too, too much, too many

trotter to run about

trottoir *m.* sidewalk

trou *m.* hole

troubler to trouble, to disturb

trouvaille *f.* discovery

trouver to find; se — to find oneself, to be

truite *f.* trout

tu you (*familiar*)

tuer to kill

tumultueux (*f.* -se) tumultuous

tunnel *m.* tunnel

Turquie *f.* Turkey

tuteur *m.* guardian

tutoyer to address familiarly; to "thou" and "thee"

tuyauterie *f.* pipes

U

un (une) a, an, one

uniforme *m.* uniform

Union Soviétique *f.* Soviet Union

unique only, sole

uniquement solely

université *f.* university, college

user to wear out

usine *f.* factory

V

vache *f.* cow

vague *m.* vagueness

vague *f.* wave

vaguement vaguely

vain: en — in vain

vaincre to conquer, win

vaisselle *f.* dishes

valeur *f.* value

valise *f.* suitcase; faire sa — to pack a bag (suitcase)

valoir to be worth; — la peine to be worth the trouble; — mieux to be better

vanille *f.* vanilla

vapeur *f.* smoke, steam

vas *see* aller

veau *m.* veal

vécu *p. p. of* vivre

vendeur *m.* salesman, clerk
vendre to sell
vendredi *m.* Friday
venir to come; **— de** + *infinitive* to have just; **faire —** to send for
vent *m.* wind; **faire du —** to be windy
verbe *m.* verb
vérifier to verify
véritable veritable
vérité *f.* truth
verni varnished
verre *m.* glass
vers *m.* verse
vers toward (*with expressions of time*—"at about")
verse: pleuvoir à — to pour (rain)
version *f.* translation from foreign language
vert green
vertu *f.* virtue
vestiaire *m.* cloak-room
veston *m.* coat, jacket
vêtement *m.* garment; **les vêtements** clothes; **vêtements de dessous** underwear
veuf *m.* widower
veuve *f.* widow
viande *f.* meat
victoire *f.* victory
vide empty
vider to empty
vie *f.* life, living, livelihood; **la — coûte cher** the cost of living is high
vieillard *m.* old man
vieux (vieil *before a vowel or h, f. s.* **vieille,** *m. pl.* **vieux,** *f. pl.* **vieilles)** old; **mon —** old man, my friend
vif (*f.* **vive**) lively
villa *f.* cottage
village *m.* village
ville *f.* city, town; **en —** in town; down town
vin *m.* wine
vingt twenty
vingtaine *f.* score
violemment violently
violette violet
visage *m.* face
viser to aim

visite *f.* visit; **faire une —** to pay a visit; **faire — à** visit, pay a visit to, make a call on
visiter to visit
vite fast, quickly
vitesse *f.* speed
vitre *f.* window pane
vivacité *f.* vivacity, liveliness
vivant living, alive
vive *see* **vif**
vivement quickly
vivre to live; **Vive (l'empereur)!** Long live (the emperor)!
vivres *m. pl.* food
vocabulaire *m.* vocabulary
vogue *f.*: **en —** popular
voici here is, here are; **me —** here I am
voie *f.* track
voilà there is, there are (*pointing out*); **— tout** that's all; **les —** there they are
voile *f.* sail; **bateau à —** *m.* sailboat
voir to see; **faire —** show; **faites-moi —** show me; **voyons** let's see
voisin *m.* neighbor; (*adj.*) neighboring, adjoining
voiture *f.* railroad coach, carriage; **en —!** all aboard!
voix *f.* voice; **à haute —** aloud; **à — basse** in a low voice
volaille *f.* fowl, poultry
volant *m.* steering wheel
voler to steal, fly, rob
volet *m.* shutter
voleur *m.* thief
volonté *f.* will
volontiers gladly, willingly
votre (*pl.* **vos**) your
vôtre (le, la) yours
vouloir to want, wish; **— bien** be willing; **— dire** mean; **voulez-vous?** do you want?, will you?, will you have?; **voulez-vous m'indiquer?** will you show me?
voulu *p. p. of* **vouloir**
vous you, to you (*polite, plural*); (to) yourself, (to) yourselves; **-même** yourself; **—mêmes** your-

selves; **à —** yours; **bien à —**
sincerely yours
voyage *m.* journey, trip, voyage;
  bon — have a good trip; **faire**
  un — to take a trip
voyager to travel
voyageur *m.* traveler
voyant loud (*of colors*)
voyons! let's see!
vrai true, real
vraiment really, truly
vraisemblance *f.* plausibility
vu *p. p. of* **voir**
vue *f.* view; **au point de — de**
  from the point of view of
vulgaire ordinary, commonplace

W

wagon *m.* coach; **— -lit** sleeping-
  car; **— -restaurant** dining car
W. C. (le) *m.* toilet
week-end *m.* week-end

Y

y there, to it, to them
yeux (les) *m.* eyes (*s.* **œil**)
Yougoslavie *f.* Yugoslavia
Yvonne Yvonne

Z

Zut! darn it! heck!

A

a un, -e; (*per*) par
able: be — pouvoir
aboard: all — ! en voiture!
about (*almost*) à peu près; (*concerning*) de, au sujet de; (*toward*) vers; **what are you talking —** de quoi parlez-vous?; **walk —** se promener
above en haut, au-dessus de; **— all** surtout
accompany accompagner
ache: have an — avoir mal à
acquaintance connaissance *f.*; **make the — of** faire la connaissance de
acquainted: be — with connaître; **become — with** faire la connaissance de
across à travers; **— the way** d'en face
act acte *m.*
actor acteur *m.*
address adresse *f.*
address familiarly tutoyer
advance avancer (nous avançons)
advance: in — d'avance
adverb adverbe *m.*
advise conseiller; **— someone to do something** conseiller à quelqu'un de faire quelque chose
affair affaire *f.*
afraid be — of or **to** avoir peur (de), craindre (de)
after *conj.* après que
after *prep.* après; **— all** enfin, après tout
afternoon après-midi *f.;* **in the —** l'après-midi; **good —** bonjour; **the whole —** toute l'après-midi
afterward ensuite
again encore, encore une fois, de nouveau
against contre
age âge *m.*
ago il y a...
agree accorder; **to make —** faire accorder; **— with (you)** être de (votre) avis

agreeable agréable, aimable
agreed d'accord; **agreed!** entendu, convenu
ahead: — (*of time*) en avance; **straight —** tout droit
aid secours *m.*
air air *m.*
airplane avion *m.*
Albert Albert
alcohol alcool *m.*
all *pro.* tout, tous
all *adj.* tout, -e; **— aboard!** en voiture!; **— kinds of** toutes sortes de; **— right** c'est bien, soit; **— right?** ça va?; **— the same** tout de même, quand même; **anything at —** n'importe quoi; **not at —** pas du tout, du tout; (*emphatic*) ne ... point
allow permettre (de) (*p. p.* permis)
ally allié *m.*
almost presque
alone seul
along le long de; **come —** accompagner
aloud à haute voix
already déjà
also aussi
although bien que, quoique
altogether tout à fait
always toujours
America Amérique *f.;* **in, to —** en Amérique
American américain; **I am an —** je suis Américain
ammunition munitions *f. pl.*
among parmi
an un, une
and et
and so aussi
Andrew André
angry: to get — se fâcher
animal animal *m.* (*pl.* animaux)
ankle cheville *f.*
Annie Annette
anniversary anniversaire *m.*
announce annoncer (nous annonçons)
another un autre, encore un

annoying gênant
answer répondre (à)
ant fourmi *f.*
any quelque, quelques-uns, quelques-
unes, en (*pro.*)
anyone quelqu'un, quelqu'une
anything at all n'importe quoi
anything else? rien d'autre?
any ... whatsoever n'importe quel
...
apology excuse *f.*
appear se présenter
appear to avoir l'air de
appearance air *m.*
appetizers hors-d'oeuvre *m. pl.*
apple pomme *f.*
application application *f.*
apply appliquer
appointment rendez-vous *m.*
appreciate apprécier
appropriate: to be — convenir
April avril *m.*
are there? est-ce qu'il y a?, y a-t-il?
arise surgir
arm bras *m.*
arm (*weapon*) arme *f.*
arm armer
arm chair fauteuil *m.*
around autour de; turn — se retourner, faire demi-tour
arrest arrêter
arrive arriver
art art *m.*
Arthur Arthur
artificial artificiel (*f.* -elle)
as comme, que; — ... — aussi
... que; — far — jusqu'à, jusqu'à
ce que; — for quant à; — long —
tant que; — many autant de;
— much autant de; — soon —
aussitôt que, dès que
ask demander, prier; — a question
poser une question; — for demander; I don't — for anything
better je ne demande pas mieux
assassinate assassiner
assure assurer
at à, dans, chez; — first d'abord;
— home chez (moi, toi, lui *etc.*);
— least au moins, du moins; —

once à l'instant, immédiatement,
tout de suite
attention attention *f.;* attention!
attention!
attentive soigneux (*f.* soigneuse)
August août *m.*
aunt tante *f.*
Austria Autriche *f.*
author auteur *m.*
authority autorité *f.*
automatic pencil porte-mine *m.*
automobile auto, automobile *f.*
avenue avenue *f.*
avoid éviter
avow avouer
await attendre
away: go — s'en aller; take —
emmener
awkward gauche

B

bachelor garçon *m.*
back dos *m.*
back: be *or* get — être de retour;
come — revenir, rentrer; give —
rendre; go — retourner, rentrer
back of derrière
bacon lard (anglais) *m.*
bad mauvais, -e; that's too — c'est
dommage; — luck guigne *f.*
badly mal
bag valise *f.;* woman's hand —
sac *m.;* pack a — faire sa valise
baggage bagages *m. pl.*
Balkans Balkans *m. pl.*
ball (*dance*) bal *m.;* (*bullet*) balle *f.*
band bande *f.*
bandage pansement *m.*
bandit bandit *m.*
bank banque *f.;* — note billet de
banque *m.*
banker banquier *m.*
barely à peine
bars: handle- — guidon *m.*
base baser
basket panier *m.*
batallion bataillon *m.*
bath bain *m.*
bathe prendre un bain
bathroom salle de bain *f.*

battle bataille *f.*

be être, se trouver; (*of business or health*) aller; — in the act of (doing) être en train de (faire); so — it soit; — to devoir

beach plage *f.*

beans haricots *m. pl.*

beard barbe *f.*

beautiful beau (bel *before vowel or h,* belle *f. s.,* beaux *m. pl.,* belles *f. pl.*)

beauty beauté *f.*

because parce que; — of à cause de

become devenir; — acquainted with faire la connaissance de

becoming: be — to aller bien à; be extremely — aller à merveille

bed lit *m.;* go to — se coucher; —sheet drap *m.*

bedroom chambre à coucher *f.*

beefsteak bifteck *m.*

been été (*p. p.* être)

beer bière *f.;* large glass of — demi *m.;* small glass of — bock *m.*

before *adv.* avant, auparavant; day — veille *f.*

before *conj.* avant que (. . . ne) (+ *subj.*)

before *prep.* (*position*) devant; (*time*) avant; (*before inf.*) avant de; — that auparavant

beg prier de

begin commencer (à); se mettre (à); — with commencer par

behind derrière

Belgium Belgique *f.*

believe croire

beloved chéri *m.*

below en bas, au-dessous de

belt ceinture *f.*

bench banc *m.*

beneath sous, au-dessous de

beside à côté, à côté de

besides d'ailleurs, de plus

besiege assiéger (nous assiégeons)

best *adj.* le meilleur, la meilleure

best *adv.* le mieux; the — they can de leur mieux; do one's — faire son possible

betake oneself se rendre

better *adj.* meilleur, -e

better *adv.* mieux; I don't ask for anything — je ne demande pas mieux

between entre

beverage boisson *f.*

beyond: go — dépasser

bicycle bicyclette *f.*

big gros, -se; grand

bill addition *f.*

billion milliard (de) *m.*

biology biologie *f.*

bird oiseau *m.* (*pl.* -x)

birth naissance *f.*

birthday anniversaire de naissance *m.*

bitter amer (*f.* amère)

black noir

blade lame *f.;* razor — lame de rasoir *f.*

block bloc *m.*

blood sang *m.*

blow up faire sauter

blue bleu

body corps *m.*

bombardment bombardement *m.*

bone os *m.* (*pronounce the* s *in the sing., but not in the plural, les os*)

book livre *m.*

book-hunt bouquiner

border frontière *f.*

bordered bordé

borrow (from) emprunter (à)

Bosnian bosnien (*f.* bosnienne)

Botanical Gardens Jardin des Plantes, *m.*

both tous les deux, les deux

bother déranger (nous dérangeons)

bottle bouteille *f.*

boulevard boulevard *m.*

boundary frontière *f.*

bow saluer

box boîte *f.;* letter — boîte aux lettres

boy garçon *m.*

brake frein *m.*

brave brave

Brazil Brésil *m.*

bread pain *m.*

break rompre, casser, briser

breakfast petit déjeuner *m.*

breakdown (*auto*) panne *f.*
breast poitrine *f.*
breasted: double — croisé
breathe souffler
bridge pont *m.*
brief bref (*f.* brève)
brief case serviette *f.*
brigade brigade *f.*
bright intelligent, clair
brilliant éclatant
bring amener, apporter
broad: in — daylight en plein jour
brook ruisseau *m.*
brother frère *m.*
brother-in-law beau-frère *m.*
brown marron, brun
brunette brun, -e
brush brosse *f.;* **tooth —** brosse à dents
bud (*of a flower*) bouton *m.*
building édifice *m.,* bâtiment *m.*
bullet balle *f.*
burn brûler
burn brûlure *f.*
burst out éclater
bus autobus *m.*
business affaire *f.*
busy occupé, pris
busy with: to be — s'occuper de
but mais; **not ... —** ne ... que
butter beurre *m.*
button bouton *m.*
buy acheter (j'achète)
by par; **— the way** à propos

C

cabbage chou *m.* (*pl.* choux)
cake gâteau (*pl.* gâteaux); **cream — ** gâteau à la crème; **small —** petit-four *m.*
call appeler (j'appelle); **— oneself** s'appeler; **be called** s'appeler; **— on** faire visite à; **what do you — this in French?** comment s'appelle ceci en français?
calm calme
campaign campagne *f.*
can pouvoir (*physical*); savoir (*mental*); **I can't** je ne peux pas; **I**

can't help je ne peux pas m'empêcher de
Canada Canada *m.*
Canadian canadien (*f.* -ne)
candy (*piece of*) bonbon *m.* (*use plural,* les bonbons, *for English collective candy*)
cannon canon *m.*
canvas toile *f.*
captain capitaine *m.*
car auto, automobile *f.;* **by —** en auto; **dining- —** wagon-restaurant *m.;* **sleeping- —** wagon-lit *m.;* **street —** tramway *m.*
card carte *f.*
care souci *m.*
care attention *f.;* **to take — of** se charger de, avoir soin de
careful soigneux (*f.* soigneuse)
careful! attention!
careful with attention à
carriage voiture *f.*
carry porter
case cas *m.*
cat chat *m.*
catch attraper
catch up rattraper
Catholic catholique
cause causer
cease cesser (de)
celebrate fêter
celebration fête *f.*
cellar cave *f.*
centime centime *m.*
certain sûr, certain
certainly certainement, assurément
chain chaîne *f.*
chair chaise *f.;* **arm —, easy —** fauteuil *m.*
chamber chambre *f.*
change (*money*) monnaie *f.;* **small — ** la petite monnaie *f.;* **I have no —** je n'ai pas de petite monnaie
change changer (de) (nous changeons)
change purse porte-monnaie *m.*
charge: to take ... of se charger de (nous nous chargeons de)
charm charme *m.*
charming charmant
chat causer, bavarder

cheap bon marché
cheaply à bon marché
check chèque *m.; **to make out a —**
 faire un chèque
check (bill) addition *f.*
check contrôler
cheek joue *f.*
cheese fromage *m.*
chemistry chimie *f.*
chest poitrine *f.*
"chew the rag" bavarder
chicken poulet *m.*
chief principal (*m. pl.* principaux)
chief chef *m.*
child enfant *m. or f.*
chin menton *m.*
China Chine *f.*
Chinese chinois
choose choisir
Christmas Noël *m. or f.*
church église *f.*
cigar cigare *m.*
cigarette cigarette *f.*
city ville *f.*
claim prétendre
class classe *f.;* **in —** en classe
classroom salle de classe *f.*
clean propre
clear clair
clear the table desservir
clerk vendeur *m.*
clever intelligent
climb monter (à) (être)
clock pendule *f.*
close to près de; **very close to**
 tout près de
close fermer
close tight renfermer
closet placard *m.*
cloth étoffe *f.*, drap *m.;* **table —**
 nappe *f.*
cloud nuage *m.*
cloudy couvert
coal charbon *m.*
coat veston *m.*, jaquette *f.*
coat (*woman's*) manteau *m.*
coffee café *m.*
coffee shop café *m.*
cognac cognac *m.*
coin monnaie *f.*
cold rhume *m.*

cold froid; **be —** (*weather*) faire
 froid; **be —** (*physical sensation*)
 avoir froid
collaborate collaborer
colleague collègue *m.*
college université *m.*
collision collision *f.*
colonel colonel *m.*
color ton *m.*, couleur *f.;* **a light —**
 un ton clair
comb peigne *m.*
come venir (*p. p.* venu) (*with* être)
come along accompagner; **come
 along, come with me** accompagnez-moi; **— back** revenir, rentrer; **— here** venez ici; **— home**
 rentrer; **come, come!** allons donc!;
 come now! allons donc!; **come,
 come now, come on** allons; **—
 down** descendre (être); **— to an
 understanding** se mettre d'accord;
 let's — to an understanding mettons-nous d'accord; **— with** accompagner
comfortable commode
commissioner (*police*) commissaire
 de police *m.*
communication communication *f.*
company compagnie *f.;* **in — of** en
 compagnie de
compartment compartiment *m.*
competitor compétiteur *m.*
complain se plaindre
complete compléter (je complète)
complete complet (*f.* complète)
completely complètement
composition composition *f.*
comrade camarade *m.*
conceal cacher
concern concerner; **for what concerns** en ce qui concerne
concerning au sujet de, à propos de
conditional conditionnel *m.*
conductor contrôleur *m.*
confess avouer
confounded sacré
conjugate conjuguer
conjugation conjugaison *f.*
conquer vaincre
consent consentir (à)
consequently par conséquent

consider considérer (je considère)
consommé consommé *m.*
constantly sans cesse
contents contenu *m.*
continue continuer (à *or* de)
contrary contraire
conversation conversation *f.*
convince convaincre
cook cuisinière *f.*
cooking cuisine *f.*
cool frais (*f.* fraîche)
copper cuivre *m.*
cordial liqueur *f.*
cordial cordial (*m. pl.* cordiaux)
cordially yours bien à vous, bien amicalement, votre bien cordialement dévoué
corn cor *m.*
corner coin *m.*
correct correct, juste
correctly correctement
correspond correspondre
cost coûter; the — of living is high la vie coûte cher
cottage villa *f.*
cough toux *f.*
cough tousser
count compter
country campagne *f.*, pays *m.*
countryside pays *m.*, paysage *m.*
couple couple *m.*
courage courage *m.*
courageous courageux (*f.* -se)
course: of — bien entendu, naturellement
courtyard cour *f.*
cousin cousin *m.*, cousine *f.*
cover couvrir
covered couvert; — with couvert de
cow vache *f.*
cowardly lâche
crazy fou (fol *before vowel or h*), folle
cream crème *f.;* — cake (pie, tart) gâteau à la crème; ice — glace *f.*
create créer
creditor créancier *m.*
crime crime *m.*
criticize critiquer
Croat, Croatian croate

cross traverser
cry crier, s'écrier
cuff manchette *f.;* — link bouton de manchette
cup tasse *f.*
customer client *m.*, cliente *f.*
cut: — out, — up découper

D

damp humide
dance bal *m.*
dance danser
danger danger *m.*
dangerous dangereux (*f.* -se)
dark noir, obscur; (*of color*) foncé
darling chéri
darn: — it! Zut!
darned sacré
dash tiret *m.*
date date *f.;* rendez-vous *m.;* to set a — se donner rendez-vous
daughter fille *f.;* — in-law belle-fille *f.*
day jour *m.*, journée *f.;* — after tomorrow après-demain; — before yesterday avant-hier; a — par jour; all — toute la journée; every — tous les jours; good — bonjour; the whole — toute la journée; this very — aujourd'hui même
daylight: in broad — en plein jour
dead mort
deal: a great — beaucoup (de)
dear cher, chère; chéri
dearest chéri
death mort *f.*
debt dette *f.*
December décembre *m.*
deck pont *m.*
declaration déclaration *f.*
declare déclarer; I declare! par exemple!
deep profond; foncé (*color*)
delicious délicieux (*f.* délicieuse)
delighted enchanté
delightful délicieux (*f.* délicieuse)
deliver livrer
delivery livraison *f.*
demand exiger (nous exigeons)

Denmark Danemark *m.*
dentifrice dentifrice
depart partir (*p. p.* parti) (*with* être)
departure départ *m.*
deploy déployer (je déploie)
deputy député *m.*
desire envie *f.; désir m.*
desire désirer
desk bureau *m.* (*pl.* bureaux)
dessert dessert *m.*
destroy détruire (*like* conduire)
detective policier (*adj.*) (*f.* policière)
detective story roman policier
devoted dévoué
dialogue dialogue *m.*
dictate dicter
dictation dictée *f.*
die mourir (*p. p.* mort) (*with* être)
diet régime *m.*
difference: it makes no — cela ne fait rien
different divers
difficult difficile
difficulty difficulté *f.*
dine dîner
dining car wagon-restaurant *m.*
dining room salle à manger *f.*
dinner dîner *m.*; to have — dîner
dip tremper
direct direct
direct diriger (nous dirigeons)
direction direction *f.*, côté *m.; in my* — de mon côté
dirty sale
disagreeable désagréable
discuss discuter
dish plat *m.*
dishes: set of — service *m.*
dispose disposer; disposed to disposé à
distance: at a — à distance
disturb déranger (nous dérangeons)
diverse divers
diversion divertissement *m.*
do faire; — our best faire notre possible; — no good ne servir à rien
doctor docteur *m.*
dog chien *m.*

dollar dollar *m.*
done fait, -e
door porte *f.*
door-knob bouton *m.*
double-breasted croisé
doubt douter (de)
down en bas; come (go) — descendre; lie — se coucher; set — établir; sit — s'asseoir; — there là-bas; —town en ville
down-slope descente *f.*
downstairs en bas
dozen douzaine (de) *f.; half-* — demi-douzaine *f.*
draw dessiner
drawer tiroir *m.*
drawing-room salon *m.*
dress robe *f.*
dress s'habiller
dressing gown robe de chambre *f.*
drink boisson *f.*
drink boire (*p. p.* bu)
dripping with perspiration (to be) être en nage
drive conduire
driver conducteur *m.*
driving permit permis de conduire *m.*
drug store pharmacie *f.*
dry sec (*f.* sèche)
during pendant, au cours de
dust poussière *f.*
dynamite dynamite *f.*

E

each chaque; — one chacun (*f.* chacune); — other se, l'un l'autre; — time chaque fois
ear oreille *f.*
early de bonne heure, tôt
earn gagner
earth terre *f.*
east orient *m.*, est *m.*
easy facile; — to soil salissant
eat manger (nous mangeons)
economic économique
edged bordé
education instruction *f.*
Edward Edouard

egg œuf m. (*final f pronounced in singular but silent in plural* œufs); ham and eggs des œufs au jambon
eight huit
eighteen dix-huit
eighty quatre-vingts
elbow coude m.
electric électrique
elegant chic
eleven onze
else: anything —? rien d'autre?; it's something — c'est autre chose
empty vide
encumber encombrer
end fin f.
end finir, terminer; — by finir par
endorse endosser
enemy ennemi m.
England Angleterre f.
English anglais
enjoy jouir (de)
enjoy oneself s'amuser (bien)
enormous énorme
enormously énormément
enough assez (de); that's — ça suffit
enter entrer (dans) (*with* être)
entire entier (f. entière)
entitle intituler
entrance entrée f.; no — défense d'entrer
envelope enveloppe f.
envisage envisager (nous envisageons)
envy envie f.
equal égal (m. pl. égaux)
Ernestine Ernestine
errand course f.
escape se sauver, échapper (à)
especially surtout
establish établir
Europe Europe f.
even même (adv.)
evening soir m., soirée f.; in the — le soir; this — ce soir; the whole — toute la soirée
ever jamais; not — ne … jamais
every chaque, tout, -e; — day tous les jours; — Monday tous les lundis
everybody tout le monde

every one chacun, -e; — to his taste chacun son goût
everything tout
everywhere partout
exasperating embêtant
excellent excellent
except: not … — ne … que
exchange change m., échange m.
exchange changer (de) (nous changeons)
exchange office bureau de change m.
exciting passionnant
excuse excuse f.
excuse excuser; — me excusez-moi, pardon
exercise exercice m.
exhausted: to get — s'épuiser
exit sortie f.
expect attendre, compter, s'attendre à; what would you —? que voulez-vous?
expenses frais m. pl.
expensive cher (f. chère)
experience expérience f.
explain expliquer
explosive explosif m.
expression expression f.
extent: to such an — tellement
extract extraire
extraction extraction f.
extreme extrême
eye œil m. (pl. yeux)
eye-glasses lunettes f. pl.

F

face visage m., figure f.
face faire face à
fact: as a matter of — effectivement, en effet; in — effectivement, en effet; the — is that c'est que
factory usine f.
faculty corps professoral m.
fail échouer; — to do manquer (de + inf.)
faint s'évanouir
fair raisonnable
faithful fidèle
fall tomber (with être); — asleep s'endormir; — in love with tomber amoureux (amoureuse) de

fall automne *m.*
false faux (*f.* fausse)
familiarly: address — tutoyer
family famille *f.*
famous fameux (*f.* -se)
far, far away loin; **far from** loin
de; **that's going too far** c'est un
peu fort
farewell adieu *m.*
farm ferme *f.*
fashion façon *f.;* **in this —** de cette
façon; **in grand —** d'une façon
magnifique
fast vite
fat gras (*f.* grasse)
fate destinée *f.,* sort *m.*
father père *m.*
father-in-law beau-père *m.*
fear peur *f.,* crainte *f.;* **for — of**
de crainte de, de peur de; **for —**
that de crainte que
fear craindre; avoir peur de
fearful peureux (*f.* -se)
feast fête *f.*
February février *m.;* **in —** au mois
de février, en février
feeble faible
feel se sentir (*p. p.* senti); **— like**
avoir envie de
fever fièvre *f.*
few peu (de), quelques, quelques-uns
field champ *m.*
fifteen quinze
fifty cinquante
fight combattre
figure taille *f.*
fill remplir
filled with plein de
fill up encombrer
film film *m.*
final final (*m. pl.* finaux)
find trouver; **— oneself** se trouver
fine beau (bel *before vowel or h,*
f. s. belle, *m. pl.* beaux, *f. pl.* belles); excellent, brave; **that's —**
très bien; **the weather is —** il fait
beau temps
finger doigt *m.*
finish finir (de) (*p. p.* fini); terminer
fire feu *m.*
fire faire feu

firing (*of guns*) feu *m.*
first premier (*f.* première); **at —**
d'abord
fish poisson *m.*
fit aller (bien), chausser
five cinq
flank flanc *m.*
flannel flanelle *f.*
flat plat
flatter flatter
flight: one — up au premier étage
"fling" (*slang*) "bombe" *f.*
floor étage *m.;* **on the third —** au
second étage
flower fleur *f.*
fly voler
foe ennemi *m.*
fog brouillard *m.*
follow suivre (*p. p.* suivi); **— me**
suivez-moi
following suivant, ensuite
food vivres *m. pl.*
foolish sot (*f.* sotte)
foolishness: piece of — sottise *f.*
foot pied *m.*
for pour (*prep.*), car (*conj.*); **as —**
quant à; **send —** faire venir
forbid défendre
forehead front *m.*
foreign étranger (*f.* étrangère)
forget oublier (de)
fork fourchette *f.*
form former
former: the — celui-là
formerly autrefois
fortnight quinze jours
fortunately heureusement
forty quarante
fountain pen stylo *m.*
four quatre
fourteen quatorze
fourth quart *m.;* quatrième
fragment fragment *m.*
franc franc *m.*
France France *f.;* **to —, in —** en
France
frank franc (*f.* franche)
Frank, Francis François
free libre; **— from** à l'abri de
freedom liberté *f.*
French français; **— style** à la

française; — **fried potatoes** frites
f. pl.
Friday vendredi *m.*
fried frit; **French** — **potatoes**
frites *f. pl.*
friend ami *m.*, amie *f.;* **girl** — amie
f.; **my** — mon vieux
friendship amitié *f.*
frightful effroyable
from de (d'), dans; — **me** de ma
part; — **it,** — **them** en
front devant *m.*
front: in — **of** devant
frontier frontière *f.*
fruit fruit *m.*
full (of) plein (de)
funny drôle
fur fourrure *f.*
furnish fournir
furnished meublé
furniture meubles *m. pl.*
further: — **on** plus loin
furthermore de plus
fuss histoire *f.*

G

gain gagner, remporter
gangway! laissez passer!
garden jardin *m.;* **Botanical** —s
Jardin des Plantes *m.*
garment vêtement *m.*
gasoline essence *f.*
gay gai
gear: steering — guidon *m.*
general général; **in** — en général
gentleman monsieur *m.;* **gentlemen**
messieurs *m. pl.*
geography géographie *f.*
George Georges
German allemand
Germany Allemagne *f.*
gesture mouvement *m.*, geste *m.*
get obtenir, prendre, se procurer;
— **along** s'entendre, (*manage*) se
tirer d'affaire; — **back** revenir, être
de retour; — **impatient** s'impatienter; — **in** monter (à) (dans);
— **rid of** se débarrasser de; — **to**
(*reach*) arriver à; — **up** se lever
gift cadeau *m.*

girl jeune fille *f.*
give donner; — **back** rendre; —
up (*something*) renoncer à
glad content, heureu-x, -se; **be** —
to vouloir bien; **I'm** —, **I'm** — **of**
that j'en suis heureux
gladly volontiers
glass verre *m.;* **eye-** —s lunettes
f. pl.; **large** — **of** beer demi *m.;*
small — **of beer** bock *m.*
gleam briller
glove gant *m.*
glutton gourmand *m.*
go aller, partir, marcher, se rendre;
— **(by train, on foot, on horseback, by car, by boat, by carriage)** aller (par le train, à pied,
à cheval, en auto, en bateau, en voiture); — **away** s'en aller; — **back**
retourner, rentrer; — **beyond** dépasser; — **down** descendre; —
for a walk faire une promenade;
— **home** rentrer; — **in** entrer
(dans); — **on** continuer; — **on
the road** partir en tournée; — **out**
sortir; — **to bed** se coucher; —
too far (that's going too far)
c'est un peu fort; — **up (to)** monter (à); — **with** accompagner;
let's — en route; **going to** aller à
good bon, -ne, brave; **a** — **deal**
beaucoup; **do no** — ne servir à
rien; **have a** — **time** s'amuser
bien
good afternoon (day, morning)
bonjour
goodbye au revoir; **say** — faire
(ses) adieux (à)
goodness! mon Dieu! ma foi!
good night bonne nuit
gown robe *f.;* **dressing-** — robe de
chambre *f.*
gracious! mon Dieu!
grammar grammaire *f.*
granddaughter petite-fille *f.*
grandfather grand-père *m.*
grandmother grand'mère *f.*, grand'
maman *f.*
grand-papa grand-père *m.*
grandson petit-fils *m.*
grapes raisin *m.*

grass herbe *f.*
gray gris
great grand; a — deal beaucoup
Greece Grèce *f.*
green vert
greet saluer
ground terre *f.;* on the — par terre
grow pousser
guest hôte *m.;* invited — invité *m.*
guide guide *m.;* serve one as a — servir de guide à
gun: machine — mitrailleuse *f.*

H

had eu (*p. p.* avoir)
hair cheveux *m. pl.*
half moitié *f.,* demi *m.*
half (*adj.*) demi, -e; — dozen demi-douzaine *f.;* — an hour demi-heure *f.;* an hour and a — une heure et demie *f.;* — turn demi-tour *m.*
hall salle *f.*
halt s'arrêter
ham jambon *m.;* — and eggs des œufs au jambon
hammerer marteleur *m.*
hand main *f.;* on the other — d'ailleurs, par contre; on the right — side of à droite de; to shake —s se serrer la main
handbag sac à main *m.*
handkerchief mouchoir *m.*
handle bars guidon *m.*
handsome beau (bel *before vowel or h, f. s.* belle, *m. pl.* beaux, *f. pl.* belles)
happen arriver, se passer
happily heureusement
happy content (de), heureux (*f.* -se), joyeux (*f.* -se); be — to être heureux de + *infinitive*
harbor port *m.*
hard (*adj.*) difficile
hard (*adv.*) fort, dur, ferme
hardly à peine
haste hâte *f.* (*use* la); in — en hâte
hat chapeau *m.*

have avoir; — just venir de + *infinitive;* — (*someone*) do faire faire à; — (*something*) done faire faire; — to devoir
hay foin *m.*
he il, lui
head tête *f.;* (*of an office*) chef *m.*
headlight phare *m.*
health santé *f.;* to your — à votre santé (*reply:* à la vôtre, to yours)
heap tas *m.*
hear entendre; — about entendre parler de (*conjug.* entendre *only*); — from (let me hear from you) donnez-moi de vos nouvelles
heard: I have heard (*people*) say j'ai entendu dire; to have — from avoir des nouvelles de
heart cœur *m.*
heartfelt cordial (*m. pl.* cordiaux)
heat chaleur *f.*
heating plant calorifère *m.*
heaven ciel *m.*
heck! Zut!
heel talon *m.*
Helen Hélène
hello! allô! (*telephone*)
help aider
help secours *m.;* help! au secours!; to the — of au secours de
hen poule *f.*
Henrietta Henriette
Henry Henri
her elle, la, lui (*pro.*); son, sa, ses (*adj.*)
here ici; here! (*when handing somebody something*) tenez! tiens!
here is (are) voici; — I am me voici
hers le sien, *etc.;* à elle
herself elle-même
hide cacher
high haut; (*expensive*) cher; the cost of living is — la vie coûte cher
highway route *f.*
hill colline *f.*
him lui, le
himself lui-même
hinder empêcher (de)
hire louer

his son, sa, ses; le sien, *etc.;* à lui
history histoire *f.*
hit tamponner, frapper
hold tenir (*p. p.* tenu)
hold out tenir le coup
Holland Hollande *f.* (*use* la)
homage hommage *m.*
home: at — chez moi, *etc.,* come,
  go — rentrer
honest honnête
honor faire honneur à
hope espérer (j'espère)
hoped for espéré
horse cheval *m.* (*pl.* chevaux)
hospital hôpital *m.*
hospitality hospitalité *f.*
host hôte *m.*
hostage ôtage *m.*
hot chaud
hotel hôtel *m.*
hour heure *f.*
house maison *f.;* at (my) house
  chez (moi)
how! que! (*exclamatory; follow
  with declarative word order*); —
  kind it is of you que c'est gentil
  à vous
how comment; — are things?
  comment ça va?; — are you?
  comment ça va?, comment allez-
  vous?, comment vous portez-vous?
  — do you do? comment allez-
  vous, comment vous portez-vous?;
  — do you say? comment dit-on
  (en français)? — goes it? comment ça va?; — is the weather?
  quel temps fait-il?; — long have
  you been here? depuis quand
  (combien de temps) êtes-vous ici?;
  — old are you? quel âge avez-
  vous?; — many *or* much combien
  (de)
however pourtant, cependant, néanmoins
hundred cent; two — deux cents;
  about a — une centaine *f.*
Hungary Hongrie *f.* (*use* la)
hunger faim *f.*
hungry: be — avoir faim
hunt: book- — bouquiner
hurl lancer (nous lançons)

hurried pressé
hurry se dépêcher; be in a — être
  pressé; — up! dépêche-toi, dépêchez-vous
hurt faire mal à
husband mari *m.*

I

I je, j', moi
ice glace *f.*
ice cream glace *f.*
idea: the very —! par exemple!
if si (s' *before* il, ils)
ill malade (*adj.*), mal (*adv.*)
illness maladie *f.*
illusion illusion *f.*
immediately tout de suite
impatient: to get — s'impatienter
imperative impératif *m.*
imperfect imparfait *m.* (*verb tense*)
impolite impoli
important important
impossible impossible; impossible!
  pas possible!
impression impression *f.*
in en, dans, à; (*after superlative*)
  de; go — entrer (dans) (*with*
  être)
indeed en effet, effectivement
indefinite indéfini; past — passé
  composé (*verb tense*)
indicate indiquer
infinitely infiniment
infinitive infinitif *m.*
inform renseigner
informal sans cérémonie
information: a piece of — renseignement *m.;* (*collective*) les renseignements *m. pl.*
inhabitant habitant *m.*
ink encre *f.*
inkwell encrier *m.*
inside intérieur *m.;* dedans (*adv.*);
  dans (*prep.*)
insist exiger, insister
inspector inspecteur *m.*
instance: for — par exemple
instant instant *m.*
instead of au lieu de
instruction instruction *f.*

intelligent intelligent
interest intérêt *m.;* **take — in** s'intéresser à
interior intérieur *m.*
international international (*pl.* internationaux)
interrupt interrompre
intersection carrefour *m.*
introduce présenter
introduction présentation *f.*
invasion invasion *f.*
invitation invitation *f.*
invite inviter
iron fer *m.*
is it? est-ce?
is (are) there? est-ce qu'il y a?, y a-t-il?
isn't he? (didn't they, *etc.***)** n'est-ce pas? (*use where English repeats the verb*)
it il, elle, le, la, se; **— is** c'est; **— is I** c'est moi; **— is done** (*one does it*) ça se fait
Italian italien (*f.* italienne)
Italy Italie *f.*
its son, sa, ses; le sien (la sienne, *etc.*)

J

jacket veston *m.,* jaquette *f.*
jail prison *f.*
James Jacques
January janvier *m.*
Japan Japon *m.*
Japanese japonais
jewel bijou *m.* (*pl.* bijoux)
join joindre, se joindre à
join again rejoindre
joke blaguer, plaisanter; **I was joking** c'était pour rire
Joseph Joseph
journey voyage *m.*
joy joie *f.*
juice jus *m.*
July juillet *m.*
June juin *m.*
just précisément, juste; **— a second** un instant; **— now** tout à l'heure; **— the same** tout de même, quand même

K

keep right (left)! tenez la droite (gauche)!
key clé, clef *f.;* **off —** faux (*f.* fausse)
kill tuer
kind sorte *f.;* **all —s of** toutes sortes de
kind bon, (*f.* bonne), gentil (*f.* gentille), aimable; **— to** aimable pour, bon pour; **it's very — of him (her, you)** c'est très gentil de sa (votre) part; **how — it is of you!** que c'est gentil à vous
kindness amabilité *f.,* bonté *f.;* **please have the — to** ayez la bonté de
king roi *m.*
kiss embrasser
kitchen cuisine *f.*
knee genou *m.* (*pl.* genoux)
knife couteau *m.* (*pl.* couteaux)
knock frapper
know connaître, savoir; **— how** savoir; **I — what I'm talking about** je suis sûr de mon affaire; **I don't —** je ne (le) sais pas; **— nothing about** ignorer
knowledge: without the — of à l'insu de

L

laboratory laboratoire *m.*
lace dentelle *f.*
lack (be lacking) manquer (de)
lack: for — of faute de
ladder échelle *f.*
lady dame *f.;* **young —** demoiselle *f.*
lake lac *m.*
lamb: leg of — gigot *m.*
lamp lampe *f.*
land terre *f.,* pays *m.*
land débarquer
language langue *f.*
large gros, (*f.* grosse), grand; **— glass of beer** demi *m.*
last dernier (*f.* dernière); **at — ** enfin; **the — time** la dernière fois; **— night** hier soir

late tard, en retard; **I am —** je suis en retard

later: **I'll see you —** à plus tard, à bientôt

latter celui-ci, *etc.*

laugh rire; **—** at rire de, se moquer de

laundry buanderie *f.*

law loi *f.*, droit *m.;* **study —** faire son droit

lead conduire, mener, amener, emmener

learn apprendre (à)

least: **at —** au moins

leave congé *m.;* **take — of** prendre congé de

leave laisser, partir, quitter

lecture conférence *f.*

left gauche; **to the —** à gauche; **keep to the —** tenir la gauche

leg jambe *f.;* **— of lamb** gigot *m.*

lend prêter

less moins; **—** than moins de, moins que; **more or —** à peu près

lesson leçon *f.*

let laisser, permettre (de); **— one-self be led** se laisser conduire; **—'s get started (—'s get going)** mettons-nous en route; **—'s go** en route

letter lettre *f.*

letter box boîte aux lettres *f.*

liberation libération *f.*

liberty liberté *f.*

lie down se coucher

life vie *f.*

light lumière *f.*

light allumer

light léger (*f.* légère), (*in color*) clair

like comme; **feel —** avoir envie de; **look —** avoir l'air de

like aimer (à); **I'd — to** je voudrais (+ *inf.*); **I — that!** (*ironical*) ça c'est chic!

line ligne *f.*, queue *f.;* **stand in —** faire la queue

lined doublé

link: **cuff- —** bouton de manchette *m.*

lip lèvre *f.*

lipstick bâton de rouge pour les lèvres *m.*

liqueur, liquor liqueur *f.*

listen, listen to écouter; **—!** dites donc!

little (*adj.*) petit

little (*adv.*) peu (de)

little peu *m.*

live vivre; **— in** habiter, demeurer dans *or* à

livelihood, living vie *f.;* **the cost of living is high** la vie coûte cher

living room salon *m.*

loan emprunt *m.*

lobster homard *m.*

lock fermer à clé

long long (*f.* longue); **as — as** tant que; **how —** depuis quand, depuis combien de temps; **so —** à bientôt; **a — time** longtemps

look regarder; **— at** regarder, contempler; **— for** chercher; **— here!** dites donc!; **— like** avoir l'air de, ressembler à

lose perdre; **— interest in** se désintéresser de

lots (of) beaucoup (de)

loud (*of a color*) voyant; **out —** à haute voix

love aimer

love amour *m.;* **in —** amoureux (*f.* -se)

low bas (*f.* basse, *m. pl.* bas, *f. pl.* basses)

luck chance *f.;* **bad —** guigne *f.*

luckily heureusement

lucky: **to be —** avoir de la chance

lunch déjeuner *m.*

lunch: **have —** déjeuner

lung poumon *m.*

M

Ma'am Madame (*abbrev.* Mme—*no period*)

machine machine *f.*

machine-gun mitrailleuse *f.*

Madam Madame (*abbrev.* Mme—*no period*)

maddening embêtant

made fait (*p. p.* faire)

Madeleine Madeleine
magazine revue *f.*
magnificent magnifique
maid servante *f.*, bonne *f.*
mail mettre à la poste
major commandant *m.*
make faire; — **a mistake** se tromper; — **no difference** ne faire rien (it makes no difference cela ne fait rien); — **a note of** prendre note de; — **oneself understood** se faire comprendre; — **out a check** faire un chèque; — **use of** se servir de
make-up maquillage *m.*
make up se maquiller, se farder
man homme *m.;* **old** — mon vieux
many beaucoup (de), bien de + *art.;* **as** — **as** autant que; **how** — combien (de); **so** — tant (de); **too** — trop (de)
March mars *m.*
Margaret Marguerite
Marie Marie
mark: a passing — une note suffisante *f.*
marry épouser, se marier (avec); — **off** marier
marvelously merveilleusement
Mary Marie
mass messe *f.*
massacre massacrer
match allumette *f.*
material étoffe *f.*
matter matière *f.;* **as a** — **of fact** effectivement, en effet; **be a** — **of** s'agir de; **what's the** — qu'y a-t-il?, qu'est-ce qu'il y a?; **what's the** — **with you?** qu'avez-vous?; **it doesn't** — n'importe
mattress matelas *m.*
May mai *m.*
may pouvoir; — **I?** puis-je?, est-ce que je puis?
maybe peut-être
me moi, me
meal repas *m.*
mean vouloir dire; **what does that** —**?** qu'est-ce que cela veut dire?; **what do you** —**?** que voulez-vous dire?

means moyen *m.;* **by** — **of** au moyen de
meanwhile en attendant
meat viande *f.*
mechanically machinalement
mechanized motorisé
meddle with se mêler de
medicine médicament *m.*
meet rencontrer, (*socially*) faire la connaissance de
mention: don't — **it** il n'y a pas de quoi
menu carte *f.*, menu *m.*
merchant marchand *m.*
merry gai
method méthode *f.*
Mexico Mexique *m.*
midnight minuit *m.*
military militaire
milk lait *m.*
million million (de) *m.*
mind: never — n'importe
mine mine *f.*
mine à moi; le mien, *etc.*
minister ministre *m.*
ministry ministère *m.*
mint menthe *f.*
minute minute *f.*
mirror miroir *m.*, glace *f.*
Miss mademoiselle (*abbrev.* Mlle)
miss manquer; — + *gerund* manquer de + *infinitive*
missing: be — manquer
mission mission *f.*
mist brouillard *m.*
mistake: make a — se tromper
mistaken: be — se tromper
Mister Monsieur (*abbrev.* M.)
misunderstanding malentendu *m.*
Mohammedan musulman
moment: every — à tout instant
Monday lundi *m.;* **on** — lundi; **last (next)** — lundi dernier (prochain)
money argent *m.*
money-order mandat-poste *m.* (*pl.* les mandats-poste)
month mois *m.;* **last** — le mois dernier
moon lune *f.*
more plus (de), de plus; — **than**

plus de, plus que; — **or less** à peu près

morning matin *m.*, matinée *f.; **good** — bonjour; **in the** — le matin; **the whole** — toute la matinée

mother mère *f.*

mother-in-law belle-mère *f.*

motion mouvement *m.*

motion picture film *m.*

motor moteur *m.*

motorcycle motocyclette *f.*, moto *f.*

motorized motorisé

mount monter (à)

mountain montagne *f.*

mouth bouche *f.*

move remuer

moved ému

movement mouvement *m.*

movie film *m.*

movie-house cinéma *m.*

Mr. Monsieur (*abbrev.* M.)

Mrs. Madame (*abbrev.* Mme—*no period*)

much beaucoup (de); **as** — **as** autant que; **how** — combien (de); **not** — ne . . . pas grande chose; **so** — tant (de); **so** — **the worse** tant pis; **too** — trop (de); **very** — beaucoup

mud boue *f.*

murder assassiner

museum musée *m.*

must falloir, devoir

mustache moustache *f.*

my mon, ma, mes

myself moi-même

mysterious mystérieux (*f.* -se)

N

nail ongle *m.*

name nom *m.; **one's** — **to be** s'appeler; **my** — **is** je m'appelle; **what's your** —? comment vous appelez-vous?

napkin serviette *f.*

narrow étroit

nation nation *f.*

national national (*pl.* -aux)

natural naturel (*f.* naturelle)

naturally naturellement

nature nature *f.*

near près (de); **very near** tout près (de)

nearly presque

necessary nécessaire

neck cou *m.*

need besoin *m.*

need avoir besoin de

needle aiguille *f.* (*pronounce* the *u*)

negative négatif (*f.* -ve)

neither . . . nor ne . . . ni . . . ni

nephew neveu *m.*

nervous: be — s'énerver

nervous agité

never ne . . . jamais; — **mind** n'importe

nevertheless cependant, néanmoins, pourtant

new nouveau (nouvel *before a vowel or h, f. s.* nouvelle, *m. pl.* nouveaux, *f. pl.* nouvelles); neuf (*f.* neuve); **that's** — c'est du nouveau

news nouvelles *f. pl.; **a piece of** — nouvelle *f.; **have** — **of** avoir des nouvelles de

newspaper journal *m.* (*pl.* journaux); **publicity in —s** presse *f.*

New Year Nouvelle Année

New York New-York

next prochain; — **door** à côté; — **to** à côté de

nice gentil (*f.* -le)

niece nièce *f.*

night nuit *f.; **at** — la nuit; **good** — bonne nuit; **last** — hier soir; **tonight** ce soir

nightfall tombée de la nuit *f.*

nightgown chemise de nuit *f.*

nine neuf

nineteen dix-neuf

ninety quatre-vingt-dix

no non, pas; (*adj.*) aucun (*f.* -e); — **entrance** défense d'entrer; — **matter what** n'importe quoi; — **one** personne; — **smoking** défense de fumer

nobody ne . . . personne

noisy bruyant

noon midi *m.*

no one ne . . . personne

nor ni

Norman normand
Normandy Normandie *f.*
north nord *m.*
Norway Norvège *f.*
nose nez *m.*
not ne ... pas; — **anybody (any one)** ne ... personne; — **anything** ne ... rien; — **at all** pas du tout, du tout; (*emphatic*) ne ... point; — **but** ne ... que; — **ever** ne ... jamais; — **except** ne ... que; — **much** ne ... pas grande chose; — **so** ne ... pas si; — **yet** pas encore
note note *f.;* **bank** — billet de banque *m.;* **make a** — **of** prendre note de
notebook cahier *m.*
nothing ne ... rien; **that's** — ce n'est rien; **know** — **about** ignorer
notice affiche *f.;* **(public)** — avis (au public) *m.*
notice remarquer
noun nom *m.*
novel roman *m.*
novelist romancier *m.*
November novembre *m.*
now maintenant; **come** — allons, allons donc!; **just** — tout à l'heure
number nombre *m.;* (*specific, as 6*) numéro *m.*
numerous nombreux, -se
nurse infirmière *f.*

O

object complément *m.*
obtain obtenir, se procurer
occupy occuper
October octobre *m.*
of de; — **it, them** en; — **course** naturellement
off: — **key** faux (*f.* fausse); **put** — remettre; **take** — ôter
offer offrir (de); — **one's regards to** présenter ses hommages à
office bureau *m.;* **at the** — **of** chez; **post** — poste *f.*
often souvent
oil: petroleum — pétrole *m.*

O. K. c'est bien; —? ça va?, ça y est?; —! entendu!
old vieux *or* vieil, vieille; — **man** mon vieux; **I am (ten) years** — j'ai (dix) ans
on sur, (*with present participle*) en; **go** — continuer; **put** — **again** remettre; — **account of** à cause de
once une fois; — **a day** une fois par jour; — **again** encore une fois; — **a week** une fois par semaine; **at** — à l'instant
one un, -e; (*someone*) on; **each** — chacun, -e; **the** — celui, celle; **the** —**s** ceux, celles; **which** — lequel, laquelle
oneself se, soi, soi-même
only seulement; ne ... que
open ouvrir
open, opened ouvert
opening ouverture *f.*
opera opéra *m.*
opinion avis *m.;* **be of the** — être d'avis; **be of your** — être de votre avis; **in my** — à mon avis
opportunity occasion *f.*
opposite contraire, en face de
or ou; — **else** ou bien
order commande *f.;* **money-** — mandat-poste *m.* (*pl.* les mandats-poste)
order commander
order: in — en règle; **in** — **that** pour que, afin que (+ *subj.*); **in** — **to** afin de, pour
orthodox orthodoxe
other autre; **on the** — **side of** de l'autre côté de
otherwise autrement
ought devoir; **I** — **to** je devrais
our notre, nos
ours le nôtre, *etc.*
ourselves nous-mêmes
out dehors; **cut** — découper; **go** — sortir; **put** — mettre à la porte; **set** — se mettre en route; **take** — sortir, emmener; — **loud** à haute voix
outline dessiner
outside dehors

over: — there là-bas
overcast couvert
overcoat pardessus m.
overlooking donnant sur
owe devoir
own (adj.) propre

P

pack: — a bag faire sa valise
package paquet m.
packing emballage m.
paint se maquiller
pair paire f.
pajamas pyjama m.
pal copain m.
palace palais m.
pants pantalon m.
paper papier m.; news— journal
   m.; writing — papier à lettres m.
pardon: — me! pardon!
parents parents m. pl.
Parisian parisien m. (f. -ne)
park parc m.
parlor salon m.
participle participe m.
pass passer
passing: a — mark une note suffisante f.
passport passeport m.
past passé m.; — indefinite passé
   composé
paste pâte f.; tooth — pâte dentifrice f.
patient malade m., f.
Paul Paul
Paulette Paulette
Pauline Pauline
pay payer (je paie or je paye); —
   for payer; — a visit (to) faire
   une visite (à)
peace paix f.
peaceful tranquille
peach pêche f.
pear poire f.
peas petits pois m. pl.
pen plume f.; fountain — stylo m.
pencil crayon m.; automatic —
   port-mine m.
penetrate pénétrer (je pénètre)
peninsula péninsule f.

penny sou m.
people gens m. pl., monde m., on
pepper poivre m.
perfect parfait; that's —! parfait!
perfume parfum m.
perhaps peut-être
permanent permanent
permit permettre
permit: driving — permis de conduire m.
persist persister
personal personnel (f. -le)
perspiration: be dripping with —
   être en nage
perspire transpirer
Peru Pérou m.
Peter Pierre
petroleum oil pétrole m.
Philip Philippe
phone téléphone m.
physician médecin m.
piano piano m.
picnic pique-nique m.
picture tableau m. (pl. tableaux);
   motion — film m.
pie: cream — gâteau à la crème m.
piece pièce f., morceau m. (pl. morceaux); — of foolishness sottise
   f.; — of information renseignement m.
pierce traverser
pig cochon m.
pill pilule f.
pillow oreiller m.
pin épingle f.
pity: what a —! c'est dommage!,
   quel dommage!
place lieu m. (pl. -x), place f.,
   endroit m.
place mettre (p. p. mis)
plane avion m.
plant: heating — calorifère m.
plate assiette f.; soup — assiette
   à soupe f.
platform: station — quai m.
platoon peloton m.
play pièce f. (theater)
pleasant agréable
please faire plaisir (à)
please: (if you) — s'il vous plaît;
   ayez la bonté de

pleased content (de); — to meet
you enchanté de faire votre connaissance
pleasure plaisir *m.;* that gives me
great — cela me fait grand plaisir
plunge plonger (nous plongeons)
plural pluriel *m.*
pocket poche *f.*
point of view: from the — au
point de vue
Poland Pologne *f.*
police police *f.;* — commissioner
commissaire de police *m.;* —man
agent de police *m.*
police (*adj.*) policier (*f.* policière)
policy politique *f.*
polish cirage *m.*
polish cirer
polite poli
political politique
politics politique *f.*
poor pauvre
poorly mal
population population *f.*
porcupine hérisson *m.* (*use* le)
port port *m.*
porter porteur *m.*
Portugal Portugal *m.*
possession: take — of s'emparer de
possessive possessif (*f.* -ve)
possible possible
post poste *m.;* sign — poteau indicateur *m.*
postcard carte postale *f.*
post-office poste *f.*
postpone remettre
potato pomme de terre *f.;* French
fried —s frites *f. pl.*
pour: — rain pleuvoir à verse
powder poudre *f.*
power puissance *f.*
precious précieux (*f.* précieuse);
(*ironical*) fameux (*f.* fameuse)
precisely précisément
prefer préférer (je préfère)
prepare préparer
prescription ordonnance *f.*
present oneself se présenter
present (*gift*) cadeau *m.*
present présent *m.*

presently tout à l'heure; I'll see
you — à tout à l'heure
press presse *f.*
pretty joli
prevent empêcher (de)
previously auparavant
price prix *m.* (*pl.* prix)
principal principal (*pl.* principaux)
prison prison *f.*
prize prix *m.* (*pl.* prix)
probable probable
process procédé *m.*
production production *f.*
professor professeur *m.*
promise promesse *f.*
promise promettre (de)
pronoun pronom *m.*
proper convenable; propre
proposal déclaration *f.*
Protestant protestant
provided pourvu que
province province *f.*
prudence prudence *f.*
public public *m.*
public public (*f.* publique); —notice
avis au public
publicity: — (*in newspapers*) presse
f.
pulse pouls *m.*
punish punir
pupil élève *m., f.*
purchase emplette *f.,* achat *m.*
push pousser, bousculer
put mettre (*p. p.* mis); — off remettre (*p. p.* remis); — on again
remettre (*p. p.* remis); — out
mettre à la porte; — up (*at a
hotel*) descendre (*with* être)

Q

quarter quart *m.*
quay quai *m.*
question question *f.;* ask a — poser
une question; be a — of s'agir de
quickly vite
quinine quinine *m.;* — hair tonic
eau de quinine *f.*
quite tout à fait, assez, bien; — well
assez bien

R

rag: "chew the —" bavarder
railroad chemin de fer *m.*
rain pluie *f.*
rain pleuvoir; pour — pleuvoir à verse
raincoat imperméable *m.*
Ralph Raoul
rapid rapide
rare rare
rascal coquin *m.;* you — ! ah, coquin!
rate: at any — en tout cas
rather assez, plutôt
razor rasoir *m.;* — blade lame de rasoir *f.*
reach arriver à
read lire (*p. p.* lu)
ready prêt
real vrai
realize se rendre compte de
really vraiment
rear: to the — dans le fond
reason raison *f.;* the — is that c'est que
reasonable raisonnable
recall se rappeler (je me rappelle)
receive recevoir (*p. p.* reçu)
recognize reconnaître
recover se remettre (*p. p.* remis)
red rouge
refreshment rafraîchissement *m.*
refuse refuser (de)
regain rattraper
regards respects *m. pl.,* hommages *m. pl.;* my kindest — mes hommages les plus respectueux ; give one's — to faire ses amitiés à ; offer one's — to présenter ses hommages à
regime régime *m.*
regiment régiment *m.*
regular régulier (*f.* régulière)
regulate régler (je règle)
reinforcements renforts *m. pl.*
relate raconter
religious religieux (*f.* -se)
remain rester (*with* être), demeurer ; — standing rester debout

remember se rappeler (je me rappelle), se souvenir de
René René
rent louer
repair réparer
repeat répéter
repeatedly à plusieurs reprises
replace remplacer (nous remplaçons)
reporting reportage *m.*
representative député *m.*
require exiger (nous exigeons)
research recherche *f.*
reserve réserver
resistance résistance *f.*
resole ressemeler
respect hommage *m.*
respectful respectueux (*f.* -se)
respects (*referring to old people*) respects *m. pl.;* (*referring to a lady*) hommages *m. pl.;* my — (*usually from a man to a woman*) mes hommages (les plus) respectueux
rest se reposer
restaurant restaurant *m.*
resume reprendre
retake reprendre
return rendre, retourner (retourner *with* être)
returned rendu (*p. p.* rendre)
reveal révéler (je révèle)
rich riche
rid: get — of se débarrasser de
ride promenade (en auto, à cheval, *etc.*) *f.*
right juste, droit; all — très bien; be — avoir raison (you are quite — vous avez bien raison) ; be absolutely — avoir tout à fait raison; keep to the — tenir la droite; on the — hand side of à droite de; to the — à droite; that's — en effet, c'est ça
ring bague *f.*
ring, ring for sonner
rise surgir
river rivière *f.,* fleuve *m.*
road tournée *f.,* route *f.,* chemin *m.;* go on the — partir en tournée
roast rôtir
roast rôti *m.*

roasted rôti
rob voler
Robert Robert
rock rocher *m.*
roll petit pain *m.*
roof toit *m.*
room chambre *f.,* (*large*) salle *f.;*
   class— salle de classe *f.;* dining
   — salle à manger; drawing (*living*) — salon *m.*
rope corde *f.*
Rose Rose
rouge rouge *m.*
round rond
rubber caoutchouc *m.*
rude grossier (*f.* grossière)
rum rhum *m.*
run couler (*of water*) ; courir
rush se plonger (plongeons)
Russia Russie *f.*
Russian russe

S

sabotage sabotage *m.*
saboteur saboteur *m.*
sad triste
salesman vendeur *m.*
said dit (*p. p.* dire)
salad salade *f.*
salt sel *m.*
salty salé
same même; at the — time à la
   fois; all the —, just the — tout
   de même, quand même; it's all the
   — to me ça m'est égal; to be
   the — en être de même
satisfied (with) content (de)
Saturday samedi *m.*
saving économie *f.*
say dire; say! dites!, dites donc!;
   that is to — c'est-à-dire; you
   don't — so! pas possible!; —
   goodbye to dire adieu à
scar cicatrice *f.*
scarcely à peine
scatter éparpiller
school école *f.*
scissors ciseaux *m. pl.*
score vingtaine *f.*
sea mer *f.*

season saison *f.*
seated assis; be — être assis
second second, deuxième; just a —
   un instant
secret secret (*f.* secrète)
see voir (*p. p.* vu) (*fut.* verrai);
   let's — voyons; I'll — you later
   à bientôt; — you tomorrow à
   demain; — you tonight à ce soir
see again revoir
seem sembler, avoir l'air de; it
   seems to me il me semble
seldom rarement
sell vendre
send envoyer (j'envoie); (*fut.* j'enverrai)
send back renvoyer (je renvoie);
   (*fut.* je renverrai)
send for envoyer chercher, faire
   venir
sentence phrase *f.*
sentinel sentinelle *f.*
September septembre *m.*
Serb, Serbian serbe
sergeant sergent *m.*
serious sérieux (*f.* sérieuse)
servant domestique *m., f.,* bonne *f.*
serve servir (*like* dormir- je sers, tu
   sers, *etc.*) ; — one as a guide
   servir de guide à
served servi (*p. p. of* servir)
set a date se donner rendez-vous
set down établir
set out se mettre en route
seven sept
seventeen dix-sept
seventy soixante-dix
several plusieurs
sew coudre
shack bicoque *f.*
shade: window — store *m.*
shade: a light or clear — un ton
   clair
shade: in the — of à l'ombre de
shake hands se serrer la main
shave se raser
shaving soap savon à barbe *m.*
she elle, elle-même (*herself*)
sheep brebis *f.*
shell obus *m.* (*cannon*)
shelter abri *m.*

shelter abriter
shelter: take — se réfugier
shine briller
shirt chemise *f.*
shirt: in — sleeves en manches de chemise
shoe soulier *m.*, chaussure *f.*
shoemaker cordonnier *m.*
shoot fusiller (*military execution*), faire feu; — at faire feu sur
shop boutique *f.;* coffee — café *m.*
shop, go shopping faire des emplettes
short court, bref (*f.* brève)
short: in — enfin, en bref
shorts caleçon *m.*
shot coup de feu *m.*
should: I — je devrais
shoulder épaule *f.*
shove bousculer
show indiquer, montrer; — me montrez-moi, faites-moi voir
shutter volet *m.*
sick malade
side flanc *m.*, côté *m.;* on this — de ce côté; on the other — of de l'autre côté de; on which —? de quel côté?; on the right — of à droite de
sideburns favoris *m. pl.*
sidewalk trottoir *m.*
signal signal *m.* (*pl.* signaux)
sign-post poteau indicateur *m.*
silk soie *f.*
silver argent *m.*
similar semblable
simply tout simplement
since puisque (*conj.*), depuis (*prep.*)
sincerely: — yours bien à vous, bien amicalement, votre bien cordialement dévoué
sing chanter
singer chanteur *m.*, chanteuse *f.*
sister sœur *f.;* — in-law belle-sœur *f.*
sit down s'asseoir (*p. p.* assis)
sitting assis
situation situation *f.*
six six
sixteen seize
sixty soixante

size pointure *f.*
skin peau *f.*
skirt jupon *m.*
sky ciel *m.* (*pl.* cieux)
slaughter massacrer
sleep dormir
sleep, sleepiness sommeil *m.*
sleeping-car wagon-lit *m.*
sleepy: be — avoir sommeil
sleeve manche *f.;* in shirt —s en manches de chemise
slender mince
slice tranche *f.*
slope: down — descente *f.*
slow lent
slowly lentement
small petit; — glass of beer bock *m.*, quart *m.;* — cake petit-four *m.*
smart intelligent
smoke fumer
smoking: no — défense de fumer
snow neige *f.*
snow neiger (*imperf.* il neigeait)
so donc, ainsi, si, tellement; — be it soit, — long à bientôt; — many tant de; — much tellement, tant de; — much the worse tant pis; — so comme ci comme ça; — ... that si — que; — that pour que, afin que
soak tremper
soap savon *m.;* shaving — savon à barbe *m.*
sock chaussette *f.*
soft mou (mol *before vowel*, *f.* molle, *m. pl.* mous, *f. pl.* molles)
soil: easy to — salissant
soldier soldat *m.*
some (*partitive*) du, de l', de la, des, de, d'; (*adj.*) quelque; (*pro.*) en, quelques-uns, quelques-unes
somebody quelqu'un, on
someone quelqu'un, quelqu'une, on
something quelque chose (de); — to eat de quoi manger; it's — else c'est autre chose
sometimes quelquefois
son fils *m.* (*s pronounced*); — -in-law beau-fils *m.*, gendre *m.*
sonata sonate *f.*
song chanson *f.*

soon bientôt, tôt; **as — as** aussitôt que, dès que; **as — as possible** au plus tôt, le plus tôt possible

sorrow peine *f.*

sorry fâché; **be —** regretter, être fâché; **I'm —** je le regrette; **I'm very —** j'en suis désolé

soul âme *f.*

soup potage *m.*

soup-plate assiette à soupe *f.*

sour aigre

south sud *m.,* midi *m.*

Soviet Union Union Soviétique *f.*

Spain Espagne *f.*

Spanish espagnol

speak parler; **speak slowly** parlez lentement

spell (how is that spelled?) comment écrit-on cela?

spend dépenser, (*time*) passer

spite: in — of malgré

splinter fragment *m.*

spoon cuiller *f.*

spot endroit *m.,* lieu *m.* (*pl.* lieux)

spring printemps *m.;* **in —** au printemps

square place *f.*

square carré

staircase escalier *m.*

stairs: down — en bas; **up —** en haut

stamp timbre-poste *m.* (*pl.* les timbres-poste)

stamp tamponner

stand se tenir debout

stand in line faire la queue

standing debout; **be —** être debout; **remain —** rester debout

star étoile *f.*

start out se mettre en route

start to se mettre à

station gare *f.*

station platform quai *m.*

stationery store papeterie *f.*

statue statue *f.*

stay rester (*with* être)

steak bifteck *m.*

steal voler

steel acier *m.*

steer guider

steering-gear (handle-bars) guidon *m.*

steering-wheel volant *m.*

Stephen Étienne

still encore, toujours

stocking bas *m.*

stomach estomac *m.*

stone pierre *f.*

stop s'arrêter, cesser (de)

store magasin *m.;* **drug —** pharmacie *f.;* **stationery —** papeterie *f.*

story (*floor*) étage *m.*

story conte *m.,* histoire *f.;* **detective —** roman policier *m.;* **it's a different —** c'est autre chose

stove fourneau *m.*

straight droit

straight ahead tout droit

straightforward droit

stream rivière *f.*

street rue *f.*

streetcar tramway *m.*

strength force *f.*

strike frapper

stripe rayure *f.*

striped rayé

strong fort

strongly fortement

student étudiant *m.,* étudiante *f.*

study étudier; **— law** faire son droit

stuffed farci

stupid sot (*f.* sotte)

style style *m.;* **French —** à la française

stylish chic

suburbs banlieue *f.*

subway Métro *m.*

succeed (in) réussir (à)

success succès *m.*

such tel (*f.* telle); **— a** un tel, une telle; **to — an extent** tellement

suddenly tout à coup

sugar sucre *m.*

suggest suggérer

suit (man's suit) complet *m.;* **— of underwear** combinaison *f.*

suitable convenable

suitcase valise *f.*

summer été *m.*

sun soleil *m.*

Sunday dimanche *m.*
sunny: it's — il fait du soleil
superior supérieur *m.*
superlative superlatif (*f.* -ve)
supplementary supplémentaire
sure sûr, certain
surely certainement, assurément
surrender se rendre
surround entourer
survive survivre
suspect soupçonner
swallow avaler
Sweden Suède *f.*
sweet doux (*f.* douce)
sweetheart fiancé *m.,* fiancée *f.*
"swell" épatant
swim nager (nous nageons)
Switzerland Suisse *f.*
swollen enflé
Sylvia Sylvie
symptom symptôme *m.*

T

table table *f.;* at the — à table;
clear the — desservir
table cloth nappe *f.*
take prendre; — a person mener;
— a person from a place emmener; — a person to a place
amener; — a walk se promener
(je me promène); — leave of
prendre congé de; — off ôter; —
out sortir; — out *or* away emmener; — possession of s'emparer
de; — shelter se réfugier; —
some time to mettre quelque
temps à + *inf.;* I'll — it je le
prends
taken, taken up pris (*p. p. of* prendre)
tale conte *m.*
talk causer
talk (what are you talking about?)
de quoi parlez-vous?
tall grand
tart: cream — gâteau à la crème *m.*
taste goût *m.;* everyone to his —
chacun son goût
taxi taxi *m.*
tea thé *m.*

teach enseigner; (— a person) apprendre (à)
tear déchirer
telegram télégramme *m.,* dépêche *f.*
telephone téléphone *m.*
telephone téléphoner
tell dire, raconter; tell me dites-
moi; somebody told me, I have
been told on m'a dit
ten dix
tense temps *m.* (*of a verb*)
term terme *m.*
than que; (*before numerals*) de;
less — moins de, moins que
thank (for) remercier (de)
thanks, thank you merci; — very
much, merci bien; a million
thanks merci infiniment
that (*rel. pro., obj. of verb*) que;
(*conjunction*) que; (*dem. pro.*) cela,
ça; (*dem. adj.*) ce, cet, cette; —'s
all voilà tout; — way ainsi
that (*conj.*) que; so — pour que,
afin que
that one celui-là, celle-là
theatre théâtre *m.*
their leur (*pl.* leurs)
theirs le leur, la leur, les leurs
them eux, elles, les, leur
theme thème *m.*
themselves eux-mêmes, elles-mêmes
then donc, puis, alors
there (*pointing out*) là; y; over —
là-bas
there is, there are il y a; (*pointing
out*) voilà; there they are les
voilà
there was, there were, there has
been, there have been il y a eu,
il y eut
there was, there were il y avait
therefore par conséquent, donc, aussi
Theresa Thérèse
thermometer thermomètre *m.*
these (*adj.*) ces; (*pro.*) celles-ci,
ceux-ci
they ils, elles, eux, elles-mêmes, eux-
mêmes
thick épais (*f.* épaisse); (*of a voice*)
gras (*f.* grasse)
thief voleur *m.*

thin mince
thing chose *f.*
think penser, croire
think of penser à, songer à (nous songeons)
third troisième
thirst soif *f.*
thirteen treize
thirty trente
this (*adj.*) ce, cet, cette; (*pro.*) ceci; — one celui-ci, celle-ci
those (*adj.*) ces; (*pro.*) celles-là, ceux-là
thousand mille (*spelled* mil *in dates*)
thread fil *m.*
three trois
throat gorge *f.*
through à travers
throw lancer (nous lançons), jeter (il jette)
Thursday jeudi *m.*
thus ainsi
ticket billet *m.*
tie cravate *f.*
tight étroit
time temps *m.*, fois *f.*, heure *f.;* a long — longtemps; at the same — à la fois; at what — ? à quelle heure?; each — chaque fois; from — to — de temps en temps; have a good — s'amuser; on — à l'heure; take some — to mettre quelque temps à + *infinitive;* the first — la première fois; the next — la prochaine fois
time-table affiche *f.*, horaire (des trains) *m.*
timid peureux (*f.* peureuse)
tin fer-blanc *m.*
tip pourboire *m.*
tired fatigué
tireless infatigable
to à, pour (*before inf. to express purpose*); chez; — it, — them y
tobacco tabac *m.*
today aujourd'hui
toe doigt de pied *m.*
together ensemble
toilet (le) W. C. (*pronounced* le double vé sé)
told dit (*p. p. of* dire)

tomato tomate *f.*
tomorrow demain; day after — après-demain; I'll see you — à demain
tongue langue *f.*
tonic: quinine hair — eau de quinine *f.*
tonight ce soir; I'll see you — à ce soir
too aussi, trop; — many, — much trop (de)
tooth dent *f.*
toothbrush brosse à dents *f.*
toothpaste pâte dentifrice *f.*
tour tournée *f.* (*road tour*)
toward vers
towel serviette (de toilette) *f.*
town ville *f.;* down —, in — en ville
train train *m.*
tranquil tranquille
translate traduire
translation traduction *f.*
trap piège *m.*
travel voyager (nous voyageons)
"treat" offrir (*p. p.* offert)
tree arbre *m.*
trip voyage *m.;* have a good — ! bon voyage!
triumph triompher
trooper gendarme *m.*
trouble peine *f.*
trouble déranger (nous dérangeons)
troublesome pénible
trousers pantalon *m.*
true vrai
truly vraiment
trunk malle *f.*
try on essayer
try to tâcher de, essayer (de)
Tuesday mardi *m.*
Turkey Turquie *f.*
turn tour *m.;* half- — demi-tour *m.*
turn tourner
turn around se retourner, faire demi-tour
twelve douze; (twelve o'clock noon) midi; (twelve o'clock midnight) minuit
twenty vingt

twice (a week) deux fois (par
  semaine)
two deux; — days out of three
  deux jours sur trois
two hundred deux cents
type taper à la machine
typewriter machine à écrire *f.*

U

umbrella parapluie *m.*
unceasingly sans cesse
uncle oncle *m.*
under sous
undergarment combinaison *f.*
understand comprendre; — each
  other se comprendre
understanding: come to an — se
  mettre d'accord
understood compris (*p. p.* of comprendre); make oneself — se
  faire comprendre
underwear vêtements de dessous *m.*
  pl.; suit of — combinaison *f.*
undoubtedly sans aucun doute
unexpected inattendu
unfortunate malheureux (*f.* malheu-
  reuse)
unfortunately malheureusement
unhoped for inespéré
unite joindre
United States États-Unis *m. pl.;*
  to, in the — aux États-Unis
university université *f.*
unless à moins que
unpleasant désagréable
until jusqu'à, jusqu'à ce que
up: cut — découper; give — renoncer (à); go — monter (*with*
  être); put — at (*a hotel*) descendre à
upon sur
upset agité, ému, bouleversé
upset bouleverser
upstairs en haut
up to jusqu'à
us nous; to — nous
use emploi *m.;* make — of se
  servir de
use se servir de
usually d'ordinaire

V

vain: in — en vain
veal veau *m.*
vegetable légume *m.*
verb verbe *m.*
veritable véritable
very très, bien, fort, tout; the —
  idea! par exemple!; this — day
  aujourd'hui même; — close to
  tout près de
vest gilet *m.*
victory victoire *f.*
view vue *f.; from the point of view
  au point de vue
village village *m.*
violet violet (*f.* -te)
visit visite *f.; pay a — to faire
  une visite à
vocabulary vocabulaire *m.*
voice voix *f.* (*pl.* voix); in a loud
  — à haute voix; in a low — à
  voix basse
voyage voyage *m.*

W

wagon charrette *f.*
wait, wait for attendre; wait! attendez!
waiter garçon *m.*
waitress serveuse *f.*
wake up se réveiller
walk promenade *f.; go for, take
  a — faire une promenade, se
  promener
walk marcher
walk about se promener (je me
  promène)
walking marche *f.*
wall mur *m.*
walnut noyer *m.*
want vouloir
wanted voulu (*p. p. of* vouloir)
war guerre *f.*
warm chaud; be — avoir chaud
  (*person*); faire chaud (*weather*)
warmth chaleur *f.*
wash laver; — (*oneself*) se laver
watch montre *f.*
watch out! prenez garde!

water eau *f.*
water color aquarelle *f.*
waterproof imperméable
wax cire *f., cirage m.*
wax cirer
way chemin *m.,* route *f.,* façon *f.,* moyen *m.;* that — par là; this — par ici, de ce côté, de cette façon; by the — à propos; which —? par où?, de quel côté?
we nous; — **(ourselves)** nous-mêmes; *(emphatic)* nous autres
weak faible
weapon arme *f.*
wear porter
wear out user
weary fatigué
weather temps *m.;* the — is bad il fait mauvais (temps); the — is **fine** il fait beau (temps); **in all sorts of** — par tous les temps; **what kind of** — is it?, how is the —? quel temps fait-il?; it is **bad** — il fait mauvais temps; it **is fine** — il fait beau (temps)
Wednesday mercredi *m.*
week semaine *f.;* last — la semaine dernière; **next** — la semaine prochaine; **two** —**s** quinze jours; **a** — **from (Thursday),** (jeudi) en huit
week-end fin de semaine *f.*
well bien; **well!** eh bien!; — **enough, quite** — assez bien; **as** — **as** ainsi que
west ouest *m.,* occident *m.*
western occidental *(pl.* occidentaux)
wet mouillé
wharf quai *m.*
what *(adj.)* quel, quelle, quels, quelles; *(pro. subj.)* ce qui, qu' est-ce qui; *(pro. obj.)* que, ce que, qu'est-ce que; *(pro. obj. of prep.)* quoi; — **a pity!** quel dommage!; — **is?** qu'est-ce que c'est que?; — **is that?** qu'est-ce que c'est que cela?
whatsoever: any . . . — n'importe quel . . .
wheel: steering — volant *m.*
when quand, lorsque

where où; — **have I got with** où en suis-je de?
whether si
which *(adj.)* quel, quelle, quels, quelles; *(rel. pro.)* qui, que; — **one, ones** lequel, laquelle, lesquels, lesquelles; **of** — dont
while: (a) — (un) peu *m.;* **be worth** — valoir la peine
while pendant que
whisper souffler
white blanc *(f.* blanche)
who *(rel. pro.)* qui; *(interr. pro.)* qui, qui est-ce qui?
whole entier *(f.* entière), tout; **the** — **afternoon** toute l'après-midi; **the** — **day** toute la journée; **the** — **evening** toute la soirée; **the** — **morning** toute la matinée
whom *(rel. pro.)* que; *(interr. pro.)* qui, qui est-ce que; **of** — dont
whose dont, duquel, *etc.;* à qui
why pourquoi; —! mais!
wide large; — **in the shoulders** large des épaules
widow veuve *f.*
widower veuf *m.*
wife femme *f.*
will volonté *f.*
William Guillaume
will you?, will you have? voulez-vous?; **will you show me?** voulez-vous m'indiquer?
willing: be — vouloir bien
willingly volontiers
win gagner, remporter, vaincre
wind vent *m.*
window fenêtre *f.;* **ticket** — guichet *m.*
window shade store *m.*
windy: it is — il fait du vent
wine vin *m.*
winter hiver *m.*
wire dépêche *f.*
wish désir *m.;* *(to a person)* souhait *m.*
wish désirer; — *(somebody something)* souhaiter; — **a happy birthday** souhaiter un heureux anniversaire

with avec; sur (*have money with one*); **come —**, **go —** accompagner

within dans

without sans; **— the knowledge of** à l'insu de

woman femme *f.*

wonder se demander

wonderful épatant

wonderfully merveilleusement, à merveille

wood forêt *f.*, bois *m.*

wool laine *f.*

word mot *m.*

word: my —! ma foi!

work travail *m.* (*pl.* travaux)

work travailler

world monde *m.*

worn out épuisé

worry se préoccuper, s'inquiéter

worse pire (*adj.*); pis (*adv.*); **so much the —** tant pis

worth: be — valoir; **it's — while** cela vaut la peine; **it's not — while** ça n'en vaut pas la peine

wound blesser

wrist poignet *m.*

write écrire (*p. p.* écrit)

writing-paper papier à lettres *m.*

wrong: be — avoir tort

Y

yard (courtyard) cour *f.*

yawn bâiller

year an *m.*, année *f.; ;* **every —** tous les ans, chaque année; **last —** l'année dernière

yellow jaune

yes oui; si (*in reply to a negative statement or question*)

yesterday hier; **day before —** avant hier; **— morning** hier matin

yet encore; **not —** pas encore

yield céder (je cède)

you tu (*fam.*); vous (*polite sing. and pl.*); toi, te

young jeune; **— people** jeunes gens *m. pl.*

your ton, ta, tes (*fam.*); votre, vos (*polite sing. and pl.*)

yours le tien, le vôtre, *etc.;* **cordially —** bien à vous, bien amicalement, votre bien cordialement dévoué

yourself toi-même (*fam.*); vous-même (*polite*); vous-mêmes (*pl.*)

Yugoslavia Yougoslavie *f.*

Yvonne Yvonne

INDEX